CBAC Ffiseg ar gyfer UG

Gareth Kelly
a Nigel Wood

Cyhoeddwyd yn 2016 gan Illuminate Publishing Ltd, P.O. Box 1160, Cheltenham, Swydd Gaerloyw GL50 9RW

Archebion: Ewch i www.illuminatepublishing.com
neu anfonwch neges e-bost i sales@illuminatepublishing.com

Data Catalogio Cyhoeddiadau y Llyfrgell Brydeinig
Mae cofnod catalog ar gyfer y llyfr hwn ar gael gan y Llyfrgell Brydeinig

ISBN 978-1-908682-84-0

Argraffwyd gan: CPI Antony Rowe

06.16

Polisi'r cyhoeddwr yw defnyddio papurau sy'n gynhyrchion naturiol, adnewyddadwy ac ailgylchadwy o goed a dyfwyd mewn coedwigoedd cynaliadwy. Disgwylir i'r prosesau torri coed a gweithgynhyrchu gydymffurfio â rheoliadau amgylcheddol y wlad y mae'r cynnyrch yn tarddu ohoni.

Gwnaed pob ymdrech i gysylltu â deiliaid hawlfraint y deunydd a atgynhyrchwyd yn y llyfr hwn. Os cânt eu hysbysu, bydd y cyhoeddwyr yn falch o gywiro unrhyw wallau neu hepgoriadau ar y cyfle cyntaf.

Mae'r deunydd hwn wedi'i gymeradwyo gan CBAC, ac mae'n cynnig cefnogaeth o ansawdd uchel ar gyfer cymwysterau CBAC. Er bod y deunydd wedi bod trwy broses sicrhau ansawdd CBAC, mae'r cyhoeddwr yn dal yn llwyr gyfrifol am y cynnwys.

Defnyddir gwybodaeth o'r Deunyddiau Asesu Enghreifftiol (DAE) a gyhoeddwyd gan CBAC yn y cwestiynau sydd yn yr adrannau ymarfer ar gyfer yr arholiad, ond fe'u hysgrifennwyd gan yr awduron ac maent yn adlewyrchu barn yr awduron yn unig. Ni chawsant eu cynhyrchu gan y bwrdd arholi.

Dylunio: Nigel Harriss a John Dickinson
Gosodiad ac arlunwaith gwreiddiol: Patricia Briggs

Llun y clawr: © Shutterstock/V.Belov

Cydnabyddiaethau

Mae'r awduron yn ddiolchgar iawn i'r tîm yn Illuminate Publishing am eu proffesiynoldeb, eu cefnogaeth a'u harweiniad trwy gydol y project hwn. Dymuna'r cyhoeddwr ddiolch i Dawn Booth am ei chymorth wrth gyrchu delweddau, ac i Keith Jones am ei gymorth a'i gyngor gyda'r deunyddiau arholiad yn arbennig.

Cydnabyddiaethau'r delweddau

t.1 Shutterstock/V.Belov; **t.9** LMSAL; **t.17** Alamy/©NG Images; **t.19** (gwaelod de) iStock/© technotr, (chwith) Shutterstock/pio3, (canol) Shutterstock/Eric Isselee; **t.20** BBC News © (2015) BBC; **t.29** © 1997 Richard Megna – Fundamental Photographs; **t.30** http://lannyland.blogspot.co.uk/#uds-search-results; **t.31** Visuals Unlimited/Loren M Winters; **t.32** Fotolia/salamahin; **t.39** Shutterstock/Rtimages; **t.40** Shutterstock/Germanyskydiver; **t.41** Shutterstock/Mike Price; **t.45** Shutterstock/Daniel White; **t.50** (canol) Shutterstock/Melodia plus photos, (de) Shutterstock/donvictorio; **t.52** Shutterstock/Florian Augustin; **t.56** Shutterstock/schther5; **t.58** (chwith) Shutterstock/smikeymikey1, (de) Shutterstock/ChameleonsEye; **t.61** http://creative-commons.y2u.co.uk; **t.63** Shutterstock/Fernando Sanchez Cortes; **t.64** Cyngor Bwrdeistref Wrecsam; **t.70** (chwith) © Jerry Lodriguss/Astropix, (canol a de) LMSAL; **t.71** Phil Degginger/Mira.com; **t.74** © ESA – C. Carreau; **t.75** (top de) Fundamental Photographs/©1995 Richard Megna, (chwith) NASA/Hubble, (de) Hydrogen: Trwy garedigrwydd University of Texas Libraries, Prifysgol Texas yn Austin.; **t.76** (top) Koen van Gorp/NASA, (chwith) Luc Viatour/www.Lucnix.be, (de) © James B. Kaler; **t.77** (top de) http://creative-commons.y2u.co.uk, (de canol) Trwy garedigrwydd tîm Gwyddoniaeth NASA/WMap; **t.78** Trwy garedigrwydd NASA/JPB-Caltech; **t.79** Trwy garedigrwydd NRAO/AUI; **t.82** (top chwith) Science Photo Library/Lawrence Berkeley Laboratory, (chwith) Science Photo Library; **t.93** Shutterstock/Pavel L Photo and Video; **t.106** Yr Athro Harry Jones, Prifysgol Rhydychen; **t.116** Lotus Overseas & Marketing; **t.117** Evelta; **t.118** © TED Ankara Koleji Kütüphane ve Bilgi Merkezi; **t.124** Joseph Friedman; **tt.130 a 144** o Colwell, Catharine H. 'Single Slit Diffraction.' PhysicsLAB.com. Yn Ysgol Uwchradd Mainland, Volusia County Public Schools, FL. 2003. Web. 26 Mawrth 2015; **t.148** (chwith) Shutterstock/Vladimir Wrangel, (de) Joe Orman; **t.151** Cosmo Laboratory Equipment; **t.159** Wikipedia Saesneg (Awdur gwreiddiol: Philip Ronan), (chwith) Rainbow Symphony, Inc., (de) Llun gan H. Pniok; **t.160** Shutterstock/Pi-Lens; **t.161** Llun gan Robin Dhakal; **t.162** Space Services Inc.; **t.168** Lawrence Livermore National Laboratory; **t.169** Flickr; **t.170** (top) NASA, J.P. Harrington (Prifysgol Maryland) a K.J. Borkowski (NCSU), (gwaelod) Shutterstock/peresanz; **t.171** o 'A Search for Hydrogen Lasers in MWC 349' gan Strelnitski, Vladimir S., Smith, Howard A., Haas, Michael R., Colgan, Sean W. J., Erickson, Edwin F., Geis, Norbert, Hollenbach, David J., a Townes, Charles H. (1995), yn 'Airborne Astronomy Symposium on Galactic Ecosystem: From Gas to Stars to Dust', Michael R. Haas, Jacqueline A. Davidson, ac Edwin F. Erickson, goln. ASP Conf. Ser. Vol. 73, tt. 271–4; **t.177** Shutterstock/lightpoet; **t.187** Shutterstock/R. MACKAY PHOTOGRAPHY, LLC.

Cynnwys

Sut i ddefnyddio'r llyfr hwn

Ysgrifennwyd y llyfr hwn i gefnogi manyleb Ffiseg UG CBAC a hanner cyntaf y fanyleb Safon Uwch. Mae cynllun y llyfr yn cyfateb i gynllun unedau 1 a 2 y fanyleb Ffiseg UG yn ôl eu trefn. Mae'r un deunydd yn unedau 1 a 2 y fanyleb Safon Uwch.

Mae'n darparu gwybodaeth sy'n cwmpasu gofynion cynnwys y cwrs, yn ogystal â digon o gwestiynau enghreifftiol a fydd yn caniatáu i chi gadw golwg ar eich cynnydd a pharatoi'n llwyddiannus ar gyfer eich arholiadau UG a Safon Uwch.

Mae'r llyfr yn cwmpasu pob un o'r tri Amcan Asesu (AA) sy'n ofynnol ar gyfer eich cwrs CBAC:

- **AA1, Gwybodaeth a dealltwriaeth** o syniadau ac arferion ffiseg. Mae hwn yn cyfrif am 35% o'r arholiad UG (30% o'r arholiad Safon Uwch), gan gynnwys y gweithgareddau ymarferol penodol.
- **AA2, Cymhwyso gwybodaeth a dealltwriaeth** o syniadau ac arferion ffiseg, sy'n cyfrif am 45% o'r arholiadau UG a Safon Uwch.
- **AA3, Dadansoddi, dehongli a gwerthuso gwybodaeth, syniadau a thystiolaeth wyddonol**, sy'n cyfrif am 20% o'r arholiad UG (25% o'r arholiad Safon Uwch).

Unedau 1 a 2 y cwrs UG yw prif benodau'r llyfr hwn.

- Mae Uned 1 yn cwmpasu Mudiant, Egni a Mater
- Mae Uned 2 yn cwmpasu Trydan a Golau

Penodau ychwanegol

- Pennod 3 – Sgiliau ymarferol
- Pennod 4 – Sgiliau mathemategol

Mae'r adrannau ar unedau 1 a 2 yn cynnwys llawer o ddeunydd ymarferol a mathemategol yn ei gyd-destun. Mae penodau 3 a 4 yn cwmpasu agweddau ar y sgiliau hyn y mae'n fwy priodol ymdrin â nhw ar wahân.

Elfennau'r fanyleb sy'n cael eu cynnwys

Mae'r llyfr yn cynnwys deunydd sydd yn yr arholiadau UG a Safon Uwch. Er y bydd rhai darllenwyr yn dilyn y cwrs UG yn unig, disgwylir y bydd canran uchel o'r darllenwyr yn symud ymlaen i astudio'r cwrs Safon Uwch llawn. Oherwydd hyn, mae'r llyfr yn cynnwys mwy o ddeunydd a chwestiynau enghreifftiol nag y bydd eu hangen ar gyfer y cwrs UG.

Cwestiynau enghreifftiol

Yn ogystal â'r cwestiynau hunan-brawf sydd ar ymylon y prif destun, ceir ymarferion sy'n cynnwys cwestiynau enghreifftiol ar ddiwedd pob adran yn unedau 1 a 2. Yn ogystal â deunydd sy'n ymwneud â chynnwys yr adrannau, mae'r ymarferion hyn yn cynnwys cwestiynau dadansoddi data sy'n ymwneud â'r gwaith ymarferol penodol ar gyfer yr uned. Mae ambell gwestiwn yn ymwneud â chynnwys mwy nag un uned hefyd: yn yr arholiad Safon Uwch mae'n ofynnol i ymgeiswyr ateb cwestiynau synoptig sy'n dod ag ystod o syniadau o'r cwrs ffiseg at ei gilydd. Mae'r atebion i'r ymarferion hyn, yn ogystal â'r atebion i'r cwestiynau hunan-brawf, yng nghefn y llyfr. Oni bai bod y cwestiwn yn gofyn i'r ymgeisydd resymu neu ddangos ei waith, mae'r atebion a roddir i'r cwestiynau mathemategol fel arfer wedi'u cyfyngu i'r ateb terfynol yn unig, yn hytrach na dangos sut i gyrraedd yr ateb.

Cwestiynau arholiad

Mae set o gwestiynau arholiad ar ddiwedd uned 1 ac uned 2. Gan fod arddull a gofynion yr arholiadau UG a Safon Uwch newydd wedi newid yn sylweddol, nid hen gwestiynau arholiad yw'r rhain. Fe'u hysgrifennwyd yn arbennig i adlewyrchu'r newid o ran y gofynion. Fel yn achos yr ymarferion ar ddiwedd yr adrannau, ysgrifennwyd rhannau o'r cwestiynau hyn gydag ymgeiswyr Safon Uwch mewn golwg. Gan hynny, mae rhai rhannau'n tynnu deunydd o adrannau gwahanol y fanyleb at ei gilydd. Ysgrifennwyd yr atebion i'r cwestiynau hyn ar ffurf atebion enghreifftiol sydd, ar y cyfan, yn cynnig mwy na'r ateb lleiaf sydd ei angen i gael marciau llawn. Weithiau cynigir atebion amgen, sydd yr un mor ddilys.

Nodweddion yr ymylnodau

Cefnogir y testun gan nifer o ymylnodau:

Termau a diffiniadau

Termau a deddfau ffiseg y dylech allu eu dyfynnu heb ragor o wybodaeth yw'r rhain.

Er enghraifft:

Termau a diffiniadau

Caiff **indecs plygiant**, n, defnydd ei ddiffinio gan $n = \frac{c}{v}$, lle v yw buanedd golau yn y defnydd ac c yw buanedd golau mewn gwactod.

Caiff rhai o'r marciau ar bob papur Ffiseg eu rhoi am ddiffinio termau neu ddyfynnu deddf ffisegol.

Pwynt astudio

Caiff rhai syniadau o'r prif destun eu datblygu ymhellach mewn Pwyntiau astudio. Caiff y rhain eu cynnwys pan fydd angen i chi ddeall deunydd sydd yn ymylol i lif y testun. Mae rhai o'r blychau Pwynt astudio yn cynnwys deunydd a fwriadwyd i ymestyn eich dealltwriaeth y tu hwnt i ofynion y fanyleb.

Er enghraifft:

Pwynt astudio

Gallwn ddehongli'r hafaliad $V = \frac{ER}{R+r}$ fel y gwahaniaeth potensial

ar draws y gwrthydd allbwn, R, ar gyfer rhannwr potensial gyda foltedd mewnbwn E.

Hunan-brawf

Cwestiynau i'ch galluogi i wirio eich dealltwriaeth o'r pwnc ar y pwynt hwnnw yn y testun. Mae'r cyfrifiadau yn aml yn rhai byr (er bod rhai yn hirach), a bydd angen i chi gymhwyso hafaliadau a ddatblygwyd yn y prif destun. Mae'r atebion i'r cwestiynau Hunan-brawf yng nghefn y llyfr.

Ymestyn a herio

Nod y deunydd a ddatblygir yn yr adrannau hyn yw gwneud i chi feddwl yn fwy dwys am y pwnc. Fel arfer, mae'n cynnwys cwestiynau i'w hateb a fydd yn ddefnyddiol i'r myfyrwyr hynny sy'n bwriadu symud ymlaen i astudio'r cwrs Safon Uwch llawn, ynghyd â'r rhai hynny sy'n bwriadu symud ymlaen i astudio Ffiseg neu Beirianneg ar lefel uwch. Yn wahanol i ymylnodau'r Hunan-brawf, ni ddarperir yr atebion i'r cwestiynau hyn.

Gwirio'r fathemateg/Cyngor ymarferol

GWIRIO'R FATHEMATEG

CYNGOR YMARFEROL

Mae'r rhain yn cyfeirio at dechnegau penodol, a byddant yn aml yn eich cyfeirio at Benodau 3 a 4 am driniaeth lawnach.

Sylwch

Bydd y rhain yn eich helpu i osgoi gwneud camgymeriadau cyffredin, diangen wrth ateb cwestiynau arholiad.

Cyfateb cynnwys y fanyleb UG i'r adrannau yn y llyfr hwn

Ar y cyfan, mae unedau 1 a 2 yn y llyfr wedi'u trefnu mewn modd sy'n dilyn manyleb CBAC. Er enghraifft:

> **Adran 1.6 Defnyddio pelydriad i ymchwilio i sêr**
> Mae'r adran hon, sydd ar dudalennau 70–79, yn ymdrin ag Uned 1, Testun 6 ym manyleb CBAC, sydd â'r un enw.

Fodd bynnag, mae rhai meysydd ffiseg yn perthyn yn agos i ddeunydd mewn mwy nag un uned. Er enghraifft, mae ymddygiad gwrthrychau sy'n disgyn dan effaith disgyrchiant yn berthnasol i ddeunydd a drafodir yn Adran 1.2 Cinemateg, Adran 1.3 Dynameg ac Adran 1.4 Cysyniadau egni. I hwyluso'r defnydd sy'n cael ei wneud o'r llyfr, ceir grid ar dudalen 215 sy'n cyfateb rhannau o'r fanyleb i adrannau yn y llyfr. Dangosir enghraifft o hyn ar y dde.

Mae'r grid yn dangos bod Adrannau 1.3.1 ac 1.3.3 yn ymdrin ag Uned 1, Testun 3(d) yn y fanyleb. Mae'n dangos hefyd fod Adrannau 1.2.3, 1.2.4 ac 1.3.8 yn ymdrin ag Uned 1, Testun 2(d).

Llyfr			Manyleb	
Tud.	Adran	Teitl yr adran		
10	1.1.1	Mesurau ac unedau	1.1	a b
28	1.2.3	Hafaliadau cyflymiad unffurf	1.2	ch d
31	1.2.4	Taflegrau	1.2	d dd e
36	1.3.1	Momentwm	1.3	ch d
38	1.3.2	Gwrthdrawiadau elastig ac anelastig	1.3	dd
39	1.3.3	Grym a momentwm	1.3	d
40	1.3.4	Momentwm a thrydedd ddeddf mudiant Newton	1.3	a
42	1.3.5	Grymoedd rhwng defnyddiau sy'n cyffwrdd	1.3 1.4	b dd
43	1.3.6	Diagramau cyrff rhydd	1.3	b
43	1.3.7	Grym a chyflymiad	1.3	c
44	1.3.8	Grym disgyrchiant	1.2	d

Yr arholiad UG

Nod Ffiseg UG CBAC yw annog myfyrwyr i

- datblygu gwybodaeth a dealltwriaeth hanfodol o feysydd gwahanol y pwnc, a sut mae'r meysydd hyn yn cysylltu â'i gilydd
- datblygu a dangos gwerthfawrogiad dwys o'r sgiliau, y wybodaeth a'r ddealltwriaeth o ddulliau gwyddonol
- datblygu cymhwysedd a hyder mewn amrywiaeth o sgiliau ymarferol, mathemategol a datrys problemau
- datblygu eu diddordeb a'u brwdfrydedd am y pwnc, gan gynnwys datblygu diddordeb mewn astudiaeth bellach ac i ddilyn gyrfaoedd yn y pwnc
- deall sut mae cymdeithas yn gwneud penderfyniadau am faterion gwyddonol, a sut mae'r gwyddorau'n cyfrannu at lwyddiant yr economi a'r gymdeithas.

Mae'r cwestiynau arholiad wedi'u hysgrifennu i adlewyrchu'r amcanion asesu (AAau), sydd i'w gweld yn y fanyleb. Rhaid i ddysgwyr gwrdd â'r AAau canlynol yng nghyd-destun y cynnwys a nodir yn y fanyleb:

Amcan asesu 1

Rhaid i ddysgwyr: Ddangos gwybodaeth a dealltwriaeth o syniadau, prosesau, technegau a gweithdrefnau gwyddonol

Mae 35% o farciau'r cwestiynau sydd ar y papurau arholiad ar gyfer AA1. Yn ogystal â galw ffeithiau i gof, fel dyfynnu deddfau a diffiniadau, mae hyn yn cynnwys gwybod pa hafaliadau i'w defnyddio, amnewid mewn hafaliadau a disgrifio technegau arbrofi.

Amcan asesu 2

Rhaid i ddysgwyr: Gymhwyso gwybodaeth a dealltwriaeth o syniadau, prosesau, technegau a gweithdrefnau gwyddonol:

- mewn cyd-destun damcaniaethol
- mewn cyd-destun ymarferol
- wrth ymdrin â data ansoddol
- wrth ymdrin â data meintiol.

Mae 45% o farciau'r cwestiynau sydd ar y papurau arholiad ar gyfer AA2. Mae dod â syniadau ynghyd i egluro ffenomenau, datrys problemau mathemategol a defnyddio canlyniadau arbrofion a graffiau i wneud cyfrifiadau, yn cael eu categoreiddio fel AA2. Mae cymhwyso yn golygu defnyddio'r sgiliau newydd sydd gennych mewn sefyllfaoedd anghyfarwydd, e.e. mewn cwestiynau synoptig.

Amcan asesu 3

Rhaid i ddysgwyr: Ddadansoddi, dehongli a gwerthuso gwybodaeth, syniadau a thystiolaeth wyddonol, yn cynnwys mewn perthynas â materion, er mwyn:

- llunio barn a dod i gasgliadau
- datblygu a mireinio dylunio a gweithdrefnau ymarferol.

Mae 20% o farciau'r cwestiynau sydd ar y papurau arholiad ar gyfer AA3. Mae'r marciau hyn yn cynnwys darganfod mesurau trwy ddefnyddio canlyniadau arbrofol, a hefyd ymateb i ddata er mwyn dod i gasgliadau.

Papurau ysgrifenedig Unedau 1 a 2 Ffiseg UG

(2 × 1 awr 30 munud)

Mae'r ddau bapur yn cynnwys, yn fras, 7 cwestiwn strwythuredig. Mae sawl rhan i bob cwestiwn, a'r cyfanswm yw 80 marc. Mae'r cwestiynau'n cynnwys cyfuniad o rannau sy'n gofyn am atebion byr ac atebion estynedig.

Ansawdd yr ymateb estynedig (AYE)

Mae rhai cwestiynau yn asesu pa mor dda y gallwch gyflwyno dadl fanwl. Cwestiynau Ansawdd yr Ymateb Estynedig yw'r rhain, a chânt eu nodi gan AYE wrth ymyl y marc. Mae'r cwestiynau hyn yn werth 6 marc, a bydd yr arholwr yn asesu pa mor dda rydych wedi cyfathrebu'r ffiseg, yn ogystal â safon y ffiseg ei hun.

Cwestiynau synoptig

Fel sy'n cael ei nodi yn y fanyleb, 'Mae dealltwriaeth dysgwyr o'r cysylltiadau rhwng elfennau gwahanol y pwnc a'u dealltwriaeth gyfannol eu hunain o'r pwnc yn ofynnol ym mhob manyleb Safon Uwch. Ystyr hyn yn ymarferol yw y gall cwestiynau a osodir mewn unrhyw uned U2 ofyn i ddysgwyr ddangos eu bod yn gallu dwyn ynghyd gwahanol feysydd gwybodaeth a dealltwriaeth o'r cwrs astudio llawn.' Yr enw am hyn yw asesu synoptig. Felly disgwylir i fyfyrwyr Safon Uwch fod yn gyfarwydd â deunydd UG wrth ateb cwestiynau yn unedau 3 a 4.

Ni fydd cwestiynau mewn un uned U2 yn canolbwyntio'n benodol ar gynnwys unedau eraill, ond bydd rhai cwestiynau ym mhob arholiad yn tynnu ar sgiliau a gwybodaeth a ddysgwyd wrth astudio unedau eraill. Er enghraifft, efallai y bydd angen y wybodaeth am gadwraeth momentwm, a ddysgwyd yn uned 1, wrth drafod dadfeiliad α a β mewn arholiad uned 3.

Dyrannu marciau

Dangosir y marc sy'n cael ei ddyrannu i bob rhan o'r cwestiwn mewn bachau petryal, e.e.

Nodwch egwyddor cadwraeth momentwm. [2]

Mae'r marc sy'n cael ei ddyrannu yn gliw da am y manylion sydd eu hangen yn eich ateb. Mae'r [2] yn gliw da bod dwy agwedd i'r ateb. Yn yr achos hwn byddai'r arholwr yn disgwyl:

1. gosodiad yn nodi bod swm (fector) y momenta yn aros yr un peth, a

2. yr amodau, h.y. mewn system gaeedig neu os nad oes grym cydeffaith allanol yn gweithredu.

Weithiau, efallai y bydd arholwr yn penderfynu dyrannu un marc yn unig am y gosodiad, *ond yn dal i fynnu bod y ddau bwynt yn cael eu nodi.*

Cwestiynau sy'n cynnwys cyfrifiadau

Yn gyffredinol, rhoddir mwy nag un marc i gwestiynau sy'n gofyn am gyfrifo canlyniad, yn ddibynnol ar ba mor gymhleth yw'r cwestiwn. Oni bai bod y cwestiwn yn gofyn yn benodol am y gwaith cyfrifo, fel arfer rhoddir marciau llawn am yr ateb cywir yn unig, yn cynnwys rhif, uned a chyfeiriad (yn achos mesurau fector). Fodd bynnag, yn achos atebion anghywir, rhoddir marciau am gamau cywir yn y cyfrifiad yn unig, felly fe'ch cynghorir i ddangos eich gwaith cyfrifo bob tro.

Dwyn gwall ymlaen (dgy)

Enw arall am hyn yw marcio canlyniadol (*consequential*). Yr egwyddor yw bod canlyniad cyfrifiad, mewn un rhan o gwestiwn strwythuredig, yn cael ei ystyried yn gywir os caiff ei ddefnyddio mewn rhan ddilynol o'r un cwestiwn. Yn aml, ni chaiff ei gymhwyso o fewn rhan o gwestiwn. Gweler y *Canllaw Astudio ac Adolygu* am drafodaeth bellach ar sut caiff dgy ei gymhwyso.

Geiriau gorchymyn a ddefnyddir yng nghwestiynau arholiad CBAC

Nid yw 'cwestiynau' arholiad wedi'u geirio fel cwestiynau fel arfer. Cyfarwyddiadau i wneud gwaith ydynt fel rheol. Mae arholwyr yn dewis y geiriau gorchymyn yn ofalus, er mwyn i chi ddeall y math o ateb sy'n ofynnol. Dyma restr o'r geiriau gorchymyn mwyaf cyffredin a ddefnyddir.

Nodwch

Rhowch ateb byr, cryno heb eglurhad.

Er enghraifft:

Nodwch y cyflymiad ar amser $t = 0$.

Os oes angen nodi gwerth mesur yn yr ateb, disgwylir na fydd angen gwneud cyfrifiad (neu mai cyfrifiad syml yn unig fydd ei angen).

Disgrifiwch

Ysgrifennwch adroddiad byr heb eglurhad.

Er enghraifft:

Disgrifiwch y mudiant a ddangosir gan y graff v–t.

Gellir defnyddio'r gair gorchymyn hwn i ofyn am ddulliau arbrofol hefyd.

Eglurwch

Mae angen rhoi rhesymau. Yn ddibynnol ar y cwestiwn, efallai y bydd angen rhoi disgrifiad hefyd.

Er enghraifft:

Eglurwch pa un o'r sêr hyn yw'r mwyaf llachar.

Yn yr enghraifft hon, mae'n rhaid enwi'r seren fwyaf llachar gyntaf (efallai na roddir marc ar gyfer hyn). Efallai y bydd angen cynnwys cyfrifiad yn yr eglurhad.

Awgrymwch

Mae'r gair gorchymyn hwn yn aml yn ymddangos yn rhan olaf cwestiwn strwythuredig. Efallai nad oes ateb pendant, ond disgwylir i chi gynnig awgrym synhwyrol yn seiliedig ar eich gwybodaeth o ffiseg.

Er enghraifft:

Awgrymwch sut gallech ymchwilio a oedd y dybiaeth yn gywir.

Cyfrifwch

Defnyddiwch un hafaliad neu fwy i ddarganfod gwerth mesur anhysbys.

Er enghraifft:

Cyfrifwch y pŵer sy'n cael ei afradloni yn y gwrthydd 20 Ω.

Darganfyddwch

Defnyddir y gair gorchymyn hwn yn aml yn lle 'cyfrifwch'. Rhowch ateb rhifiadol trwy drin data a roddir i chi. Nid oes gwahaniaeth penodol rhwng y geiriau, ond tueddir i ddefnyddio 'darganfod' os oes angen proses ychwanegol, yn ogystal â chyfrifiad.

Er enghraifft:

Defnyddiwch y graff i ddarganfod cyflymiad y roced ar 15.0 s.

Yn yr achos hwn, efallai y bydd angen i chi luniadu tangiad i'r graff cyflymder–amser.

Cymharwch

Er enghraifft:

Cymharwch ymddangosiad y ddwy seren.

Gwnewch yn siŵr eich bod chi'n cymharu yn hytrach na rhoi dau ddisgrifiad ar wahân, e.e. 'Mae seren A yn fwy llachar na seren B.'

Trafodwch

Defnyddir hwn yn aml mewn cwestiynau am gymhwyso syniadau gwyddonol neu ddatblygiadau technolegol yn ymarferol.

Er enghraifft:

Trafodwch a ddylai'r gymuned anghysbell hon godi fferm wynt neu dyrbin tanfor.

Fel gydag *awgrymwch*, nid oes un ateb cywir i'r math hwn o gwestiwn. Mae'r arholwr yn chwilio am ddadleuon rhesymegol yn seiliedig ar ddata ac egwyddorion ffiseg.

Trosolwg: Uned 1 Mudiant, Egni a Mater

Ffiseg sylfaenol

t10

- Y 6 uned SI sylfaenol (kg, m, s, A, mol, K), cynrychioli unedau eraill yn nhermau'r rhain, a gwirio hafaliadau am homogenedd.
- Mesurau sgalar a fector, trin fectorau cymhlan a chydrannu fectorau.
- Cyfrifo dwysedd.
- Moment grym, egwyddor momentau.
- Sadrwydd a chraidd disgyrchiant gwrthrych.
- Amodau ar gyfer ecwilibriwm gwrthrych.

GWAITH YMARFEROL

- Mesur dwysedd solidau.
- Darganfod masau anhysbys gan ddefnyddio egwyddor momentau.

Cinemateg

t24

- Dadleoliad, buanedd, cyflymder a chyflymiad a chynrychioliad graffigol ohonynt.
- Dehongli graffiau buanedd a dadleoliad–amser ar gyfer cyflymiad unffurf ac anunffurf.
- Deillio a defnyddio hafaliadau ar gyfer mudiant llinol sy'n cyflymu'n unffurf.
- Mudiant dan ddisgyrchiant; cyflymder terfynol.
- Mudiant 2D; annibyniaeth mudiant fertigol a mudiant llorweddol corff; taflegrau.

GWAITH YMARFEROL

- Mesur g trwy ddisgyn yn rhydd.

Dynameg

t36

- Grym a thrydedd ddeddf mudiant Newton.
- Diagramau cyrff rhydd.
- Y berthynas $\Sigma F = ma$ ar gyfer màs cyson.
- Momentwm llinol; egwyddor cadwraeth momentwm a'i gymhwyso i wrthdrawiadau elastig a gwrthdrawiadau anelastig.
- Grym fel cyfradd newid momentwm; cymhwyso hyn mewn sefyllfaoedd lle mae'r màs yn gyson.

GWAITH YMARFEROL

- Ymchwilio i ail ddeddf Newton.

Cysyniadau egni

t50

- Gwaith a throsglwyddo egni, yn cynnwys sefyllfaoedd lle mae'r grym a'r mudiant mewn cyfeiriadau gwahanol.
- Cymhwyso egwyddor cadwraeth egni i drosglwyddiadau, yn cynnwys egni potensial disgyrchiant, egni potensial elastig ac egni cinetig.
- Pŵer fel cyfradd trosglwyddo egni.
- Mae grymoedd afradlon, e.e. llusgiad a ffrithiant, yn lleihau effeithlonrwydd cyffredinol y system; cyfrifo effeithlonrwydd.

Solidau dan ddiriant

t58

- Deddf Hooke; cysonyn y sbring.
- Diriant, straen a modwlws Young.
- Gwaith sy'n cael ei wneud, a'r arwynebedd dan gromlin grym–estyniad.
- Dosbarthu defnyddiau fel rhai grisialog, amorffaidd a pholymerig.
- Nodweddion graff grym–estyniad (neu ddiriant–straen) ar gyfer metel hydwyth; eglurhad yn nhermau afleoliad a ffiniau graen.
- Nodweddion graff grym–estyniad (neu ddiriant–straen) ar gyfer defnydd brau; torri trwy ledaeniad crac a'i reoli.
- Nodweddion graff grym–estyniad (neu ddiriant–straen) ar gyfer rwber; aflinoledd, modwlws Young isel, sythu moleciwlau cadwyn hir, hysteresis.

GWAITH YMARFEROL

- Darganfod modwlws Young metel ar ffurf gwifren.
- Ymchwiliad i berthynas grym–estyniad rwber.

Defnyddio pelydriad i ymchwilio i sêr

t70

- Allyriadau serol a sbectra amsugno a'u tarddiad.
- Pelydryddion cyflawn; sêr yn agos iawn at fod yn belydryddion cyflawn.
- Sbectrwm pelydrydd cyflawn; deddf dadleoliad Wien, deddf Stefan.
- Deddf sgwâr gwrthdro.
- Ymchwilio i oleuedd, maint, tymheredd a phellter sêr.
- Seryddiaeth amldonfedd.

Gronynnau ac adeiledd niwclear

t80

- Mae mater yn cynnwys cwarciau a leptonau.
- Gwrthronynnau a'u priodweddau; symbolau ar gyfer gwrthronynnau electronau, cwarciau a hadronau.
- Adeiledd cwarciau a gwrthgwarciau hadronau, yn cynnwys baryonau, gwrthfaryonau a mesonau.
- Galw i gof gyfansoddiadau cwarc y niwtron a'r proton, ac awgrymu cyfansoddiad cwarc ar gyfer hadronau cenhedlaeth gyntaf eraill trwy gymhwyso rheolau cadwraeth i adweithiau penodol.
- Priodweddau'r rhyngweithiadau cryf, gwan, electromagnetig a disgyrchiant.
- Mae cynnwys niwtrinoeon a newidiadau blas cwarc yn digwydd mewn rhyngweithiadau gwan yn unig.

Mudiant, Egni a Mater

Uned 1

Mae'r uned sylfaenol hon o'r cwrs Ffiseg UG yn adeiladu ar gysyniadau a ddatblygwyd yng Nghyfnod Allweddol 4, yn ogystal â chyflwyno deunydd cwbl newydd.

- Mae'r testun cyntaf, Ffiseg Sylfaenol, yn archwilio iaith ffiseg yn nhermau mesurau ac unedau, sydd erbyn hyn yn cael eu hysgrifennu yn arddull safonol y gymuned wyddonol, gan ddefnyddio indecsau negatif pan fydd hynny'n briodol.
- Mae craidd Uned 1 yn cynnwys cysyniadau mudiant ac egni. Mae'r rhain yn cael eu trafod yn fwy manwl nag o'r blaen, gan archwilio agweddau fectorau ar fudiant, ac ymchwilio i'r berthynas fathemategol rhwng mesurau mudiant.
- Mae peirianwyr a gwyddonwyr defnyddiau yn dibynnu ar wybodaeth am briodweddau defnyddiau er mwyn gallu codi adeiladau ac adeiladu peiriannau. Caiff y priodweddau hyn eu harchwilio a'u hegluro yn nhermau ymddygiad y moleciwlau ansoddol.
- Defnyddir pelydriad electromagnetig (e-m) i archwilio natur y bydysawd a'i rannau ansoddol – sêr, galaethau a phelydriad cefndir microdonnau cosmig. Mae defnyddio amrediad cyfan y sbectrwm e-m yn rhoi darlun llawnach o'r bydysawd na defnyddio golau gweladwy yn unig.
- Gwelir bod adeileddau cyfarwydd y byd materol, atomau a moleciwlau wedi eu hadeiladu ar gyfuniadau o ronynnau sylfaenol byd natur, leptonau, cwarciau a gwrthgwarciau, a'u bod yn rhyngweithio trwy bedwar grym sylfaenol. Byddwn yn archwilio rheolau rhyngweithiadau rhwng gronynnau.

Cynnwys

Gwaith ymarferol

Mae gwaith ymarferol yn rhan annatod o unrhyw gwrs ffiseg. Mae Uned 1 yn darparu cyfoeth o gyfleoedd i fyfyrwyr wella eu sgiliau ymarferol a datblygu eu dealltwriaeth o'r cynnwys.

1.1 Ffiseg sylfaenol

Mae ffiseg yn wyddor arbrofol. Mae'n cynnwys cofnodi mesurau, fel gwasgedd, buanedd, cerrynt trydanol a thymheredd, a darganfod deddfau, sy'n ymwneud â pherthnasoedd rhwng mesurau, a llunio damcaniaethau i egluro pam mae ffenomenau naturiol yn digwydd. Mae'r testun hwn yn cynnwys rhai manylion ynglŷn â sut i drin mesurau ffisegol, sy'n cael eu hastudio ar gyrsiau lefel 2 fel TGAU Ffiseg. Felly bydd peth o'r cynnwys yn gyfarwydd i chi, ond byddwch yn ei astudio ar lefel uwch.

Pwynt astudio

Peidiwch â meddwl am ddamcaniaeth fel dyfalu neu amau rhywbeth. Er mwyn ei galw'n *ddamcaniaeth*, rhaid casglu llawer iawn o dystiolaeth arbrofol i gefnogi eglurhad, a rhaid iddo egluro amrywiaeth o ffenomenau. Mae'r datganiad, 'Dim ond damcaniaeth ydyw!' yn colli'r pwynt.

Pwynt astudio

Ers 1983, mae'r metr wedi cael ei ddiffinio fel 'hyd y llwybr y mae golau yn ei deithio mewn gwactod yn ystod cyfnod o 1/299,792,458 eiliad'.

Mae'n werth ymchwilio i hanes diffiniad y metr.

1.1.1 Mesurau ac unedau

(a) Mesurau ac unedau sylfaenol

Er mwyn mesur rhywbeth, er enghraifft hyd, mae angen safon ddiffiniedig er mwyn cymharu'r hyd â hi. Yn ein system unedau ni, *Le système international d'unités* (sy'n cael ei thalfyrru i SI), yr uned hyd ddiffiniedig yw'r metr, a defnyddir y byrfodd **m**. Beth yw ystyr hyd o 53.7 m, dyweder?

$$53.7\ \text{m} = 53.7 \times \text{yr uned hyd ddiffiniedig;}$$

hynny yw, y pellter y gall golau ei deithio mewn 53.7/ 299,792,458 eiliad!

Mae Tabl 1.1.1 yn dangos y 7 mesur sylfaenol, ynghyd â'u hunedau SI.

Sylwch

Ni chaiff arddwysedd goleuol ei ddefnyddio yn y cyrsiau Ffiseg UG a Safon Uwch.

Tabl 1.1.1 Mesurau ac unedau SI

Mesur		Uned	
Enw'r mesur	**Symbol**	**Enw'r uned**	**Byrfodd**
màs	m	cilogram	kg
hyd	l	metr	m
amser	t	eiliad	s
cerrynt trydanol	I	amper	A
tymheredd	T	kelvin	K
swm y sylwedd	n	mol	mol
arddwysedd goleuol	L	candela	cd

Pwynt astudio

Caiff y symbolau ar gyfer mesurau eu hargraffu mewn teip italig, e.e. m, T. Caiff y symbolau ar gyfer unedau eu hargraffu mewn testun plaen, e.e. kg, K.

Sylwch fod diffiniad metr yn dibynnu ar ddiffiniad arall (yr eiliad) yn ogystal â phriodwedd ffisegol (buanedd golau). Mae'r tabl yn dangos symbolau cyffredin ar gyfer y mesurau hyn hefyd, e.e. t ar gyfer amser ac l ar gyfer hyd. Nodwch ei bod hi'n bosibl defnyddio symbolau eraill, e.e. x ac r ar gyfer hyd ac M ar gyfer màs.

1.1.1 Hunan-brawf

Symleiddiwch y canlynol:

1. 6a + 2a
2. 6a × 3a
3. 6a ÷ 3b
4. $(6a)^2$

1.1.2 Hunan-brawf

Deilliwch uned cyfaint trwy ystyried ciwb.

(b) Mesurau ac unedau deilliadol

Gan amlaf, bydd ffisegwyr yn gweithio â mesurau heblaw'r mesurau sylfaenol, e.e. arwynebedd, cyfaint, gwasgedd, pŵer. Maen nhw'n defnyddio cyfuniad o'r unedau sylfaenol i fynegi'r rhain. Er mwyn deillio'r unedau hyn, rhaid i ni eu trin fel llythrennau algebraidd a dwyn i gof rai rheolau algebraidd syml. Edrychwch ar Hunan-brawf 1.1.1 i'ch atgoffa'ch hun ohonynt.

Y ffordd hawsaf o ddeall sut i ddeillio uned yw trwy edrych ar rai enghreifftiau:

1. **Uned arwynebedd.** Rydym yn dechrau gyda hafaliad diffiniol:

Arwynebedd petryal = hyd × lled

∴ Uned arwynebedd = uned hyd × uned lled

Ond mae hyd a lled fel ei gilydd yn bellterau, felly m yw uned y ddau.

∴ Uned arwynebedd = $\text{m} \times \text{m} = \text{m}^2$.

2. **Uned newid buanedd (neu gyflymder).**

Uned buanedd (neu gyflymder) yw m s^{-1}. Os yw buanedd car yn newid o 15 m s^{-1} i 33 m s^{-1} yna

newid buanedd = buanedd terfynol – buanedd cychwynnol

$= 33\ \text{m s}^{-1} - 15\ \text{m s}^{-1}$

$= 18\ \text{m s}^{-1}$ [cofiwch, mewn algebra, fod 33a – 15a = 18a]

Felly mae uned newid buanedd yr un peth ag uned buanedd.

3. **Uned cyflymiad.** Eto, rydym yn dechrau gyda hafaliad diffiniol.

$$\text{cyflymiad} = \frac{\text{newid cyflymder}}{\text{amser}} \qquad \text{neu } a = \frac{\Delta v}{t}$$

$$\therefore [a] = \frac{[\Delta v]}{[t]} = \frac{\text{m s}^{-1}}{\text{s}} = \text{m s}^{-2}$$

Caiff rhai unedau deilliadol eu defnyddio'n aml iawn, ac mae'n ddefnyddiol dysgu sut i'w mynegi yn nhermau'r unedau SI sylfaenol. Trwy ddefnyddio'r hafaliadau canlynol:

$$\text{Grym} = \text{màs} \times \text{cyflymiad};\ \text{Gwaith} = \text{Grym} \times \text{pellter};\ \text{Pŵer} = \frac{\text{Gwaith}}{\text{amser}}$$

dylech fedru dangos bod $\text{N} = \text{kg m s}^{-2}$, $\text{J} = \text{kg m}^2\,\text{s}^{-2}$ ac $\text{W} = \text{kg m}^2\,\text{s}^{-3}$.

Enghraifft

Rhoddir y grym llusgiad, F_D, ar sffêr sy'n symud trwy lifydd, gan fformiwla Stokes, $F_D = 6\pi\eta a v$, lle a yw radiws y sffêr, v yw'r cyflymder ac η [eta] yw *cyfernod gludedd* y llifydd. Darganfyddwch uned η yn nhermau'r unedau SI sylfaenol.

Trwy ad-drefnu'r hafaliad, cawn $\eta = \frac{F_D}{6\pi a v}$. Does gan 6 a π ddim unedau, felly mae $[\eta] = \frac{[F_D]}{[a][v]}$

$[F_D] = \text{kg m s}^{-2}$, $[a] = \text{m}$ a $[v] = \text{m s}^{-1}$ $\therefore [\eta] = \frac{\text{kg m s}^{-2}}{\text{m}^2\,\text{s}^{-1}} = \text{kg m}^{-1}\,\text{s}^{-1}$.

(c) Defnyddio lluosyddion SI a ffurf safonol

Bydd nifer o broblemau'n codi lle mae'r mesurau naill ai llawer yn fwy neu lawer yn llai na'r mesurau sylfaenol. Felly caiff y data eu rhoi naill ai ar *ffurf safonol* neu drwy ddefnyddio lluosyddion SI. Mae'r data yn yr enghraifft hon mewn ffurfiau cymysg.

Enghraifft

Cyfrifwch yr egni sy'n cael ei drawsyrru gan gebl 44 kV mewn un diwrnod os yw'n cludo cerrynt o 2.5×10^2 A. [Defnyddiwch $P = IV$ ac $E = Pt$]

O'r ddau hafaliad, mae $E = IVt$.

∴ Trwy drawsnewid i'r unedau sylfaenol: mae $E = 2.5 \times 10^2\ \text{A} \times 44 \times 10^3\ \text{V} \times 86\,400\ \text{s}$

$= 9.5 \times 10^{11}\ \text{J}$ (2 ff.y.)

Pwynt astudio

Mae'n ddiflas ysgrifennu *uned* trwy'r amser, felly rydym yn defnyddio bachau petryal i gynrychioli hyn:

Felly [hyd] = m

ac [arwynebedd] = m^2.

Termau a diffiniadau

Mae Δ (delta) yn symbol defnyddiol ar gyfer newid mewn rhywbeth. Felly Δv = newid cyflymder.

Sylwch

Dysgwch y mynegiadau ar gyfer N, J ac W yn nhermau kg, m ac s; dysgwch hefyd sut i'w deillio.

Hunan-brawf 1.1.3

Caiff uned cyfernod gludedd, η, fel arfer ei hysgrifennu fel 'Pa s' (pascal eiliad) lle Pa yw uned gwasgedd, a ddiffinnir gan

$$\text{gwasgedd} = \frac{\text{grym}}{\text{arwynebedd}}.$$

Dangoswch fod yr uned hon yr un peth â'r un a ddeilliwyd yn yr enghraifft.

GWIRIO'R FATHEMATEG

Gweler Adran 4.1.1 (c) ac (ch) am luosyddion SI a ffurf safonol.

Sylwch

Yn yr enghraifft, gallem fod wedi ysgrifennu 44 kV fel 4.4×10^4 V. Fodd bynnag, er mwyn osgoi camgymeriadau mae'n haws ei ysgrifennu fel 44×10^3 a gadael i'r gyfrifiannell wneud y gwaith!

1.1.2 Gwirio hafaliadau am homogenedd

Homogenedd – Rheol 1

Ni ellir adio dau fesur a a b at ei gilydd oni bai bod ganddynt yr un unedau – yna bydd gan yr ateb yr un unedau.

Mae'r un peth yn wir ar gyfer tynnu.

Homogenedd – Rheol 2

Nid yw hafaliad yn homogenaidd oni bai bod yr unedau ar y ddwy ochr yr un peth.

1.1.4 Hunan-brawf

Dangoswch fod yr hafaliad

$x = ut + ½at^2$

yn homogenaidd.

(Cofiwch nad oes gan ½ unedau.)

Ystyriwch yr hafaliad: $v^2 = u^2 + 2ax$, lle u a v yw'r cyflymderau cychwynnol a therfynol, a yw'r cyflymiad ac x yw dadleoliad (pellter) gwrthrych sy'n cyflymu'n unffurf. Rydym am dynnu'r hafaliad hwn yn ddarnau ac edrych ar unedau'r gwahanol rannau.

1. Y term u^2: Nawr $[u] = \text{m s}^{-1}$, felly $[u^2] = (\text{m s}^{-1})^2 = \text{m}^2\text{ s}^{-2}$.
2. Y term $2ax$: $[2ax] = [a] \times [x] = \text{m s}^{-2} \times \text{m} = \text{m}^2\text{ s}^{-2}$

Arhoswn ni fan hyn am ennyd: mae gan y term u^2 a'r term $2ax$ **yr un unedau!** Pam mae hyn yn bwysig? Oherwydd ei fod yn golygu y gallwn eu **hadio** at ei gilydd. Gweler rheol 1. Mae hyn yn golygu mai uned ochr dde'r hafaliad yw $\text{m}^2\text{ s}^{-2}$.

3. Y term v^2: $[v] = \text{m s}^{-1}$, felly $[v^2] = (\text{m s}^{-1})^2 = \text{m}^2\text{ s}^{-2}$

Sylwch fod gan **yr ochr chwith yr un unedau â'r ochr dde**. Pam mae hyn yn bwysig? Ni all dau beth fod yn hafal oni bai bod ganddynt yr un unedau; ni all 53 V fod yn hafal i 53 A – yn yr un modd, ni allai 1 dydd ac 1 cm fyth fod yr un peth!

Rydym yn dweud bod yr hafaliad hwn yn **homogenaidd** – dim ond termau sydd â'r un unedau gaiff eu hadio neu eu tynnu, ac mae unedau'r ddwy ochr yr un peth. Os nad yw'r 'hafaliad' yn homogenaidd, ni all fod yn gywir – rhaid eich bod wedi ei gofio'n anghywir.

1.1.3 Mesurau sgalar a fector

Rhybudd

Os yw hafaliad yn homogenaidd, nid yw hyn yn golygu ei fod o reidrwydd yn gywir, e.e. mae $v^2 = u^2 + 3ax$ yn homogenaidd ac yn anghywir!

(a) Grymoedd a sut i'w hadio

Mae effaith grym ar wrthrych yn dibynnu ar y cyfeiriad y mae'r grym yn gweithredu. Meddyliwch am effaith y ddau rym ar y sled yn Ffig. 1.1.1(a) a (b).

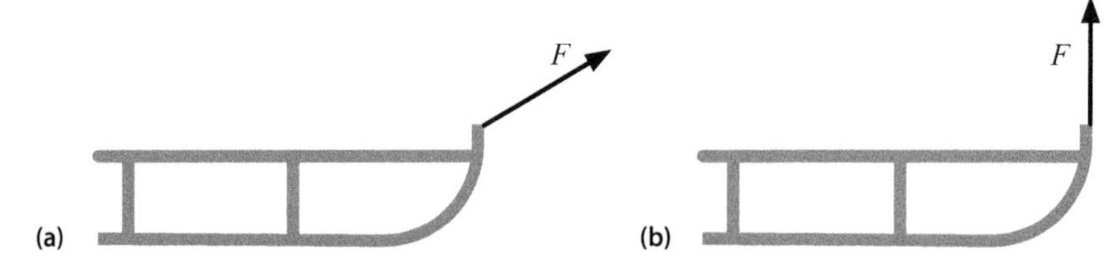

Ffig. 1.1.1 Grymoedd ar sled

Termau a diffiniadau

Mae gan fesur fector faint a chyfeiriad. Maint yn unig sydd gan fesur sgalar.

Mae grym yn fesur *fector*. Mae mesurau eraill, fel màs neu ddwysedd, yn cael eu disgrifio'n llawn gan eu maint – mesurau *sgalar* yw'r rhain.

Mae'n hawdd adio mesurau sgalar, e.e.

$$3\text{ kg} + 4\text{ kg} = 7\text{ kg}$$

a hefyd eu tynnu

$$4\text{ kg} - 3\text{ kg} = 1\text{ kg}.$$

Rydym yn gallu defnyddio rheolau arferol rhifyddeg.

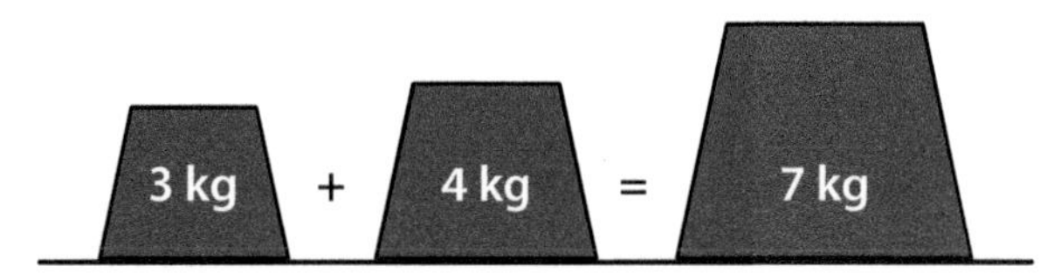

Ffig. 1.1.2 Adio masau

Mae rheolau eraill yn berthnasol i rymoedd:

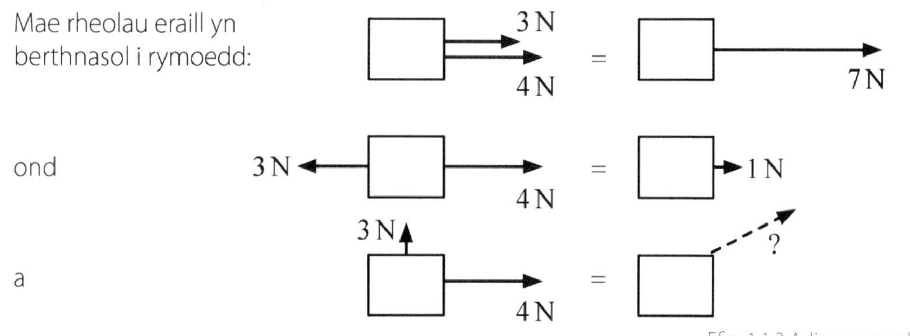

Ffig. 1.1.3 Adio grymoedd

Yr enw ar effaith gyfunol dau rym (neu fwy) yw'r grym cydeffaith, F_{cyd}. Gallwn gyfrifo swm dau rym trwy ddefnyddio'r *ddeddf paralelogram ar gyfer adio fectorau*, fel y dangosir yn Ffig. 1.1.4. *Gallech* ddarganfod y grym cydeffaith, ΣF, trwy luniadu diagram wrth raddfa, ond mae'n fwy cywir defnyddio trigonometreg i'w gyfrifo, e.e. y rheol cosin neu theorem Pythagoras (os yw'r grymoedd ar ongl sgwâr i'w gilydd).

Ar gyfer yr arholiad UG, adio dau rym ar ongl sgwâr yn unig sydd ei angen, ond os ydych yn bwriadu astudio ymhellach bydd angen i chi fedru ymdopi ag onglau eraill.

Enghraifft

Mae dau rym, o faint 20 N a 15 N, yn gweithredu ar wrthrych ar ongl o 60° i'w gilydd. Darganfyddwch y grym cydeffaith.

Ateb Yn gyntaf lluniadwch ddiagram bras a nodwch y wybodaeth ychwanegol arno, e.e. yr ongl 120°.

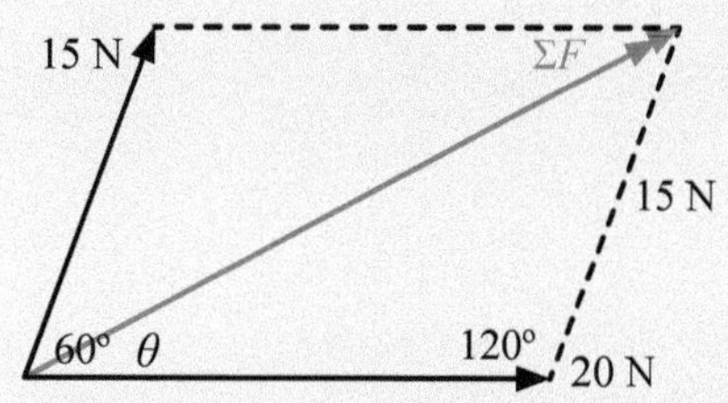

Gan ddefnyddio'r rheol cosin: $(\Sigma F)^2 = 20^2 + 15^2 - 2 \times 20 \times 15 \cos 120° = 925$

$\therefore \Sigma F = \sqrt{925} = 30.4$ N

Nesaf cyfrifwch θ trwy ddefnyddio'r rheol sin: $\frac{\sin\theta}{15} = \frac{\sin 120°}{30.4}$,

$\therefore \sin\theta = \frac{15 \sin 120°}{30.4} = 0.427$

$\therefore \theta = \sin^{-1} 0.427 = 25.3°$.

Felly'r grym cydeffaith yw 30.4 N ar ongl o 25.3° i'r grym 20 N.

Gan amlaf, ni fydd ond rhaid i chi gyfuno dau fector ar ongl sgwâr. Gallwch wneud hyn trwy ddefnyddio theorem Pythagoras a thrigonometreg syml, fel $\sin\theta = \frac{\text{cyferbyn}}{\text{hypotenws}}$.

Mae Hunan-brawf 1.1.5 yn enghraifft.

(b) Sgalarau a fectorau mudiant

Mae pellter, fel hyd, yn fesur sgalar. Nid yw'r cwestiwn, 'Beth yw'r pellter rhwng Aberystwyth a Bangor?' yn gofyn am y cyfeiriad. Os ydych yn gwybod yr ateb, ni fydd hyn yn eich helpu i lywio o A i B. Fodd bynnag, byddai 'Mae Bangor 91 km i'r gogledd o Aberystwyth' yn galluogi peilot i hedfan o un lle i'r llall. Yr enw ar y mesur hwn, sy'n cynnwys cyfeiriad yn ogystal â phellter, yw **dadleoliad**. Dadleoliad Bangor o Aberystwyth yw 91 km i'r gogledd. Yn yr un modd, mae Fflint 65 km i'r dwyrain o Fangor.

Pwynt astudio

Ystyr Ffig. 1.1.3 yw bod effaith gyfunol grym 3 N a grym 4 N ar fudiant gwrthrych yr un peth ag effaith un grym o faint 7 N (os ydynt yn yr un cyfeiriad), 1 N (os ydynt mewn cyfeiriadau gwrthwynebol) neu rywbeth rhwng y ddau os ydynt ar onglau gwahanol.

Pwynt astudio

Caiff y grym cydeffaith, F_{cyd}, ei ysgrifennu'n aml fel ΣF (sef 'sigma F'). Ystyr sigma, Σ, yw 'swm' felly ystyr ΣF yw 'swm y grymoedd'.

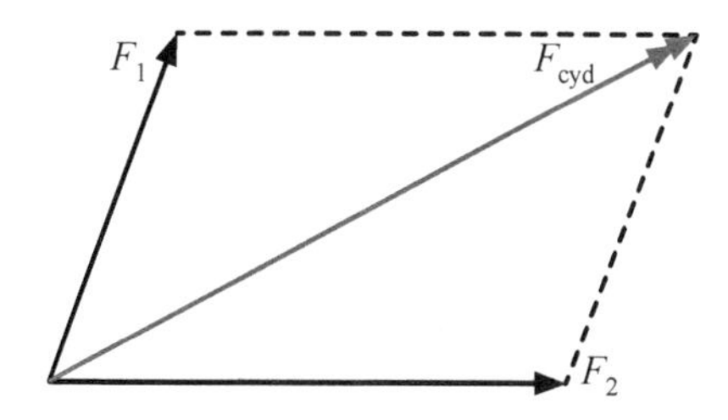

Ffig. 1.1.4 Deddf paralelogram ar gyfer adio fectorau

Sylwch

Mae gan rym gyfeiriad yn ogystal â maint, felly os yw'r arholwr yn gofyn i chi gyfrifo grym, bydd angen i chi nodi'r cyfeiriad. Gwnewch yn siŵr eich bod yn nodi'n eglur pa ongl sydd dan sylw.

Sylwch

Os yw'r ddau fector ar ongl o 90° i'w gilydd, gallwch eu hadio trwy ddefnyddio trigonometreg syml, e.e. $\sin\theta = \frac{\text{cyferbyn}}{\text{hypotenws}}$ a theorem Pythagoras.

Hunan-brawf 1.1.5

Cyfrifwch rym cydeffaith grym 3 N a grym 4 N yn gweithredu ar ongl sgwâr (fel yn Ffig. 1.1.3).

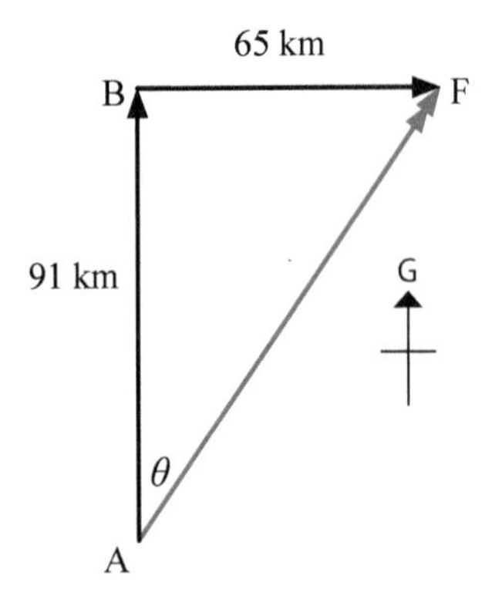

Ffig 1.1.6 Adio dadleoliadau

Beth yw'r dadleoliad o Aberystwyth i Fflint? Mae Ffig. 1.1.6 yn dangos sut i adio dadleoliad $\overrightarrow{AB}$ a dadleoliad $\overrightarrow{BF}$ i roi'r dadleoliad cydeffaith $\overrightarrow{AF}$ (a ddangosir mewn coch). Dylech fedru dangos bod $\overrightarrow{AF} \sim 112$ **km** ar ongl o **35.5°** i'r Dn o'r G.

Rydym yn cyfrifo'r buanedd (yn fanwl gywir, y buanedd cymedrig) trwy ddefnyddio

buanedd = $\frac{\text{pellter}}{\text{amser}}$. Mae pellter yn sgalar felly mae buanedd yn sgalar hefyd. Y fector sydd yn gywerth â buanedd yw **cyflymder**, sydd wedi'i ddiffinio ar y chwith. Mae'r enghraifft nesaf yn dangos y gwahaniaeth rhwng y ddau.

Termau a diffiniadau

cyflymder = $\frac{\text{dadleoliad}}{\text{amser}}$

Enghraifft

Mae awyren ysgafn yn hedfan o Aberystwyth i Fangor ac yna ymlaen i Fflint mewn dwy awr. Defnyddiwch y data uchod i gyfrifo (a) y buanedd cymedrig a (b) y cyflymder cymedrig.

(a) Pellter a deithiwyd = AB + BF = 91 + 65 = **156 km**

$\therefore$ Buanedd cymedrig = $\frac{156\text{ km}}{2\text{ h}}$

= **78 km h^{-1}**

(b) Dadleoliad $\overrightarrow{AF} \sim$ **112 km** ar ongl o **35.5°** i'r Dn o'r G

$\therefore$ Cyflymder cymedrig = $\frac{112\text{ km}}{2\text{ h}}$

= **56 km awr^{-1}** ar **35.5°** i'r Dn o'r G. [Noder: cyfeiriad!]

GWIRIO'R FATHEMATEG

Wrth edrych ar Ffigurau 1.1.4 ac 1.1.6, mae'n ymddangos ein bod wedi defnyddio dwy ffordd wahanol o adio fectorau.

Maen nhw'n rhoi'r un ateb mewn gwirionedd.

Dyma 1.1.6 wedi'i luniadu fel 1.1.4:

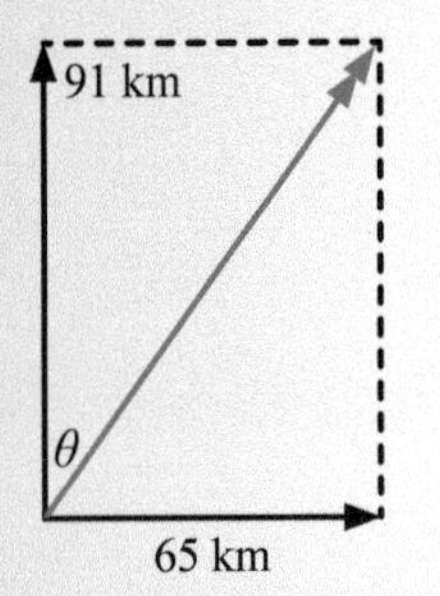

Yn yr un modd, diffinnir **cyflymiad** fel y newid yn y **cyflymder** i bob uned amser. Mae hwn yn fector hefyd, h.y.

cyflymiad = $\frac{\text{newid cyflymder}}{\text{amser}}$

neu, mewn symbolau, $a = \frac{\Delta v}{\Delta t}$

(c) Rhestri o fesurau sgalar a fector

Mae'r rhestri hyn yn cynnwys y rhan fwyaf o'r mesurau sgalar a fector y byddwch yn dod ar eu traws wrth astudio Ffiseg UG/Safon Uwch. Mae'r rhai sydd mewn teip italig yn ymddangos yn y cwrs Safon Uwch llawn yn unig.

Sgalarau – dwysedd, màs, cyfaint, arwynebedd, pellter, hyd, buanedd, gwaith, egni (pob ffurf), pŵer, amser, gwrthiant, tymheredd, potensial (neu gp neu foltedd), gwefr drydanol, *cynhwysiant*, *actifedd*, gwasgedd

Fectorau – dadleoliad, cyflymder, cyflymiad, grym, momentwm, *cryfder maes trydanol*, *cryfder maes magnetig* (neu *ddwysedd fflwcs magnetig*), *cryfder maes disgyrchiant*

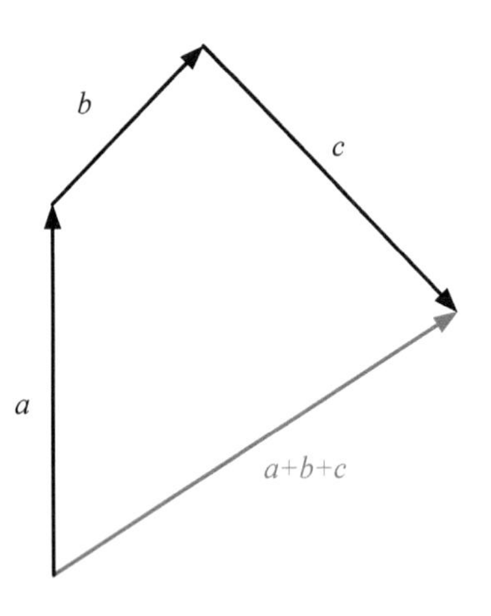

Ffig. 1.1.7 Adio mwy na dau fector

(ch) Adio mwy na dau fector

Rydym wedi gweld sut i adio dau fector trwy ddefnyddio naill ai'r dull paralelogram (gweler Ffig. 1.1.4) neu'r dull trwyn wrth gynffon (Ffig. 1.1.6). Mae Ffig. 1.1.7 yn dangos sut i ymestyn yr ail ddull adio i gynnwys mwy na dau fector. Dangosir dull arall yn Adran 1.1.4.

1.1.4 Gweithio gyda fectorau

(a) Tynnu fectorau

Er mwyn cyfrifo cyflymiad, yn gyntaf mae'n rhaid darganfod newid mewn cyflymder, Δv. Os yw'r cyflymder cyntaf yn v_1 a'r ail gyflymder yn v_2, yna mae $\Delta v = v_2 - v_1$. Rydym yn gwybod sut i dynnu sgalarau. Sut mae hyn yn gweithio ar gyfer fectorau?

Ar gyfer rhifau, rydym yn gwybod ei bod hi'n bosibl ailysgrifennu 53 – 45 fel (–45) + 53. Rydym yn gwneud yr un peth gyda fectorau. I ddarganfod $v_2 - v_1$, yn Ffig 1.1.8(a), rydym yn **adio** $-v_1$ i v_2. Gallwn wneud hyn trwy ddefnyddio'r dull trwyn wrth gynffon yn (b) neu'r dull paralelogram yn (c). Nid oes gwahaniaeth pa un rydych yn ei ddefnyddio: mae $v_2 - v_1$, y fector coch, yn amlwg yr un hyd ac yn yr un cyfeiriad yn (b) ac (c). Mae'n siŵr ei bod hi'n haws lluniadu diagram (b), ond mae'n haws gwneud camgymeriad â chyfeiriad $v_2 - v_1$.

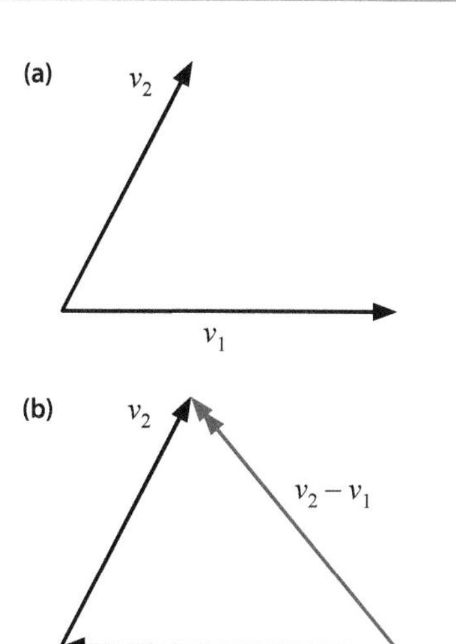

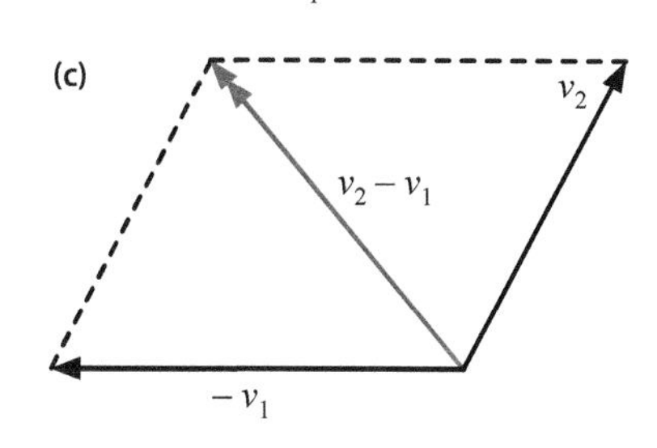

Ffig. 1.1.8 Tynnu fectorau

Enghraifft

Mae car yn newid cyflymder o $25\ \text{m s}^{-1}$ i'r Dn, i $20\ \text{m s}^{-1}$ i'r G mewn 8.0 eiliad. Cyfrifwch y cyflymiad cymedrig.

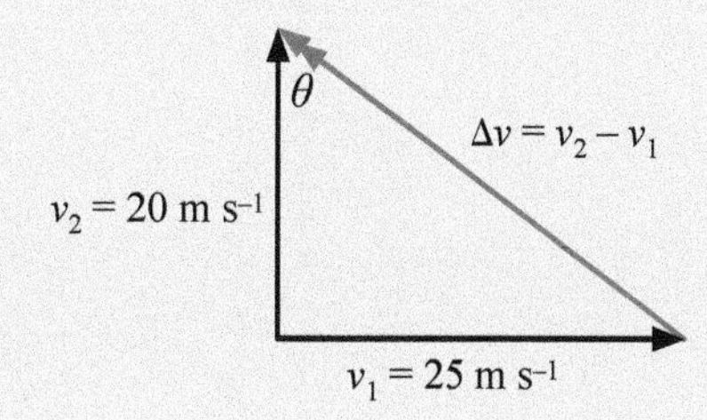

Cam 1: Lluniadwch y diagram. Byddwch yn ofalus gyda chyfeiriad $v_2 - v_1$: Ewch am yn ôl ar hyd fector v_1 ($-v_1$), yna ymlaen ar hyd fector v_2 ($+v_2$).

Cam 2: Defnyddiwch Pythagoras i gyfrifo Δv.

$(\Delta v)^2 = 25^2 + 20^2 = 1025. \therefore \Delta v = 32.0\ \text{m s}^{-1}$.

Cam 3: Cyfrifwch θ. $\tan\theta = \dfrac{25}{20} = 1.25. \therefore \theta = 51.3°$

Cam 4: Cyfrifwch a. $a = \dfrac{\Delta v}{\Delta t} = \dfrac{32.0}{8.0} = 4.0\ \text{m s}^{-2}$ ar $51.3°$ i'r Gn o'r G. [D.S. cyfeiriad!]

Sylwch

Ar gyfer y cwrs UG, tynnu fectorau ar ongl sgwâr yn unig sydd ei angen.

(b) Cydrannau fectorau

Edrychwch ar Ffig. 1.1.1(a) eto. Faint o'r grym F sy'n tynnu'r sled ymlaen a faint ohono sy'n codi'r sled? Hynny yw, os yw grym, F, yn gweithredu ar ongl θ i'r llorwedd, beth yw ei gydrannau llorweddol a fertigol, $F_{\text{llorweddol}}$ ac F_{fertigol}? Mae Ffig. 1.1.9 yn egluro'r cwestiwn: $F_{\text{llorweddol}}$ ac F_{fertigol} yw'r grymoedd llorweddol a fertigol sy'n adio at ei gilydd i roi'r cydeffaith F.

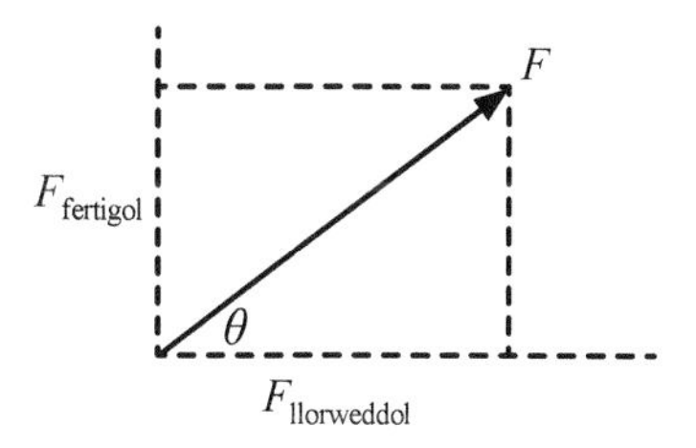

Ffig. 1.1.9 Cydrannau grym

Trwy ddefnyddio trigonometreg elfennol: $F_{\text{llorweddol}} = F\cos\theta$

$$F_{\text{fertigol}} = F\sin\theta$$

$$\text{ac } F = \sqrt{F_{\text{llorweddol}}^{\ 2} + F_{\text{fertigol}}^{\ 2}}$$

Pam mae hon yn dechneg ddefnyddiol? Am nifer o resymau. Dyma ddau reswm:

1. Os yw'r mudiant yn llorweddol (fel y sled), bydd cydran lorweddol y grym wedi'i luosi â'r pellter a symudwyd yn rhoi'r gwaith sy'n cael ei wneud, h.y. yr egni a drosglwyddwyd.
2. Wrth adio sawl fector (h.y. mwy na dau), mae'n aml yn haws darganfod cydrannau llorweddol a fertigol pob un, ac yna eu hadio.

Weithiau mae'n ddefnyddiol darganfod y cydrannau mewn cyfeiriadau gwahanol i'r llorweddol a'r fertigol. Er enghraifft, ar gyfer y grymoedd sy'n gweithredu ar gar ar lethr, byddai'n synhwyrol cyfrifo cydrannau'r grymoedd neu'r cyflymder sy'n baralel i'r llethr ac ar ongl sgwâr iddo.

Hunan-brawf 1.1.6

Yn Ffig. 1.1.9, mae $F = 150$ N a $\theta = 30°$. Cyfrifwch F_{fertigol} and $F_{\text{llorweddol}}$.

Termau a diffiniadau

Yr enw ar y broses o ddarganfod **cydrannau** grym yw **cydrannu**: rydym yn cydrannu grym i roi ei gydrannau llorweddol a fertigol.

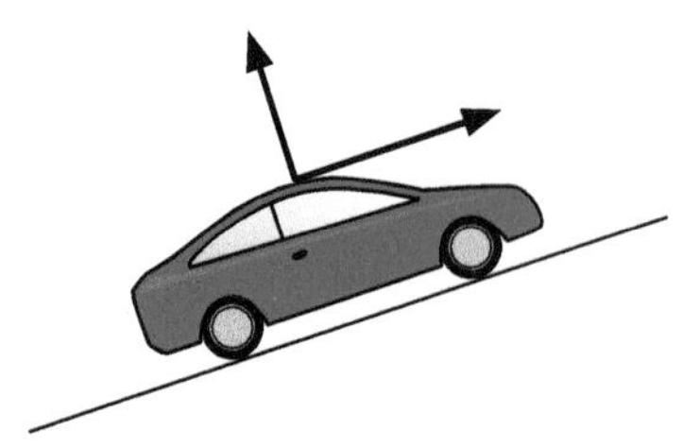

Ffig. 1.1.10 Cyfeiriad cydrannau ar lethr

1.1.7 Hunan-brawf

Beth yw cydran B yng nghyfeiriad y?

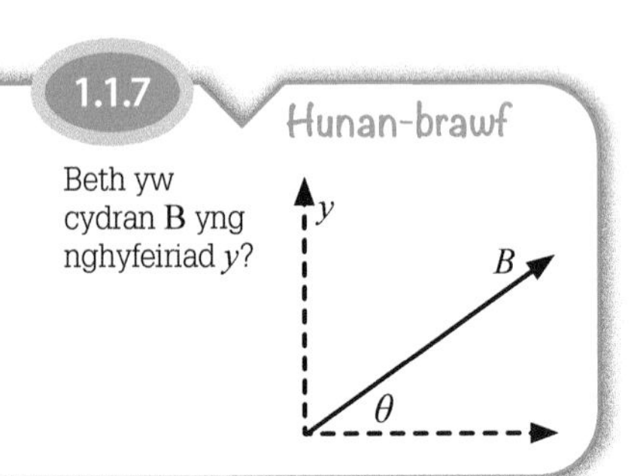

Byddwn yn dod ar draws sefyllfaoedd tebyg yn aml yn y cwrs UG. Y peth pwysig i'w gofio yw bod cydran fector, A, mewn cyfeiriad ar ongl θ i gyfeiriad y fector, bob amser yn $A \cos \theta$.

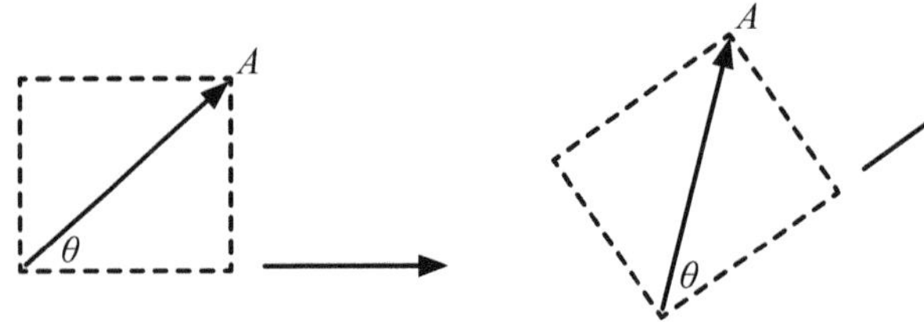

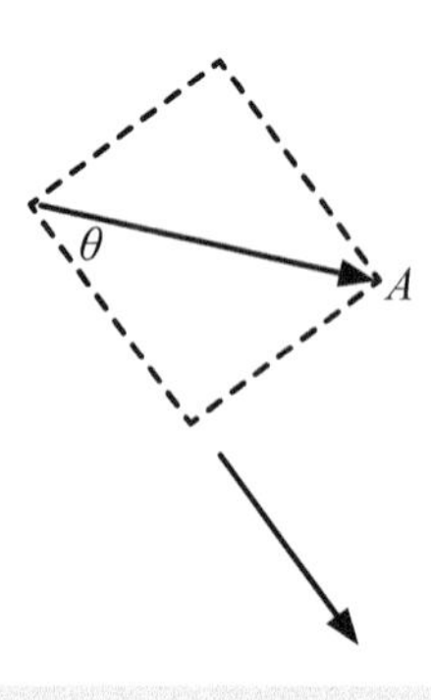

Ffig. 1.1.11 Ym mhob achos, cydran A yng nghyfeiriad y saeth fydd $A \cos \theta$

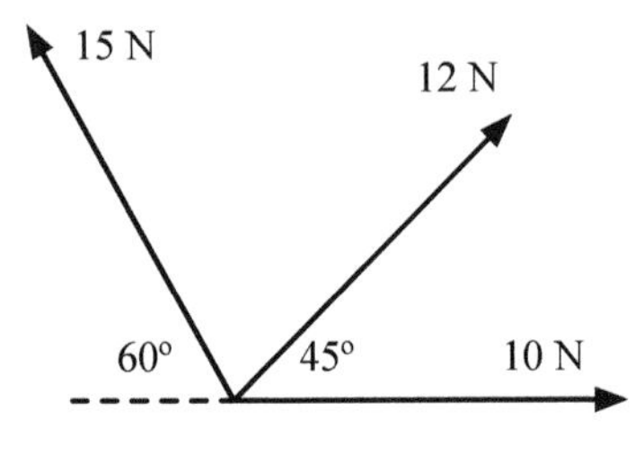

Ffig. 1.1.12 Enghraifft

Enghraifft

Defnyddiwch gydrannau i ddarganfod cydeffaith y grymoedd yn Ffig. 1.1.12.

Cyfanswm y gydran lorweddol (i'r dde) $= 10 + 12 \cos 45° + 15 \cos 120°$ [gweler y Pwynt astudio]

$= 10 + 8.485 - 7.5$ [Sylwch ar yr arwydd '–']

$= 10.99$ N

Cyfanswm y gydran fertigol (i fyny) $= 15 \sin 60° + 12 \sin 45°$

$= 21.48$ N

Cyfunwch y ddwy gydran trwy ddefnyddio theorem Pythagoras:

$F_{cyd}^2 = 21.48^2 + 10.99^2$

$\therefore F_{cyd} = 24.1$ N.

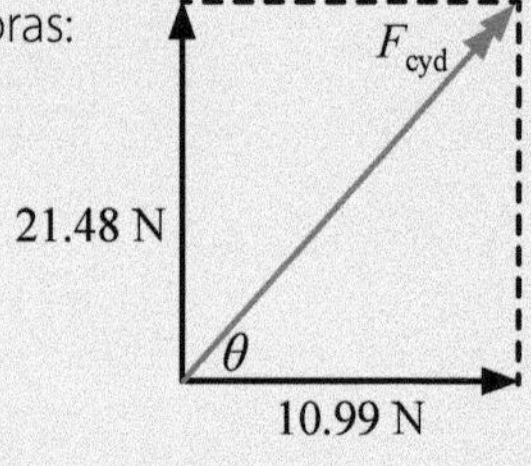

Ac mae $\theta = \tan^{-1} \dfrac{21.48}{10.99} = 62.9°$

$\therefore$ Y grym cydeffaith yw **24.1 N** ar ongl **62.9°** i'r llorwedd.

Pwynt astudio

Yn yr enghraifft, mae'r ongl rhwng y grym 15 N a'r llinell lorweddol ar y dde yn 120°.

1.1.5 Dwysedd

Ar gyfer defnydd sydd â chyfansoddiad unffurf, mae màs sampl mewn cyfrannedd union â'i gyfaint. Gan hynny, mae cymhareb y màs i'r cyfaint yn gysonyn sydd yn nodweddiadol o'r defnydd. Yr enw ar y cysonyn hwn yw'r **dwysedd**.

Mae Tabl 1.1.2 yn dangos dwysedd rhai defnyddiau cyffredin. Dylech wneud yn siŵr eich bod yn gallu amcangyfrif dwysedd yn weddol dda, os bydd rhaid, yn yr arholiad.

Tabl 1.1.2 Dwyseddau

Defnydd	ρ / kg m^{-3}	ρ / g cm^{-3}	Defnydd	ρ / kg m^{-3}	ρ / g cm^{-3}
Aer*	1.29	0.001 29	Dur	7 900	7.90
Dŵr	1 000	1.00	Alwminiwm	2 800	2.8
Brics	2 300	2.30	Mercwri	13 600	13.6
Petrol	880	0.88	Aur	19 300	19.3

* Ar 0°C a gwasgedd atmosfferig.

Termau a diffiniadau

Dwysedd = $\dfrac{\text{Màs}}{\text{Cyfaint}}$; $\rho = \dfrac{M}{V}$

UNED

Os caiff màs ei fesur mewn kg, a chyfaint mewn m^3, yr uned dwysedd yw kg m^{-3}. Ar gyfer màs mewn g a chyfaint mewn cm^3, bydd y dwysedd mewn g cm^{-3}.
1 g cm^{-3} = 1000 kg m^{-3}.

SYMBOL

Y symbol arferol ar gyfer dwysedd yw'r llythyren Roegaidd ρ (rho).

Mae amrediad dwysedd y defnyddiau sydd ar y Ddaear yn eithaf mawr. Mae'r lluniadau yn Ffig. 1.1.13 i gyd yn cynrychioli 1 dunnell fetrig (10^3 kg) o ddefnydd. Ond mae'r amrediad hwn yn fach iawn o'i gymharu ag amrediad y dwyseddau yn y bydysawd. Er mwyn cymharu, mae Tabl 1.1.3 yn dangos maint ciwbiau 1 dunnell fetrig o wahanol ddefnyddiau y tu hwnt i'r Ddaear. Amrediad y dwyseddau a ddangosir yn y tabl yw $\sim 10^{33}$.

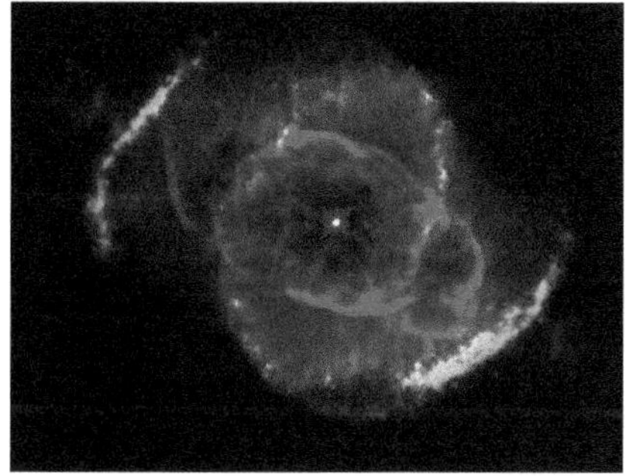

Ffig 1.1.14 Nifwl Llygad y Gath
Seren corrach gwyn yw'r dot gwyn yn y canol.
Mae ganddi ddwysedd o $\sim 10^9$ kg m^{-3}.

Tabl 1.1.3 Dwyseddau yn y bydysawd

Defnydd	Lled ciwb 1 t
Gofod rhyngserol	10^6 km
Seren cawr coch	100 m
Yr haul	0.89 m
Seren corrach gwyn	8.9 mm
Seren niwtron	15 μm

Ffig. 1.1.13 Amrediad dwyseddau

Fel arfer, bydd hi'n ofynnol i chi drawsnewid unedau mewn problemau sy'n ymwneud â dwysedd. Yn aml, bydd angen trawsnewid naill ai'r cyfaint neu'r dwysedd. Os caiff y cyfaint ei roi mewn cm^3 a'r dwysedd mewn kg m^{-3} yna:

naill ai trawsnewidiwch y cyfaint trwy ddefnyddio $1 \text{ cm}^3 = 1 \times 10^{-6} \text{ m}^3$

neu trawsnewidiwch y dwysedd trwy ddefnyddio $1000 \text{ kg m}^3 = 1 \text{ g cm}^{-3}$

Enghraifft

Mae gan floc petryal o ddur, dwysedd 7900 kg m^3, hyd o 10.0 cm, lled o 5.0 cm ac uchder o 4.0 cm. Cyfrifwch ei fàs.

Yr hafaliad yn gyntaf: $\rho = \frac{M}{V} \therefore M = \rho V$. Defnyddiwn yr unedau kg a m^3.

Màs $= 7\,900 \text{ kg m}^{-3} (10 \times 10^{-2} \text{ m} \times 5 \times 10^{-2} \text{ m} \times 4 \times 10^{-2} \text{ m})$

$= 7\,900 \text{ kg m}^{-3} \times 2 \times 10^{-4} \text{ m}^3$

$= 1.58 \text{ kg}$

Hunan-brawf 1.1.8

Ailadroddwch y cyfrifiad sydd yn yr enghraifft gan ddefnyddio g a cm^{-3}. Cofiwch drawsnewid y dwysedd o kg m^{-3} i g cm^{-3}.

1.1.6 Momentau grymoedd

(a) Effaith troi grym

Weithiau mae grym yn achosi i bethau gyflymu. Weithiau maen nhw'n ymestyn neu'n cywasgu gwrthrych, neu'n achosi iddo gylchdroi.

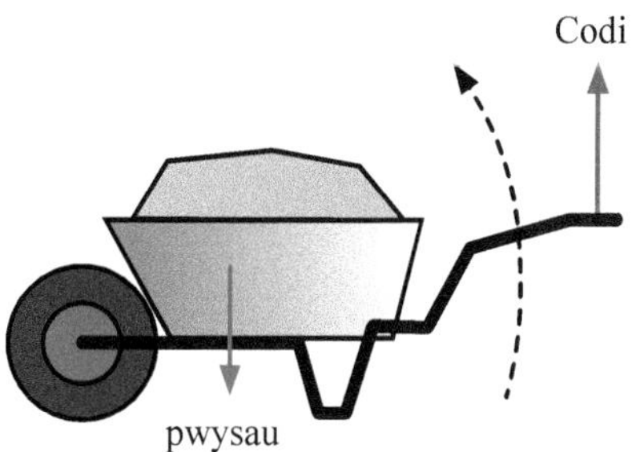

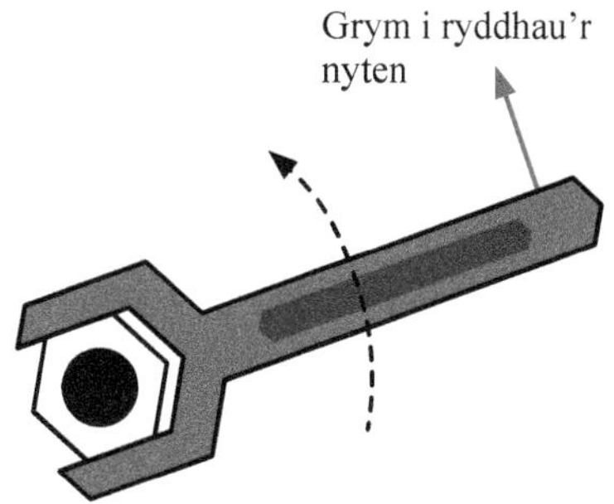

Ffig. 1.1.15 Grymoedd yn achosi i rywbeth gylchdroi

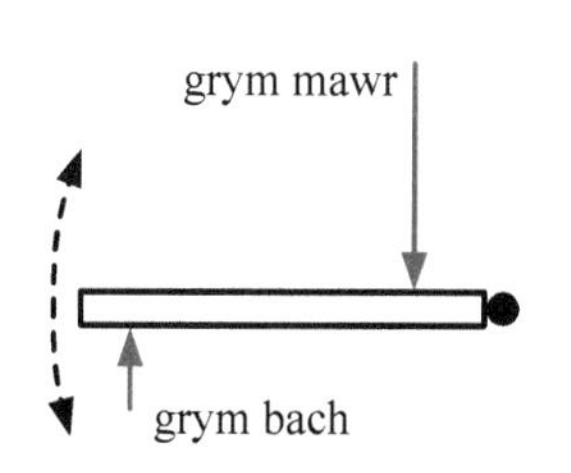

Ffig. 1.1.16 Grymoedd ar ddrws

Mae'r grymoedd (saethau coch) yn Ffig. 1.1.15 yn achosi i'r ferfa, y sbaner a'r nyten, ac olwyn ddannedd y beic droi o amgylch y colyn. Bydd unrhyw un sydd wedi defnyddio sbaner yn gwybod, yr hiraf yw'r goes, yr hawsaf yw datod y nyten. Mewn geiriau eraill, mae effaith troi'r grym yn fwy os caiff ei weithredu ymhellach i ffwrdd o'r colyn.

Gallwn wneud arbrawf syml i ddangos y gwahaniaeth hwn yn yr effaith troi trwy ofyn i ddau berson wthio ar y naill ochr a'r llall i ddrws. Gall plentyn yn rhwydd ddal drws ar gau yn erbyn oedolyn – os yw'r oedolyn yn gwthio'n agos at y colfachau! (Gweler Ffig. 1.1.16)

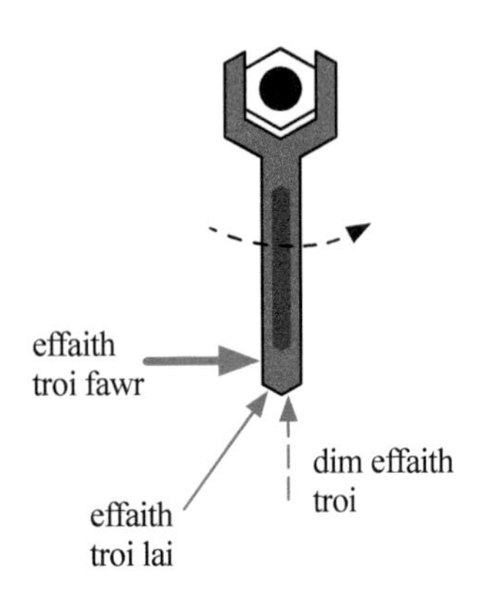

Ffig. 1.1.17 Mae cyfeiriad yn cyfrif

(b) Egwyddor momentau

Mae effaith troi grym o amgylch pwynt yn dibynnu ar ei gyfeiriad yn ogystal â'i bellter o'r pwynt – gweler Ffig. 1.1.17. Rydym yn ystyried hyn wrth ddiffinio **moment** grym, sef y mynegiad mathemategol o'i effaith troi:

Moment grym o amgylch pwynt yw lluoswm y grym a'r pellter perpendicwlar o'r pwynt at linell weithredu'r grym.

Mae Ffig. 1.1.18 yn egluro hyn. Caiff y grym F ei weithredu bellter x o P. Ond y pellter perpendicwlar o P at linell weithredu F yw d. Felly:

Mae moment F o amgylch P = Fd.

Wrth edrych ar Ffig. 1.1.18 eto, sylwn fod $d = x \cos \theta$.

∴ Mae moment F o amgylch P = $Fx \cos \theta$.

Gallwn ysgrifennu hyn hefyd fel $(F \cos \theta)x$.

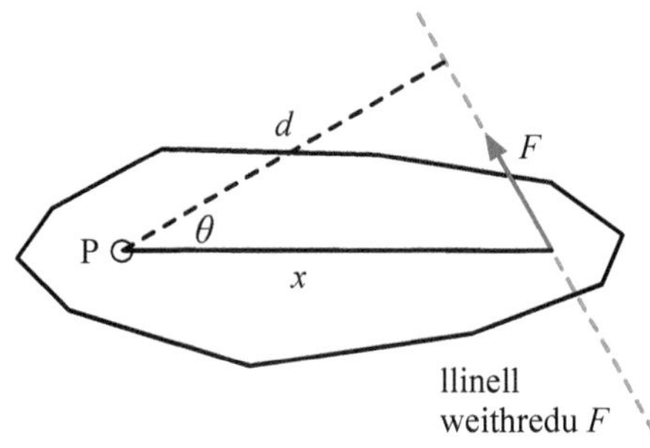

Ffig. 1.1.18 Mae moment F o amgylch P = Fd

Ond $F \cos \theta$ yw cydran F yn berpendicwlar i'r llinell sy'n cysylltu P a phwynt gweithredu F, felly mae hyn yn ffordd arall o gyfrifo'r moment.

Wrth edrych yn ôl ar Ffig. 1.1.16, gwelwn fod y ddau rym yn gweithredu mewn cyfeiriadau dirgroes: mae'r grym bach yn tueddu i wneud i'r drws symud yn glocwedd o amgylch y colfach; a'r grym mawr yn wrthglocwedd. Rydym yn dweud bod gan y grym bach **foment clocwedd** (MC) a bod gan y grym mawr **foment gwrthglocwedd** (MG).

Pwynt astudio

Enw arall ar foment grym yw'r *trorym*. Weithiau defnyddir y symbol t ar gyfer y moment (neu'r trorym).

UNED

Uned SI moment yw N m. Gellir ei fynegi hefyd mewn kN m, N cm, etc.

1.1.9 Hunan-brawf

Nodwch a yw moment pob un o'r grymoedd yn Ffig. 1.1.15 yn foment clocwedd (MC) neu'n foment gwrthglocwedd (MG).

Enghraifft

Cyfrifwch foment o amgylch O pob un o'r grymoedd yn Ffig. 1.1.19.

(a) Pellter perpendicwlar llinell weithredu'r grym 20 N yw 1.5 m o O.

∴ Mae moment clocwedd y grym 20 N o amgylch O = 20 N × 1.5 m = 30 N m.

(b) **Naill ai**: Pellter perpendicwlar llinell weithredu'r grym 40 N yw 2.0 sin 60° o O.

∴ Mae MG y grym 40 N o amgylch O = 2.0 sin 60° × 40 N m = 69.3 N m

Neu: Cydran berpendicwlar y grym 40 N i'r dadleoliad 2.0 m yw 40 sin 60°

∴ Mae MG y grym 40 N o amgylch O = 40 sin 60° × 2.0 N m = 69.3 N m

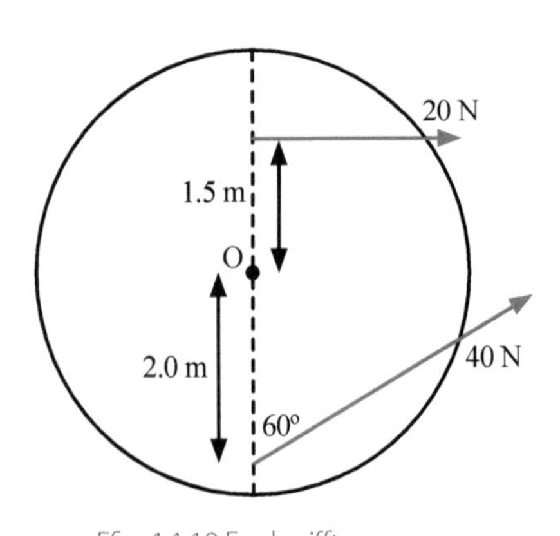

Ffig. 1.1.19 Enghraifft

Os y ddau rym hyn yn unig sy'n gweithredu, bydd y ddisg yn yr enghraifft yn dechrau troi'n wrthglocwedd – mae'r moment gwrthglocwedd yn fwy na'r moment clocwedd. Mae yna **foment gwrthglocwedd cydeffaith** o $69.3 - 30.0 = 39.3$ N m. Nid yw'n glir beth fydd yn digwydd ar ôl hynny gan nad ydym yn gwybod sut mae'r grymoedd yn gweithredu ar y ddisg; a fyddant yn aros yr un peth o ran maint, cyfeiriad a safle gweithredu? Ond mae hyn yn ein harwain at egwyddor bwysig: **Egwyddor Momentau** (gweler y diffiniad). Am y tro, anwybyddwn y geiriau 'o amgylch unrhyw bwynt' ac 'o amgylch yr un pwynt'. Byddwn yn dod yn ôl atynt yn Adran 1.1.7.

Gyda chymorth Egwyddor Momentau, gallwn ddatrys problem go iawn!

Termau a diffiniadau

Egwyddor momentau: Er mwyn i gorff fod mewn ecwilibriwm dan ddylanwad nifer o rymoedd, mae'r moment cydeffaith o amgylch unrhyw bwynt yn sero (mewn geiriau eraill: mae swm y momentau clocwedd o amgylch unrhyw bwynt yn hafal i swm y momentau gwrthglocwedd o amgylch yr un pwynt).

Enghraifft

Ble bydd rhaid i'r gath dew eistedd er mwyn cydbwyso'r ddwy arall ar y si-so?

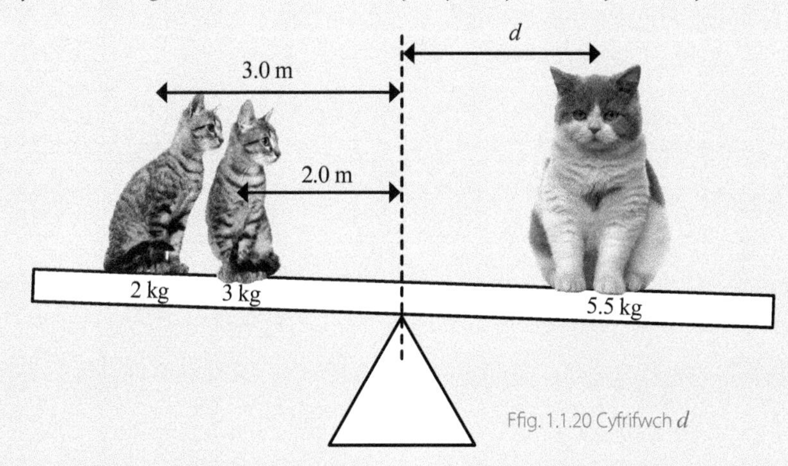

Ffig. 1.1.20 Cyfrifwch d

Pwysau'r cathod (trwy ddefnyddio mg), yw 19.62 N, 29.43 N a 53.96 N yn ôl eu trefn. Trwy ddefnyddio Egwyddor Momentau, rhaid i'r moment cydeffaith o amgylch y colyn fod yn sero.

∴ Gan gymryd clocwedd fel y cyfeiriad positif: $53.96d - 29.43 \times 2.0 - 19.62 \times 3.0 = 0$

∴ Trwy ddatrys yr hafaliad mae $d = 2.18$ m

∴ Rhaid i'r gath dew eistedd 2.18 m i ffwrdd o'r colyn.

Pwynt astudio

Sylwch fod colyn y si-so yn y canol yn yr enghraifft. Byddwn yn ymdrin â sefyllfaoedd anoddach yn Adran 1.1.7.

Os yw màs planc y si-so yn yr enghraifft yn 10 kg, dangoswch fod y colyn yn gweithredu grym i fyny o ~200 N ar y planc.

(c) Craidd disgyrchiant

Yn yr enghraifft ddiwethaf, roeddem yn trin y cathod (o bob maint) fel masau pwynt. Mae'n amlwg nad yw hyn yn wir – mae'r masau ar wasgar. Fodd bynnag, ar gyfer unrhyw wrthrych, gallwn ganfod pwynt lle rydym yn ystyried y mae ei holl bwysau yn gweithredu. Yr enw ar y pwynt hwn yw'r **craidd disgyrchiant**. Mewn maes disgyrchiant unffurf (a dyma fydd yr achos bob amser yn Ffiseg UG), bydd craidd disgyrchiant corff cymesur, sydd â dwysedd unffurf, yn gorwedd ar unrhyw blân cymesuredd. Mae Ffig. 1.1.21 yn dangos yr enghreifftiau rydych yn debygol o ddod ar eu traws:

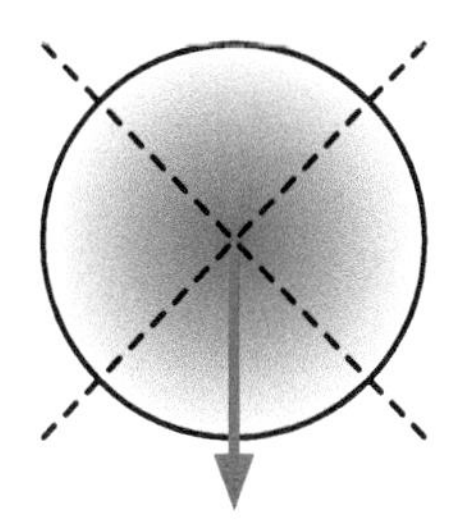
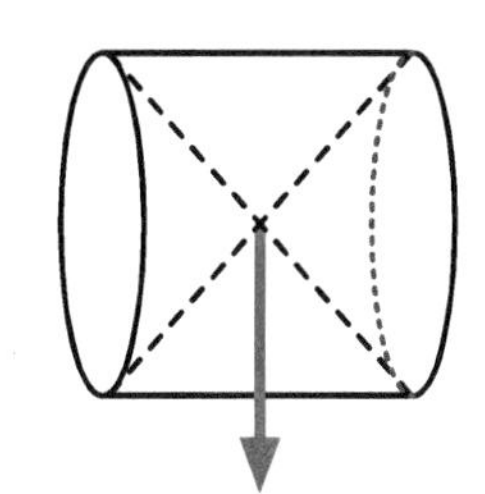
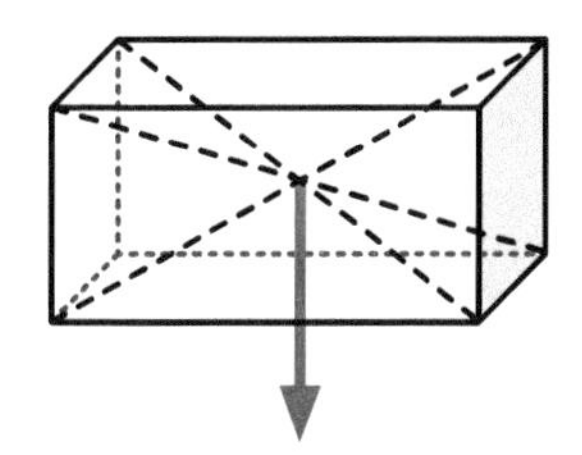

Ffig. 1.1.21 Creiddiau disgyrchiant

Ymestyn a Herio

Ar gyfer corff anhyblyg, mae safle'r craidd disgyrchiant yn sefydlog o fewn y corff; ond nid yw hyn yn wir yn achos cyrff hyblyg. Ble mae craidd disgyrchiant y neidiwr?

Ffig. 1.1.22

Yn achos gwrthrych sy'n sefyll, fel bws neu gar rasio, bydd y gwrthrych ar ei fwyaf sefydlog pan fydd ei graidd disgyrchiant ar ei isaf a'i sail ar ei fwyaf llydan. Mae hyn yn golygu y gall gwrthrych sydd â chraidd disgyrchiant isel ogwyddo mwy cyn iddo ddymchwel.

Mae Ffig. 1.1.23 yn defnyddio bloc petryal tal i ddangos yr egwyddor hon. Mae'r bloc ar fin dymchwel – gallai fynd i'r naill ochr neu'r llall gan fod y craidd disgyrchiant yn union uwchben y pwynt cydbwysedd. O'r geometreg, mae

$\tan\theta = \frac{w}{h}$, lle h yw uchder y craidd disgyrchiant ac w yw hanner lled y bloc.

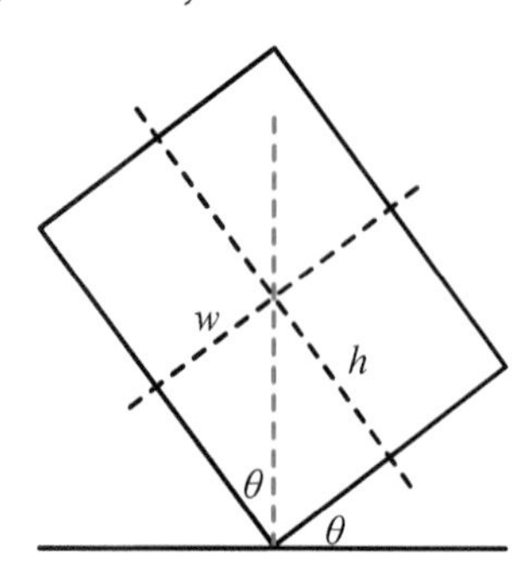

Ffig. 1.1.23 Sadrwydd bloc

Mae gan gar rasio olwynion llydan iawn ac maen nhw'n isel ar y ddaear, felly mae'r craidd disgyrchiant yn isel hefyd. Mae Ffig. 1.1.24 yn dangos prawf gogwydd ar gar F1.

Ffig. 1.1.24 Profi sadrwydd

Termau a diffiniadau

Er mwyn i gorff fod mewn **ecwilibriwm** dan weithrediad nifer o rymoedd ... (gweler y prif destun)

1.1.7 Amodau ar gyfer ecwilibriwm

Rydym yn dweud bod corff mewn **ecwilibriwm** os yw'n symud ac yn cylchdroi ar gyfradd gyson. Mewn nifer o achosion, yn enwedig o gymhwyso hyn i wrthrychau peirianyddol, fel pontydd neu adeiladau, mae hyn yn golygu nad yw'n symud o gwbl. Er mwyn i hyn ddigwydd:

1. Rhaid i'r grym cydeffaith ar y gwrthrych fod yn sero, a
2. Rhaid i'r moment cydeffaith (o amgylch unrhyw bwynt) fod yn sero (egwyddor momentau).

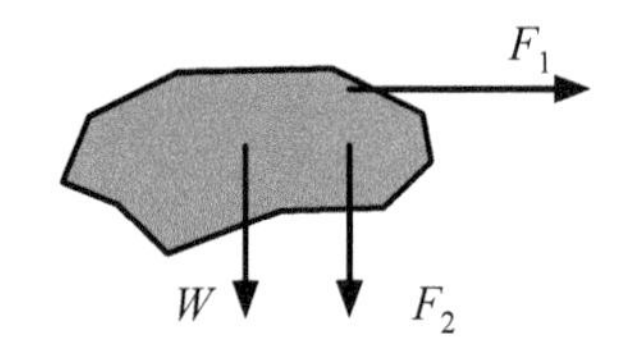

Ffig. 1.1.25 Nid yw'r gwrthrych hwn mewn ecwilibriwm

Mae'n amlwg **nad** yw'r gwrthrych yn Ffig. 1.1.25 mewn ecwilibriwm: mae'r grym cydeffaith tuag i lawr ac i'r dde, ac mae'r moment cydeffaith yn glocwedd (o amgylch y craidd disgyrchiant).

Beth am sefyllfa'r riwl metr yn Ffig. 1.1.26? Mae'r riwl yn pwyso 1 N a gallwn ystyried bod y pwysau hyn yn gweithredu ar y marc 50 cm, sef y craidd disgyrchiant. O dybio ei fod yn cydbwyso, beth yw gwerthoedd d ac F?

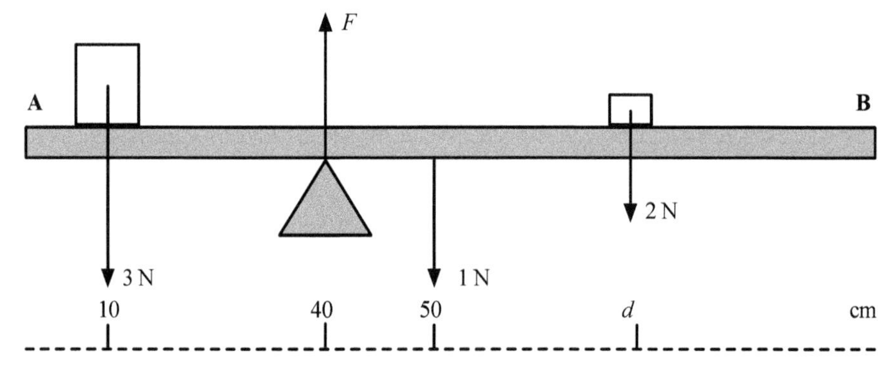

Ffig. 1.1.26 Riwl yn cydbwyso

Pwynt astudio

Yn Ffig. 1.1.26, mae dau fesur anhysbys (F a d), felly bydd angen dau hafaliad i'w cyfrifo.

Trwy gymhwyso amod 1: Mae'r grym cydeffaith = 0

$\therefore$ Mae $F = 3\text{ N} + 1\text{ N} + 2\text{ N} = 6\text{ N}$,
$\therefore$ Mae'r colyn yn rhoi grym i fyny o 6 N er mwyn i'r riwl fod mewn ecwilibriwm.

Trwy gymhwyso amod 2: Mae'r moment cydeffaith = 0 (o amgylch unrhyw bwynt).

Trwy gymryd momentau o amgylch pen **A**: Mae gan y grymoedd 3, 1 a 2 N i gyd foment clocwedd o amgylch **A**; mae gan F (= 6 N) foment gwrthglocwedd. Gan gymryd y MC fel positif:

$\therefore 3\text{ N} \times 10\text{ cm} - 6\text{ N} \times 40\text{ cm} + 1\text{ N} \times 50\text{ cm} + 2\text{ N} \times d = 0$
$\therefore$ (trwy symleiddio) $2d = 160$ cm. $\therefore$ Rhaid i'r pwysau 2 N fod ar y marc 80 cm.

1.1.11 Hunan-brawf

Darganfyddwch d yn Ffig. 1.1.26 trwy dybio bod $F = 6$ N, (trwy gymhwyso $\Sigma F = 0$) a chymryd momentau o amgylch **B**.

1.1.12 Hunan-brawf

Darganfyddwch d ac F yn Ffig. 1.1.26 trwy gymryd momentau o amgylch **A**, yna o amgylch **B**, a datrys yr hafaliadau cydamserol.

Y broblem olaf y byddwn yn edrych arni fydd sut i ddarganfod grym anhysbys os oes grymoedd ar onglau gwahanol. Er enghraifft, pa rym F mae'n rhaid i ni ei roi yn Ffig. 1.1.27 er mwyn i'r grymoedd fod mewn ecwilibriwm? Nid oes angen poeni am gylchdroeon oherwydd bod pob grym yn pasio trwy'r un pwynt. Mae gennym ddewis o dair techneg – ond mae dwy ohonynt yr un peth yn eu hanfod!

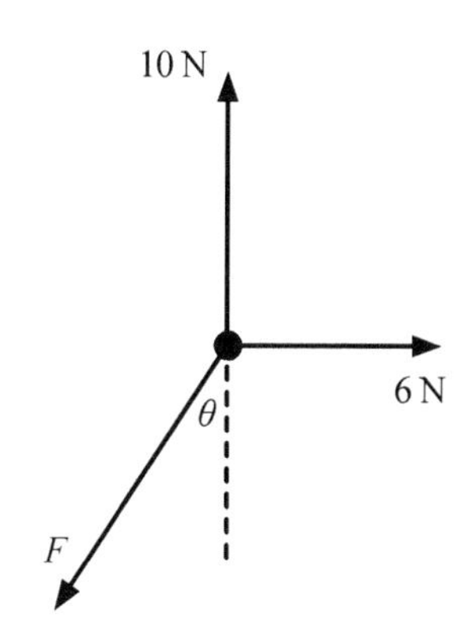

Ffig. 1.1.27 Darganfyddwch yr ecwilibrant

a) Adio'r 10 N a'r 6 N. Yna mae'n rhaid bod F yn hafal ac yn ddirgroes i'r cydeffaith.

b) Adio'r 10 N, y 6 N ac F fel yn Ffig. 1.1.7, fel bod y cydeffaith yn 0.

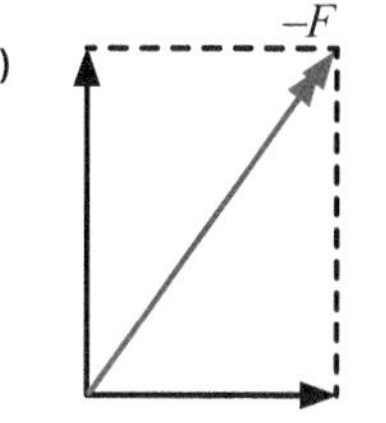

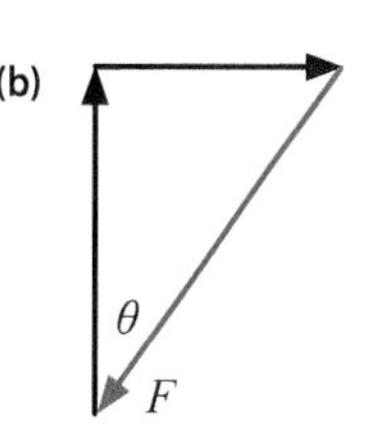

Cewch chi gwblhau'r labeli!

c) Cydrannu i ddau gyfeiriad – yn llorweddol ac yn fertigol fyddai'r cyfeiriadau amlwg:

Yn fertigol: $F \cos\theta = 10\text{ N}$ [1] Cofiwch: trwy'r ongl → cos

Yn llorweddol: $F \sin\theta = 6\text{ N}$ [2] Trwy $90° - \theta$ → sin

Trwy rannu [2] ag [1] a chofio bod $\frac{\sin\theta}{\cos\theta} = \tan\theta \rightarrow \tan\theta = \frac{10}{6}$.

Mae hyn yn caniatáu i ni gyfrifo θ, ac yna gallwn ddefnyddio [1] neu [2] i gyfrifo F.

1.1.13 Hunan-brawf

Defnyddiwch ddulliau (a) a (b) i ddarganfod F a θ yn Ffig. 1.1.27, a chwblhewch (c).

Gorffennwn ni â dwy enghraifft anoddach. Mae'r gyntaf yn dangos bod egwyddor momentau yn berthnasol hyd yn oed os nad oes yna golyn: os nad yw rhywbeth yn dechrau cylchdroi, rhaid bod momentau'r grymoedd o amgylch unrhyw bwynt yn adio i sero, hyd yn oed ar gyfer pont! Mae'r ail yn fwy anodd gan nad yw'r grymoedd yn baralel.

Enghraifft

Mae Ffig. 1.1.28 yn dangos llwyth ar bont. Cyfrifwch y grymoedd, F_1 ac F_2, y mae'r cynalyddion yn eu rhoi.

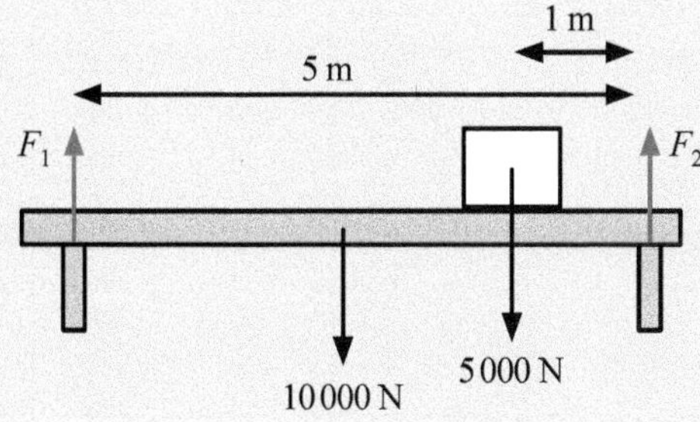

Ffig. 1.1.28 Grymoedd ar bont

Cymhwyswch yr amodau ar gyfer ecwilibriwm:

1. Grym cydeffaith = 0

$\therefore F_1 + F_2 = 10\,000 + 5\,000$

$= 15\,000\text{ N}$ [1]

2. Mae'r moment cydeffaith o amgylch unrhyw bwynt = 0

Cymerwch fomentau o amgylch y cynhalydd chwith, gan gymryd clocwedd fel y positif.

$\therefore 10\,000\text{ N} \times 2.5\text{ m} + 5\,000\text{ N} \times 4\text{ m} - F_2 \times 5\text{ m} = 0$

$\therefore 5F_2 = 45\,000\text{ N}$

$\therefore F_2 = 9\,000\text{ N}$ [2]

Amnewidiwch werth F_2 yn hafaliad [1] i gyfrifo $F_1 \rightarrow F_1 = 6\,000\text{ N}$

Os oes **tri** grym amharalel yn gweithredu ar gorff mewn ecwilibriwm, rhaid i holl linellau gweithredu'r grymoedd basio trwy bwynt sengl.

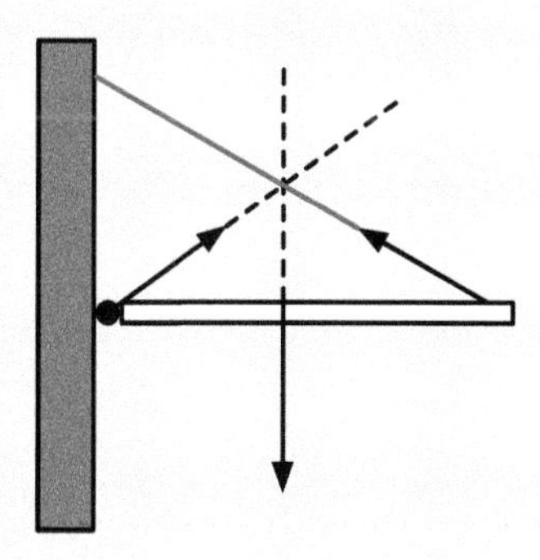
Ffig. 1.1.29

Rhaid i'r grym y mae'r colfach yn ei weithredu ar y rhoden basio trwy bwynt ar y cortyn sydd yn fertigol uwchben craidd disgyrchiant y rhoden.

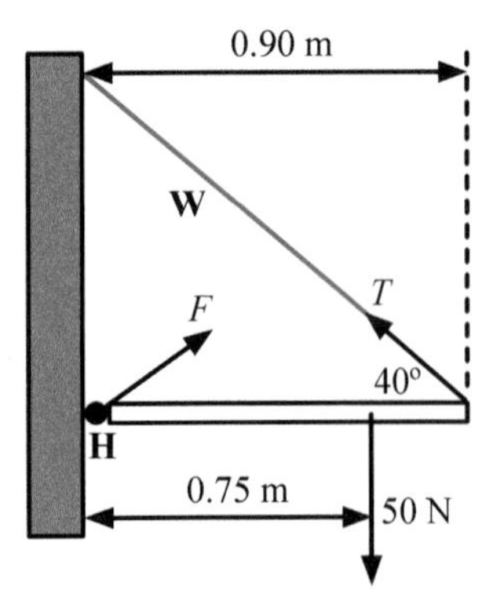

Ffig. 1.1.30 Arwydd tafarn

Enghraifft

Caiff arwydd tafarn ei gynnal ar wal fertigol gan golfach, **H**, a gwifren, **W**, fel y dangosir yn Ffig. 1.1.30. Cyfrifwch y tyniant, T, yn **W**.

Cymerwch fomentau o amgylch **H**. MG positif. Trwy ddefnyddio egwyddor momentau:

$$T \sin 40° \times 0.90 \text{ m} - 50 \text{ N} \times 0.75 \text{ m} = 0 \therefore T = 64.8 \text{ N}$$

Yn dilyn ymlaen o'r enghraifft hon, gallwn hefyd ddefnyddio amodau ecwilibriwm i ddarganfod y grym y mae'r colfach yn ei weithredu ar far yr arwydd – F yn Ffig. 1.1.30. Gallem ddefnyddio'r triongl grymoedd i wneud hyn:

Mae gan y tri grym ar yr arwydd gydeffaith **0**. Trwy ddefnyddio'r canlyniad ar gyfer y tyniant, bydd y triongl yn edrych fel hyn.

Gallwn ddefnyddio'r rheol cosin i ddarganfod F a θ.

Fel dewis arall, gallwn ddefnyddio cydrannau, a'r ffaith bod y cydrannau cydeffaith llorweddol a fertigol yn sero:

$\therefore$ Yn llorweddol: $F \sin \theta = T \cos 40°$ $\quad \therefore F \sin \theta = 49.6 \text{ N}$ [1]

ac yn fertigol $F \cos \theta + T \sin 40° = 50$ $\quad \therefore F \cos \theta = 8.35 \text{ N}$ [2]

Yna wrth rannu hafaliad [1] â hafaliad [2] cawn $\tan \theta = \frac{49.6}{8.35} = 5.94$.

Felly gallwn gyfrifo θ ac felly hefyd F.

1.1.14 Hunan-brawf

Cyfrifwch faint a chyfeiriad grym F yn Ffig. 1.1.30.

1.1.8 Gwaith ymarferol

(a) Mesur dwysedd solidau

I ddarganfod dwysedd sylwedd, rhaid mesur y màs a'r cyfaint a rhannu'r màs gyda'r cyfaint. Mae'r gwaith ymarferol hwn yn cael ei wneud yn aml i brofi dealltwriaeth o ansicrwydd a sut i'w cyfuno. Caiff y màs ei ddarganfod fel arfer trwy ddefnyddio clorian electronig, a chymerir mai'r ansicrwydd absoliwt yw ± 1 yn nigid olaf y darlleniad.

e.e. byddai darlleniad o 159.73 g yn cael ei gymryd fel (159.73 ± 0.01) g.

Yn aml iawn, nid yw'r ansicrwydd o ran màs mor sylweddol â'r ansicrwydd o ran y cyfaint.

Mae'r ffordd y caiff y cyfaint ei ddarganfod yn dibynnu ar p'un a yw siâp y gwrthrych solet yn rheolaidd, e.e. ciwboid, e.e. sleid microsgop, neu silindr, e.e. gwifren.

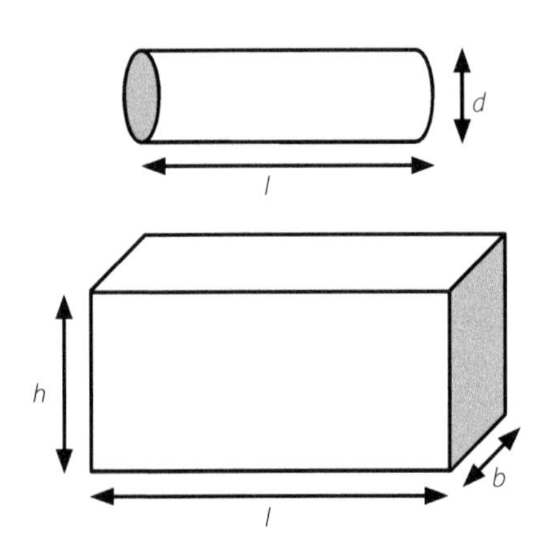

Ffig. 1.1.31 Solidau rheolaidd

(i) Solidau rheolaidd

Cyfaint ciwboid = lbh; cyfaint silindr = $Al = \pi r^2 l = \frac{\pi d^2 l}{4}$.

Fel arfer, rydym yn defnyddio caliperau digidol, â chydraniad 0.01 mm, ar gyfer hydoedd hyd at ~15 cm. Mae'n bwysig gwirio'r darlleniad sero wrth eu defnyddio, h.y. cau'r genau a chymryd darlleniad. Rydym yn tynnu'r darlleniad hwn o'r darlleniad a gawn wrth fesur y gwrthrych. Ar gyfer hydoedd > 15 cm, rydym fel arfer yn defnyddio riwl metr â chydraniad 1.0 mm.

Gallwn wella'r trachywiredd ar gyfer set o wrthrychau unfath trwy eu gosod ben wrth ben, e.e. bydd gosod 10 sleid microsgop ben wrth ben yn rhoi hyd o ~75 cm; bydd defnyddio graddfa mm i fesur yr hyd yn rhoi ansicrwydd canrannol o 0.13%.

CYNGOR YMARFEROL

Edrychwch ym Mhennod 3 ar gyfer cyfuno a lleihau ansicrwydd.

Sylwch

Cofiwch eich bod yn mesur *diamedr* gwifren, ac nid y *radiws*!

(ii) Solidau afreolaidd

Caiff y solid, e.e. carreg, ei hongian ar edafedd a'i ollwng i silindr mesur o ddŵr nes ei fod o dan y dŵr yn llwyr. Bydd y cynnydd yn y darlleniad ar gyfer y cyfaint yn rhoi cyfaint y solid. Os yw'r solid yn rhy fawr ar gyfer silindr mesur, rhaid defnyddio *tun dadleoli* (Ffig. 1.1.32) a chaiff y dŵr sy'n gorlifo ei ddal mewn silindr mesur. Anfanteision y dull hwn yw: (a) mae cydraniad y silindr mesur yn eithaf mawr (mae $1–2\ \text{cm}^3$ ar gyfer silindr mesur $100\ \text{cm}^3$ yn nodweddiadol) a (b) nid yw cyfaint y dŵr sy'n gorlifo o reidrwydd yn union yr un peth â chyfaint y gwrthrych.

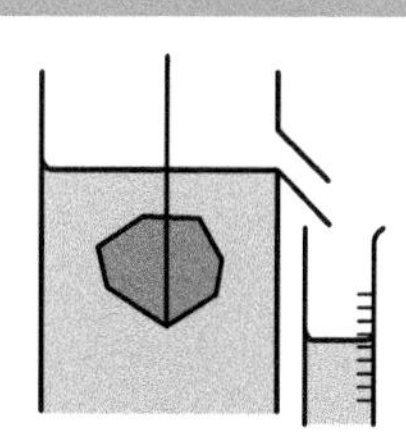
Ffig. 1.1.32 Mesur cyfaint carreg

(b) Mesur màs trwy ddefnyddio egwyddor momentau

Yn Ffig. 1.1.33, mae'r bar hir yn riwl metr neu ½ metr. Mae'r triongl yn cynrychioli unrhyw golyn – gallai fod mor syml â bys wedi'i ymestyn. Caiff y colyn ei osod ar graidd disgyrchiant y riwl.

Pan fydd y bar yn cydbwyso, bydd y MG a'r MC o amgylch y colyn yn hafal.

$\therefore\ Mgx = mgy$

$\therefore\ Mx = my.$

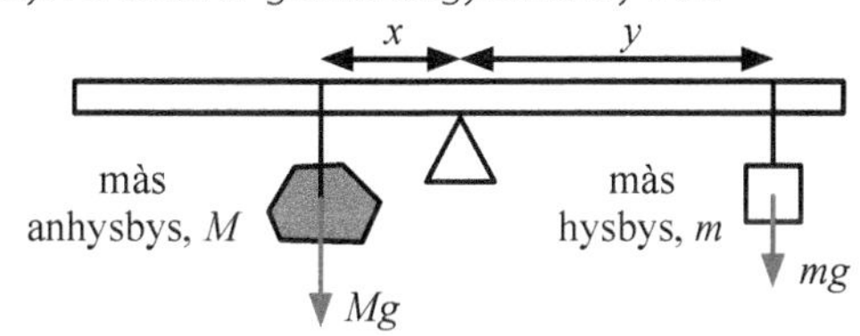

Ffig. 1.1.33 Darganfod màs anhysbys

Gallwn ddefnyddio'r dechneg hon i ddarganfod màs y bar ei hun hefyd. Darganfyddir lleoliad y craidd disgyrchiant fel y disgrifir yn y Pwynt astudio. Caiff màs hysbys, m, ei hongian yn agos i un pen y bar. Darganfyddir pwynt y colyn a chaiff y pellterau x ac y ac y eu mesur.

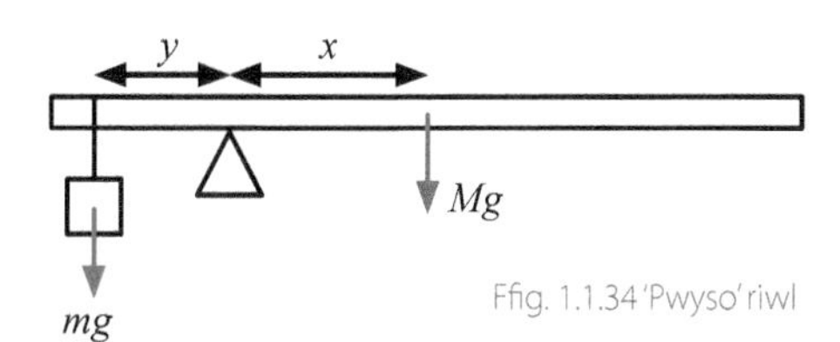

Ffig. 1.1.34 'Pwyso' riwl

Yna, fel uchod, mae: $Mx = my$.

▼ Pwynt astudio

Nid yw'r craidd disgyrchiant o reidrwydd ar ganolbwynt y raddfa. Mae'n syniad da gwneud arbrawf rhagarweiniol i'w ddarganfod:

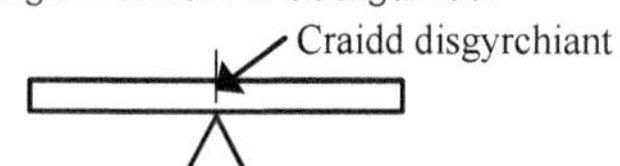

Mae'r craidd disgyrchiant uwchben y pwynt cydbwysedd.

CYNGOR YMARFEROL

Bydd y canlyniadau'n fwyaf cywir os yw x ac y mor fawr â phosibl. Felly, yn Ffig. 1.1.33, dylai'r màs hysbys fod yn debyg i'r màs anhysbys.

Ymarfer 1.1

1. Yn ôl deddf disgyrchiant Newton, bydd dau gorff bychan, masau M_1 ac M_2, bellter d ar wahân, yn atynnu ei gilydd â grym, F, a roddir gan: $F = \frac{GM_1M_2}{d^2}$, lle G yw'r cysonyn disgyrchiant cyffredinol.
   (a) Dangoswch fod $[G] = \text{N m}^{-2}\,\text{kg}^{-2}$.
   (b) Mynegwch $[G]$ yn nhermau'r unedau SI sylfaenol, m, kg ac s.

2. Caiff y pŵer, P, sy'n cael ei afradloni gan wrthydd, R, â gp, V, ar ei draws a cherrynt, I, ei roi gan $P = IV$.

   (a) Mynegwch yr uned gp (y folt, V) yn nhermau'r unedau SI sylfaenol, m, kg, s, A.
   (b) Defnyddiwch hafaliad priodol i fynegi'r ohm, Ω, yn nhermau'r unedau SI sylfaenol.

3. Mae silindr, hyd $1.5\ \text{m}$ a diamedr $60\ \text{mm}$ wedi'i wneud o haearn, dwysedd $7900\ \text{kg m}^{-3}$. Cyfrifwch ei fàs.

4. Radiws orbit y blaned Mawrth yw **220 miliwn km**. Mynegwch hyn mewn metrau yn y ffurf safonol.

5. Amcangyfrifwch fàs gwifren alwminiwm ($\rho = 2.7\ \text{g cm}^{-3}$), diamedr 1 mm, sy'n ymestyn unwaith o amgylch y Ddaear.

6. Darganfyddwch gydrannau llorweddol a fertigol v_1 a v_2.

7. Defnyddiwch gydrannau i ddarganfod

   (a) swm $(v_1 + v_2)$ a
   (b) gwahaniaeth $(v_2 - v_1)$ y ddau fector v_1 a v_2, a mynegwch gyfeiriad yr atebion fel ongl i'r llinell doredig.

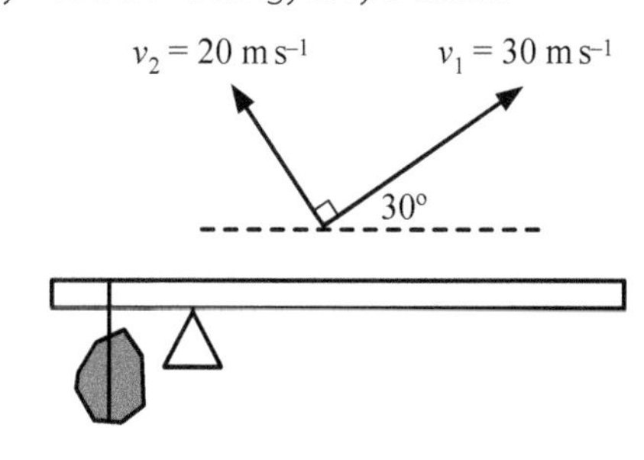

8. Ailadroddwch gyfrifiadau C7 gan ddefnyddio paralelogramau fectorau.

9. Mae carreg yn cydbwyso riwl metr unffurf $50\ \text{g}$ o'i hongian o'r marc $10\ \text{cm}$ pan mae'r ffwlcrwm ar y marc $20\ \text{cm}$. Pan gaiff ei gollwng i silindr mesur, mae lefel y dŵr yn codi o $150\ \text{cm}^3$ i $190\ \text{cm}^3$. Cyfrifwch ddwysedd y garreg.

10. Caiff y ffwlcrwm yn C9 ei symud i'r marc $40\ \text{cm}$, a chaiff y riwl ei gydbwyso eto trwy ychwanegu màs ychwanegol i'r marc $80\ \text{cm}$. Cyfrifwch (a) y màs sydd ei angen a (b) y grym i fyny y mae'r ffwlcrwm yn ei weithredu ar y riwl.

1.2 Cinemateg

Mae cinemateg yn ymwneud â mudiant a'r disgrifiad mathemategol ohono. Mae'n astudio sut mae pethau'n symud, heb ystyried pam maen nhw'n symud. Byddwn yn ystyried hyn yn y testun nesaf, Dynameg.

1.2.1 Buanedd a chyflymder

(a) Mudiant mewn llinell syth – graffiau dadleoliad–amser

Nid yw astudio mudiant mewn llinell syth mor gyfyngol ag y mae'n ymddangos. I ddechrau, mae cludiant ar y ffyrdd ac ar y rheilffyrdd (yn enwedig trenau) wedi'i gyfyngu i fudiant ar hyd llwybrau llinol. Nid oes angen i ni boeni am y ffaith bod y llwybrau'n igam-ogam gan nad ydym yn ymchwilio i achos mudiant. Yn ogystal, wrth ystyried mudiant mewn dau ddimensiwn (a thri dimensiwn), byddwn yn aml yn edrych ar gydrannau'r mudiant: yn ei hanfod, mae mudiant 3D yn cynnwys tair set o fudiant mewn llinellau syth!

Mae'r graff dadleoliad–amser, Ffig. 1.2.1, yn dangos car yn symud ar hyd ffordd. Byddwn yn ei ddefnyddio i'n helpu i ddeall termau penodol. Y dadleoliad yw'r pellter ar hyd y ffordd, sy'n cael ei fesur i'r dde.

▼ Pwynt astudio

Daw *cinemateg* o'r gair Groegaidd κινημα (cinema) sy'n golygu *mudiant*. O'r gair hwn hefyd y daw *egni cinetig* a *sinema* (lluniau symudol).

Termau a diffiniadau

$$\text{Cyflymder cymedrig} = \frac{\text{dadleoliad}}{\text{amser a gymerwyd}}$$

SYMBOL

Rydym yn defnyddio'r symbol x ar gyfer dadleoliad. Mae nifer o werslyfrau yn defnyddio'r symbol s.

▼ Pwynt astudio

Mae graff x–t sy'n goleddu i fyny yn golygu bod x yn cynyddu, h.y. cyflymder positif. Os yw'r graff yn goleddu i lawr, caiff cyfeiriad y mudiant ei gildroi.

GWIRIO'R FATHEMATEG

Gweler Pennod 4 am help i ddarganfod graddiant graff ar gyfer graffiau syth a chrwm.

1.2.1 Hunan-brawf

Cyfrifwch y cyflymder cymedrig yn ystod 6 eiliad gyntaf Ffig.1.2.1.

1.2.2 Hunan-brawf

Dros ba gyfnodau yn Ffig. 1.2.1 mae'r cyflymder yn gyson?

1.2.3 Hunan-brawf

Disgrifiwch y mudiant yn Ffig. 1.2.1 yn ansoddol.

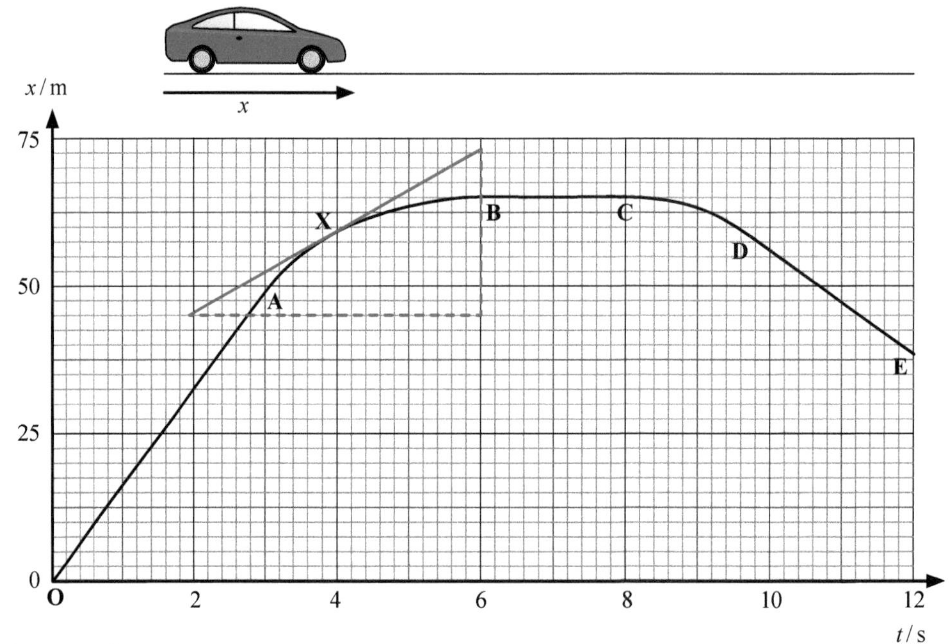

Ffig. 1.2.1 Graff x–t ar gyfer car

1. Mae goledd i fyny (rhwng **O** a **B**) yn cynrychioli *cynnydd* yn x gydag amser, ac felly symudiad yn y cyfeiriad x positif; mae goledd i lawr (**D** i **E**) yn symud yn y cyfeiriad negatif; mae'r rhan lorweddol (**B** i **C**) yn golygu ei fod yn llonydd.

2. Mae *graddiant* y graff yn cynrychioli'r cynnydd yn y dadleoliad bob eiliad. Felly graddiant y graff dadleoliad–amser yw'r cyflymder. Os yw'r graff yn llinell syth, mae'r graddiant yn gyson ac felly mae'r cyflymder yn gyson.

Trwy edrych ar Ffig. 1.2.1 yn fathemategol:

Mae'r cyflymder cymedrig rhwng 3 ac 8 eiliad [**A** i **C**] $= \dfrac{\Delta x}{\Delta t} = \dfrac{(65\text{–}50)\text{ m}}{5\text{ s}} = 3\text{ m s}^{-1}$.

Mae'r cyflymder yn gyson o **D** i **E**. $v_{DE} = \frac{\Delta x}{\Delta t} = \frac{(38-59)\text{ m}}{2.4\text{ s}} = \frac{-21}{2.4} = -8.8\text{ m s}^{-1}$.

Y *cyflymder enydaidd* yn **X** yw graddiant y tangiad yn **X**:

$$v_X = \frac{\Delta s}{\Delta t} = \frac{(73-46)\text{ m}}{4.0\text{ s}} = \frac{27}{4.0} = 6.8\text{ m s}^{-1}.$$

Y dadleoliad, x, ar gyfer y daith gyfan yw 37 m, ond mae'r car wedi teithio pellter, d, o 93 m. Caiff y rhain eu cyfrifo fel a ganlyn:

$$x_{OB} + x_{BC} + x_{CE} = 65\text{ m} + 0\text{ m} + (-28\text{ m}) = 37\text{ m}$$

$$d_{OB} + d_{BC} + d_{CE} = 65\text{ m} + 0\text{ m} + 28\text{ m} = 93\text{ m}$$

Felly mae *buanedd cymedrig* y daith gyfan = $\frac{\text{pellter a deithiwyd}}{\text{amser a gymerwyd}} = \frac{93}{12} = 7.8\text{ m s}^{-1}$.

▼ **Pwynt astudio**

Ystyr Δ (delta) yw *newid*, felly ystyr Δx yw *newid dadleoliad*.

Os yw x yn newid o x_1 i x_2 yna mae $\Delta x = (x_2 - x_1)$.

▼ **Pwynt astudio**

Nid yw *buanedd* gwrthrych yn ystyried cyfeiriad, felly'r buanedd rhwng **D** ac **E** yw 8.3 m s^{-1}.

Hunan-brawf 1.2.4

Cyfrifwch y *cyflymder* cymedrig ar gyfer y daith yn Ffig. 1.2.1.

(b) Mudiant mewn dau ddimensiwn

Unwaith eto, edrychwn ar enghraifft benodol er mwyn ceisio deall y termau.

Mae'r Ddaear yn troi o gwmpas yr Haul ar hyd llwybr cylchol (bron) ar fuanedd cyson (bron). Radiws yr orbit yw **149.6 miliwn km**, a chyfnod yr orbit yw **365.25 diwrnod**. Byddwn yn defnyddio'r wybodaeth hon a Ffig. 1.2.2 i wahaniaethu rhwng gwahanol dermau. Efallai yr hoffech edrych ar Adran 1.1.3 eto.

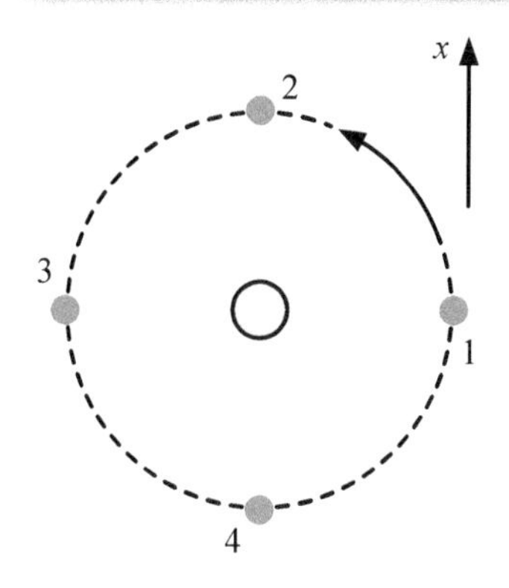

Ffig. 1.2.2 Y Ddaear mewn orbit

Yn gyntaf, rhaid cyfrifo *buanedd cymedrig* y Ddaear yn ei orbit:

$$\text{Buanedd cymedrig} = \frac{\text{pellter a deithiwyd}}{\text{amser a gymerwyd}}$$

Mewn 1 orbit, mae'r pellter a deithiwyd = $2\pi \times 149.6 \times 10^6$ km.

Mae amser 1 orbit = 365.25 diwrnod = 3.156×10^7 s

∴ Mae'r buanedd cymedrig = $\frac{2\pi \times 149.6 \times 10^6\text{ km}}{3.156 \times 10^7\text{ s}} = 29.8\text{ km s}^{-1}$.

Tybiwn mai hwn hefyd yw'r *buanedd enydaidd* ar unrhyw ennyd gan fod y buanedd bron yn gyson.

Beth am gyflymder? Y *cyflymder enydaidd* yn safle 1, v_1, yw ei fuanedd yng nghyfeiriad x:

∴ mae $v_1 = 29.8\text{ km s}^{-1}$ yng nghyfeiriad x.

ac mae $v_2 = 29.8\text{ km s}^{-1}$ 90° o x [gan fesur onglau'n wrthglocwedd o x].

Beth am v_3? Gallem ysgrifennu: $v_3 = 29.8\text{ km s}^{-1}$ 180° o x. Gallem ysgrifennu hyn fel $v_3 = -29.8\text{ km s}^{-1}$ yng nghyfeiriad x. [Sylwch ar yr arwydd minws.]

Diffinnir y *cyflymder cymedrig* gan:

$$\text{Cyflymder cymedrig} = \frac{\text{dadleoliad}}{\text{amser a gymerwyd}}$$

felly er mwyn cyfrifo'r cyflymder cymedrig o safle 1 i 2, $\langle v_{1,2}\rangle$, rhaid i ni yn gyntaf wybod y dadleoliad Δx.

Trwy ddefnyddio theorem Pythagoras, dylech allu dangos bod $\Delta x = 211.6$ **miliwn km** ar ongl o 45° o gyfeiriad x. Mae'r amser 1→2 hefyd yn ¼ blwyddyn.

∴ Mae $\langle v_{1,2}\rangle = \frac{\Delta x}{\Delta t} = \frac{211.6 \times 10^6\text{ km}}{0.789 \times 10^7\text{ s}} = 26.8\text{ km s}^{-1}$ ar ongl o 45° o x.

Hunan-brawf 1.2.5

Beth yw'r cyflymder enydaidd yn safle 4?

Sylwch

Dysgwch sut i drawsnewid oriau, dyddiau a blynyddoedd i eiliadau:

1 awr = 3600 s

1 diwrnod = 24 × 3600 = 86 400 s

1 flwyddyn = 365.25 × 86 400 s

Hunan-brawf 1.2.6

Ar gyfer Ffig. 1.2.2, darganfyddwch

(a) v_4, (b) $\langle v_{1,3}\rangle$ (c) $\langle v_{3,4}\rangle$

Hunan-brawf 1.2.7

Ar gyfer Ffig. 1.2.2, beth yw'r cyflymder, v, 1 mis (a) cyn a (b) ar ôl safle 1?

1.2.2 Cyflymiad

(a) Mudiant mewn llinell syth – graffiau cyflymder–amser

Mae adrannau **AB** ac **CD** yn Ffig. 1.2.1 yn cynrychioli cyflymder sy'n newid, h.y. cyflymiad. Caiff y cyflymiad cymedrig, dros gyfwng amser Δt, ei ddiffinio fel:

$$\text{Cyflymiad cymedrig} = \frac{\Delta v}{\Delta t}$$

Bydd yr un mynegiad yn rhoi brasamcan o'r *cyflymiad enydaidd* ar amser penodol, ond rhaid i'r cyfwng amser, Δt, fod yn fach iawn.

Unwaith eto, mae'n gyfleus defnyddio graff i edrych ar hyn: graff o gyflymder yn erbyn amser (graff v–t) yn yr achos hwn. Y tro hwn, yn Ffig. 1.2.3, beth am ddychmygu trên lleol, e.e. trên tanddaearol, yn symud rhwng gorsafoedd? Mae'n dechrau o ddisymudedd, yn cyflymu'n unffurf am 5 s, yn teithio ar gyflymder cyson am 15 s, etc., cyn arafu i ddisymudedd ar 68 s.

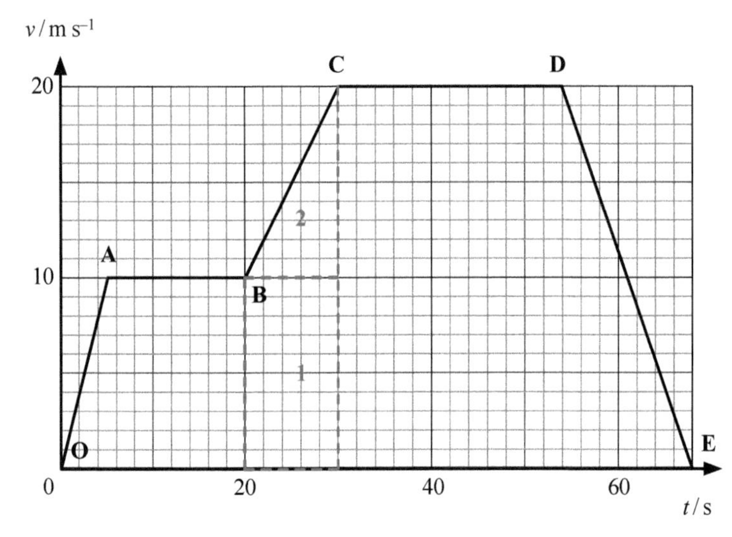

Ffig. 1.2.3 Graff v–t ar gyfer trên tanddaearol

$$\text{Cyflymiad y trên yn } \mathbf{OA} = \frac{\Delta v}{\Delta t} = \frac{10 \text{ m s}^{-1}}{5.0 \text{ s}} = 2.0 \text{ m s}^{-2}.$$

$$\text{Y cyflymiad rhwng } \mathbf{D} \text{ ac } \mathbf{E} = \frac{\Delta v}{\Delta t} = \frac{(0-20) \text{ m s}^{-1}}{14 \text{ s}} = -1.43 \text{ m s}^{-2}.$$

Mae'r graff v–t yn caniatáu i ni gyfrifo'r dadleoliad: dyma'r 'arwynebedd' rhwng y graff a'r echelin t. Er enghraifft (o Ffig. 1.2.3):

Mae'r dadleoliad rhwng **B** ac **C** = yr arwynebedd rhwng y graff a'r echelin t

= arwynebedd 1 + arwynebedd 2 [mewn coch ar y graff]

$= 10 \text{ s} \times 10 \text{ m s}^{-1} + \frac{1}{2}(10 \text{ s} \times 10 \text{ m s}^{-1})$

$= 150 \text{ m}$

Y dadleoliad ar gyfer y daith gyfan yw 945 m [gweler Hunan-brawf 1.2.10]. O hyn, gallwn ddarganfod y cyflymder cymedrig ar gyfer y daith:

$$\text{Cyflymder cymedrig} = \frac{\Delta x}{\Delta t} = \frac{945 \text{ m}}{70 \text{ s}} = 13.5 \text{ m s}^{-1}.$$

Pwynt astudio

Os yw'r cyflymder yn newid o v_1 i v_2, yna mae $\Delta v = v_2 - v_1$.

Pwynt astudio

Yr uned cyflymiad yw m s^{-2}.

Mae cyflymiad o 5 m s^{-2} yn golygu bod y cyflymder yn cynyddu 5 m s^{-1} bob eiliad, e.e. cyflymderau o 2, 7, 12, 17… m s^{-1} ar gyfyngau o 1 eiliad.

1.2.8 Hunan-brawf

Disgrifiwch y daith yn Ffig. 1.2.3 rhwng 20 a 68 s.

Termau a diffiniadau

Graddiant graff cyflymder–amser yw'r cyflymiad.

Felly mae llinell v–t lorweddol yn cynrychioli cyflymder cyson.

Termau a diffiniadau

Cyflymiad negatif yw **arafiad**; e.e. mae cyflymiad o -1.5 m s^{-2} yn arafiad o 1.5 m s^{-2}.

1.2.9 Hunan-brawf

Yn Ffig. 1.2.3, cyfrifwch y cyflymiad cymedrig rhwng 10 a 35 eiliad.

Pwynt astudio

Dywedir yn aml mai'r dadleoliad yw'r arwynebedd *o dan* y graff, ond os yw'r cyflymder yn negatif, y dadleoliad yw'r gwahaniaeth rhwng yr arwynebedd o dan yr echelin t ac uwchben y graff.

Enghraifft

Mae'r graff v–t hwn ar gyfer bwled wrth iddo gael ei saethu i danc o ddŵr.

Defnyddiwch y graff i gyfrifo:
(a) Yr arafiad ar 2 ms,
(b) Dadleoliad y bwled pan ddaw i ddisymudedd.

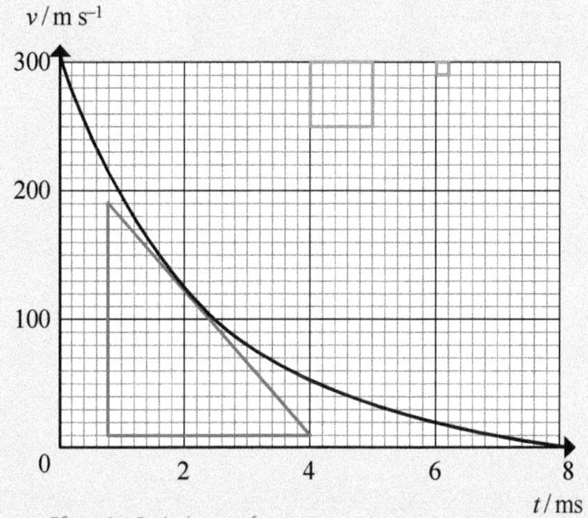

Ffig. 1.2.4 Bwled yn arafu

Ateb

(a) Y cyflymiad yw graddiant y tangiad ar 2 ms.

O'r triongl coch, mae

$$a = \frac{\Delta v}{\Delta t} = \frac{(10 - 190)\ \text{m s}^{-1}}{3.2\ \text{ms}}$$

$$= -56.3 \times 10^3\ \text{m s}^{-2}$$

∴ Yr arafiad yw $56.3\ \text{km s}^{-2}$.

(b) Dadleoliad = yr arwynebedd o dan y graff. Trwy ddefnyddio'r rheol trapesoid (gweler Gwirio'r fathemateg), gyda $\Delta t = 1.0$ ms:

Arwynebedd o dan y graff

$$= (250 + 163 + 105 + 65 + 43 + 28 + 15 + 5 + 0)\ \text{m s}^{-1} \times 0.001\ \text{s}$$

$$= 0.674\ \text{m}$$

∴ Dadleoliad y bwled wrth gyrraedd disymudedd = 0.67 m (2 ff.y.)

Hunan-brawf 1.2.10

Trwy rannu'r arwynebedd o dan y graff yn Ffig. 1.2.3 yn briodol, dangoswch mai'r dadleoliad ar gyfer y daith yw 945 m.

GWIRIO'R FATHEMATEG

Gweler Pennod 4 am dechnegau amrywiol ar gyfer amcangyfrif yr arwynebedd o dan graff aflinol, gan gynnwys y *rheol trapesoid.*

Trwy ddefnyddio'r dull cyfrif sgwariau, cafodd yr awdur 0.65 m a 0.69 m yn ôl eu trefn wrth ddefnyddio'r sgwariau gwyrdd mawr a bach.

Hunan-brawf 1.2.11

Yn Ffig. 1.2.5, gan dybio bod y cyflymiad yn $1.5\ \text{m s}^{-2}$ ac i lawr bob amser, cyfrifwch gyflymder y bêl wrth iddi daro'r ddaear 20 s ar ôl **C**.

[Awgrym: cyfrifwch Δv trwy ddefnyddio $\Delta v = a\,\Delta t$, yna lluniadwch driongl fectorau.]

(b) Mudiant mewn dau ddimensiwn

Byddwn yn gweld yn adran 1.2.4 sut i astudio cydrannau llorweddol a fertigol mudiant ar wahân. Yma, edrychwn yn gyflym ar sut i gyfrifo cyflymiad pan fydd cyfeiriad y mudiant yn newid. Ystyriwch fudiant y bêl griced yn y gêm brawf ryngblanedol ar orsaf leuad Tycho. Tarodd batiwr agoriadol tîm y blaned Iau y bêl yr holl ffordd i'r ffin (bell iawn).

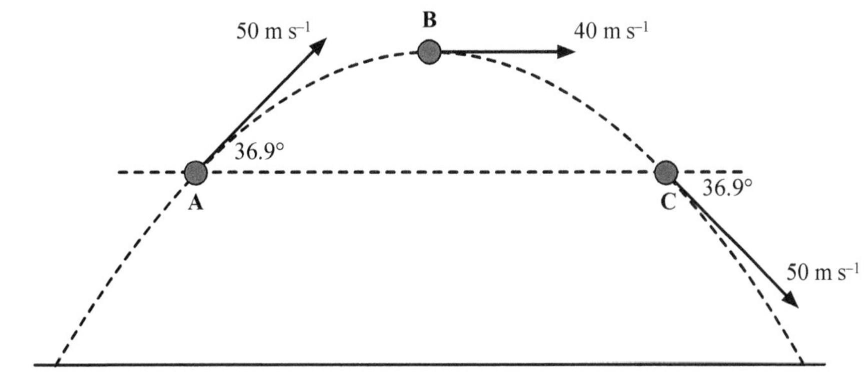

Ffig. 1.2.5 Criced lleuadol

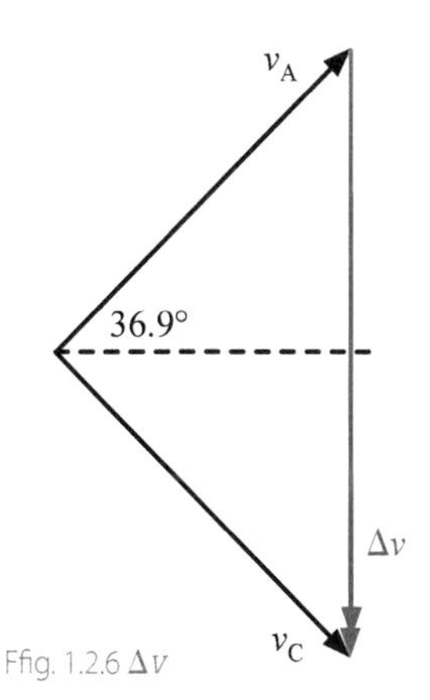

Ffig. 1.2.6 Δv

Roedd y bêl yn safleoedd **A**, **B** ac **C** ar amserau o 20 s, 40 s a 60 s ar ôl iddi gael ei tharo. Rydym am ddarganfod y cyflymiad cymedrig rhwng safleoedd **A** ac **C**. Mae Ffig. 1.2.6 yn dangos sut i gyfrifo Δv.

$$\Delta v = 2 \times 50 \sin 36.9° = 60\ \text{m s}^{-1}$$

∴ Rhwng **A** ac **C**, $\langle a \rangle = \frac{\Delta v}{\Delta t} = \frac{60\ \text{m s}^{-1}}{40\ \text{s}} = 1.5\ \text{m s}^{-2}$ yn fertigol i lawr.

Ymestyn a Herio

Mae car yn teithio o gwmpas troad 90° ar gyflymder o $15\ \text{m s}^{-1}$. Mae'n cwblhau'r troad mewn 7.0 s. Gweler y diagram. Cyfrifwch y cyflymiad cymedrig.

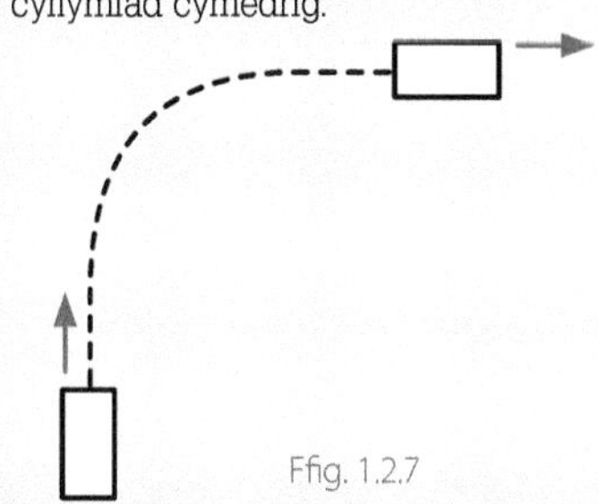
Ffig. 1.2.7

1.2.3 Hafaliadau cyflymiad unffurf

(a) Deillio'r hafaliadau

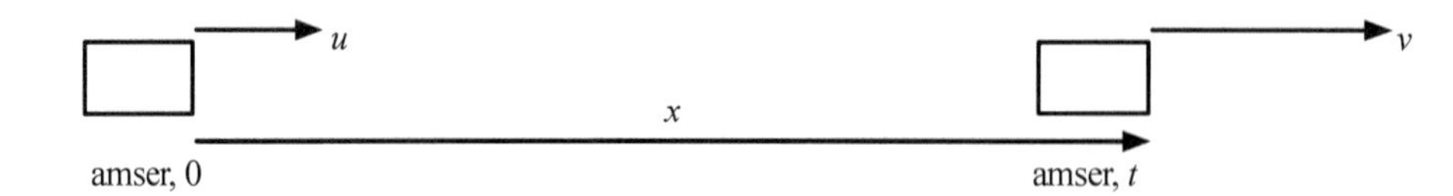

Ffig. 1.2.8 *xuvat*

Yn yr adran hon, byddwn yn ystyried gwrthrych sy'n symud ar gyflymder cychwynnol, u, ac yn cyflymu â chyflymiad cyson, a, am amser, t. Yn yr amser hwn, mae'n cyrraedd cyflymder terfynol, v, ac yn symud trwy ddadleoliad, x. Mae'r mudiant ar hyd llinell syth. Byddwn yn deillio perthnasoedd rhwng y mesurau hyn, sef x, u, v, a a t.

Termau a diffiniadau

Rydym yn cyfeirio'n aml at yr hafaliadau hyn fel *xuvat*.

x = dadleoliad

u = cyflymder cychwynnol

v = cyflymder terfynol

a = cyflymiad

t = amser

O'r diffiniad ar gyfer cyflymiad, mae $a = \frac{v-u}{t}$, $\therefore$ (trwy ad-drefnu) mae $v = u + at$ [1]

Y dadleoliad, x, yw'r 'arwynebedd o dan' y graff v–t – gweler Ffig. 1.2.9(a). Mae'r graff yn llinell syth oherwydd bod y cyflymiad yn gyson. Er hwylustod, rydym yn tybio bod $a > 0$ [felly mae'r graddiant yn bositif] a bod $u > 0$. Bydd yr hafaliadau rydym yn eu deillio yn dal yn ddilys os yw a neu u [neu'r ddau] < 0.

Y dadleoliad, x, yw arwynebedd y trapesiwm. O'r fformiwla ar gyfer arwynebedd trapesiwm, mae $x = \frac{1}{2}(u+v)t$ [2]

Trwy rannu'r trapesiwm yn betrayal ac yn driongl, cawn Ffig. 1.2.9(c).

Trwy adio'r arwynebeddau, $A_1 + A_2$, cawn: $x = ut + \frac{1}{2}(v-u)t$

O hafaliad [1], mae $v - u = at$ $\therefore$ $x = ut + \frac{1}{2}at^2$ [3]

O hafaliad [1], mae $t = \frac{v-u}{a}$. Trwy amnewid t yn [2] cawn $x = \frac{1}{2}(u+v)\frac{(v-u)}{a}$,

Gallwn ad-drefnu hwn i roi: $v^2 = u^2 + 2ax$ [4]

Dylech **ddysgu hafaliadau [1] – [4]**. Gwnewch yn siŵr eich bod yn gallu eu deillio.

Dyma bumed hafaliad i gwblhau'r set: $x = vt - \frac{1}{2}at^2$ [5]

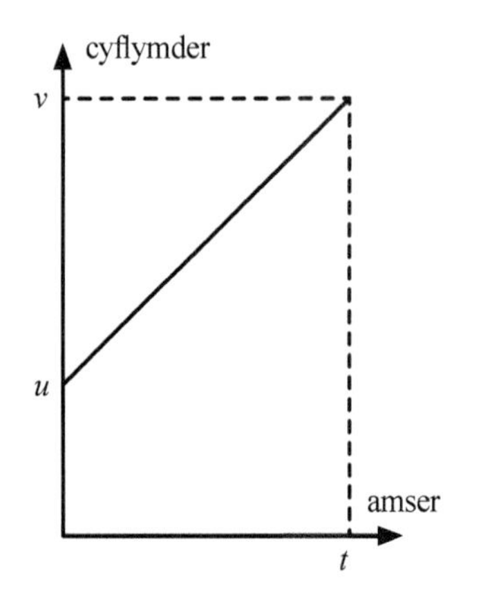

Ffig. 1.2.9(a) Graff v–t

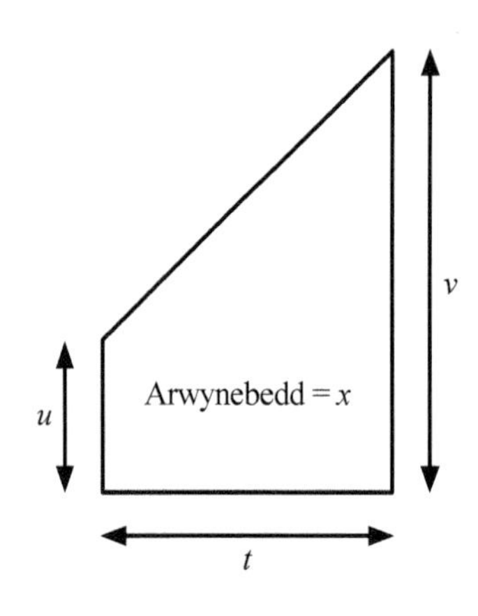

Ffig. 1.2.9(b) Trapesiwm

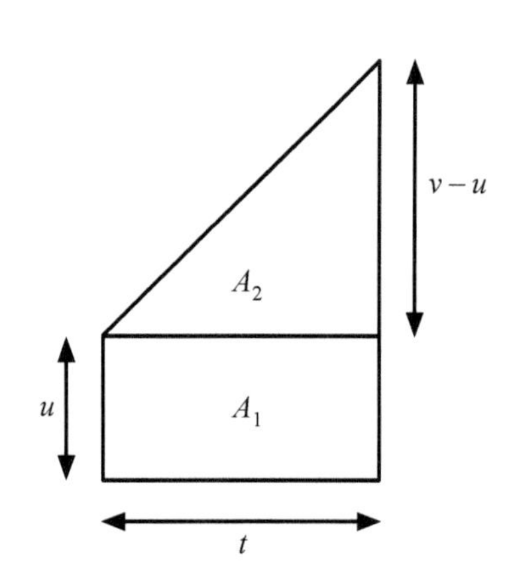

Ffig. 1.2.9(c) Petryal a thriongl

(b) Cymhwyso'r hafaliadau

Mae'n bwysig bod yn systematig wrth gymhwyso'r hafaliadau hyn.

- Nodwch pa rai o'r mesurau, x, a, ac ati, rydych yn eu gwybod eisoes, a pha rai y mae angen i chi eu cyfrifo.

Dywedwch eich bod chi'n gwybod y cyflymder cychwynnol (u), y cyflymiad (a) a'r amser (t), a bod angen i chi gyfrifo'r dadleoliad (x). Yr hafaliad sy'n cynnwys y pedwar mesur hyn yw $x = ut + \frac{1}{2}at^2$, felly dyma'r hafaliad i'w gymhwyso.

Enghraifft

Mae car, sy'n teithio $26\ \text{m s}^{-1}$, yn arafu $1.2\ \text{m s}^{-2}$ i fuanedd o $10\ \text{m s}^{-1}$. Cyfrifwch (a) y pellter a deithiwyd a (b) yr amser a gymerodd y broses.

(a) Gwnewch gofnod o'r mesurau. $u = 26\ \text{m s}^{-1}$; $v = 10\ \text{m s}^{-1}$; $a = -1.2\ \text{m s}^{-2}$.

Mesur anhysbys $= x$. $\therefore$ Defnyddiwch yr hafaliad $v^2 = u^2 + 2ax$. O hwn cawn $x = 240\text{m}$.

(b) Nawr rydym yn gwybod gwerth u, v, a ac x, ac mae angen cyfrifo t. Felly gallwn ddefnyddio unrhyw un o hafaliadau 1, 2 a 3. Yr hawsaf yw $x = \frac{1}{2}(u + v)t$, sy'n rhoi $t = 13.3\ \text{s}$.

Sylwadau ar yr enghraifft:

1. Mae'n bosibl ateb rhan (b) o'r cwestiwn cyn rhan (a).

   O wybod gwerth u, v ac a, hafaliad 1 yw'r un amlwg i'w ddefnyddio i gyfrifo t.

2. Os ydych yn defnyddio $x = ut + \frac{1}{2}at^2$ i gyfrifo t, yna byddwch fel arfer yn cael dau ddatrysiad posibl – gweler y Pwynt astudio. Yn yr achos hwn, mae $t = 13.3$ s neu 30.0 s. I weld o ble y daw'r ail ddatrysiad, edrychwch ar y graff bras o x yn erbyn t. Mae hwn yn rheswm da dros osgoi hafaliadau cwadratig.

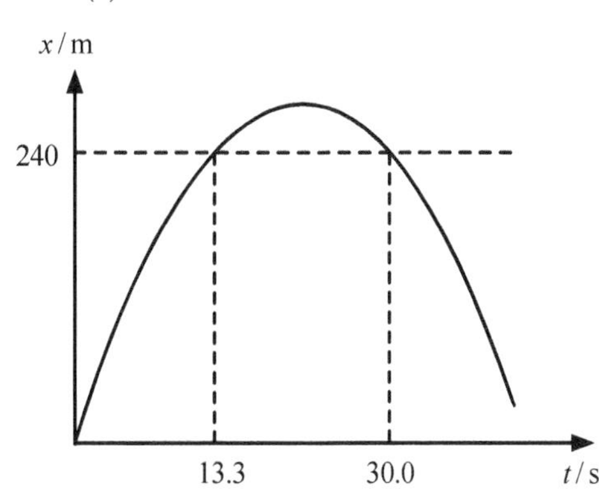

Ffig. 1.2.10 Graff x–t

(c) Mudiant fertigol dan ddisgyrchiant[1]

Mae'r ddelwedd yn Ffig. 1.2.11 yn dangos pêl golff (wen) a phêl tennis bwrdd yn disgyn 'yn rhydd'. Cânt eu goleuo gan strôb sy'n fflachio ar gyfyngau cyson. Mae'r pellter rhwng safleoedd y ddau sffêr yn cynyddu wrth iddynt ddisgyn, gan ddangos eu bod yn cyflymu. Gallwn ddefnyddio'r raddfa i archwilio'r cyflymiad.

Safleoedd bras canol y bêl golff yn y pedair delwedd (mewn cm) yw: 3.0, 10.5, 22.0 a 38.0. Mae'r bêl wedi disgyn pellterau (bras) o 7.0, 11.5, 16.0 cm rhwng y delweddau. Mae hyn yn dangos cynnydd cyson ac felly gyflymiad cyson. Ni allwn fesur y cyflymiad gan nad ydym yn gwybod y cyfyngau amser rhwng y fflachiadau. Sylwch fod y bêl golff yn ymddangos fel pe bai'n goddiweddyd y bêl tennis bwrdd oherwydd bod effaith gymharol gwrthiant aer yn fwy ar y bêl sydd â'r màs lleiaf.

O gwmpas 1590, dyfeisiodd Galileo arbrawf meddwl i gyfiawnhau, yn rhesymegol, fod pob gwrthrych sy'n disgyn **yn rhydd** (h.y. yn absenoldeb gwrthiant aer) yn cyflymu tuag at y Ddaear â'r un cyflymiad. Yr enw ar y cyflymiad hwn yw *cyflymiad disgyn yn rhydd* neu *gyflymiad oherwydd disgyrchiant*. Y symbol ar gyfer y cyflymiad hwn yw g. Gweler Adran 1.3.8 am drafodaeth bellach ar y pwnc hwn, a hefyd am effaith gwrthiant aer ar fudiant disgyn.

1 Gweler hefyd Adran 1.3.8.

1.2.12 Hunan-brawf

(a) Dangoswch fod yr atebion a roddir ar gyfer yr enghraifft yn gywir.

(b) Defnyddiwch $v = u + at$ i ddatrys rhan (b).

(c) Defnyddiwch $x = ut + \frac{1}{2}at^2$ i ddatrys rhan (b) yn Hunan-brawf 1.2.12.

Sylwch

Er bod arholwyr yn cymhwyso dgy (*dwyn gwall ymlaen*), mae'n syniad da peidio â dibynnu ar yr ateb i ran (a) unrhyw gwestiwn wrth ateb rhan (b).

Pwynt astudio

Os ydych wedi gwneud Hunan-brawf 1.2.12(c), bydd gennych ddau ddatrysiad: $t = 13.3$ s a 30.0 s.

13.3 s yw'r ateb priodol. Rhoir sylw ar yr ateb 30.0 s yn y prif destun.

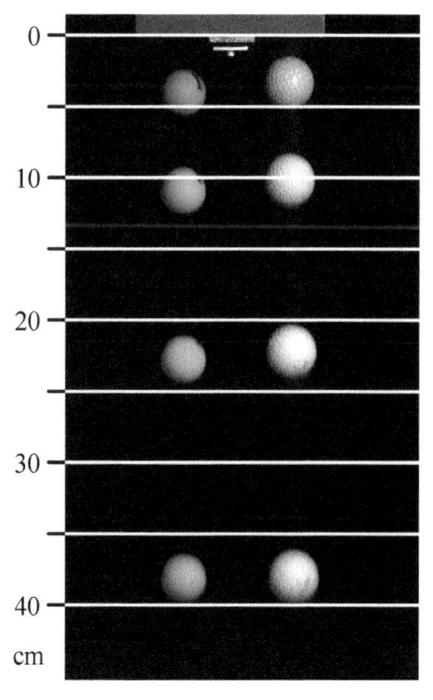

Ffig. 1.2.11 Sfferau yn disgyn yn rhydd

Ffig. 1.2.12 Arbrawf meddwl Galileo

Mae cyflymiad oherwydd disgyrchiant, g, yn agos i wyneb y Ddaear bron yn gyson. Ar uchder o 39 km, sef yr uchder y neidiodd Felix Baumgartner ohono ym mis Hydref 2012, mae gwerth g 1.2% yn unig yn llai nag ydyw ar lefel y ddaear. Hyd yn oed ar uchder yr Orsaf Ofod Ryngwladol (400 km), dim ond 13% yn llai yw g nag ar lefel y ddaear. Oni bai bod rhywun yn dweud yn wahanol, dylech dybio bod $g = 9.81 \text{ m s}^{-2}$. Wrth amcangyfrif, mae'n synhwyrol defnyddio'r gwerth bras 10 m s^{-2} ar gyfer g.

Enghraifft

Mae myfyriwr yn gollwng carreg o adeilad uchel. Amcangyfrifwch (a) ei safle a (b) ei buanedd ar ôl 1 s, 2 s, 3 s a 4 s, gan dybio nad yw wedi taro'r ddaear!

(a) Os yw'r cyflymiad $\sim 10 \text{ m s}^{-2}$, mae hyn yn golygu bod y buanedd yn cynyddu 10 m s^{-1} bob eiliad, felly'r buaneddau yw $\sim 10, 20, 30$ a 40 m s^{-1} yn ôl eu trefn.

(b) Trwy gymhwyso $x = ut - \frac{1}{2}at^2$ pan mae $u = 0$ ac $a = g \sim 10 \text{ m s}^{-2}$, cawn $x = 5t^2$, sy'n arwain at $x = 5$ m, 20 m, 45 m ac 80 m.

1.2.13 Hunan-brawf

Mae teithiwr mewn balŵn aer poeth ar uchder o 200 m yn taflu carreg i lawr ar 10 m s^{-1}. Cyfrifwch fuanedd y garreg wrth iddi daro'r ddaear.

Mae nifer o broblemau sy'n ymwneud â mudiant dan ddisgyrchiant yn cynnwys mudiant i fyny, sydd yn lleihau ac, yn y pen draw, yn troi'n fudiant i lawr. Er mwyn datrys problemau o'r fath rhaid penderfynu pa gyfeiriad sy'n bositif.

Os dewiswn *i fyny fel y positif* yna mae $a = -g = -9.81 \text{ m s}^{-2}$; bydd cyflymder i lawr yn negatif a bydd safle islaw'r pwynt cychwyn yn negatif. Mae'r enghraifft ganlynol yn egluro'r pwyntiau hyn.

Pwynt astudio

Gallem ddewis i lawr fel y positif. Trwy wneud hyn, mae $a = g = +9.81 \text{ m s}^{-2}$.

Yn yr enghraifft, mae u yn -80 m s^{-1} ac x yn $+250$ m ar y ddaear.

Ffig. 1.2.14

Enghraifft

Mae roced degan yn rhedeg allan o danwydd ar uchder o 250 m a buanedd fertigol o 80 m s^{-1} i fyny. Gan anwybyddu effeithiau gwrthiant aer, cyfrifwch gyflymder y roced wrth iddi daro'r ddaear.

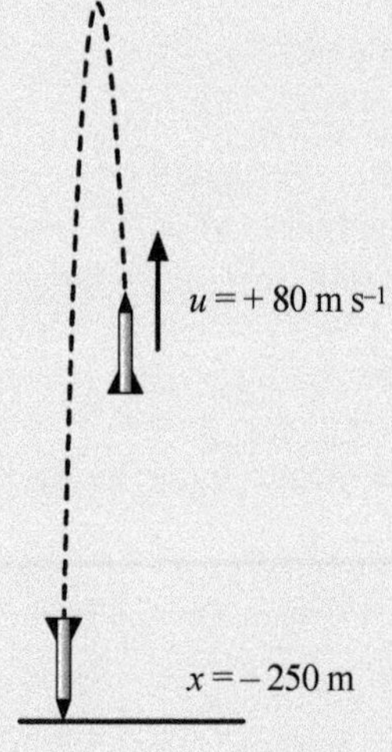

Ffig. 1.2.13 Roced degan

Ateb

$u = 80 \text{ m s}^{1}$, $a = -g = -9.81 \text{ m s}^{-2}$.

Mae lefel y ddaear 250 m islaw'r pwynt lle mae ein hafaliadau yn dechrau bod yn gymwys, h.y. mae $x = -250$ m. Mae angen i ni ddarganfod v ar y pwynt hwn.

$\therefore v^2 = u^2 + 2ax$. $\therefore v^2 = 80^2 + 2(-9.81)(-250) = 11\,305$

$\therefore v = \pm 106 \text{ m s}^{-1}$

Sut rydym yn gwahaniaethu rhwng y ddau ddatrysiad posibl? Gallem ddweud, 'Wel, mae'n amlwg na all $+106 \text{ m s}^{-1}$ fod yn gywir, felly rhaid mai -106 m s^{-1} yw'r ateb, h.y. 106 m s^{-1} i lawr.' Mae hyn yn bendant yn gywir ond gallem edrych ar y broblem yn fwy manwl. Gweler y Pwynt astudio.

Pwynt astudio

Ni all yr hafaliadau yn yr enghraifft wahaniaethu rhwng y cwestiwn dan sylw, a sefyllfa lle caiff gwrthrych ei daflu i fyny o'r ddaear, gan gyrraedd cyflymder o 80 m s^{-1} ar uchder o 250 m ar amser 0. Yn yr ail sefyllfa, byddai amser a chyflymder y tafliad yn -2.7 s a $+106 \text{ m s}^{-1}$ yn ôl eu trefn.

Cwestiwn anodd

Byddai'r cwestiwn yn anoddach pe bai'n gofyn i chi gyfrifo'r amser tan i'r roced gyrraedd y ddaear. Pam mae hyn yn fwy anodd? Gan ei fod yn golygu datrys hafaliad cwadratig!

Datrysiad haws

Mae rhai yn ei chael hi'n haws meddwl am y broblem hon mewn dwy ran:

1. Cyfrifo'r amser a'r pellter i frig yr hediad (cam 1), a
2. Cyfrifo'r amser disgyn o'r brig i'r ddaear (cam 2).

Mae hyn yn cynnwys y dilyniant canlynol:

- Yng ngham 1, mae $v = 0$. Defnyddiwch $v = u + at$ i gyfrifo'r amser i'r brig.
- Defnyddiwch $x = \frac{1}{2}(u + v)t$ neu $x = ut + \frac{1}{2}at^2$ i gyfrifo'r cynnydd mewn uchder yng ngham 1. Adiwch yr uchder cychwynnol (250 m) i roi cyfanswm yr uchder.
- Defnyddiwch $x = ut + \frac{1}{2}at^2$ i gyfrifo'r amser a gymerwyd i ddisgyn 576 m o ddisymudedd. Mae hwn yn gwadratig ond mae'r term ut yn sero (oherwydd bod $u = 0$). [Awgrym: mae'n synhwyrol cymryd *i lawr* fel y positif ar gyfer y rhan hon o'r hediad.]
- Adiwch y ddau amser.

Nawr rhowch gynnig ar Hunan-brawf 1.2.14.

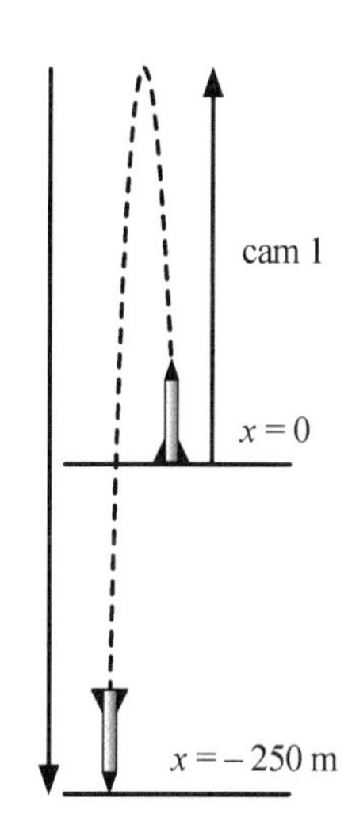

Ffig. 1.2.15 Amser hediad

Hunan-brawf 1.2.14

Gwnewch y cyfrifiadau ar gyfer camau 1 a 2, a dangoswch fod cyfanswm yr amser yn 19.0 s.

Pam na allwn ddarganfod cyfanswm amser hediad y roced trwy ddefnyddio hafaliadau mudiant 1–4?

Defnyddiwch $x = ut + \frac{1}{2}at^2$ ar gyfer yr hediad cyfan o 250 m, i ddarganfod yr amser hyd at yr ardrawiad â'r ddaear.

1.2.4 Taflegrau

Mae *taflegryn* yn wrthrych sy'n cael ei daflu/gicio/symud i fyny ar ongl, ac sy'n parhau ar hyd ei lwybr dan ddylanwad disgyrchiant, e.e. pêl rygbi sy'n cael ei throsi. Yr enw ar astudiaeth o'r math hwn o fudiant yw *balisteg*, ar ôl yr arf gwarchae Rhufeinig, y *ballista*.

Roedd cofnodion mewn llyfrau milwrol yn yr Oesoedd Canol yn awgrymu bod llwybr hedfan pêl ganon fel a ddangosir yn Ffig. 1.2.17.

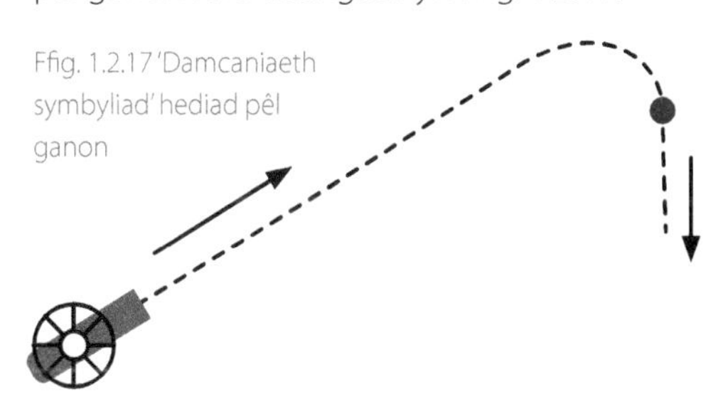

Ffig. 1.2.17 'Damcaniaeth symbyliad' hediad pêl ganon

Y syniad oedd bod y bêl ganon yn cael ei 'symbylu' i symud. Pan fyddai'r symbyliad yn dod i ben, byddai disgyrchiant yn achosi iddi blymio i lawr. Mae hyn yn debyg i lwybr cymeriad cartŵn wrth iddo redeg dros ymyl clogwyn. Mae'r llun o ffrydiau dŵr yn Ffig. 1.2.16 yn dangos gwir lwybr parabolig unrhyw daflegrau.

Ffig. 1.2.16 Ffrydiau dŵr parabolig

Er mwyn gweld beth sy'n digwydd, byddwn yn edrych ar ddelwedd strôb o ddau sffêr, fel sydd yn Ffig. 1.2.18. Mae un yn symud yn fertigol, ac mae'r llall yn dechrau'n llorweddol ar yr un pryd.

Mae'r llinellau gwyn fertigol yr un pellter ar wahân. O'r ddelwedd hon, gwelwn fod:

1. Uchder y ddau sffêr yr un peth ar bob ennyd, h.y. maen nhw'n cyflymu i lawr ar yr un gyfradd, sef g.
2. Y sffêr gwyn yn symud yn llorweddol ar gyflymder cyson.

Felly, gallwn ddod i'r casgliad ei bod hi'n bosibl trin mudiant fertigol a llorweddol taflegryn ar wahân.

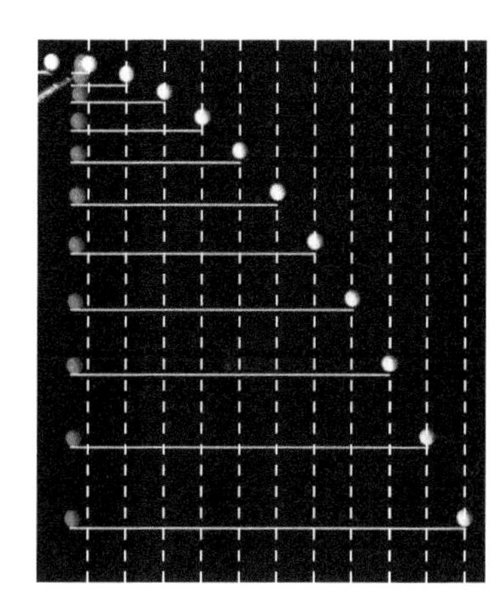

Ffig 1.2.18 Mudiant llorweddol a fertigol annibynnol

Wrth ddefnyddio cyfesurynnau x, y lle mae x yn llorweddol, y yn fertigol i fyny a'r taflegryn yn cychwyn o (0,0) gyda chyflymder cychwynnol u ar ongl θ i'r llorwedd, bydd yr hafaliadau mudiant fel a ganlyn:

1.2.15 Hunan-brawf

Os yw $u = 30 \text{ m s}^{-1}$ a $\theta = 30°$, cyfrifwch (a) gydrannau llorweddol a fertigol u, (b) gwerthoedd v_x a v_y ar ôl 5 eiliad, (c) y cyflymder ar ôl 5 eiliad ac (ch) y safle ar ôl 5 eiliad.

Ffig. 1.2.19

Yn llorweddol, mae: $x = u_x t$ a $v_x = u_x$ [h.y. mae'r cyflymder yn gyson].

Yn fertigol, mae: $v_y = u_y - gt$; $y = ½(u_y + v_y)t$; $y = u_y t - ½gt^2$; $v_y^2 = u_y^2 - 2gy$

lle $u_x = u \cos \theta$ ac $u_y = u \sin \theta$ yw cydrannau llorweddol a fertigol cychwynnol y cyflymder, a v_x a v_y yw cydrannau llorweddol a fertigol y cyflymder ar amser t.

Edrychwch ar Hunan-brawf 1.2.15. Gallwn fynd i'r afael â'r math hwn o gwestiwn mewn ffordd syml trwy adnabod yr hafaliad cywir ym mhob cam ac amnewid y data. Awgrymir yn gryf eich bod yn ateb y cwestiwn hwn ac yn gwirio'ch ateb cyn symud ymlaen. Mae angen dull amlran ar gyfer rhai problemau, fel yr enghraifft isod. Bydd angen cyfrifo amser cyn y pellter perthnasol yn aml.

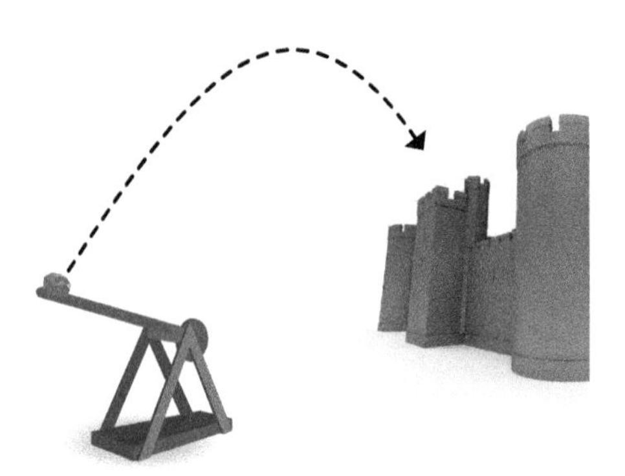

Ffig. 1.2.20

Enghraifft

Mae magnel (peiriant gwarchae canoloesol; gweler Ffigur 1.2.20) yn taflu carreg ar fuanedd o 40.0 m s^{-1} ac ongl o $30°$ i'r llorwedd tuag at wal fertigol castell sydd 100 m i ffwrdd. Cyfrifwch pa mor uchel i fyny wal y castell y bydd y garreg yn taro.

Cynllun Defnyddiwch y mudiant llorweddol i gyfrifo'r amser mae'r garreg yn ei gymryd i gyrraedd wal y castell. Yna defnyddiwch y mudiant fertigol i gyfrifo uchder y garreg ar yr amser hwn.

1.2.16 Hunan-brawf

Defnyddiwch y **cynllun** yn enghraifft y fagnel i ateb y cwestiwn, yna defnyddiwch yr amser i gyfrifo cyflymder y garreg wrth iddi daro wal y castell.

1.2.5 Mesur *g* trwy ddisgyn yn rhydd

I fesur cyflymiad disgyn yn rhydd, yr unig beth mae angen ei wneud yw mesur yr amser, t, y mae'n ei gymryd i wrthrych ddisgyn o uchder hysbys, h.

Yna, trwy ddefnyddio $x = ut + ½at^2$, gydag $u = 0$, $x = h$ ac $a = g$, daw'r hafaliad yn:

$$h = ½gt^2 \quad [1]$$

$$\therefore \quad g = \frac{2h}{t^2} \quad [2]$$

Mewn egwyddor, gallech ollwng gwrthrych o ffenestr uchel a defnyddio stopwatsh i'w amseru'n disgyn. Y broblem gyda'r dull hwn yw mai $\sim 2 \text{ s}$ yn unig mae gwrthrych yn ei gymryd i ddisgyn 20 m [ffenestr weddol uchel], felly mae'r ansicrwydd canrannol yn t wrth ddefnyddio stopwatsh llaw yn eithaf uchel. Wedyn, mae'r hafaliad ar gyfer g yn cynnwys t^2, sy'n dyblu'r ansicrwydd; e.e. os gallwn fesur amser ag ansicrwydd o 0.1 s, yr ansicrwydd canrannol, p, mewn 2 s fydd:

$$p = \frac{0.1}{2} \times 100 = 5\%$$

Felly bydd yr ansicrwydd yn g yn 10%.

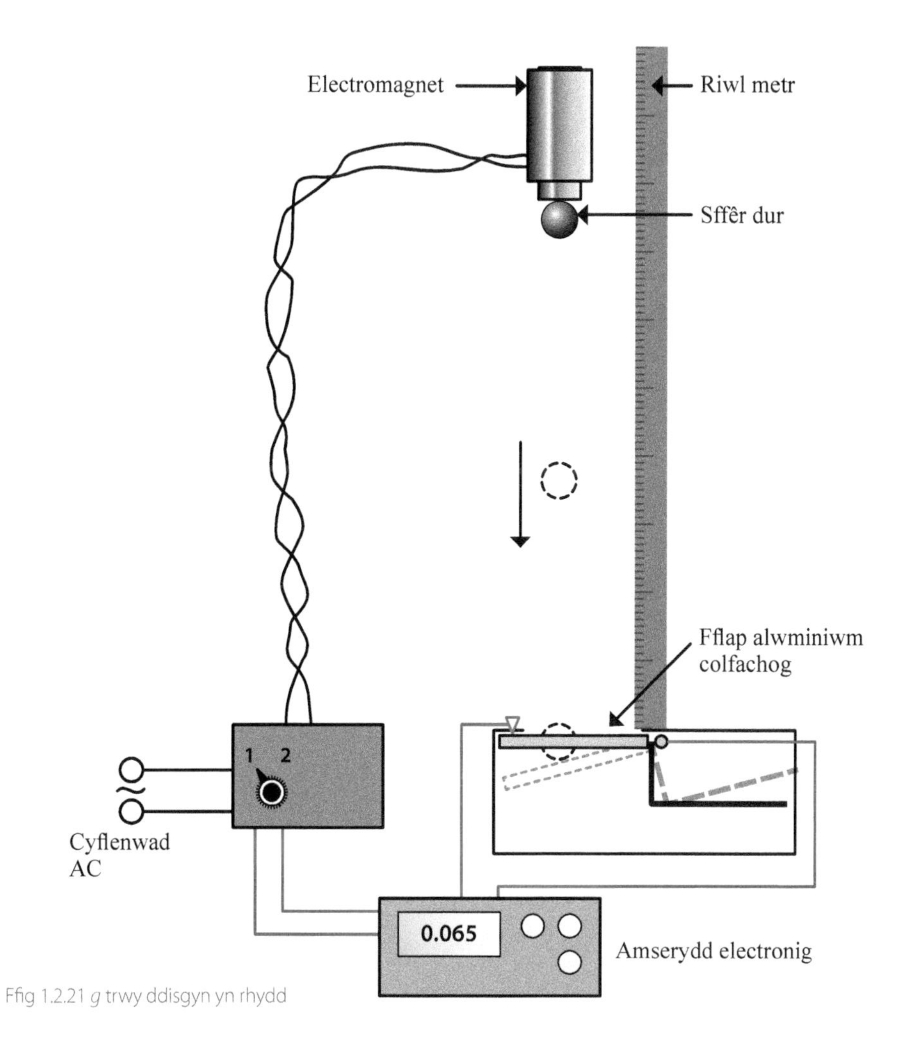

Ffig 1.2.21 g trwy ddisgyn yn rhydd

Yn y cyfarpar yn Ffig. 1.2.21, caiff y sffêr dur ei ddal yn ei le gan electromagnet; daw'r cerrynt o'r cyflenwad AC. Bydd symud y swits o 1 i 2 yn diffodd y cerrynt i'r electromagnet (gan ryddhau'r sffêr) ac yn cychwyn yr amserydd electronig yr un pryd. Mae'r sffêr yn taro'r fflap alwminiwm, gan achosi iddo symud i lawr a thorri'r gylched goch. Mae hyn yn ei dro yn stopio'r amserydd.

Mesuriadau:

- Uchder y cwymp, h, i ± 1 mm trwy ddefnyddio'r riwl metr. Yn nodweddiadol mae h hyd at 75 cm.
- Amser, t, trwy ddefnyddio'r amserydd. Gall y raddfa fod i 1 ms neu 10 ms ond, yn nodweddiadol, mae mesuriadau t yn amrywio gydag ansicrwydd o 10 ms.

Dadansoddi'r canlyniadau

Gan amlaf, caiff t ei fesur ar gyfer amrediad o werthoedd h hyd at ~ 75 cm, a chaiff graff o h yn erbyn t^2 ei luniadu. O hafaliad 1, y graddiant yw ½g, felly mae g yn ddwbl y graddiant.

Cyfeiliornad systematig

Y broblem gyda'r dechneg hon yn aml iawn yw bod oedi bach cyn rhyddhau'r sffêr gan ei fod yn cymryd ychydig amser i'r magneteiddiad yn yr electromagnet a/neu'r sffêr dur i ddadfeilio. Mae hyn yn ychwanegu amser anhysbys – felly mae gwir amser y cwymp yn llai gan gyfnod anhysbys, Δt. Effaith y Δt hwn yw cynhyrchu graff crwm ar gyfer h yn erbyn t^2. Gweler y nodyn yn yr ymyl am dechneg i ymdrin â hyn.

Hunan-brawf 1.2.17

Os yw $h \sim 50$ cm,

(a) Amcangyfrifwch t gan ddefnyddio $g \sim 10$ m s^{-2}.

(b) Defnyddiwch ± 1mm a ± 10 ms i amcangyfrif yr ansicrwydd canrannol yn g.

Cyfeiliornad systematig

Gydag oediad amser o Δt, y gwir berthynas yw:

$$h = \tfrac{1}{2}g(t - \Delta t)^2$$

Trwy gymryd yr ail isradd cawn:

$$\sqrt{h} = \sqrt{\tfrac{1}{2}g}\,t - \sqrt{\tfrac{1}{2}g}\,\Delta t\,,$$

felly trwy blotio graff o $\sqrt{h}$ yn erbyn t dylem gael llinell syth â graddiant $\sqrt{\tfrac{1}{2}g}$.

(a) Beth yw'r rhyngdoriad ar yr echelin $\sqrt{h}$?

(b) Sut gallwn ni ddarganfod Δt yn haws?

Ymarfer 1.2

1. Mae pêl yn cael ei gollwng ar uchder o 5.0 m. Mae'n taro'r ddaear ar 10.0 m s^{-1} ar ôl 1 s. Mae'n adlamu ar 8.9 m s^{-1} ac yn cyrraedd uchder mwyaf o 4.0 m mewn 0.90 s. Cyfrifwch:

   (a) y buanedd cymedrig wrth iddi ddisgyn,
   (b) y buanedd cymedrig wrth iddi esgyn,
   (c) y buanedd cymedrig dros yr 1.9 s cyfan,
   (ch) y cyflymder cymedrig dros yr 1.9 s cyfan,
   (d) y newid mewn cyflymder wrth iddi fownsio.

2. Defnyddiwch hafaliadau mudiant priodol i ddangos eich bod wedi tybio mai'r cyflymiad yn C1 oedd 10 m s^{-2} i lawr.

3. Mae trên yn cyflymu o ddisymudedd ar 0.50 m s^{-2} am gyfnod o 90 s. Mae'n teithio ar gyflymder cyson am 4.5 km cyn arafu i ddisymudedd ymhen 1800 m arall. Cyfrifwch y cyflymder cymedrig ar gyfer y daith. [Awgrym: Cyfrifwch gyfanswm y dadleoliad a chyfanswm yr amser a gymerwyd.]

4. Mae car, sy'n teithio ar fuanedd cyson o 20 m s^{-1}, yn newid cyfeiriad o'r Gogledd i'r Dwyrain mewn 5 eiliad. Cyfrifwch y cyflymiad cymedrig.

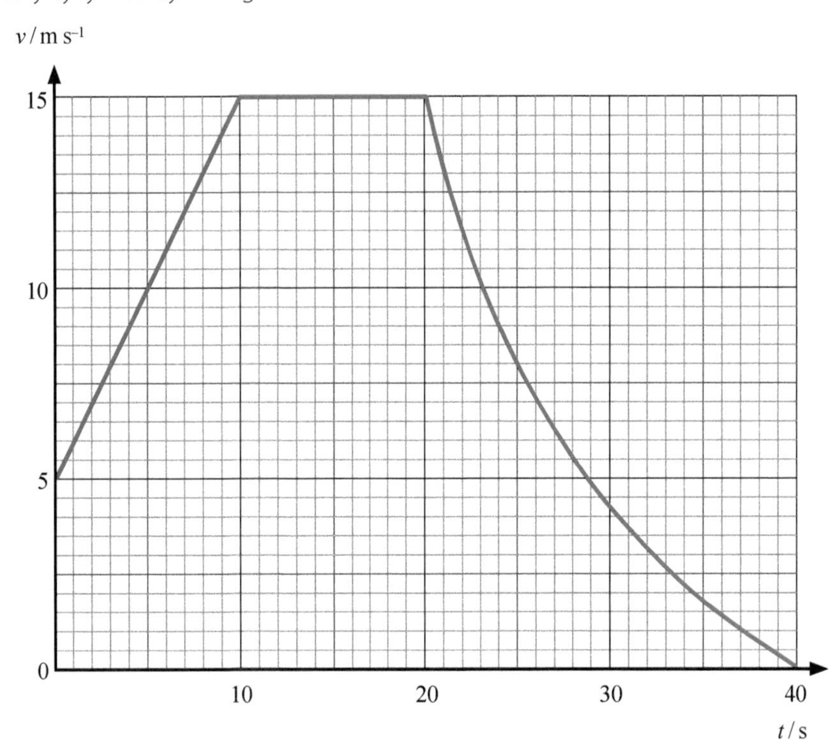

5. Defnyddiwch y graff v–t i ddarganfod

   (a) y cyflymiad rhwng 0 a 10 eiliad,
   (b) y pellter a deithiwyd yn yr 20 s cyntaf,
   (c) y cyflymiad ar 30 s,
   (ch) y cyflymder cymedrig dros y 40 s.

6. Mae carreg yn cael ei hyrddio'n llorweddol o ben clogwyn ar fuanedd o 30 m s^{-1}. Mae'n taro'r môr 5.0 s yn ddiweddarach. Cyfrifwch

   (a) uchder y clogwyn,
   (b) cydran fertigol cyflymder y garreg wrth iddi daro'r dŵr,
   (c) ei chyflymder wrth iddi daro'r dŵr.

7. Gan gymryd bod yr amser rhwng safleoedd y sfferau yn Ffig. 1.2.18 yn 0.050 s, amcangyfrifwch yr amser nes y bydd cydrannau llorweddol a fertigol cyflymder y sffêr gwyn yn hafal, a thrwy hynny darganfyddwch y pellter rhwng y llinellau gwyn fertigol. At ddibenion y cwestiwn hwn, tybiwch fod g yn 10 m s^{-2}.

8. Mae saeth yn cael ei saethu ar 50 m s^{-1} ar ongl o $30°$ i'r llorwedd. Gan anwybyddu gwrthiant aer ac effeithiau aerodynamig eraill, cyfrifwch

(a) uchder mwyaf y saeth,
(b) yr amser at yr uchder mwyaf,
(c) y cyflymder ar yr uchder mwyaf ac
(ch) pellter llorweddol y saeth.

9. Mae car A yn dechrau o ddisymudedd ac yn cyflymu ar 1.5 m s^{-1}. Mae car B yn teithio ar gyflymder cyson o 30 m s^{-1} ac yn pasio car A wrth iddo gychwyn. Faint o amser bydd car A yn ei gymryd i basio car B, a pha mor bell bydd y ddau gar wedi teithio erbyn i hyn ddigwydd?

10. Defnyddir y cyfarpar a ddangosir yn Ffig. 1.2.21 i wneud arbrawf i ddarganfod gwerth ar gyfer cyflymiad oherwydd disgyrchiant. Defnyddiwyd amserydd centieiliadau. Mae'r tabl yn dangos yr amserau a fesurwyd wrth i'r sffêr dur ddisgyn:

Pellter, x / cm	10.0	20.0	30.0	40.0	50.0	60.0	70.0
Amser, t / ms	180	250	280	330	350	390	420

Mae'r magnet yn achosi cyfeiliornad systematig bach. Defnyddiwch graff i gymharu'r ddau ddull dadansoddi a roddir yn y testun, a darganfyddwch amser yr oedi cyn i'r magnet ollwng y sffêr.

Mae'r tabl yn dangos cyflymder bwled mewn prawf balisteg o'r eiliad y mae'n mynd i danc o ddŵr.

Amser / ms	0.0	0.125	0.25	0.50	0.75	1.00	1.25	1.50	1.75	2.00	2.25	2.50
Cyflymder / m s^{-1}	500	388	317	233	183	152	129	112	100	89	81	74

(a) Lluniadwch graff v–t ar gyfer mudiant y bwled.

(b) Trwy gymryd mesuriadau o'r graff v–t, lluniadwch graff x–t.

(c) Trwy gymryd mesuriadau o'r graff v–t, lluniadwch graff cyflymiad–amser (a–t).

(ch) Defnyddiwch eich graffiau i ymchwilio i sut mae'r grym gwrtheddol ar y bwled yn dibynnu ar ei gyflymder trwy'r dŵr. A yw'r berthynas yn debygol o barhau?

1.3 Dynameg

Roedd Adran 1.2 yn ymwneud ag iaith fathemategol mudiant – gan ddisgrifio mudiant unffurf a mudiant sy'n cyflymu yn nhermau hafaliadau. Mae'r testun hwn yn ymwneud â'r hyn sy'n achosi mudiant a'r newidiadau i fudiant. Cyn yr ail ganrif ar bymtheg, y gred oedd mai cyflwr naturiol mudiant gwrthrychau oedd disymudedd, a bod angen rhyw gyfrwng er mwyn i wrthrych symud: mae'n anodd gwneud i foncyff symud o gwbl, a phan rydych yn rhoi'r gorau i'w lusgo, mae'r boncyff yn peidio â symud; bydd hyd yn oed pêl sy'n rholio yn aros yn ei hunfan mewn dim o dro; roedd hi'n 'hysbys' bod y Ddaear yn ddisymud yng nghanol y bydysawd.

Y gred oedd bod rheolau gwahanol yn berthnasol i wrthrychau y tu allan i'r Ddaear, h.y. y Lleuad a thu hwnt. Nid oeddent wedi eu creu o ddefnydd arferol (pridd, aer, tân a dŵr), ond yn hytrach o bumed sylwedd o'r enw *anian*. Cyflwr naturiol mudiant y defnydd hwn oedd troi o gwmpas y Ddaear. Mae'r testun hwn yn cyflwyno canlyniadau'r chwyldro yn yr unfed ganrif ar bymtheg a'r ail ganrif ar bymtheg, pan adeiladodd Isaac Newton ar waith enwogion fel Copernicus, Kepler, Galileo a Descartes.[2]

Cyfeirydd

Gallai car sy'n agosáu at droad ar ffordd rewllyd ddioddef o ganlyniad i N1. Heb afael ffrithiannol y teiars, bydd y car yn teithio'n syth yn ei flaen!

Gallwn fynegi tair deddf mudiant Newton fel a ganlyn:

1. Bydd cyflymder corff yn gyson oni bai bod grym yn gweithredu arno.
2. Mae cyfradd newid momentwm corff mewn cyfrannedd union â'r grym cydeffaith sy'n gweithredu arno.
3. Os yw corff **A** yn gweithredu grym ar gorff **B**, yna mae **B** yn gweithredu grym hafal a dirgroes ar **A**.

Rydym yn aml yn cyfeirio'n gryno at y deddfau hyn fel N1, N2 ac N3.

Mae egwyddor (deddf) cadwraeth momentwm yn datgan:

- Mae swm fector momenta'r cyrff mewn **system arunig** yn gyson.

Termau a diffiniadau

Mae **system arunig** yn system nad oes unrhyw rymoedd allanol yn gweithredu arni, ac nad oes unrhyw ronynnau yn mynd iddi neu'n ei gadael.

Termau a diffiniadau

Dyma ddatganiad amgen ar gyfer Cadwraeth Momentwm: Mae swm fector momenta'r cyrff mewn system yn gyson ar yr amod nad oes grym cydeffaith o'r tu allan i'r system.

Mewn gwirionedd, nid yw'r pedwar datganiad hyn yn annibynnol; gallwn ddeillio'r drydedd ddeddf (N3) o N2 a chadwraeth momentwm. Sylwch fod y deddfau hyn wedi'u gosod yn nhermau cyflymder, momentwm a grym. Byddwn yn ystyried momentwm yn gyntaf.

1.3.1 Momentwm

Diffiniodd Newton fomentwm, p, corff trwy

$$p = mv,$$

lle v yw cyflymder y corff ac **m** yw'r màs. Mae màs yn fesur sgalar ac yn fesur o **inertia**'r corff. Tybiwn fod màs inertiaidd yn annibynnol ar gyflymder.

UNED

O'r diffiniad

$[p] = [m][v]$.

Felly $[p] = \text{kg m s}^{-1}$. Mae N s yn uned gywir hefyd. Gweler Hunan-brawf 1.3.6.

Mae egwyddor cadwraeth momentwm yn ymwneud â system o ronynnau sy'n rhydd o ddylanwadau o'r tu allan, h.y. nid yw'n ennill nac yn colli gronynnau ac ni fydd grymoedd o'r tu allan yn gweithredu arni. Gallwn hefyd gymhwyso'r egwyddor i achosion lle **mae** yna rymoedd allanol, ond maen nhw'n adio i sero ac felly nid oes grym cydeffaith.

1.3.1 Hunan-brawf

Cyfrifwch p ar gyfer:

(a) Car 1000 kg sydd â buanedd o 20 m s^{-1},

(b) Y Ddaear yn ei orbit ($M_E = 6.0 \times 10^{24}$ kg, buanedd yr orbit = 30 km/s).

Yn y labordy, rydym yn aml yn archwilio newidiadau momentwm trwy ddefnyddio 'teithwyr' (*riders*) ar draciau aer. Mae'r 'teithiwr' yn eistedd ar glustog aer, sy'n golygu bod:

- Y grym cydeffaith fertigol yn sero, oherwydd bod y grym i fyny ar y 'teithiwr' o ganlyniad i wasgedd aer yn hafal ac yn ddirgroes i'r grym disgyrchiant i lawr, a bod
- Y grym ffrithiant ar y 'teithiwr' yn sero, a'r grym o ganlyniad i wrthiant aer yn fach iawn.

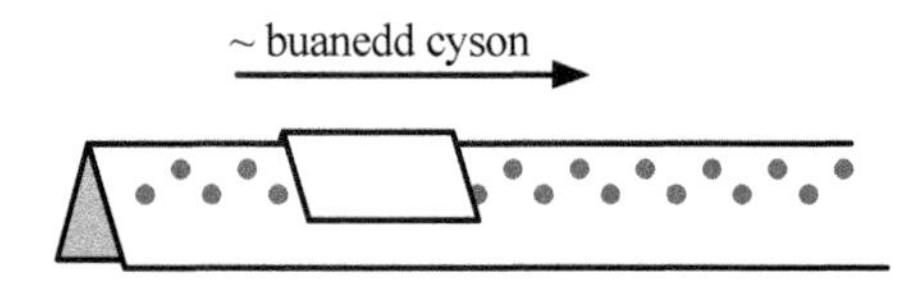

Ffig. 1.3.1 Trac aer

2 Ni ellir gorbwysleisio yr effaith a gafodd Newton ar ein dealltwriaeth o'r ffordd y mae gwrthrychau'n symud. Yng ngeiriau beddargraff Alexander Pope i Newton, *'Nature and nature's laws lay hid in night; God said "Let Newton be!" and all was light.'*

Felly, gallwn ystyried bod casgliad o 'deithwyr' (dau fel arfer) ar drac aer yn ffurfio system sydd bron yn arunig. Gwelwn fod un 'teithiwr' sy'n symud ar fuanedd isel yn teithio ar gyflymder sydd bron yn gyson, yn unol â deddf gyntaf Newton (N1).

a) Pan fydd gwrthrychau sy'n gwrthdaro yn glynu at ei gilydd

Mae Ffig. 1.3.2 yn dangos dau wrthdrawiad ar drac aer. Mae athrawon yn defnyddio'r rhain i egluro'r egwyddor. Yr enw ar y gwrthdrawiadau hyn, pan fydd gwrthrychau'n cyfuno wrth daro yn erbyn ei gilydd, yw **gwrthdrawiadau anelastig**. Er eglurder, rydym wedi defnyddio cyflymderau delfrydol yn fwriadol! Mae'r 'teithwyr' yn unfath, felly mae eu masau yn hafal – dyweder 0.15 kg.

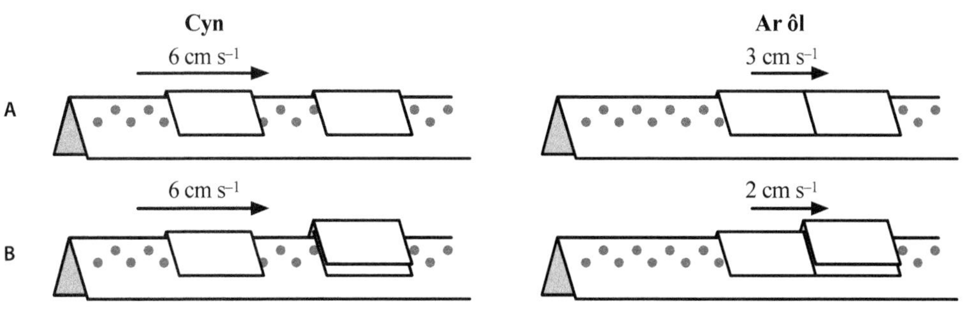

Ffig. 1.3.2 Gwrthdrawiadau anelastig

O dybio bod gan y 'teithwyr' fàs o 0.15 kg bob un, y **momenta** cyn ac ar ôl y gwrthdrawiad, p_1 a p_2, ar gyfer gwrthdrawiad **A** yw:

$$p_1 = 0.15 \text{ kg} \times 6 \text{ cm s}^{-1} + 0.15 \text{ kg} \times 0 = 0.90 \text{ kg cm s}^{-1}$$

$$p_2 = 0.30 \text{ kg} \times 3 \text{ cm s}^{-1} = 0.90 \text{ kg cm s}^{-1}.$$

Mae'r momenta yr un peth cyn ac ar ôl y gwrthdrawiad. Wrth gwrs, mae gwir fàs y 'teithwyr' yn amherthnasol, cyn belled â'u bod i gyd yr un peth.

b) Pan fydd gwrthrychau sy'n gwrthdaro yn bownsio ar wahân

Pe byddem yn gosod magnetau sy'n gwrthyrru ar y 'teithwyr', efallai y byddem yn gweld gwrthdrawiad **C** yn Ffig. 1.3.3. Mae dau beth yn wahanol o **A** a **B**:

- Mae yna symudiad yn y ddau gyfeiriad.
- Mae'r 'teithwyr' yn symud ar wahân ar ôl y gwrthdrawiad.

Byddai'n bosibl gwneud hyn, er enghraifft, trwy osod magnetau sy'n gwrthyrru ar y 'teithwyr' i'w hatal rhag cyffwrdd.

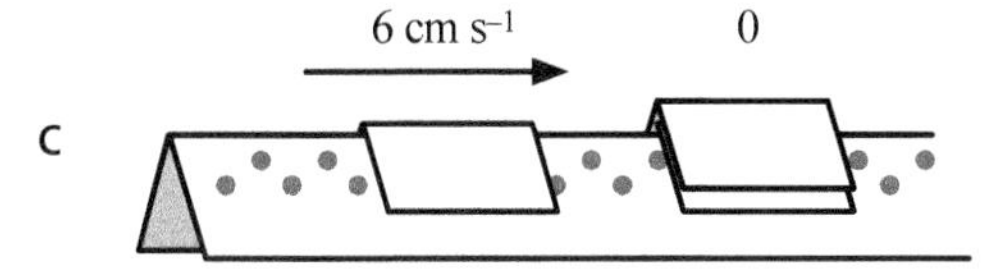

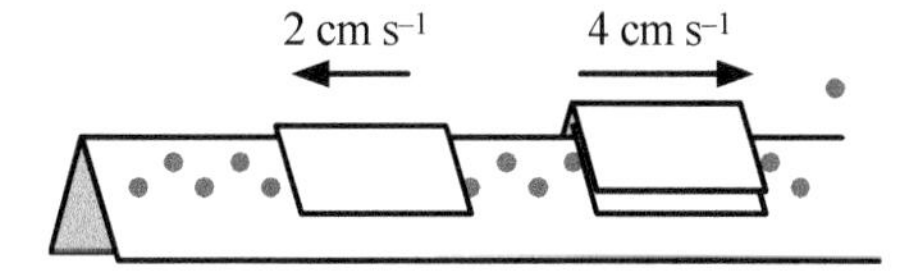

Ffig. 1.3.3 Gwrthdrawiad elastig

Fel yn achos mudiant dan ddisgyrchiant (Adran 1.2) mae angen i ni ddiffinio cyfeiriad positif. Rydym yn dewis y dde fel y cyfeiriad positif.

Yna mae: $p_1 = 0.15 \text{ kg} \times 6 \text{ cm s}^{-1} + 0.15 \text{ kg} \times 0 = 0.90 \text{ kg cm s}^{-1}$

$$p_2 = 0.15 \text{ kg} \times (-2) \text{ cm s}^{-1} + 0.30 \text{ kg} \times 4 \text{ cm s}^{-1} = 0.90 \text{ kg cm s}^{-1}.$$

Mae'r enghraifft yn dangos sut i gymhwyso'r egwyddor er mwyn cyfrifo cyflymder terfynol.

Pwynt astudio

Mae'n bwysig sylweddoli bod Egwyddor Cadwraeth Momentwm yn *ddeddf arbrofol*. Yn y miliynau ar filiynau o ryngweithiadau y mae ffisegwyr wedi eu harchwilio, ni chafodd ei thorri unwaith hyd yr ydym yn gwybod.

Hunan-brawf 1.3.2

Defnyddiwch yr un dull i ddangos bod momentwm yn cael ei gadw yng ngwrthdrawiad **B**.

Termau a diffiniadau

'Momenta' yw lluosog momentwm.

Termau a diffiniadau

Egni cinetig corff yw ei egni o ganlyniad i'w fudiant. Caiff ei roi gan $\frac{1}{2}mv^2$.

Hunan-brawf 1.3.3

(a) Dangoswch fod 50% o'r EC yn cael ei golli yng ngwrthdrawiad **A**.

(b) Cyfrifwch ganran yr EC sy'n cael ei golli yng ngwrthdrawiad **B**.

Pwynt astudio

Sylwch ar yr arwydd minws (–) yn y cyfrifiad ar gyfer p_2. Mae'r 'teithiwr' ar y chwith yn symud i'r chwith, felly mae $v = -2$ cm s^{-1}.

1.3.4 *Hunan-brawf*

Dangoswch y cyfrifiadau ar gyfer p_1 a p_2 yn Ffig. 1.3.4, gan gymryd chwith fel y cyfeiriad positif.

Sylwch

Yn yr enghraifft:

(a) Cofiwch fod y momenta yn fectorau.

(b) Nodwch gyfeiriad yn ogystal â maint y cyflymder.

Sylwch

Wrth gyfrifo EC, sylwch mai maint y cyflymder yn unig sydd o bwys, ac nid y cyfeiriad. Mae hyn oherwydd bod $(-v)^2$ yr un peth â v^2.

1.3.5 *Hunan-brawf*

Dangoswch fod yr egni cinetig cychwynnol a'r egni cinetig terfynol yng ngwrthdrawiad **C** yn 2.7×10^{-4} J, fel ei gilydd.

Termau a diffiniadau

Mewn **gwrthdrawiad elastig** ni chaiff unrhyw egni cinetig ei golli.

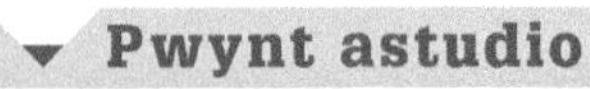

Pwynt astudio

Nid i wrthdrawiadau yn unig y mae cadwraeth momentwm yn berthnasol. Mae'n berthnasol hefyd i sefyllfaoedd lle mae un gwrthrych yn bwrw allan un arall, fel yn achos niwclews sy'n allyrru gronyn α neu ddryll sy'n saethu bwled. Mae'r momentwm yn sero cyn y digwyddiad, felly mae cyfanswm y momentwm yn sero wedyn.

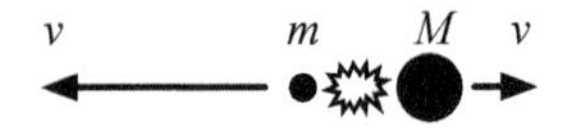

Felly mae: $mv = MV$. Os yw cyfanswm yr egni, E yn hysbys, yna gallwn ysgrifennu $\frac{1}{2}mv^2 + \frac{1}{2}MV^2 = E$ a datrys yr hafaliadau ar gyfer v a V.

Enghraifft

Mae tryc gwag, màs **1000 kg**, sy'n teithio ar **6 m s^{-1}** i'r dde, yn gwrthdaro yn erbyn tryc llawn, màs **4000 kg**, sy'n teithio **2 m s^{-1}** yn y cyfeiriad dirgroes. Os ydynt yn cyplu yn ystod y gwrthdrawiad, cyfrifwch eu cyflymder cyffredin ar ôl y gwrthdrawiad.

Cam 1: Diagram:

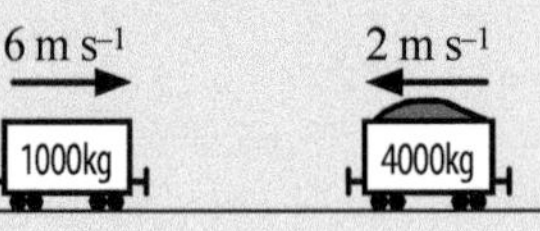

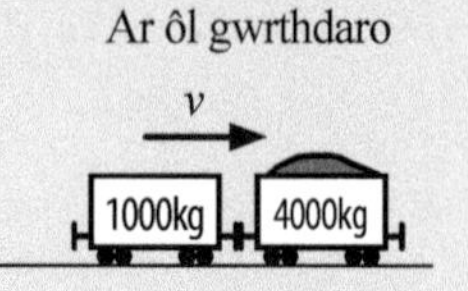

Ffig. 1.3.4

Cam 2: Hafaliad Cadwraeth Momentwm: cyfanswm momenta cychwynnol = cyfanswm momenta terfynol

Cam 3: Gan gymryd y dde fel y positif: $1000 \times 6 + 4000 \times (-2) = 5000v$

Cam 4: Gan ddatrys hwn $\therefore v = -0.8 \text{ m s}^{-1}$

Ateb ∴ Y cyflymder cyffredin yw **0.8 m s^{-1}** i'r chwith.

1.3.2 Gwrthdrawiadau elastig ac anelastig

Roedd tri o'r gwrthdrawiadau yn Adran 1.3.1 yn **anelastig**: gwrthdrawiadau **A**, **B** a'r un yn yr enghraifft. Mae'r gwrthdrawiadau hyn yn arwain at golli egni *cinetig*. Sylwch ar y gair cinetig. Mae egni bob amser yn cael ei gadw ond gellir ei drosglwyddo o un gwrthrych i'r llall, neu o un ffurf i'r llall. Dylech allu dangos bod y gwrthdrawiad yn yr enghraifft uchod yn arwain at golli 24.4 kJ o egni cinetig (o **26 kJ** i **1.6 kJ**).

Os ydych wedi gwneud Hunan-brawf 1.3.5, byddwch wedi dangos na chaiff egni cinetig ei golli yng ngwrthdrawiad **C** ar dudalen 37. Yr enw ar y math hwn o wrthdrawiad yw gwrthdrawiad **elastig** (neu weithiau **perffaith elastig**). Collir ychydig o egni cinetig bob tro mewn gwrthdrawiadau cyffwrdd rhwng gwrthrychau macrosgopig, h.y. gwrthrychau y gallwch eu gweld, fel peli tennis a cheir – caiff ei drosglwyddo i egni dirgrynol moleciwlau'r gwrthrychau. Mae gwrthdrawiadau egni isel rhwng gronynnau isatomig neu rhwng moleciwlau nwyon monatomig ar dymheredd ystafell fel arfer yn elastig. Bydd gwrthdrawiadau rhwng sfferau caled, fel peli snwcer, yn nodweddiadol yn cadw 90% o'r egni cinetig.

Mae'n fwy anodd dadansoddi gwrthdrawiadau elastig na rhai anelastig oherwydd bod dau gyflymder anhysbys. Mae'n rhaid datrys hafaliadau cydamserol.

Enghraifft

Mae'r gwrthdrawiad yn y diagram yn elastig. Darganfyddwch v_1 a v_2.

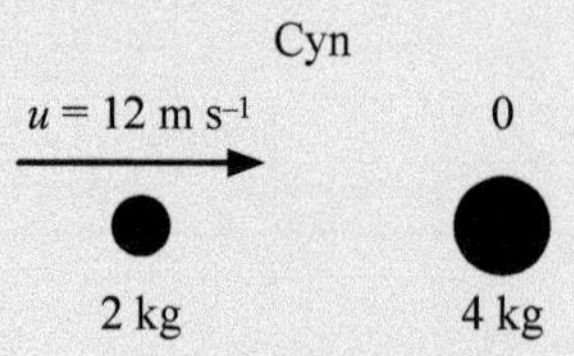

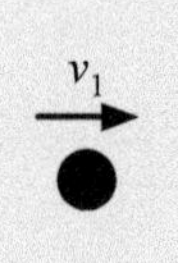

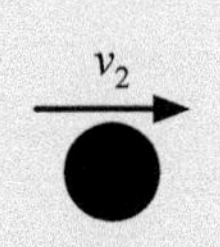

Ffig. 1.3.5

Momentwm cyn y gwrthdrawiad $= 2 \times 12 + 4 \times 0 = 24$ N s

∴ Trwy ddefnyddio egwyddor cadwraeth momentwm: $2v_1 + 4v_2 = 24$ [1]

Egni cinetig cyn y gwrthdrawiad $= \frac{1}{2} \times 2 \times 12^2 + \frac{1}{2} \times 4 \times 0 = 144$ J

∴ Trwy ddefnyddio cadwraeth egni $\frac{1}{2} \times 2 \times v_1^2 + \frac{1}{2} \times 4 \times v_2^2 = 144$

∴ Trwy symleiddio $v_1^2 + 2v_2^2 = 144$ [2]

Trwy ddatrys hafaliadau 1 a 2 ar gyfer v_2, cawn fod $v_2 = 0$ neu $8\ \text{m s}^{-1}$. Gallwn anwybyddu'r 0 gan ei fod yn amlwg yn cynrychioli 'dim gwrthdrawiad' [h.y. mae'r bêl $2\ \text{kg}$ wedi methu!], felly mae $v_2 = 8\ \text{m s}^{-1}$. Trwy amnewid yn [1] cawn fod $v_1 = -4\ \text{m s}^{-1}$, h.y. $4\ \text{m s}^{-1}$ i'r chwith: mae'r bêl sydd â'r màs lleiaf wedi bownsio'n ôl (fel y byddem yn ei ddisgwyl).

Yn y gwrthdrawiad hwn, sylwch fod y peli yn gwahanu ar yr un gyfradd ($12\ \text{m s}^{-1}$) ag yr oeddent cyn iddynt wrthdaro. Mae hyn yn nodweddiadol o wrthdrawiadau elastig, a gallwn ddefnyddio'r ffaith hon i symleiddio'r cyfrifiad ar gyfer v_1 a v_2. Gweler **Ymestyn a Herio**.

Os yw $v_2 - v_1 = 12\ \text{m s}^{-1}$ (gweler y testun o dan yr enghraifft), gallwn ddefnyddio hwn fel hafaliad 2 yn ei le. Mae hyn yn gwneud y datrysiad yn haws. Gwiriwch hyn trwy ddatrys:

$2v_1 + 4v_2 = 24$ [1]

$v_2 - v_1 = 12$ [2]

1.3.3 Grym a momentwm

Mae'r cricedwr yn Ffig. 1.3.6 yn chwarae bachiad (*hook shot*). Mae'r bêl, a oedd yn wreiddiol yn teithio'n gyflym tuag ato, yn sydyn yn symud i'r ochr yn gyflymach fyth. Dangosir y newid momentwm, Δp, yn Ffig. 1.3.7.

Ffig 1.3.6

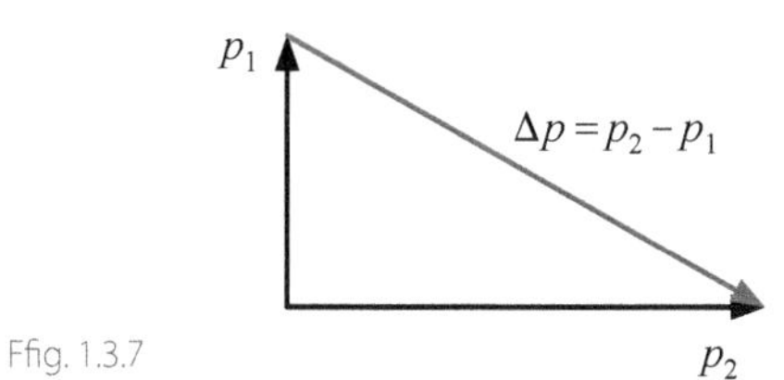

Ffig. 1.3.7

Rydym yn gwybod (o ddeddf gyntaf Newton, N1) fod cyflymder gwrthrych, ac felly hefyd ei fomentwm, yn aros yn gyson yn absenoldeb grym. Felly mae'r newid momentwm hwn yn digwydd oherwydd bod rhywbeth, y bat yn yr achos hwn, yn rhoi **grym** ar y bêl.

Yn ôl ail ddeddf Newton (N2), mae'r grym cydeffaith a roddir 'mewn cyfrannedd union â chyfradd newid momentwm'. Yn y SI, rydym yn **diffinio** cyfradd newid momentwm i fod yn hafal i'r grym sydd wedi'i fynegi mewn newtonau, h.y. mae

$$F_{\text{cyd}} = \frac{\Delta p}{\Delta t} \text{ neu } \Sigma F = \frac{\Delta p}{\Delta t}$$

lle Δt yw amser gweithredu'r grym.

Pwynt astudio

Os oes nifer o rymoedd yn gweithredu ar wrthrych, y grym cydeffaith, $F_{\text{cyd}} = \Sigma F$ sy'n hafal i $\frac{\Delta p}{\Delta t}$.

Pwynt astudio

Mae'r ddeddf gyntaf yn achos arbennig o'r ail ddeddf:

Os yw $\frac{\Delta p}{\Delta t} = 0$ yna mae $F_{\text{cyd}} = 0$, felly mae'r momentwm yn gyson.

Enghraifft

Mae gan bêl griced fàs o $0.16\ \text{kg}$. Mae'n taro'r bat ar fuanedd o $30\ \text{m s}^{-1}$, yn troi trwy ongl sgwâr, yn gadael y bat ar fuanedd o $40\ \text{m s}^{-1}$ ac mae'r ardrawiad yn para am $1.5\ \text{ms}$.

Cyfrifwch faint y grym cymedrig y mae'r bat yn ei roi ar y bêl.

Ateb

Trwy ddefnyddio Ffig. 1.3.7 uchod, mae: $p_1 = 0.16 \times 30 = 4.8\ \text{N s}$

$p_2 = 0.16 \times 40 = 6.4\ \text{N s}$

$\therefore \Delta p = \sqrt{p_1^2 + p_2^2} = 8.0\ \text{N s}$

$\therefore$ Mae'r grym cymedrig, $F = \frac{\Delta p}{\Delta t} = \frac{8.0}{1.5 \times 10^{-3}} = 5300\ \text{N}$ (2 ff.y.)

1.3.6 Hunan-brawf

Defnyddiwch yr hafaliad $F = \frac{\Delta p}{\Delta t}$ i ddangos bod 'N s' yn uned momentwm.

Yn union fel y mae graddiant graff v–t yn rhoi cyflymiad gwrthrych, graddiant y graff momentwm–amser yw'r grym cydeffaith sydd arno.

Mae hyn oherwydd bod $F = \frac{\Delta p}{\Delta t}$ ac mai $\frac{\Delta p}{\Delta t}$ yw graddiant y graff p–t.

1.3.7 Hunan-brawf

Y llinell syth sy'n goleddu yn Ffig. 1.3.8 yw'r tangiad ar 15 s. Defnyddiwch y graff i ddarganfod:

(a) Y grym cydeffaith (cyson) ar y car o 0 – 10 s.
(b) Y grym cydeffaith ar 15 s.
(c) Y grym brecio mwyaf.

Astudiwch y graff p–t ar gyfer car sy'n symud i'r dwyrain ar hyd ffordd syth ac sy'n brecio i ddisymudedd (Ffig. 1.3.8). Nawr atebwch Hunan-brawf 1.3.7.

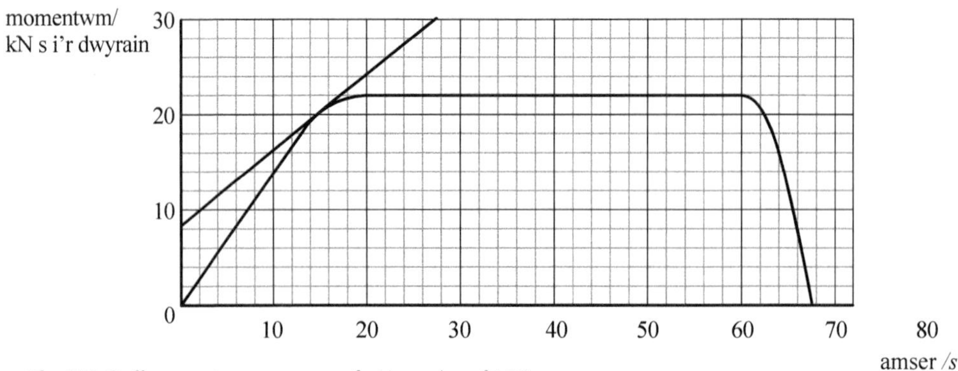

Ffig. 1.3.8 Graff momentwm–amser ar gyfer Hunan-brawf 1.3.7

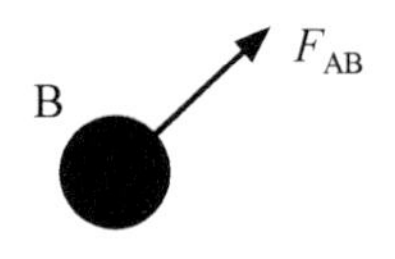

Ffig. 1.3.9 Mae corff A yn rhoi grym ar B

Pwynt astudio

Mae N3 yn lletchwith, felly mae'n bwysig deall beth mae'n ei ddweud:

Mae pob grym yn digwydd o ganlyniad i ryngweithiadau rhwng dau gorff. Yn ystod y rhyngweithiad, mae'r ddau gorff yn profi grym. Mae'r ddau rym hyn yn hafal ac yn ddirgroes.

1.3.4 Momentwm a thrydedd ddeddf mudiant Newton

Fel y soniwyd yn y cyflwyniad, rydym am ddangos bod N3 yn ganlyniad i egwyddor cadwraeth momentwm a'r diffiniad o rym o N2. Mae Ffig. 1.3.9 yn dangos dau gorff arunig, **A** a **B**. Mae **A** yn rhoi grym F_{AB} ar **B**. Caiff hwn ei luniadu fel grym gwrthyrru ond gallai weithredu mewn unrhyw gyfeiriad.

Ystyriwch gyfnod bach o amser Δt. O N2, mae corff **B** yn profi newid momentwm, Δp_B a roddir gan:

$$\Delta p_B = F_{AB}\,\Delta t.$$

Ond, os yw'r cyrff yn arunig, mae cyfanswm eu momentwm, p_A a p_B, yn gyson, felly rhaid bod corff **A** yn profi newid mewn momentwm hafal a dirgroes, Δp_A, h.y. mae

$$\Delta p_A = -F_{AB}\,\Delta t.$$

Oherwydd bod momentwm **A** wedi newid, rhaid bod grym yn gweithredu arno, a rhaid mai **B** sy'n rhoi'r grym hwn arno (oherwydd bod y cyrff yn arunig). Yna rhoddir F_{BA}, y grym y mae **B** yn ei roi ar **A**, gan:

$$F_{BA} = \frac{\Delta p_A}{\Delta t} = -F_{AB} \text{ (o'r uchod).}$$

Mewn geiriau eraill, mae'r grym y mae corff **B** yn ei roi ar gorff **A** yn hafal ac yn y cyfeiriad dirgroes i'r grym y mae corff **A** yn ei roi ar gorff **B**. Nawr ystyriwn hen ffefryn yr arholwr, y plymiwr awyr. Mae Ffig. 1.3.10 yn dangos y grymoedd sy'n gweithredu ar y plymiwr awyr ar ennyd benodol.

Ffig. 1.3.10 Plymiwr awyr

Rydym am ddadansoddi hyn yn nhermau N3, gan chwilio am y grym hafal a dirgroes i bob grym yn y diagram.

1. Y pwysau 800 N: Dyma'r grym disgyrchiant y mae'r Ddaear yn ei roi ar y plymiwr awyr. Felly mae'r plymiwr awyr yn rhoi grym disgyrchiant hafal a dirgroes ar y Ddaear. Mae grym o 800 N yn tynnu'r Ddaear (i fyny)!
[Mae màs y Ddaear yn 6×10^{24} kg, felly mae ei gyflymiad yn fach iawn!]
2. Y gwrthiant aer 600 N : Dyma lusgiad y moleciwlau aer ar y dillad wrth i'r plymiwr awyr ddisgyn. Felly mae (dillad) y plymiwr awyr yn rhoi grym llusgiad hafal a dirgroes (h.y. 600 N i lawr) ar y moleciwlau aer sydd yn achosi ychydig o gynnwrf aer.

Gofalus: nid yw pob pâr o rymoedd hafal a dirgroes yn barau N3!

Mae Ffig. 1.3.11 yn dangos morlew yn dal pêl i fyny. Mae'r bêl mewn ecwilibriwm dan weithrediad y ddau rym hafal a dirgroes sydd wedi'u labelu.

Pam nad yw'r rhain yn bâr N3? Mae dau reswm am hyn:

1. **Maen nhw'n gweithredu ar yr un corff** (y bêl). Mewn pâr N3, mae yna ddau gorff: mae un grym yn gweithredu ar un corff; ac mae'r grym arall yn gweithredu ar ... y corff arall!
2. **Nid yw'r grymoedd yr un fath.*** Mae'r grym y mae'r Ddaear yn ei roi ar y bêl yn rym disgyrchiant, felly rhaid bod ei bartner N3 yn rym disgyrchiant hefyd (fel yn achos y plymiwr awyr, dyma rym disgyrchiant y bêl ar y Ddaear).
3. [Rheswm ychwanegol] Mae N3 yn ddeddf gyffredinol. Rhaid bod yna rym hafal a dirgroes bob amser. Dychmygwch fod y morlew yn tynnu ei ben allan o dan y bêl: mae'r grym i lawr yn dal i fodoli, ond mae'r grym i fyny wedi diflannu – felly nid oeddent yn bâr N3!

*Meddyliwch am reswm 2. Pa 'fathau' o rymoedd sy'n bodoli? Mae ffisegwyr yn cydnabod pedwar grym sylfaenol: y grym niwclear cryf; y grym gwan; y grym electromagnetig a'r grym disgyrchiant. Dim ond ar gyfer rhyngweithiadau rhwng gronynnau isatomig y mae'r ddau rym cyntaf o bwys, felly mae pob grym arall yn ddisgyrchiant ac yn electromagnetig. Mae'r grymoedd rhwng moleciwlau'r bêl a thrwyn y morlew yn electromagnetig – cânt eu hachosi wrth i electronau allanol y moleciwlau yn y bêl a'r trwyn, sy'n agos iawn i'w gilydd, gael eu gwrthyrru.

Peidiwch â phoeni am y pwynt olaf hwn – rhaid i unrhyw ffordd ddilys o ddisgrifio grym fod yn berthnasol i'w bartner N3 hefyd, e.e. mae'r morlew yn rhoi grym rhyng-atomig ar y bêl, felly mae'r bêl yn rhoi grym rhyng-atomig ar y morlew.

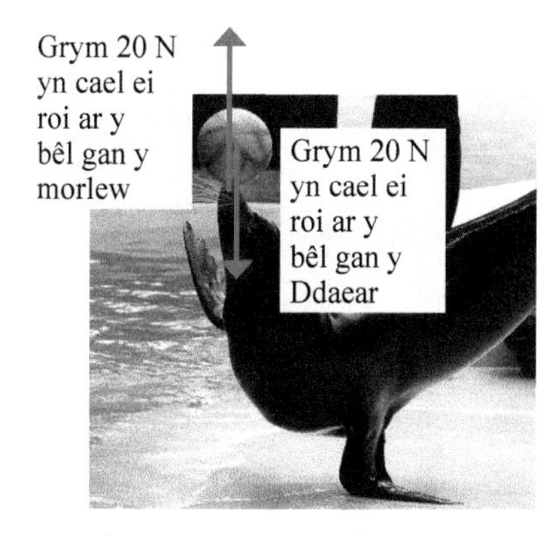

Ffig. 1.3.11 Grymoedd hafal a dirgroes, ond nid grymoedd N3!

Pwynt astudio

Beth mae rheswm 2 yn ei olygu? Mae'r grym i fyny ar y bêl yn digwydd o ganlyniad i wrthyriad rhwng moleciwlau'r bêl a thrwyn y morlew. Yn bendant nid grym disgyrchiant ydyw; mewn gwirionedd, mae'n electromagnetig – wedi'i achosi wrth i electronau allanol y moleciwlau yn y bêl a'r trwyn, sy'n agos iawn i'w gilydd, gael eu gwrthyrru.

Enghraifft anodd o N2 ac N3

Mae'r mwyafrif o gwestiynau arholiad yn ymwneud â grymoedd ar wrthrychau unigol. Gallwn gymhwyso'r hafaliad

$F = \dfrac{\Delta p}{\Delta t}$ i lif o wrthrychau hefyd, e.e. dŵr mewn pibell.

Mae dŵr yn llifo ar gyfradd o V [mewn $\text{m}^3\ \text{s}^{-1}$] trwy'r ffroenell a ddangosir yn Ffig. 1.3.12. Cyfrifwch y grym y mae'r dŵr yn ei roi ar y ffroenell.

Ateb

Mae cyfradd y màs-lifiad, $m = \rho V$, lle ρ yw dwysedd y dŵr.

Mae'r cyflymder cychwynnol, $v_1 = \dfrac{V}{A_1}$; mae'r cyflymder terfynol, $v_2 = \dfrac{V}{A_2}$

$\therefore$ Mae $\dfrac{\Delta p}{\Delta t}$ y dŵr $= m(v_2 - v_1) = \rho V\left(\dfrac{V}{A_2} - \dfrac{V}{A_1}\right) = \rho V^2\left(\dfrac{1}{A_2} - \dfrac{1}{A_1}\right)$.

Gan fod $A_2 < A_1$, mae $v_2 > v_1$, felly mae'r newid momentwm hwn i'r dde.

Felly, yn ôl N2, y grym y mae'r ffroenell yn ei roi ar y dŵr yw $\rho V^2\left(\dfrac{1}{A_2} - \dfrac{1}{A_1}\right)$ i'r dde.

Felly, yn ôl N3, y grym y mae'r dŵr yn ei roi ar y ffroenell yw $\rho V^2\left(\dfrac{1}{A_2} - \dfrac{1}{A_1}\right)$ i'r chwith.

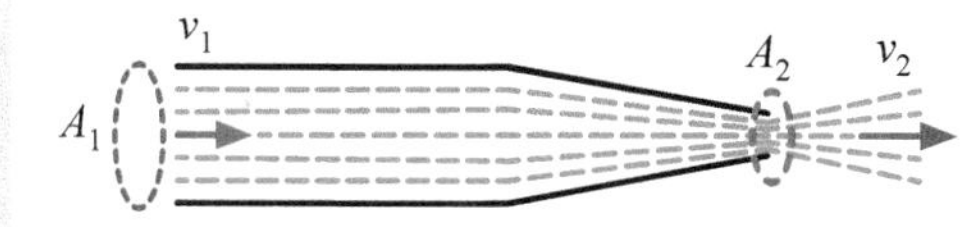

Ffig. 1.3.12

Hunan-brawf 1.3.8

Yn enghraifft ffroenell y bibell, os yw'r dŵr yn llifo ar gyfradd o $20\ \text{dm}^3\ \text{s}^{-1}$, $A_1 = 20\ \text{cm}^2$ ac $A_2 = 10\ \text{cm}^2$, a fyddech chi'n gallu dal y ffroenell?

[$1\ \text{dm}^3 = 10^{-3}\ \text{m}^3$

$\rho = 1000\ \text{kg m}^{-3}$.]

Hunan-brawf 1.3.9

Defnyddiwch y data uchod i gyfrifo'r cynnydd yn EC y dŵr bob eiliad. Sut caiff hyn ei gyflenwi?

1.3.5 Grymoedd rhwng defnyddiau sy'n cyffwrdd

Mae grymoedd yn digwydd rhwng gwrthrychau o ganlyniad i ryngweithiadau moleciwlaidd. Byddwn yn ystyried rhai o'r grymoedd hyn: y grym normal, ffrithiant a gwrthiant aer. Mae'r adran hon yn gysylltiedig ag Adran 1.4.5.

Pwynt astudio

Peidiwch â chyfeirio at y grym normal fel yr adwaith normal. Mae hyn yn rhy debyg i ddatganiad gwael o drydedd ddeddf Newton!

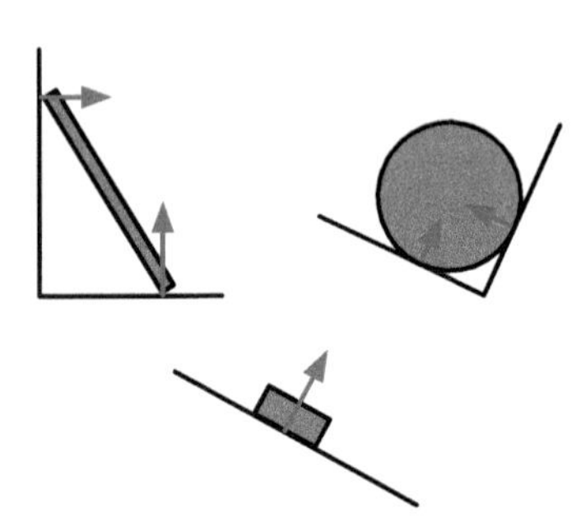

Ffig. 1.3.13 Enghreifftiau o rymoedd cyffwrdd normal

(a) Y grym normal, F_N

Os yw gwrthrych yn gorffwys yn erbyn arwyneb, mae'r arwyneb yn rhoi grym ar y gwrthrych. Mae'r grym hwn yn digwydd oherwydd bod y moleciwlau yn y ddau gorff yn agos iawn i'w gilydd. Os yw moleciwlau yn agos iawn i'w gilydd, mae'r electronau yn y plisg allanol yn gwrthyrru ei gilydd ac felly, yn yr achos hwn, mae'r cyrff yn profi grym ar ongl sgwâr i'r arwyneb. Ystyr y gair '*normal*' yw 'ar ongl o $90°$'.

(b) Ffrithiant

Bydd y blwch ar y llethr yn Ffig. 1.3.13 yn aros yn ddisymud ar y llethr ar yr amod nad yw'r graddiant yn rhy fawr. Mae hyn yn wir oherwydd bod grym yn gweithredu ar y blwch i fyny'r llethr, sy'n gwrthweithio cydran y pwysau, $W \sin \theta$, i lawr y llethr. Gweler Ffig. 1.3.14. Yr enw ar y grym hwn yw *ffrithiant statig*, F_R, neu *'gafael'*.

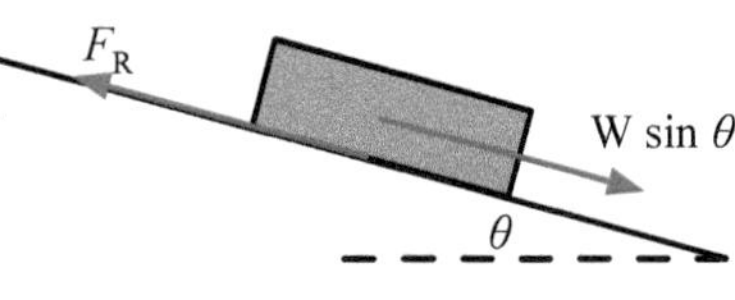

Ffig. 1.3.14 Ffrithiant statig

Mae'r grym hwn yn gweithredu i atal y ddau arwyneb rhag llithro dros ei gilydd, h.y. mae'n gwrthwynebu mudiant cymharol. Ar gyfer y blwch disymud, mae $F_R = W \sin \theta$, h.y. mae'r ffrithiant dim ond yn ddigon mawr i atal mudiant. Mae gan F_R werth uchaf, sydd yn aml yn cael ei alw yn *ffrithiant terfannol*. Yn achos y blwch ar y llethr, os yw'r llethr yn mynd yn fwyfwy serth, bydd gwerth F_R yn cynyddu at y gwerth terfannol hwn; ar onglau mwy, mae $W \sin \theta > F_R$ a bydd y blwch yn dechrau cyflymu i lawr y llethr. Mae gafael yn digwydd o ganlyniad i fondiau rhwng moleciwlau'r ddau arwyneb sy'n cyffwrdd.

Pwynt astudio

Mae ffrithiant statig a dynamig yn gwrthwynebu mudiant cymharol rhwng arwynebau. Os yw arwyneb yn llithro i'r dde, mae'r grym ffrithiannol arno i'r chwith.

Ffrithiant hefyd yw'r enw ar y grym sy'n gwrthwynebu'r mudiant cymharol pan fydd un arwyneb yn llithro dros un arall – *ffrithiant dynamig* yn yr achos hwn. Mae'n digwydd o ganlyniad i fondiau dros dro sy'n ffurfio wrth i foleciwlau yn yr arwynebau symud heibio i'w gilydd. Wrth iddynt ymestyn a thorri, caiff yr egni a storiwyd yn y bond ei drawsnewid yn egni dirgrynol y moleciwlau, h.y. mae tymheredd y cyrff yn codi. Mae gwerth ffrithiant dynamig yn nodweddiadol yn llai na gwerth y ffrithiant terfannol. Felly, pan fydd gwrthrych yn dechrau llithro, bydd fel arfer yn cyflymu yn hytrach na dim ond symud yn araf iawn.

1.3.10 Hunan-brawf

Mae tywod yn cael ei fwydo'n fertigol ar gludfelt llorweddol sy'n symud i'r dde. Ym mha gyfeiriad y mae'r ffrithiant yn gweithredu ar (a) y tywod a (b) y cludfelt? Eglurwch eich atebion.

(c) Gwrthiant aer

Mae gwrthiant aer yn enghraifft o *lusgiad gludiog*, neu lusgiad. Fel yn achos ffrithiant, mae'n gwrthwynebu mudiant cymharol rhwng y gwrthrych a'r llifydd [= hylif neu nwy] y mae'r gwrthrych yn symud trwyddo. Mae'n bodoli hefyd pan fydd llifydd yn llifo heibio i wrthrych llonydd, e.e. y gwynt ar adeilad. Mae mecanwaith llusgiad gludiog yn gymhleth, ond gellir ei symleiddio trwy ddweud bod moleciwlau'r llifydd yn bownsio oddi ar wrthrych symudol ychydig yn gyflymach nag y maen nhw'n ei daro: maen nhw'n ennill cyflymder yn y cyfeiriad y mae'r gwrthrych yn symud. Felly caiff momentwm ei drosglwyddo i'r llifydd – ac mae trosglwyddo momentwm yn golygu bod grym ar y llifydd yng nghyfeiriad mudiant y gwrthrych. Yn ôl N3 mae'r llifydd yn rhoi grym hafal a dirgroes ar y corff.

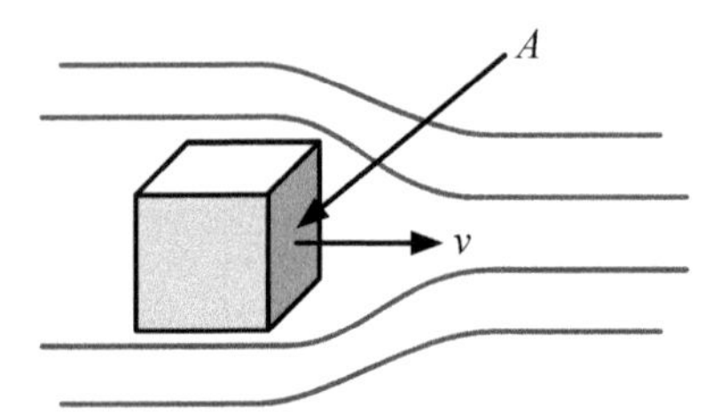

Ffig. 1.3.15 Llusgiad gludiog

Rhoddir y grym llusgiad, F_d, gan yr hafaliad canlynol:[3] $F_d = \frac{1}{2}\rho v^2 c_d A$, lle ρ yw dwysedd y llifydd ac c_d yw'r cyfernod llusgo, sef mesur heb ddimensiynau sy'n ddibynnol ar siâp y gwrthrych. Nid oes angen i chi wybod yr hafaliad hwn, ond dylech wybod bod F_d yn cynyddu gydag arwynebedd y gwrthrych, y cyflymder a dwysedd y llifydd.

1.3.11 Hunan-brawf

Dangoswch nad oes gan c_d unedau (h.y. mae'n ddi-ddimensiwn).

3 Mae fformiwla Stokes ar dudalen 11 yn berthnasol ar fuaneddau isel yn unig.

1.3.6 Diagramau cyrff rhydd

Mae lluniadu diagramau cyrff rhydd yn ddefnyddiol wrth geisio adnabod y grymoedd sy'n gweithredu ar wrthrychau sy'n rhyngweithio. Edrychwn eto ar y morlew a'i bêl. Gweler Ffig. 1.3.16(a).

Dangosir parau N3 mewn lliwiau cyfatebol ond mae'n dal i fod yn anodd eu hadnabod, yn enwedig gan fod nifer ohonynt yn gorgyffwrdd. Er mwyn ei gwneud hi'n haws adnabod y grymoedd, rydym yn cymryd pob gwrthrych yn y diagram ac yn ei wahanu oddi wrth y lleill. Rydym am ystyried y morlew a'r grymoedd sy'n gweithredu arno ar wahân – gweler Ffig. 1.3.16(b).

Nawr mae'n haws adnabod y grymoedd:

1. Grym cyffwrdd y bêl ar y morlew.
2. Grym disgyrchiant y Ddaear ar y morlew.
3. Grym cyffwrdd y ddaear ar asgell ôl y morlew – ar ongl sgwâr i'r llethr.
4. Grym cyffwrdd y ddaear ar asgell flaen y morlew – ar ongl sgwâr i'r llethr.
5. Grym ffrithiannol y ddaear ar asgell ôl y morlew – i fyny'r llethr.
6. Grym ffrithiannol y ddaear ar asgell flaen y morlew – i fyny'r llethr.

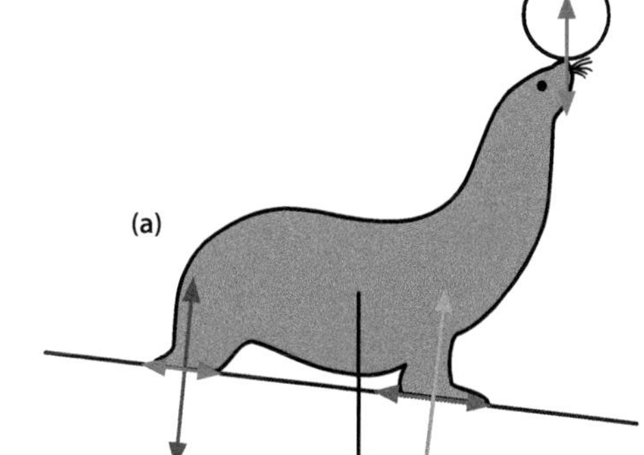

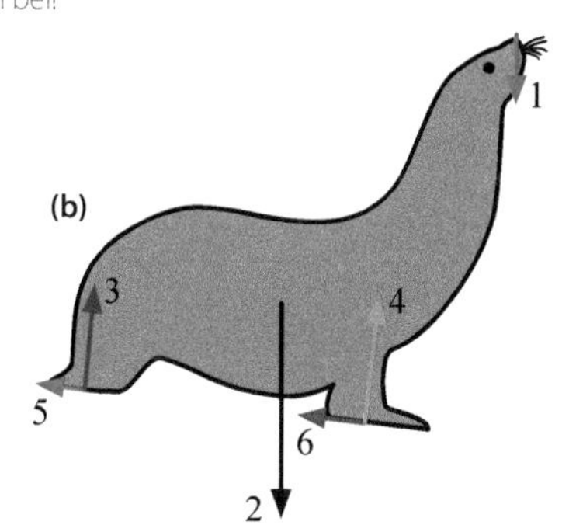

Ffig. 1.3.16 Grymoedd ar forlew a'i bêl!

▼ Pwynt astudio

Un o effeithiau gwrthiant aer yw bod egni'n cael ei drosglwyddo o'r corff symudol i foleciwlau'r aer, ar ffurf egni cinetig.

Hunan-brawf 1.3.12

Enwch bartner N3 pob un o'r grymoedd, 1–6, ar y morlew yn Ffig. 1.3.16.

1.3.7 Grym a chyflymiad

Wrth gymhwyso ail ddeddf mudiant Newton i gorff unigol gyda màs cyson, sydd â nifer o rymoedd yn gweithredu arno, byddwn yn aml yn ysgrifennu'r hafaliad yn y ffurf ganlynol:

$$\Sigma F = ma.$$

Gallwn ddeillio hwn o $\Sigma F = \dfrac{\Delta p}{\Delta t}$ fel a ganlyn:

Yn ôl y diffiniad, mae $p = mv$, $\therefore\ \Delta p = \Delta(mv) = m\Delta v$ oherwydd bod m yn gyson.

$\therefore\ \Sigma F = \dfrac{\Delta p}{\Delta t} = m\dfrac{\Delta v}{\Delta t}$. Ond mae $\dfrac{\Delta v}{\Delta t} = a$, $\therefore\ \Sigma F = ma$

Gallwn ad-drefnu hyn yn y ffurf $a = \dfrac{\Sigma F}{m}$.

Felly, mewn geiriau, cyflymiad gwrthrych yw'r grym cydeffaith sy'n gweithredu arno wedi'i rannu â'i fàs inertiaidd.

Enghraifft

Cyfrifwch gyflymiad y corff yn Ffig. 1.3.17

Cam 1: Cyfrifwch y grym cydeffaith:

O'r diagram grymoedd mae $F_{cyd} = \sqrt{8^2 + 12^2} = 14.4$ N

ac mae $\theta = \tan^{-1}\dfrac{8}{12} = 33.7°$

Ffig. 1.3.18

Cam 2: Cyfrifwch y cyflymiad: $a = \dfrac{F_{cyd}}{m} = \dfrac{14.4}{2.5} = 5.76\ \text{m s}^{-2}$.

Ateb: Y cyflymiad yw $5.76\ \text{m s}^{-2}$ ar ongl o $33.7°$ i'r grym 12 N (gweler Sylwch).

Hunan-brawf 1.3.13

Lluniadwch ddiagram corff rhydd ar gyfer y bêl yn Ffig. 1.3.16(a) ac enwch y grymoedd.

▼ Pwynt astudio

Sylwch fod a a ΣF yn fectorau a bod m yn sgalar (> 0), felly mae cyfeiriad y cyflymiad yr un peth â chyfeiriad y grym cydeffaith.

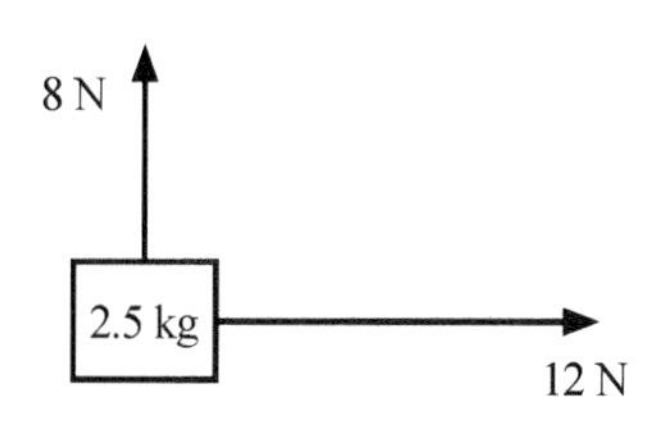

Ffig. 1.3.17 $\Sigma F = ma$

Sylwch

Mae cyflymiad yn fector, felly os gofynnir am gyflymiad, dylech fel arfer roi cyfeiriad yn ogystal â maint.

1.3.8 Grym disgyrchiant[4]

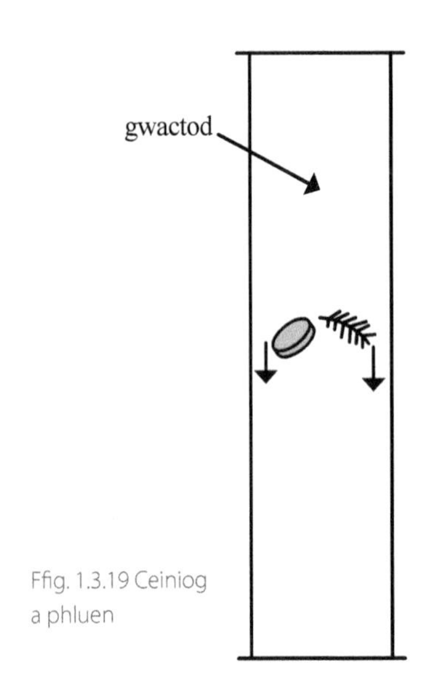

Ffig. 1.3.19 Ceiniog a phluen

Mae'n ffaith arbrofol, os yw gwrthrych yn disgyn yn rhydd, h.y. yn absenoldeb gwrthiant aer, fod ei gyflymiad yn annibynnol ar ei fàs, ei ddwysedd a'i siâp. Mae Ffig. 1.3.19 yn dangos yr arbrawf clasurol 'ceiniog a phluen'. Dyma fersiwn modern o arbrawf meddwl enwog Galileo, lle dychmygodd ollwng dwy bêl ganon â masau gwahanol oddi ar ben Tŵr Cam Pisa. Cafodd yr arbrawf ei ailadrodd ar y Lleuad yn 1971 gan y gofodwr o America, David Scott, ar Apollo 15, gan ddefnyddio morthwyl a phluen; yn fwy diweddar, defnyddiodd Brian Cox siambr wactod anferth NASA i ddangos yr un arbrawf – mae fideos o'r rhain i'w gweld ar y we.

Y symbol ar gyfer cyflymiad disgyn yn rhydd yw g (am *gravity*) a chaiff ei alw yn 'cyflymiad oherwydd disgyrchiant' hefyd. Ei werth ar wyneb y Ddaear yw tua 9.81 m s^{-2}, ond mae hwn yn dibynnu ar y lleoliad oherwydd siâp y Ddaear ac uchder y tir.

Ystyriwch wrthrych, màs m, yn disgyn. Ei gyflymiad yw g, felly dywed N2 fod y grym disgyrchiant arno, yr hyn rydym yn ei alw'n bwysau, W, yn cael ei roi gan

$$W = mg.$$

Mae'r enghraifft ganlynol yn egluro'r defnydd o $W = mg$ mewn cysylltiad â chysyniadau eraill rydym eisoes wedi dod ar eu traws.

Pwynt astudio

Gallwn ad-drefnu'r hafaliad $W = mg$, yn y ffurf $g = \frac{W}{m}$, felly mae N kg^{-1} yn uned ar gyfer g. Wrth ddefnyddio N kg^{-1}, rydym yn cyfeirio at g fel *cryfder maes disgyrchiant* – mae'n rhoi'r grym am bob uned màs ar gorff a osodwyd yn y maes disgyrchiant.

Enghraifft

Mae Ffig. 1.3.20 yn dangos blwch sy'n cyflymu i lawr llethr. Mae gan F, y grym ffrithiannol, werth sydd yn $0.3C$, lle C yw'r grym cyffwrdd normal. Cyfrifwch:

(a) werth lleiaf θ fel bod y blwch yn cyflymu i lawr y llethr,

(b) cyflymiad y blwch os yw $\theta = 20°$. [Tybiwch fod $g = 9.81 \text{ m s}^2$]

(a) Nid oes mudiant yn berpendicwlar i'r llethr, felly y grym cydeffaith yn y cyfeiriad hwn yw 0.

$\therefore$ (Trwy gydrannu'n berpendicwlar i'r llethr): $C = mg \cos\theta$

Ond mae $F = 0.3C$, $\therefore$ $F = 0.3\, mg \cos\theta$

Mae cydran W i lawr y llethr $= W \sin\theta = mg \sin\theta$

$\therefore$ Mae'r grym cydeffaith, ΣF, i lawr y llethr $= mg \sin\theta - 0.3\, mg \cos\theta$

$= mg (\sin\theta - 0.3 \cos\theta)$

Ni all y blwch gyflymu oni bai bod $\Sigma F > 0$. $\therefore \sin\theta > 0.3 \cos\theta$

$\frac{\sin\theta}{\cos\theta} = \tan\theta$ $\therefore \tan\theta > 0.3$ $\therefore$ Rhaid i θ fod yn $16.7°$ (0.29 rad)

(b) Ar ongl o $20°$, mae ΣF i lawr y llethr $= mg(\sin 20° - 0.3 \cos 20°) = 0.590m$.

$\therefore$ Trwy ddefnyddio $\frac{\Sigma F}{m}$, y cyflymiad yw 0.590 m s^{-2}.

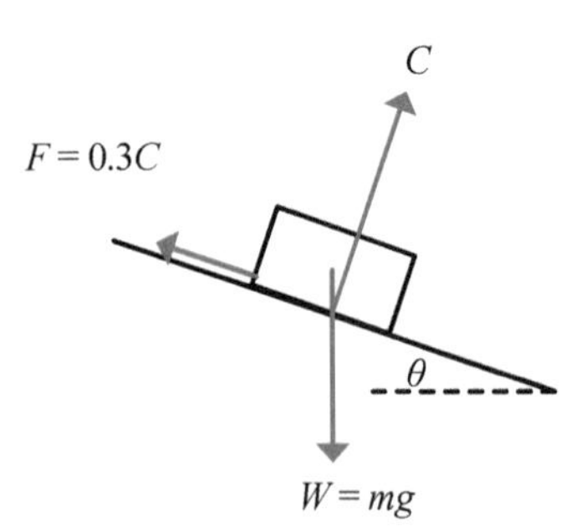

Ffig. 1.3.20 Blwch yn cyflymu ar lethr

1.3.14 Hunan-brawf

Cyfrifwch gyflymiad beiciwr sy'n symud heb bedalu i lawr llethr $10°$. Màs y beiciwr a'r beic yw 75 kg; y grym gwrthiant yw 50 N.

4 Mae'r adran hon yn gysylltiedig ag Adran 1.2.3(c).

Nid yw eich *teimlad* o bwysau yr un peth â'r grym disgyrchiant sydd arnoch. Mae'n codi o ganlyniad i gywasgu eich corff rhwng grym disgyrchiant, sydd wedi'i wasgaru trwy eich corff, a'r grym cyffwrdd i fyny arnoch o'r ddaear. Felly ni fydd gan ofodwr ar yr *Orsaf Ofod Ryngwladol* deimlad o bwysau. Pan fyddwch mewn lifft, mae eich pwysau ymddangosol yn dibynnu ar fudiant y lifft. Mae'r enghraifft nesaf yn egluro'r effaith hon.

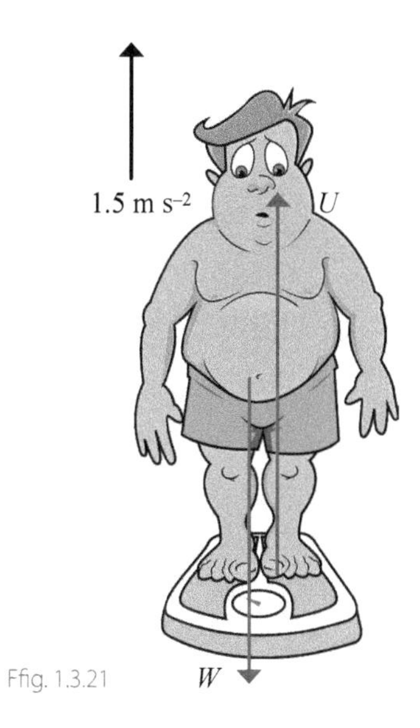

Ffig. 1.3.21

Enghraifft

Mae dyn, màs **85 kg**, yn sefyll ar glorian mewn lifft sy'n cyflymu i fyny **1.5 m s**$^{-2}$, fel y gwelir yn Ffig. 1.3.21.

(a) Cyfrifwch y grym i fyny, U, y mae'r glorian yn ei roi ar y dyn.

(b) Mae'r glorian yn mesur y grym i fyny hwn, ond mae'r darlleniad, R, mewn **kg**, sy'n berthnasol i U trwy:

$U = Rg$.

Beth yw'r darlleniad ar y glorian?

Ateb

(a) $W = mg = 85 \times 9.81 = 833.9$ N.

O N2: $\Sigma F = ma$. $\therefore$ $U - 833.9 = 85 \times 1.5 = 127.5$ N

$\therefore$ $U = 127.5 + 833.9 = 961.4$ N [= 961 N i 3 ff.y.]

(b) $R = \frac{U}{g} = \frac{961.4}{9.81} = 98.0$ kg

1.3.15

Hunan-brawf

Beth fyddai'r darlleniad ar y glorian pe byddai'r lifft yn cyflymu i lawr 1.5 m s^{-2}?

Beth fyddai'r canlyniad ar y Lleuad (g = 1.5 m s^{-2})?

Mudiant dan ddisgyrchiant a gwrthiant aer

Os caiff y 'geiniog a'r bluen' yn Ffig. 1.3.19 eu gollwng mewn aer, bydd y geiniog yn cyrraedd y llawr gyntaf. Tra bo'r bluen yn ymddangos fel pe bai'n drifftio i lawr yn araf ar fuanedd cyson, mae'r geiniog yn cyflymu yr holl ffordd i lawr.

Mae cyflymiad gwrthrychau sy'n disgyn, fel y geiniog, y bluen neu'r plymiwr awyr, yn cael ei benderfynu gan y grym cydeffaith sydd arnynt. Y ddau rym o bwys yw:

- Y pwysau, W, sydd yn gyson ar gyfer gwrthrychau sy'n agos i'r Ddaear.
- Gwrthiant aer, F_d, sy'n amrywio yn ôl $F_d = \frac{1}{2}\rho v^2 c_d A$ – gweler Adran 1.3.5(c).

Mae Ffig. 1.3.23 yn dangos effaith y cyfuniad hwn o rymoedd ar blymiwr awyr.

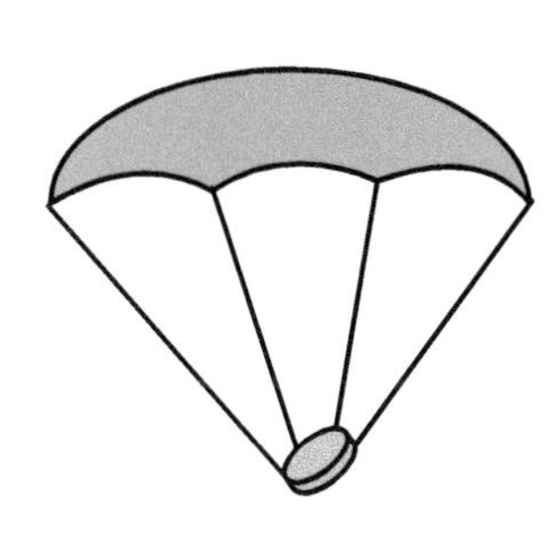
Ffig. 1.3.22 Ceiniog a pharasiwt

Pwynt astudio

Byddai ceiniog wedi'i chlymu wrth barasiwt tegan (Ffig. 1.3.22) yn drifftio i lawr ar ôl cyflymu i gychwyn.

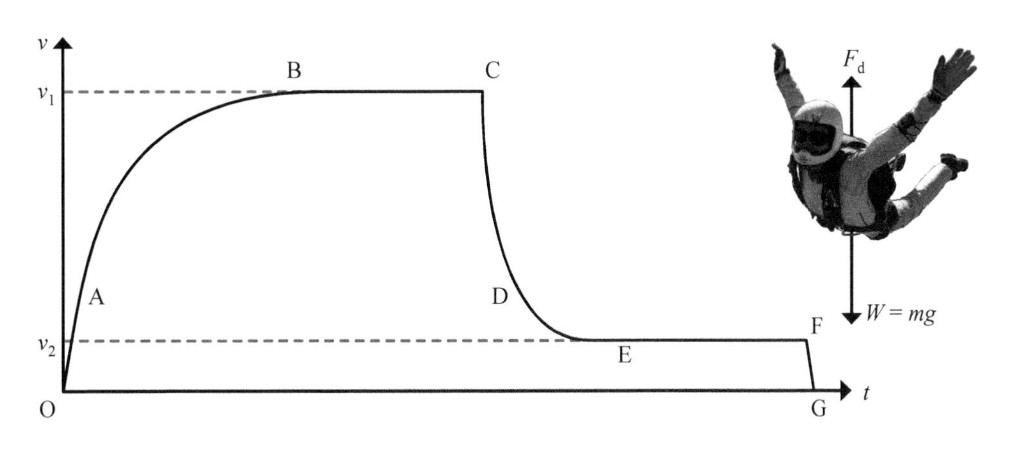

Ffig. 1.3.23 Gwrthiant aer ar blymiwr awyr

1.3.16 Hunan-brawf

Brasluniwch graff v–t ar gyfer y plymiwr awyr, gan dybio bod dwysedd yr aer yn cynyddu wrth i'r plymiwr awyr ddisgyn. Ceisiwch gyfiawnhau eich ateb.

Awgrym: Canolbwyntiwch ar adran BC.

1.3.17 Hunan-brawf

Gan dybio bod $c_d = 1$, amcangyfrifwch gyflymder terfynol, v_1, plymiwr awyr. Cymerwch $\rho_{aer} = 1 \text{ kg m}^{-3}$. Nodwch eich tybiaethau ar gyfer mesurau eraill.

Os tybiwn, fel brasamcan cyntaf, fod y dwysedd aer, ρ, yn gyson, yr unig newidynnau o bwys sydd yn effeithio ar F_d yw v ac A. Felly rhoddir y grym cydeffaith (F_{cyd} neu ΣF) gan:

$$F_{cyd} = mg - \tfrac{1}{2}\rho v^2 c_d A$$

Mae'r cyflymiad, $a = \frac{F_{cyd}}{m}$ $\therefore$ mae $a = g - kAv^2$ (lle $k = \frac{c_d}{2m}$, sy'n gysonyn)

Felly, wrth edrych ar y disgyniad gam wrth gam:

OB Yn **O**, mae $v = 0$ felly mae'r cyflymiad, $a = g$. Wrth i'r plymiwr awyr gyflymu, mae F_d yn cynyddu, felly mae F_{cyd} ac a yn lleihau. Yn **B**, mae $F_d = mg$, mae'r ddau rym yn cydbwyso, felly mae $F_{cyd} = 0$ ac $a = 0$. Mae'r cyflymder yn gyson $= v_1$ yn Ffig 1.3.23. Yr enw ar hwn yw *cyflymder terfynol*.

BC Gan dybio bod dwysedd yr aer yn aros yn gyson, mae F_d yn gyson, felly mae'r plymiwr awyr yn parhau i ddisgyn ar gyflymder v_1.

C Mae'r parasiwt yn agor: mae A yn cynyddu (yn enfawr); mae F_d yn cynyddu, felly mae $F_{cyd} \ll 0$ ac felly mae $a \ll 0$, h.y. mae'r plymiwr awyr yn arafu'n gyflym iawn.

CE Wrth i'r buanedd leihau, mae F_d yn lleihau ($\propto v^2$) nes bod $F_{cyd} = 0$ unwaith eto, ac felly mae $a = 0$. Dyma'r ail gyflymder terfynol, v_2.

EF Fel BC (ar gyflymder v_2 y tro hwn).

FG Cyffwrdd y ddaear. Mae'r ddaear yn rhoi grym mawr i fyny ar y plymiwr awyr. Nawr mae F_{cyd} yn fawr ac i fyny. Mae'n lleihau'r buanedd yn gyflym i 0.

1.3.9 Ymchwilio i ail ddeddf mudiant Newton

Yn Ffiseg Safon Uwch, mae hyn fel arfer yn cynnwys dangos bod canlyniadau arbrofol yn gyson ag $F = ma$, sy'n golygu

- Ar gyfer masau cyson: bod $a \propto F$
- Ar gyfer grym cyson: bod $a \propto \frac{1}{m}$

Er mwyn ymchwilio i'r perthnasoedd hyn, mae arbrawf rhagarweiniol yn ddefnyddiol, i ddangos bod grym cyson ar wrthrych yn achosi cyflymiad cyson. Mae hyn yn caniatáu i ni wedyn fesur cyflymiadau gyda dim ond tri mesuriad newidiol, gyda chymorth yr hafaliadau mudiant:

$x = ut + \tfrac{1}{2}at^2$ a $v^2 = u^2 + 2ax$

Mae hyn hefyd yn sefydlu'r dechneg gyffredinol.

Y cyfarpar a ddefnyddir fel arfer mewn ysgolion yw'r trac aer, sef tiwb gwag gyda thrawstoriad trionglog sy'n cynnwys tyllau aer. Caiff aer ei bwmpio i mewn, a chaiff 'teithwyr' metel eu dal uwchben y trac ar glustog aer, sy'n dianc o'r tyllau aer (gweler Manylyn). Mae Ffig. 1.3.25 yn dangos hyn.

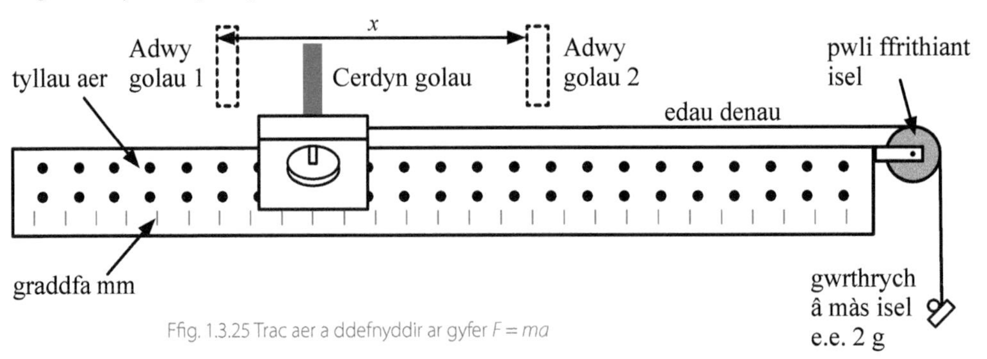

Ffig. 1.3.25 Trac aer a ddefnyddir ar gyfer $F = ma$

Manylyn

Mae 'teithiwr' ar drac aer yn cynnwys dwy wyneb ar ongl o 90° i'w gilydd ar y naill ochr a'r llall i'r trac. Caiff aer ei bwmpio i mewn i'r trac. Mae'r aer yn dianc trwy dyllau, ac mae'r 'teithiwr' yn eistedd ar y glustog aer hon.

Gellir rhoi masau 50 g ar ddolen ar bob wyneb.

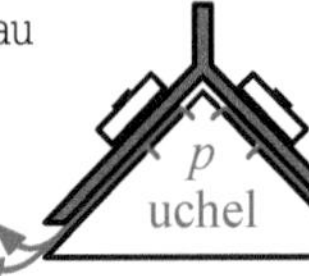

Ffig. 1.3.24

Techneg 1 – cynyddu'r cywirdeb

Os defnyddir cerdyn golau mwy llydan, bydd yr amser mae'r cerdyn yn ei gymryd i fynd trwy'r adwy golau yn cynyddu. Defnyddir amserydd milieiliadau fel arfer. Yr uchaf yw'r amser, t, yr isaf yw'r ansicrwydd yn v.

Y grym disgyrchiant ar y 'gwrthrych â màs isel' sy'n rhoi'r grym cyflymu, a chaiff hwn ei drosglwyddo ar hyd yr edau denau at y 'teithiwr'.

Arbrawf 1: Dangos bod grym cyson yn rhoi cyflymiad cyson

Techneg 1: Defnyddio un adwy golau yn unig, sef adwy golau 2 (AG2)

- Rhyddhewch y 'teithiwr' o ddisymudedd a defnyddiwch adwy golau 2 (AG2) ac amserydd electronig i fesur yr amser, Δt, a gymerodd y cerdyn golau, lled Δx, i ddiffodd y golau.
- Defnyddiwch yr hafaliad $v = \frac{\Delta x}{\Delta t}$ i gyfrifo'r cyflymder, v, y mae'r 'teithiwr' wedi ei gyrraedd ar ôl teithio pellter x o ddisymudedd.
- Ailadroddwch hyn ar gyfer cyfres o bellterau.
- Lluniadwch graff o v^2 yn erbyn x. Os yw'r cyflymiad yn gyson, mae v ac x yn perthyn wrth i $v^2 = u^2 + 2ax$, felly dylai'r graff fod yn llinell syth trwy'r tarddbwynt ($u = 0$). Mae'r graddiant yn $2a$, sy'n golygu y gallwch gyfrifo a.

Mesuriadau: x, y pellter rhwng safle canolbwynt y cerdyn golau ar y dechrau ac wrth yr adwy golau; Δt; Δx.

Techneg 2: Defnyddio dwy adwy golau: Rhyddhewch y 'teithiwr' ar ochr chwith AG1; gosodwch yr amserydd i fesur yr amser, t, i deithio'r pellter, x, rhwng AG1 ac AG2. Amrywiwch x ac ailadroddwch yr arbrawf.

$x = ut + \frac{1}{2}at^2$, $\therefore \frac{x}{t} = u + \frac{1}{2}at$. Dylai graff o x yn erbyn t fod yn llinell syth â graddiant o $\frac{1}{2}a$ os yw a yn gyson.

Dadansoddi data

Canlyniadau: $x = 2.5$ cm.

x / cm	Δt / ms
20	91
40	62
60	51
80	45
100	40

Dangoswch fod y cyflymiad yn gyson a darganfyddwch ei werth.

Dadansoddi data: techneg 2

Canlyniadau:

x / cm	Δt / ms
10	148
25	268
40	341
70	475
100	575
140	684

Dangoswch fod y cyflymiad yn gyson a darganfyddwch ei werth.

Arbrawf 2: Dangos bod cyflymiad mewn cyfrannedd â grym

Rydym yn amrywio'r grym cyflymu trwy hongian cyfres o wrthrychau â màs isel ar yr edau, e.e. 2 g, 5 g, 7 g, 10 g, 12 g, 15 g. Fel dewis arall, gallwn ddefnyddio nifer o glipiau papur neu wrthrychau eraill sydd â màs unffurf. Rydym yn mesur y cyflymiad ar gyfer pob un o'r masau hyn trwy ddefnyddio dull techneg 1 uchod, sef un adwy golau (AG2) a gwerth priodol ar gyfer x (gorau po fwyaf).

Problem: Sut rydym yn cadw màs y system yn gyson? Nid yw hyn mor hawdd ag y mae'n ymddangos, gan fod y màs bach sydd ar ben yr edau yn rhan o'r màs sy'n cyflymu.

Datrysiad: Rydym yn cymryd yr holl fasau rydym yn bwriadu eu defnyddio fel y pwysau ar yr edau, ac yn eu llwytho ar y 'teithiwr'. Wrth roi unrhyw un o'r rhain, e.e. màs 5 g, ar ben yr edau, mae cyfanswm y màs yn aros yn gyson ond bydd y grym cyflymu yn cael ei benderfynu gan mg yn hongian ar yr edau.

Dadansoddi arbrawf 2

Cyfrifwch y cyflymiad ar gyfer pob un o'r masau, m, ar yr edau a phlotiwch graff o a yn erbyn m. Dylai edrych yn debyg i hyn:

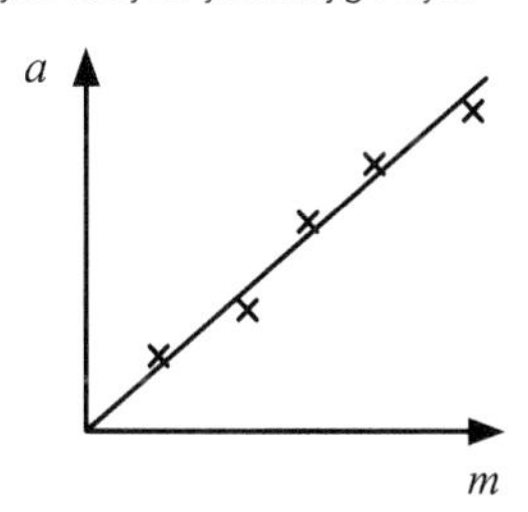

Arbrawf 3: Dangos bod cyflymiad mewn cyfrannedd gwrthdro â màs

Rydym yn amrywio màs, M, y system trwy dynnu neu adio parau o fasau 50 g at y 'teithiwr'. Mae gan y 'teithiwr' ei hun fàs nodweddiadol o ~150 g a gall gymryd hyd at 300 g yn ychwanegol.

Cedwir y grym yn gyson trwy gadw'r pwysau cyflymu ar yr edau yr un peth. Rhaid cofio cynnwys ei fàs yng nghyfanswm màs y system.

Unwaith eto, rydym yn defnyddio techneg 1 i fesur y cyflymiad dros x fawr addas.

Dadansoddi arbrawf 3

Cyfrifwch y cyflymiad ar gyfer pob un o werthoedd cyfanswm y màs, M. Cofiwch gynnwys y màs sydd ar yr edau. Plotiwch graff o a yn erbyn $\frac{1}{M}$. Dylai edrych yn debyg i hyn:

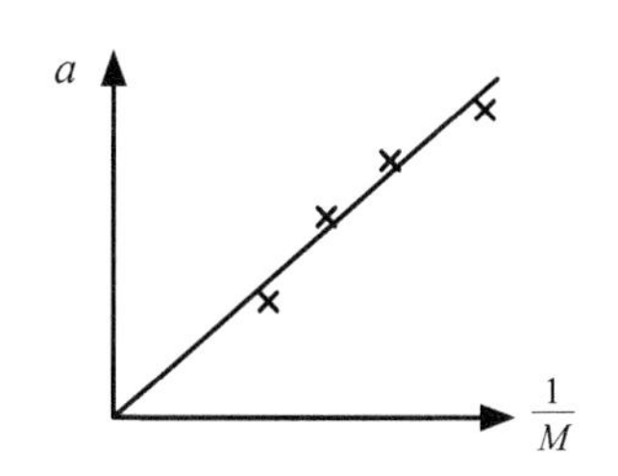

Ymarfer 1.3

1. Mae gan ddau wrthrych, A a B, fasau $20\ \mathrm{kg}$ a $30\ \mathrm{kg}$, a buaneddau $25\ \mathrm{m\ s^{-1}}$ a $10\ \mathrm{m\ s^{-1}}$ yn ôl eu trefn. Cyfrifwch gyfanswm momentwm y gwrthrychau os yw:

   (a) A a B yn teithio i'r dde,
   (b) A yn teithio i'r dde a B yn teithio i'r chwith,
   (c) A yn teithio i'r Gogledd a B yn teithio i'r Dwyrain.

2. Cyfrifwch gyfanswm yr egni cinetig ar gyfer y cyrff yng nghwestiwn 1.

3. Ar drac aer, mae dau 'deithiwr' gyda'i gilydd, sy'n teithio $6\ \mathrm{cm\ s^{-1}}$, yn gwrthdaro'n anelastig â thrydydd 'teithiwr' (unfath â nhw) sy'n ddisymud. Y cyflymder cyffredin ar ôl y gwrthdrawiad yw $4\ \mathrm{cm\ s^{-1}}$. Dangoswch fod hyn yn union fel y byddai egwyddor cadwraeth momentwm wedi ei ragfynegi.

4. Cyfrifwch ffracsiwn yr egni cinetig cychwynnol sy'n cael ei golli yng nghwestiwn 3.

5. Mae car, màs $1300\ \mathrm{kg}$, sy'n teithio $40\ \mathrm{m\ s^{-1}}$, yn gwrthdaro'n benben ag ail gar, màs $1200\ \mathrm{kg}$, sy'n teithio $20\ \mathrm{m\ s^{-1}}$, ac maen nhw'n glynu at ei gilydd. Cyfrifwch

   (a) cyfanswm y momentwm cyn y gwrthdrawiad a
   (b) eu cyflymder yn syth ar ôl y gwrthdrawiad. Beth ydych chi wedi ei dybio?

6. Mae niwtron sy'n teithio $1200\ \mathrm{m\ s^{-1}}$ yn gwrthdaro â niwclews U-238 disymud, a chaiff ei amsugno. Amcangyfrifwch fuanedd y niwclews U-239 dilynol. Gallwch dybio bod gan brotonau a niwtronau yr un màs.

7. Mae samariwm-147 yn newid trwy ddadfeiliad α. Caiff y gronynnau α, màs $6.68 \times 10^{-27}\ \mathrm{kg}$, eu bwrw allan ar gyflymder o $1.00 \times 10^{7}\ \mathrm{m\ s^{-1}}$, gan adael niwclysau $^{143}_{60}\mathrm{Nd}$, màs $2.39 \times 10^{-25}\ \mathrm{kg}$. Cyfrifwch

   (a) cyflymder adlamu'r niwclysau a
   (b) yr egni cinetig a ryddhawyd yn ystod y dadfeiliad.

8. Darganfyddwch y cyflymderau dilynol os yw'r gwrthrychau yng nghwestiwn 1 yn gwrthdaro'n benben ac yn elastig.

9. Mae pêl droed, màs $450\ \mathrm{g}$, yn cael ei chicio ar fuanedd o $30\ \mathrm{m\ s^{-1}}$ yn erbyn wal ar ongl sgwâr. Mae'n adlamu ar fuanedd o $25\ \mathrm{m\ s^{-1}}$. Os yw'r gwrthdrawiad yn para $0.04\ \mathrm{s}$, cyfrifwch y grym cymedrig y mae'r bêl yn ei roi ar y wal. Eglurwch eich ateb yn glir yn nhermau N2 ac N3.

10. Mae dau rym, maint $5\ \mathrm{N}$ a $12\ \mathrm{N}$, yn cael eu rhoi ar gorff, màs $1.55\ \mathrm{kg}$, ar yr un pryd. Gellir amrywio cyfeiriadau gweithredu'r grymoedd.

    (a) Cyfrifwch faint y cyflymiadau uchaf ac isaf.
    (b) Cyfrifwch gyflymiad y gwrthrych os yw'r ddau rym yn gweithredu ar ongl sgwâr i'w gilydd.

11. Mae'r diagram yn dangos trac aer. Mae tyniant T yn y cortyn sy'n cysylltu'r màs $40\ \mathrm{g}$ â'r 'teithiwr'.

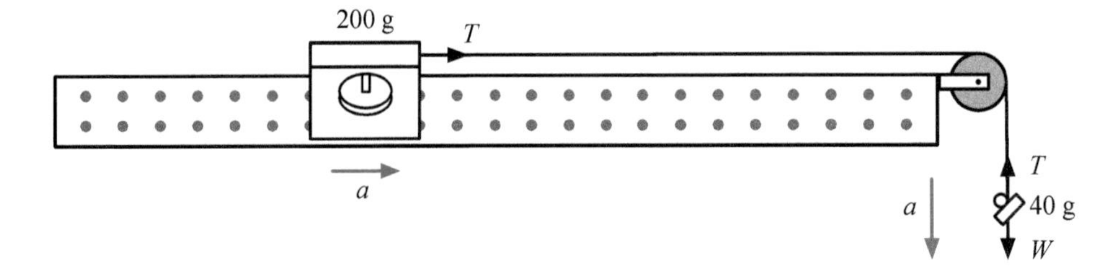

    (a) Cyfrifwch bwysau, W, y màs bychan.
    (b) Ysgrifennwch hafaliadau yn nhermau T ar gyfer cyflymiad
        (i) y màs $40\ \mathrm{g}$, a
        (ii) y 'teithiwr' $200\ \mathrm{g}$.
    (c) Datryswch y ddau hafaliad a thrwy hynny darganfod y cyflymiad, a.

12. Mae'r tyniant, T, yn llinyn y bwa hir yn $4700\ \text{N}$. Màs y saeth yw $0.065\ \text{kg}$.

(a) Cyfrifwch gyflymiad y saeth.
(b) Mae'r saeth yn gadael cysylltiad â'r llinyn ar ôl $70\ \text{cm}$. Amcangyfrifwch ar ba fuanedd y mae'n gadael y bwa. Nodwch eich tybiaeth.

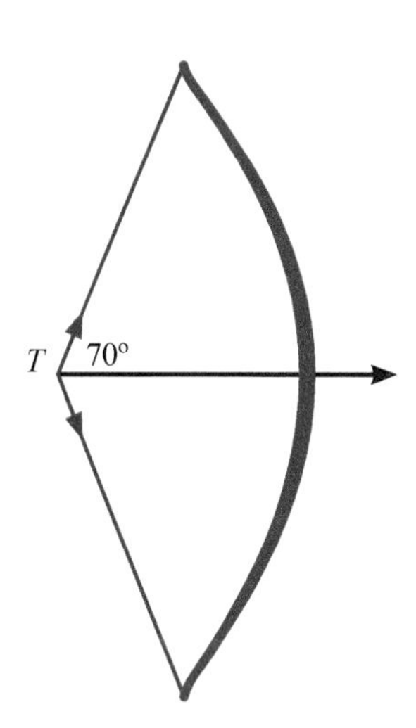

13. Mae'r diagram yn dangos hediad pêl a daflwyd.

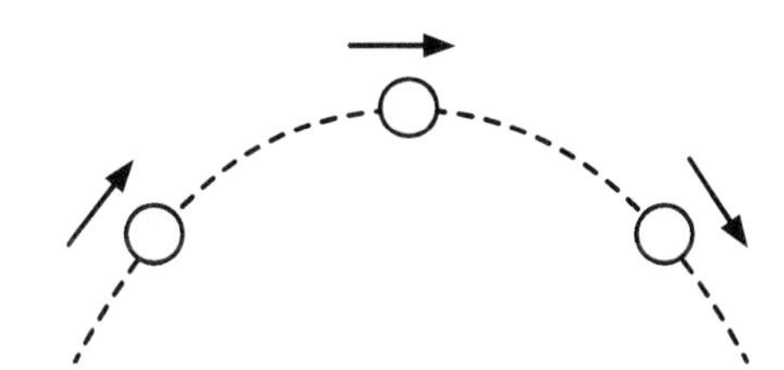

Lluniadwch ddiagramau cyrff rhydd ar gyfer y bêl ym mhob un o'r 3 safle

(a) heb wrthiant aer,
(b) gyda gwrthiant aer.

14. Casglodd myfyriwr set o ganlyniadau i ddangos bod grym cyson yn cynhyrchu cyflymiad cyson, trwy ddefnyddio techneg 2 (Adran 1.3.9).

x/cm	10.0	20.0	30.0	40.0	50.0	60.0
t/s	0.45	0.74	1.00	1.25	1.38	1.55

Roedd y màs crog, m, yn $5.0\ \text{g}$. Trwy luniadu graff addas, defnyddiwch y canlyniadau

(a) i ddangos bod y cyflymiad yn gyson,
(b) i gyfrifo'r cyflymiad, a, ac
(c) i gyfrifo màs, M, y 'teithiwr'.

15. Amcangyfrifir bod yr ansicrwydd ym mhob un o'r amserau yng nghwestiwn 14 yn $\pm 0.02\ \text{s}$. Mae'r ansicrwydd yn x ac m yn ddibwys. Ychwanegwch farrau cyfeiliornad at eich graff ac amcangyfrifwch yr ansicrwydd yn a ac M.

Mae'r cwestiwn hwn yn cynnwys cysyniadau ffiseg o'r fanyleb ffiseg UG yn unig, ond defnyddir technegau mathemateg Safon Uwch. Mae'n addas ar gyfer myfyrwyr mathemateg a ffiseg sy'n nesáu at ddiwedd eu cyrsiau Safon Uwch.

Rydym yn tybio bod y grym gwrtheddol ar y bwled yn y cwestiwn Ymestyn a Herio ar dudalen 35 mewn cyfrannedd union â sgwâr y cyflymder, h.y. mae $ma = -kv^2$, lle m yw màs y bwled ac mae k yn gysonyn.

(a) Awgrymwch uned ar gyfer k.

(b) Gallwn ysgrifennu'r cyflymiad, a, yn nhermau calcwlws fel $a = \frac{dv}{dt}$ neu $a = v\frac{dv}{dx}$.

(i) Trwy ddefnyddio $a = v\frac{dv}{dx}$, gallwn ysgrifennu: $mv\frac{dv}{dx} = kv^2$. Datryswch yr hafaliad hwn i ddarganfod v fel ffwythiant o x, gyda v_0 fel gwerth v pan mae $x = 0$. Yna, gan ysgrifennu v fel $\frac{dx}{dt}$, integrwch i ddarganfod $x(t)$.

(ii) Darganfyddwch $v(t)$ ac $x(t)$ o $m\frac{dv}{dt} = -kv^2$ a chadarnhewch fod y datrysiadau yr un peth ag yn (i).

(iii) Defnyddiwch y gwerthoedd $v_0 = 500\ \text{m s}^{-1}$, $m = 0.050\ \text{kg}$ a $k = 0.23$ uned i gymharu'r canlyniadau â'r data sydd yn y tabl ar dudalen 35.

1.4 Cysyniadau egni

Termau a diffiniadau

Mae **gwaith** yn cael ei wneud pan fydd grym yn symud ei bwynt gweithredu.

Termau a diffiniadau

Egni yw'r gallu i wneud gwaith. Uned gwaith yw'r **joule** (J).

Bu ffisegwyr yn datblygu'r cysyniad o egni dros gyfnod hir iawn, rhwng diwedd yr ail ganrif ar bymtheg a dechrau'r ugeinfed ganrif. Yn wahanol i fomentwm, sy'n fesur fector ac yn cael ei gadw dim ond os nad oes grymoedd allanol yn gweithredu, mae egni yn fesur sgalar. Y math cyntaf o egni i'w adnabod oedd *egni cinetig* – yr egni o ganlyniad i fudiant. Gall gwrthrych sy'n meddu ar egni achosi i bethau ddigwydd, sy'n golygu y gall achosi i bethau symud. Er enghraifft, wrth daro'r Ddaear, gall asteroid ffurfio crater mawr, gan symud meintiau enfawr o ddefnydd (a chael gwared â'r dinosoriaid ar yr un pryd). Byddwn yn mireinio'r syniadau hyn yn yr adran hon o'r llyfr, gan ddechrau trwy ystyried y gwaith sy'n cael ei wneud gan rym.

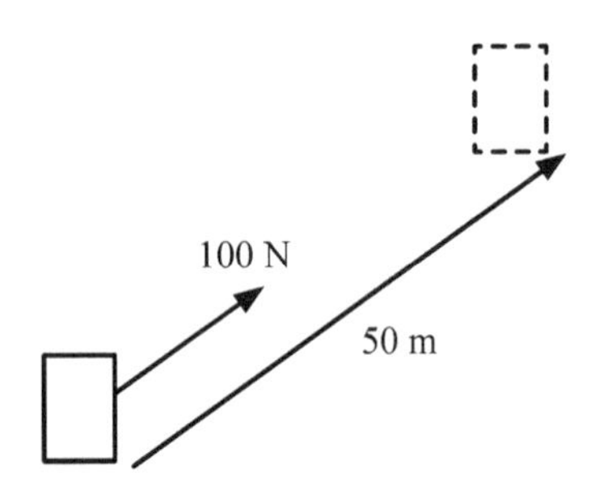

Ffig. 1.4.1 Gwaith sy'n cael ei wneud

1.4.1 Gwaith ac egni

Os yw grym yn symud rhywbeth, rydym yn dweud bod y grym yn *gwneud gwaith*. Er enghraifft, mae'r grymoedd canlynol yn gwneud gwaith:

- Y grym sy'n cael ei roi gan winsh drydan sy'n tynnu car o ffos.
- Y grym sy'n cael ei roi gan y gwynt er mwyn troi tyrbin sydd wedi'i gysylltu â dynamo.
- Y grym sy'n cael ei roi gan gyhyrau saethwr wrth iddo dynnu'r bwa.
- Y grym sy'n cael ei roi gan fwa saethwr wrth iddo sythu a saethu'r saeth.

Byddwch yn sylwi bod angen rhywbeth ar bob un o'r enghreifftiau hyn i'w gyrru. Mae hyn yn wahanol, er enghraifft, i'r grym sy'n cael ei roi gan fwrdd sy'n dal llyfr, neu'r grym sy'n cael ei roi gan hoelen sy'n dal silff. Nid oes mudiant yn y ddwy enghraifft olaf hyn, felly nid oes gwaith yn cael ei wneud – ac nid oes angen 'mewnbwn' i gadw'r gwrthrychau yn eu lle. Rydym yn defnyddio'r cysyniad o waith i ddiffinio egni.

Termau a diffiniadau

Egni mewnol gwrthrych yw cyfanswm yr egni (EC + EP) sydd gan ei ronynnau. Ni ddylid galw hyn yn wres.

Diffinnir y gwaith sy'n cael ei wneud gan rym fel a ganlyn:

Y gwaith sy'n cael ei wneud (J)	=	Grym (N)	×	Pellter a symudwyd yng nghyfeiriad y grym (m)

neu, mewn symbolau: $W = Fx$.

Trwy gymhwyso hyn i Ffig. 1.4.1:

Y gwaith sy'n cael ei wneud gan y grym 100 N, $W = 100 \text{ N} \times 50 \text{ m} = 5\,000 \text{ J}$ (neu 5 kJ)

Pwynt astudio

Gwaith sy'n cael ei wneud = Egni a drosglwyddwyd

Felly, os yw grym yn gwneud 5 kJ o waith, caiff 5 kJ o egni ei drosglwyddo.

Rydym yn diffinio **egni** yn y fath fodd fel bod swm yr egni sy'n cael ei drosglwyddo yn hafal i'r gwaith sy'n cael ei wneud gan y grym. Sut caiff yr egni hwn ei drosglwyddo? Mae hyn yn dibynnu ar y manylion. Mae Ffig. 1.4.2 – 1.4.4 yn dangos gwahanol bosibiliadau.

Ffig 1.4.2 Egni cinetig

Ffig 1.4.3 Egni mewnol

Ffig. 1.4.4 Egni potensial disgyrchiant

Mae'r labeli yn Ffig. 1.4.2 i 1.4.4 yn rhoi ffurf yr egni ar ôl ei drosglwyddo. Roedd y bwa yn storio egni ar ffurf egni potensial elastig cyn ei drosglwyddo i'r saeth. Yn y ddau ddiagram arall, roedd yr egni wedi'i storio gan y cyfansoddyn ATP yn y cyhyrau.

Pwynt astudio

Nid gwaith yw'r unig ffordd o drosglwyddo egni. Gellir trosglwyddo egni mewnol trwy wres, h.y. dargludiad, darfudiad neu belydriad.

Enghraifft

Caiff llwyth **20 kg** ei godi 5.0 m gan winsh, fel y dangosir yn Ffig. 1.4.5. Mae dolen y winsh yn **0.60 m** o hyd, ac mae gan y drwm y mae'r rhaff wedi'i weindio o'i amgylch radiws o **0.15 m**. Mae angen grym o **50 N** i droi'r ddolen. Cyfrifwch:

(a) y gwaith sy'n cael ei wneud ar y bloc **20 kg**, a

(b) y gwaith sy'n cael ei wneud gan y grym **50 N**.

Ateb

(a) Y grym sydd ei angen i godi'r llwyth yw $mg = 20 \times 9.81 = 196.2$ N

Y gwaith sy'n cael ei wneud, W, ar y bloc 20 kg = $Fx \cos\theta$

$\therefore W = 196.2 \times 5 \cos 0° = 980$ J (2. ff.y.)

(b) Mae angen i ni gyfrifo'r pellter a deithiwyd gan y grym 50 N. Mae hyd y ddolen bedair gwaith radiws y drwm, felly'r pellter a deithiwyd yw 4×5 m = 20 m.

$\therefore$ Y gwaith sy'n cael ei wneud gan y grym 50 N = $50 \times 20 = 1000$ J

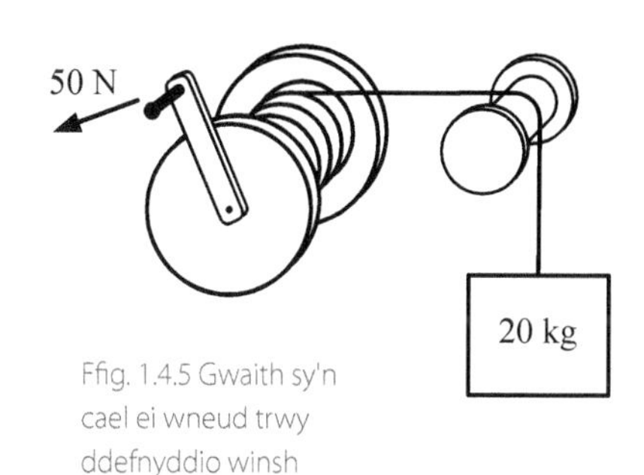

Ffig. 1.4.5 Gwaith sy'n cael ei wneud trwy ddefnyddio winsh

Hunan-brawf 1.4.1

I beth caiff gormodedd yr egni yn yr enghraifft ei drosglwyddo? [Peidiwch â dweud *gwres* neu *sain*!]

Sylwch fod y gwaith sy'n cael ei wneud gan y sawl sy'n troi'r cranc yn fwy na'r gwaith sy'n cael ei wneud i godi'r llwyth. Byddwn yn dod yn ôl at hyn yn Adran 1.4.5.

1.4.2 Cyfeiriadau'r grym a'r dadleoliad

Yn yr enghreifftiau yn yr adran ddiwethaf, roedd y grym a'r dadleoliad yn yr un cyfeiriad. Beth os nad yw hyn yn wir?

Mae'r tynfad yn Ffig. 1.4.6 yn tynnu ar ongl θ i gyfeiriad mudiant y llong.

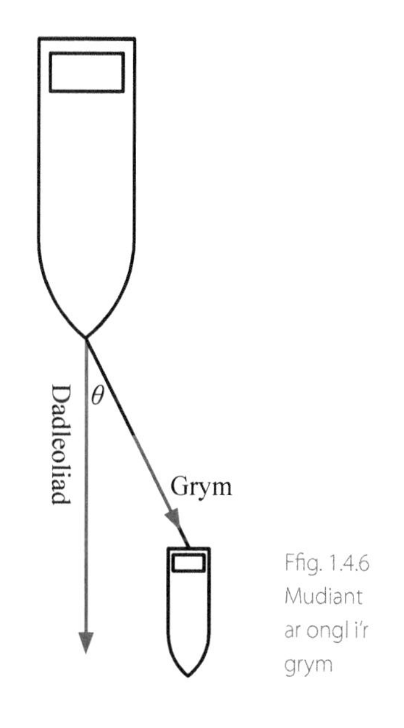

Ffig. 1.4.6 Mudiant ar ongl i'r grym

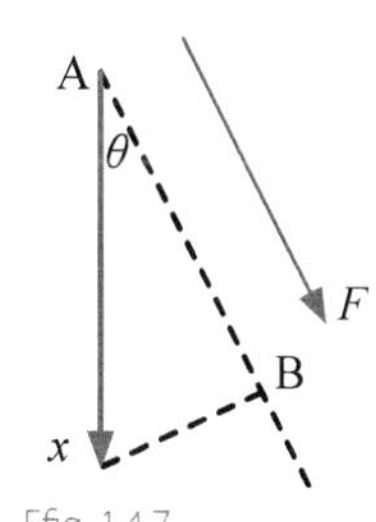

Ffig. 1.4.7

Mae'r diagram fector yn dangos hyn yn fwy clir. Y pellter a deithiwyd yng nghyfeiriad y grym yw AB = $x \cos\theta$.

$$\therefore W = Fx \cos\theta.$$

Y mynegiad $x \cos\theta$ yw cydran x yng nghyfeiriad F, ac $F \cos\theta$ yw cydran y grym yng nghyfeiriad y dadleoliad.

Felly gallwn ysgrifennu'r diffiniad o'r gwaith sy'n cael ei wneud fel a ganlyn:

Naill ai: Y gwaith sy'n cael ei wneud = Grym × Cydran dadleoliad yng nghyfeiriad y grym

neu: Y gwaith sy'n cael ei wneud = Cydran grym yng nghyfeiriad y dadleoliad × Dadleoliad

Gwelwn fod y ddwy ffordd hyn o ysgrifennu'r hafaliad gwaith yn rhoi'r un ateb os ystyriwn y beiciwr ar lethr yn Ffig. 1.4.8.

Hunan-brawf 1.4.2

Cyfrifwch W o'r data canlynol:

$F = 500$ kN:

$x = 1.5$ mm: $\theta = 35°$

Pwynt astudio

Sylwch, yn achos y beiciwr ar y llethr, fod y beiciwr yn colli egni potensial disgyrchiant a'i fod naill ai'n mynd yn llawer mwy cyflym (h.y. yn ennill egni cinetig) neu mae'r breciau'n mynd yn boeth iawn – neu'r ddau!

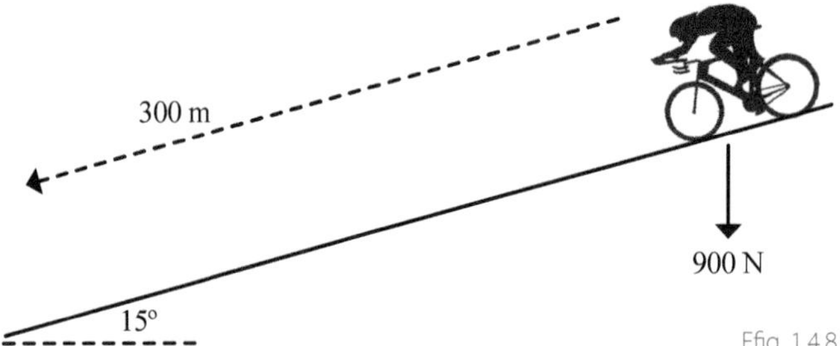

Ffig. 1.4.8 Beiciwr yn symud heb bedalu i lawr llethr

Gan ddefnyddio'r data yn y diagram:

Cydran fertigol y dadleoliad yw $300 \sin 15°$; cydran y pwysau i lawr y llethr yw $900 \sin 15°$. Felly trwy gymhwyso'r 'naill ai'/'neu' a geir ar y dudalen flaenorol:

Naill ai mae: $W = (900\ \text{N}) \times (300 \sin 15°\ \text{m}) = 270\,000 \sin 15°\ \text{J} = 70\ \text{kJ}$ (2 ff.y.)

Neu mae: $W = (900 \sin 15°\ \text{N}) \times (300\ \text{m}) = 270\,000 \sin 15°\ \text{J} = 70\ \text{kJ}$

Yr ongl rhwng y grym a'r dadleoliad yn Ffig. 1.4.8 oedd 75°. Dyma rai enghreifftiau lle mae'r ongl yn 90° neu'n fwy:

1. Lloeren mewn orbit cylchol. Mae'r grym disgyrchiant ar ongl sgwâr i'r mudiant os yw'r lloeren yn ei horbit. Trwy hyn, mae $\theta = 90°$, felly mae $W = 0$. Nid yw'r grym disgyrchiant yn gwneud unrhyw waith! Mae hyn yn cyd-fynd â'r ffaith bod egni'r lloeren yn gyson – nid oes newid i'r egni potensial na'r egni cinetig. **Casgliad**: Os yw $\theta = 90°$, nid oes gwaith yn cael ei wneud; nid oes egni yn cael ei drosglwyddo.
2. Saethu bwled i goeden. Mae'r diagram yn dangos y grym ffrithiannol sy'n cael ei roi ar y bwled gan y goeden. Yr ongl rhwng y mudiant a'r grym yw 180˚. Ond mae $\cos 180° = -1$, felly mae'r gwaith sy'n cael ei wneud gan y grym yn negatif. Mae'r gwaith negatif hwn yn golygu bod egni negatif yn cael ei drosglwyddo i'r bwled – felly mae ei hegni cinetig yn lleihau, h.y. mae'n arafu. **Casgliad**: Os yw $\theta > 90°$, mae'r gwaith yn negatif a chaiff egni ei drosglwyddo **o'r** gwrthrych.

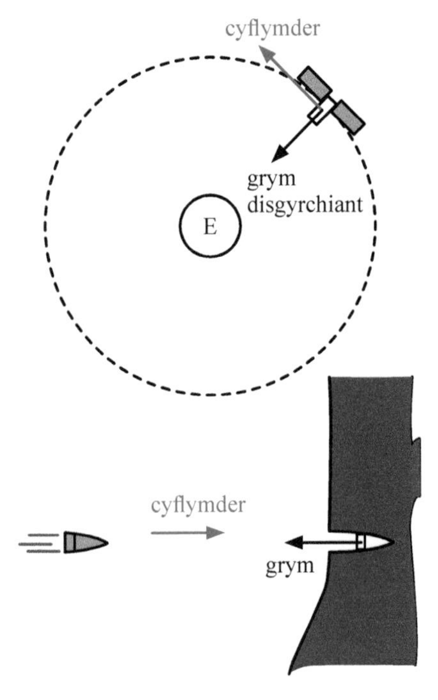

Ffig. 1.4.9 ac 1.4.10 Gwerthoedd θ mawr

1.4.3 Cadwraeth egni: egni cinetig ac egni potensial

(a) Egwyddor cadwraeth egni

Ystyriwch y blwch sy'n llithro i ddisymudedd ar arwyneb yn Ffig. 1.4.11. Mae Ffig. 1.4.12 yn dangos diagramau cyrff rhydd ar gyfer y ddau wrthrych hyn:

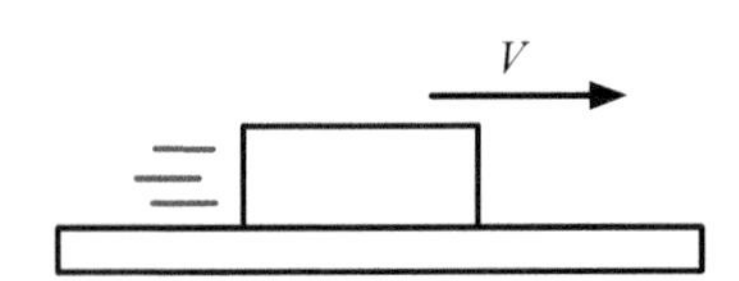

Ffig. 1.4.11 Gwrthrychau'n rhyngweithio

Ffig. 1.4.12 Diagram corff rhydd

O N3, rydym yn gwybod bod y ddau wrthrych yn rhoi grymoedd hafal a dirgroes, F, ar ei gilydd. Mewn amser byr, Δt, mae'r blwch yn llithro $v\Delta t$ i'r dde. Yn yr amser hwn, mae'r arwyneb yn gwneud gwaith $-Fv\Delta t$ ar y blwch, gan leihau ei egni cinetig $Fv\Delta t$. Ar yr un pryd, mae'r blwch yn gwneud gwaith $+Fv\Delta t$, gan drosglwyddo'r swm hwn o egni (ar ffurf egni mewnol, wedi'i rannu rhwng yr arwyneb a'r blwch).

Termau a diffiniadau

Egwyddor cadwraeth egni: mae cyfanswm egni system arunig yn gyson er y gellir ei drosglwyddo o fewn y system.

Felly mae cyfanswm yr egni yn y system yn gyson; h.y. mae

$$\Delta E = Fv\Delta t - Fv\Delta t = 0$$

Mae hyn yn egluro **egwyddor cadwraeth egni**.

Nawr, byddwn yn defnyddio'r egwyddor bod:

Y gwaith sy'n cael ei wneud = trosglwyddiad egni

i ddeillio mynegiadau ar gyfer egni cinetig ac egni potensial.

(b) Egni cinetig

Gall gwrthrych symudol wneud gwaith ar wrthrychau eraill wrth ddod i ddisymudedd. Felly mae ganddo egni o ganlyniad i'w fudiant. Yr enw ar hwn yw **egni cinetig**. Y symbol ar ei gyfer yw E_k, ond yn aml caiff ei dalfyrru i EC.

Ystyriwch rym F yn gweithredu ar wrthrych, màs m, oedd yn symud gyda chyflymder u i gychwyn (Ffig. 1.4.13). Mae'r grym yn gweithredu dros ddadleoliad x.

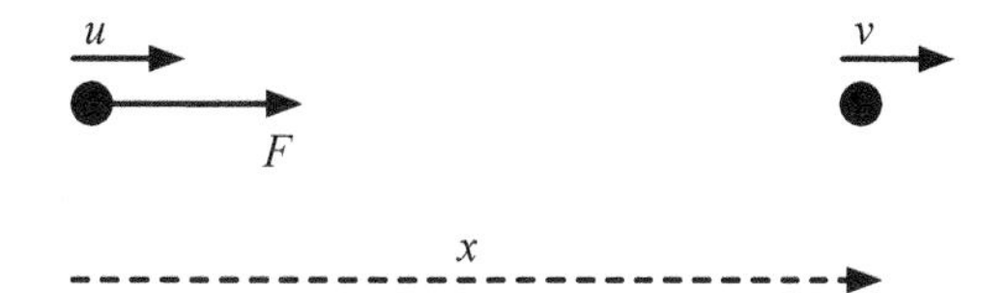

Ffig 1.4.13 Deillio'r fformiwla ar gyfer EC

Mae F ac x yn yr un cyfeiriad, $\therefore$ mae $W = Fx$.

Ond mae $F = ma$ $\therefore$ mae $W = max$

Y pedwerydd hafaliad cinematig ar gyfer cyflymiad cyson yw $v^2 = u^2 + 2ax$.

$\therefore$ Trwy ad-drefnu, mae, $ax = \frac{1}{2}v^2 - \frac{1}{2}u^2$

$\therefore$ Trwy amnewid ar gyfer ax uchod, mae $W = \frac{1}{2}mv^2 - \frac{1}{2}mu^2$

O'r hafaliad hwn gwelwn mai'r gwaith sy'n cael ei wneud yw'r newid yng ngwerth y mesur ½ màs × cyflymder². Felly, gan fod y gwaith sy'n cael ei wneud yr un peth â'r egni sy'n cael ei drosglwyddo, gallwn gasglu mai $\frac{1}{2}mv^2$ yw egni cinetig gwrthrych, màs m, sy'n teithio ar gyflymder v.

Enghraifft

Caiff car, màs 800 kg, sy'n teithio 15 m s^{-1} ei gyflymu gan rym 1200 N dros bellter o 250 m. Cyfrifwch y cyflymder terfynol.

Ateb

Y gwaith sy'n cael ei wneud = newid mewn egni cinetig

$\therefore 1200 \times 250 = \frac{1}{2} \times 800(v^2 - 15^2) \therefore 300\,000 = 400(v^2 - 225)$

$\therefore$ Trwy rannu â 400 ac ad-drefnu, mae: $v^2 = 750 + 225 = 975 \rightarrow v = 31.2$ m s^{-1}.

(c) Egni potensial disgyrchiant

Gall gwrthrych mewn safle wedi'i godi wneud gwaith ar wrthrychau eraill wrth iddo ddisgyn. Felly mae ganddo egni o ganlyniad i'w uchder. Yr enw ar hyn yw **egni potensial disgyrchiant**. Defnyddir y symbol E_p neu U, ond yn aml caiff ei dalfyrru i EPD neu EP. A bod yn fanwl gywir, nid y corff ei hun sy'n meddu ar yr egni, ond y system Daear-corff: mae'r EPD yn dibynnu ar y pellter rhyngddynt.

Fel yn achos yr egni cinetig, dychmygwn wneud gwaith ar wrthrych, màs m, fel bod ei EPD yn cynyddu trwy ei godi pellter Δh.

Mae Ffig. 1.4.14 yn dangos hyn. Bydd hyn yn digwydd ar fuanedd cyson, felly ni fydd newid yn yr egni cinetig.

Termau a diffiniadau

Egni cinetig yw'r egni sydd gan gorff o ganlyniad i'w fuanedd.

Termau a diffiniadau

Egni potensial disgyrchiant yw'r egni sydd gan system o gyrff sy'n disgyrchu o ganlyniad i'r pellter rhyngddynt.

Termau a diffiniadau

Yn aml caiff egni cinetig ac egni potensial eu grwpio gyda'i gilydd fel **egni mecanyddol**.

Sylwch

Y newid yn yr egni cinetig yw $\frac{1}{2}mv^2 - \frac{1}{2}mu^2$.

Gallwch ysgrifennu hyn fel $\frac{1}{2}m(v^2 - u^2)$.

Nid yw hyn yr un peth â $\frac{1}{2}m(v - u)^2$!

Hunan-brawf 1.4.3

Gallwn ddatrys yr enghraifft trwy ddefnyddio $F = ma$ i ddarganfod a ac yna defnyddio $v^2 = u^2 + 2ax$ i ddarganfod v.

Gwnewch hyn a chymharwch y dulliau.

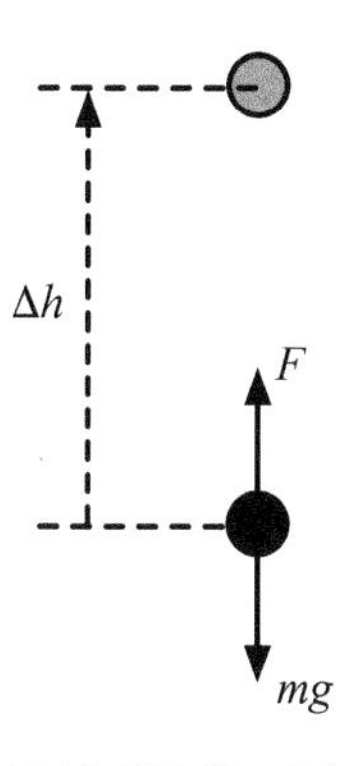

Ffig 1.4.14 Deillio'r fformiwla ar gyfer EPD

Os nad yw'r corff yn cyflymu, mae $\Sigma F = 0$ [Deddf gyntaf Newton].

$$\therefore F = mg$$

Gan mai egni potensial yn unig sy'n newid, nid oes mathau eraill o egni yn gysylltiedig.

$\therefore$ Yn ôl y diffiniad, mae ΔE_p = y gwaith sy'n cael ei wneud gan $F = F\Delta h$

$$\therefore \Delta E_p = mg\Delta h$$

Rhybudd. Mae'r hafaliad hwn ar gyfer ΔE_p yn berthnasol i newidiadau bach yn yr uchder yn unig. Bach? Bach o gymharu â'r pellter o ganol y Ddaear. Gan fod radiws y Ddaear yn fras yn 6400 km, nid yw'r cyfyngiad hwn yn broblem ar gyfer newidiadau yn yr uchder o fewn yr atmosffer, hyd yn oed hyd at naid rydd Felix Baumgartner o 39 km!

(ch) Egni potensial elastig

Gall gwrthrychau elastig (e.e. bandiau rwber, sbringiau, riwliau mesur) sydd wedi'u hanffurfio (trwy eu hestyn, eu cywasgu neu eu plygu) wneud gwaith ar wrthrychau eraill wrth ddychwelyd i'w siâp arferol. Felly mae ganddynt egni o ganlyniad i'r anffurfiad. Yr enw ar hyn yw **egni potensial elastig**. Defnyddir yr un symbolau ag ar gyfer egni potensial disgyrchiant.

Wrth estyn, cywasgu neu blygu gwrthrych, mae maint yr anffurfiad yn dibynnu ar y grym sy'n cael ei roi. Mae nifer o wrthrychau yn ufuddhau i ddeddf Hooke, o leiaf ar gyfer anffurfiadau bach. (Gweler Adran 1.5.1.)

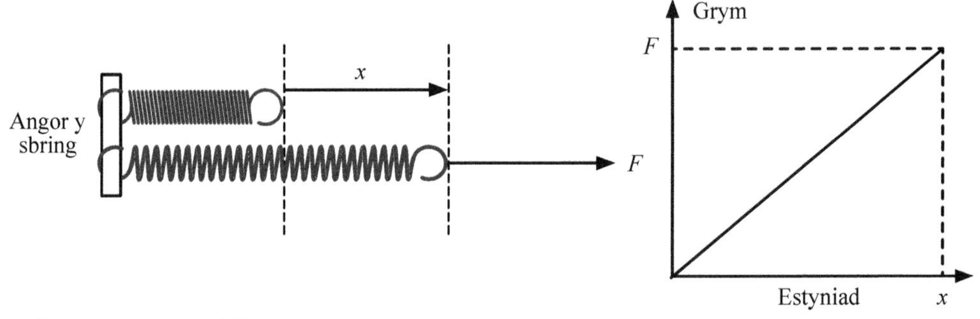

Ffig. 1.4.15 Egni potensial elastig

Diffinnir y cysonyn sbring, k, gan $F = kx$. F yw'r grym sy'n cael ei roi ac x yw'r anffurfiad (e.e. estyniad), fel y gwelir yn Ffig. 1.4.15. Mae cyfrifo'r gwaith sy'n cael ei wneud gan y grym amrywiol yr un peth â chyfrifo'r dadleoliad o graff cyflymder–amser: y gwaith sy'n cael ei wneud yw'r arwynebedd o dan y graff.

$\therefore$ Y gwaith sy'n cael ei wneud wrth estyn y sbring, yw $W = \frac{1}{2}Fx$.

$\therefore$ Trwy amnewid ar gyfer F o $F = kx$, mae $W = \frac{1}{2}kx^2$.

Os caniateir i'r sbring lacio, gall wneud gwaith sy'n hafal i'r gwaith sy'n cael ei wneud o'i estyn, felly rhoddir yr egni potensial elastig gan $E_p = \frac{1}{2}kx^2$.

Pwynt astudio

Yn wahanol i egni cinetig, nid oes man amlwg lle mae egni potensial disgyrchiant, $E_p = 0$.

Ar gyfer newidiadau mwy yn yr uchder, defnyddiwn y ffformiwla $E_p = -\frac{GM_E m}{r}$, ond ni fydd angen hon arnoch yn y cwrs UG! Chwiliwch am y symbolau yn y ffformiwla hon a'u hunedau.

Termau a diffiniadau

Egni potensial elastig yw'r egni sy'n cael ei storio mewn corff o ganlyniad i'w anffurfio.

UNED

Mae ffisegwyr gronynnol yn mynegi egni mewn *electron foltiau* (eV). 1 eV yw'r egni sy'n cael ei drosglwyddo pan fydd electron yn symud trwy wahaniaeth potensial o 1 V:

$1 \text{ eV} = 1.6 \times 10^{-19} \text{ J}$

Pwynt astudio

Ni all gwrthrych disymud gael ei estyn na'i gywasgu oni bai bod **dau** rym yn gweithredu arno mewn cyfeiriadau dirgroes.

Rhoddir y gwaith sy'n cael ei wneud, W, wrth estyn y sbring gan:

$W = \int F(x)dx$. O wybod bod

$F = kx$, dangoswch fod $W = \frac{1}{2}kx^2$.

D.S. Peidiwch ag anwybyddu'r cysonyn integru!

Enghraifft

Caiff màs $200\ \text{g}$ ei hongian ar sbring gyda chysonyn $15\ \text{N m}^{-1}$, fel yn Ffig. 1.4.16, a'i ollwng. Cyfrifwch:

(a) Y pellter mae'r màs yn ei ddisgyn cyn cyrraedd disymudedd.

(b) Buanedd y màs pan fydd wedi disgyn hanner y pellter hwn.

Ateb

(a) Trwy ddefnyddio cadwraeth egni: EPD a gollwyd = EP elastig a enillwyd

Gadewch i x fod y pellter mae'r màs yn ei ddisgyn

Yna, mae: $mgx = \frac{1}{2}kx^2$, $\therefore x = \frac{2mg}{k} = \frac{2 \times 0.2 \times 9.81}{15} = 0.262\ \text{m}$

(b) Pan mae $x = 0.131$ m, mae Egni cinetig = EP disgyrchiant a gollwyd – EP elastig a enillwyd

$\therefore \frac{1}{2}mv^2 = mgx - \frac{1}{2}kx^2$

Trwy amnewid y gwerthoedd ac ad-drefnu, cawn fod $v^2 = 1.28$, $\therefore v = 1.13\ \text{m s}^{-1}$

Ffig. 1.4.16 Màs ar sbring

Termau a diffiniadau

Pŵer yw cyfradd trosglwyddo egni. Ei uned SI yw'r wat (W), sy'n gywerth â J s^{-1}.

1.4.4 Egni a phŵer

Rydym yn cyfrifo pŵer, P, trwy ddefnyddio Pŵer = $\frac{\text{trosglwyddiad egni}}{\text{amser}}$ neu, mewn symbolau, $P = \frac{E}{t}$. Ni chaiff hyn ei gyfyngu i drosglwyddo egni yng nghyd-destun gwaith mecanyddol. Er enghraifft, mae bwlb golau $15\ \text{W}$ yn trosglwyddo $15\ \text{J}$ i belydriad electromagnetig ac egni mewnol pob eiliad. At nifer o ddibenion, mae'r wat yn uned eithaf bach, yn enwedig yng nghyd-destun gwresogi. Yn nodweddiadol, mae gan degell trydan bŵer o 2–$3\ \text{kW}$, efallai fod gan fferm wynt fach bŵer o $\sim 10\ \text{MW}$, ac mae gan orsaf bŵer thermol nodweddiadol bŵer o 1–$2\ \text{GW}$. Byddai'n bosibl defnyddio dull tebyg ar gyfer egni (trwy ddefnyddio kJ, MJ, GJ, ac ati) ond mae dull gwahanol yn cael ei ddefnyddio:

Trwy ad-drefnu $P = \frac{E}{t}$, cawn Trosglwyddiad egni = Pŵer × amser

Os ydym yn mynegi pŵer mewn kW a'r amser mewn oriau, yr uned ar gyfer trosglwyddo egni yw'r cilowat-awr (kW awr).

Hunan-brawf 1.4.4

Trwy ystyried pŵer o 1 kW ac amser o 1 awr, darganfyddwch sawl joule sydd mewn 1 kW awr.

Hunan-brawf 1.4.5

Cyfrifwch yr egni a drosglwyddwyd gan degell trydan 2.5 kW mewn 3 munud.

Pwynt astudio

Caiff allbwn trydanol blynyddol grid cenedlaethol Prydain ei fynegi'n synhwyrol mewn TW awr.

Enghraifft

Mae gan adweithydd pŵer niwclear bŵer allbwn trydanol $1.2\ \text{GW}$. Amcangyfrifwch allbwn yr egni trydanol mewn blwyddyn.

Mae nifer yr oriau mewn blwyddyn = 365.25 diwrnod × 24 awr/diwrnod = 8766.

$\therefore$ Mae allbwn yr egni trydanol = $1.2\ \text{GW} \times 8766\ \text{awr} = 11\ 000\ \text{GW awr} = 11\ \text{TW awr}$ (2 ff.y.)

Hunan-brawf 1.4.6

Mynegwch allbwn egni trydanol yr adweithydd niwclear mewn J.

Os yw'r trosglwyddiad egni yn deillio o waith mecanyddol, yna gallwn ailysgrifennu'r hafaliad pŵer fel a ganlyn:

$$\text{Pŵer} = \frac{\text{Y gwaith sy'n cael ei wneud}}{\text{amser}}, \text{ h.y. } P = \frac{W}{t}$$

Ystyriwch rym F sy'n cael ei roi ar wrthrych sy'n symud ar gyflymder v ar ongl θ i F (gweler Ffig. 1.4.17). Yn amser Δt, rhoddir y gwaith sy'n cael ei wneud gan: $W = Fv\Delta t \cos\theta$

$\therefore$ Trwy rannu â Δt, mae $P = \frac{W}{\Delta t} = Fv\cos\theta$

Os yw F a v yn yr un cyfeiriad, h.y. mae $\theta = 0$, yna mae $P = Fv$

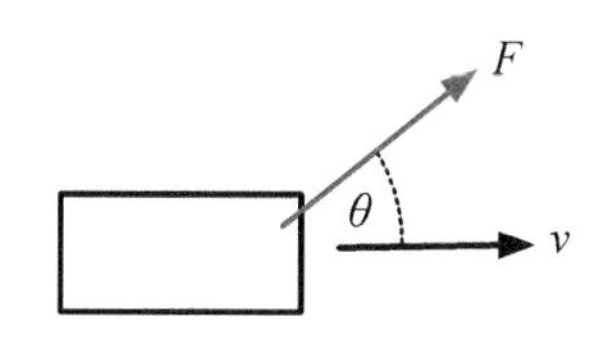

Ffig. 1.4.17 Pŵer a chyflymder

1.4.5 Grymoedd afradlon ac egni[5]

Yn Adran 1.4.3, roeddem wedi deillio'r fformiwlâu ar gyfer gwahanol ffurfiau ar egni trwy ystyried y gwaith sy'n cael ei wneud yn erbyn grymoedd allanol:

- Mae'r cynnydd mewn egni potensial disgyrchiant yn hafal i'r gwaith sy'n cael ei wneud yn erbyn grym disgyrchiant.
- Mae'r cynnydd mewn egni potensial elastig yn hafal i'r gwaith sy'n cael ei wneud yn erbyn y tyniant yn y gwrthrych wrth i ni ei estyn.

Gallwn wneud hyn oherwydd bod y prosesau hyn yn *gildroadwy*. Wrth i ni ryddhau'r systemau, maen nhw'n dychwelyd i'w cyflwr blaenorol yn naturiol – gall yr egni drosglwyddo yn y cyfeiriad dirgroes.

Fodd bynnag, os yw grym yn gwneud gwaith trwy symud gwrthrych yn erbyn grym ffrithiannol neu lusgiad aerodynamig, ni allwn adfer yr egni a drosglwyddwyd yn yr un ffordd. Mae hyn oherwydd bod yr egni nawr i'w gael mewn cynnydd ym mudiant anhrefnus moleciwlau'r system (yr egni mewnol) ac mae hyn fel arfer yn achosi i'r tymheredd godi. Mae'n bosibl cildroi'r broses a newid ychydig o egni'r mudiant hap yn fudiant trefnus unwaith eto, ond mae cyfyngiad ar yr effeithlonrwydd o ganlyniad i ail ddeddf thermodynameg, sydd y tu hwnt i gwmpas y cwrs hwn.

Mae'r patrwm cyfarwydd yn Ffig. 1.4.18 yn dangos ymddygiad dŵr ar ôl gollwng gwrthrych, e.e. carreg, iddo. Caiff ffracsiwn bach iawn o'r egni ei gadw fel mudiant trefnus wrth i'r diferion bach o ddŵr godi a'r crychdonnau ledaenu. Caiff yr egni hwn ei drawsnewid yn fudiant hap moleciwlau dŵr yn fuan iawn, trwy weithrediad grymoedd llusgiad gludiog.

Trwy edrych yn ôl ar yr enghraifft yn Adran 1.4.1 ac ar Ffig. 1.4.5, gwelwn fod 1100 J o waith yn cael ei fewnbynnu i'r system ond mai cynnydd o 980 J yn unig a geir yn yr EPD. Dyma'r egni *defnyddiol* a drosglwyddir. Mae gweddill y trosglwyddiad, 120 J, yn cynrychioli egni defnyddiol a gollwyd. Rydym yn diffinio effeithlonrwydd y system fel ffracsiwn yr egni mewnbwn a drosglwyddir yn ddefnyddiol gan y system. Caiff hwn ei fynegi'n aml fel canran, h.y.

$$\text{Effeithlonrwydd} = \frac{\text{trosglwyddiad egni defnyddiol}}{\text{cyfanswm egni mewnbwn}} \times 100\%$$

Yn yr enghraifft, daw hyn yn: $\eta = \frac{980}{1100} \times 100\% = 89\%$

Mewn cyfrifiadau, mae'n fwy cyfleus mynegi effeithlonrwydd ar ffurf rhif rhwng 0 ac 1 (h.y. 0.89 ar gyfer y winsh), gyda'r ffigur canrannol yn cael ei gadw i'w gyfathrebu ar y diwedd yn unig. Mewn cadwyn o drosglwyddiadau egni, cyfanswm yr effeithlonrwydd yw lluoswm yr effeithlonrwydd ym mhob cam.

Enghraifft

Mae gan orsaf bŵer tyrbin nwy, sydd â phŵer allbwn trydanol o 1.0 GW, effeithlonrwydd o 60%. Mae'r orsaf wedi'i chysylltu â'r defnyddwyr trwy drawsnewidydd codi (98% effeithlon), y grid cenedlaethol (97%) a'r rhwydwaith dosbarthu leol (95%).

Cyfrifwch gyfanswm yr effeithlonrwydd.

$\eta = \frac{\text{Pŵer allbwn defnyddiol}}{\text{Cyfanswm pŵer mewnbwn}}$; Rhoddir y pŵer mewnbwn i'r orsaf gan:

$\therefore$ Cyfanswm pŵer mewnbwn $= \frac{1.0\text{ GW}}{0.6} = 1.67\text{ GW}$

Y pŵer sy'n cael ei ddosbarthu i'r defnyddwyr $= 1.0\text{ GW} \times 0.98 \times 0.97 \times 0.95 = 0.90\text{ GW}$

$\therefore$ Effeithlonrwydd cyffredinol $= \frac{0.9\text{ GW}}{1.67\text{ GW}} = 0.54$, h.y. 54%

5 Gweler hefyd Adran 1.3.5(b) ac (c)

Pwynt astudio

Mae'r ffformiwla $P = VI$ yn gywerth â $P = Fv$. Mae'r gp, V, yn gyrru'r cerrynt, I, mewn modd tebyg i F yn gyrru v.

1.4.7 Hunan-brawf

Rhoddir y llusgiad, F_d, ar gar gan

$F_d = 0.3\rho_{aer}v^2$.

(a) Dangoswch mai uned y term 0.3 yw m^2.

(b) Cyfrifwch y pŵer a ddatblygwyd gan y peiriant ar gyflymder o 25 m s^{-1}.

[$\rho_{aer} = 1.3$ kg m^{-3}]

Ffig. 1.4.18 Afradloni egni

Pwynt astudio

Caiff y symbol η (eta) ei ddefnyddio'n aml ar gyfer effeithlonrwydd.

Pwynt astudio

Mae'r hyn sy'n gwneud trosglwyddiad yn *ddefnyddiol* yn dibynnu ar y cyd-destun. Efallai y byddech yn ystyried bod y cynnydd yn y tymheredd wrth i chi rwbio'ch dwylo yn erbyn ei gilydd yn allbwn dymunol! Mae'n bosibl defnyddio 'gwres gwastraff' peiriant car i gynhesu'r teithwyr.

Sylwch

Gallwn ysgrifennu'r hafaliad effeithlonrwydd yn nhermau pŵer yn hytrach nag egni, h.y.

$$\eta = \frac{\text{Pŵer allbwn defnyddiol}}{\text{Cyfanswm pŵer mewnbwn}} \times 100\%$$

Ymarfer 1.4

Y fformiwlâu ar gyfer momentwm, p, ac egni cinetig, E_k, yw:

$$p = mv \text{ ac } E_k = \tfrac{1}{2}mv^2$$

(a) Dangoswch fod $E_k = \frac{p^2}{2m}$.

(b) Mae gan ronyn wedi'i wefru'n bositif egni cinetig o 5.0 MeV a momentwm o 1.03×10^{-19} N s. Enwch y gronyn trwy gyfrifo ei fàs.

1. Cyfrifwch egni cinetig

(a) car, màs 1200 kg, sy'n teithio 30 m s^{-1},
(b) bwled, màs 0.04 kg, sy'n teithio 500 m s^{-1}.

2. Mae car, màs 1600 kg, sy'n teithio 25 m s^{-1}, yn brecio'n unffurf i ddisymudedd dros bellter o 100 m. Cyfrifwch:

(a) egni cinetig cychwynnol y car a
(b) y grym brecio.

3. Mae beiciwr a beic, màs cyfunol 85 kg, yn symud heb bedalu o ddisymudedd i lawr ffordd oleddol, uchder 20 m, hyd (wedi'i fesur ar hyd y llethr) 200 m.

(a) Cyfrifwch yr egni potensial disgyrchiant a gollwyd.
(b) Cyfrifwch y buanedd y byddai'r beiciwr yn ei gyrraedd yn absenoldeb grymoedd gwrtheddol.
(c) Mae'r beiciwr yn cyrraedd buanedd o 10 m s^{-1}. Cyfrifwch y grym gwrtheddol cymedrig sy'n gweithredu.

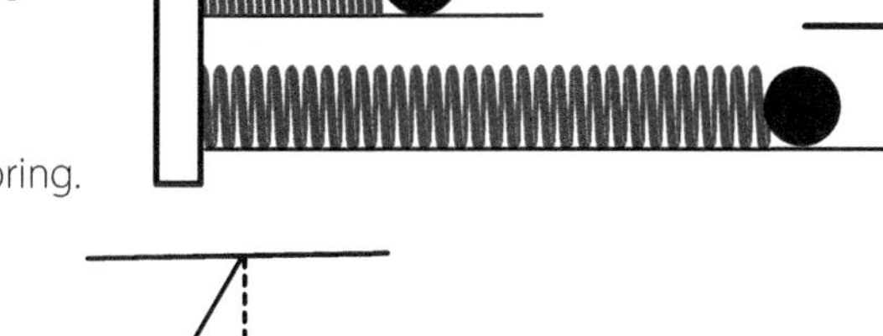

4. Mae grym 5 N yn gwthio sffêr dur, màs 4 g, yn erbyn sbring, gan gywasgu'r sbring 20 cm. Cyfrifwch:

(a) Yr egni potensial elastig wrth gywasgu'r sbring.
(b) Y buanedd y mae'r sffêr yn ei gyrraedd ar ôl rhyddhau'r sbring. Nodwch eich tybiaethau.

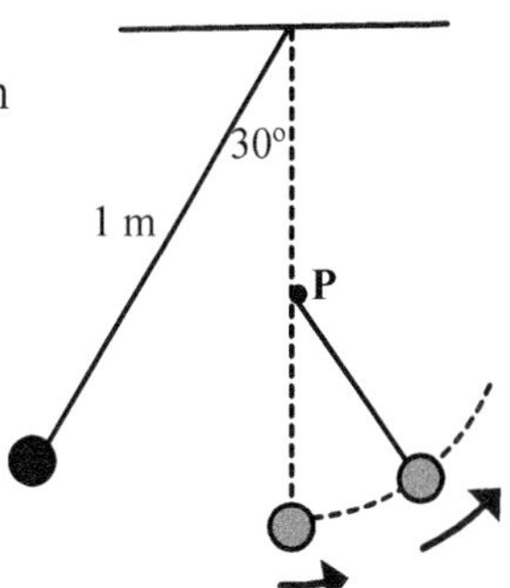

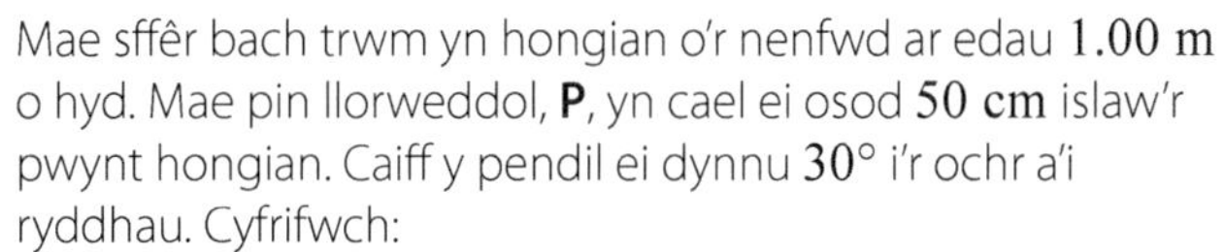

5. Mae sffêr bach trwm yn hongian o'r nenfwd ar edau 1.00 m o hyd. Mae pin llorweddol, **P**, yn cael ei osod 50 cm islaw'r pwynt hongian. Caiff y pendil ei dynnu 30° i'r ochr a'i ryddhau. Cyfrifwch:

(a) Buanedd y sffêr ar y pwynt isaf.
(b) Yr ongl fwyaf y mae edau'r pendil yn ei chyrraedd ar y dde.

Dangoswch eich rhesymu a'ch gwaith yn glir.

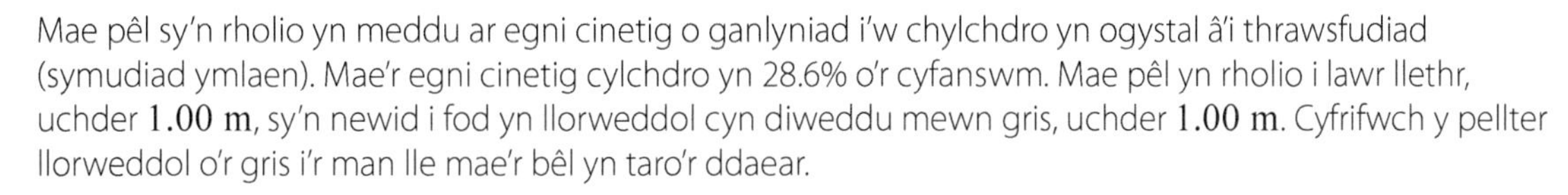

6. Mae pêl sy'n rholio yn meddu ar egni cinetig o ganlyniad i'w chylchdro yn ogystal â'i thrawsfudiad (symudiad ymlaen). Mae'r egni cinetig cylchdro yn 28.6% o'r cyfanswm. Mae pêl yn rholio i lawr llethr, uchder 1.00 m, sy'n newid i fod yn llorweddol cyn diweddu mewn gris, uchder 1.00 m. Cyfrifwch y pellter llorweddol o'r gris i'r man lle mae'r bêl yn taro'r ddaear.

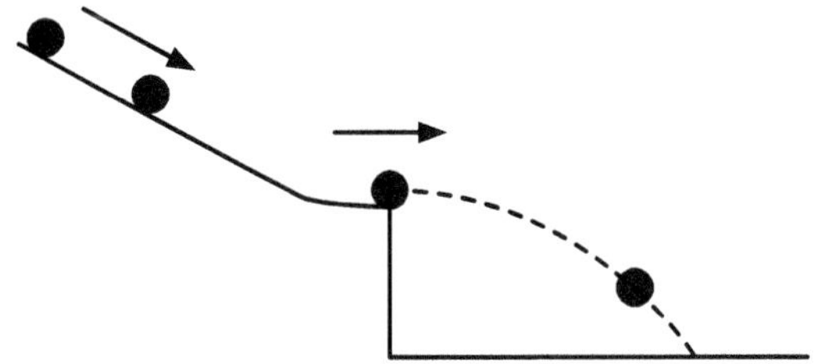

[Nodyn: Gallwch dybio bod $g = 9.81$ m s^{-2}, ond mewn gwirionedd, mae'r ateb yn annibynnol ar werth g! Dylech wirio hyn yn algebraidd.]

7. Caiff saeth 60 g ei rhoi ar linyn bwa hir sy'n cael ei dynnu'n ôl 0.70 m gyda grym tynnu mwyaf o 650 N. Saethir y saeth i'r aer ar ongl o 30° i'r llorwedd.

(a) Gan dybio bod y bwa yn trosglwyddo 95% o'i egni potensial i'r saeth, a bod y grym tynnu mewn cyfrannedd â'r pellter tynnu, cyfrifwch y buanedd a roddir i'r saeth.
(b) Gan anwybyddu effeithiau aerodynamig a gwrthiant aer, cyfrifwch uchder mwyaf a chyrhaeddiad y saeth.

1.5 Solidau dan ddiriant

Os caiff grymoedd hafal a dirgroes eu rhoi ar bennau cyferbyn gwrthrych, bydd ei ronynnau (moleciwlau/atomau/ïonau) yn cael eu gwthio i safleoedd ecwilibriwm newydd mewn perthynas â'i gilydd. Gall y grymoedd fod yn rhai: (a) **cywasgol**, (b) **tynnol** neu (c) **yn groesrymoedd** (gweler Ffig. 1.5.3). Rydym yn dweud bod y gwrthrychau dan **ddiriant.** Y grymoedd a ddangosir yw'r rhai sy'n cael eu rhoi ar y gwrthrych yn allanol; yn ôl trydedd ddeddf Newton, mae'r gwrthrych yn rhoi grym hafal a dirgroes ar y gwrthrychau allanol.

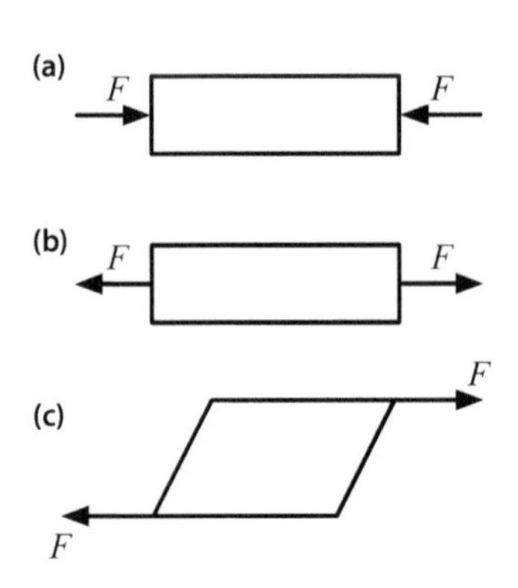

Ffig. 1.5.3 Mathau gwahanol o ddiriant

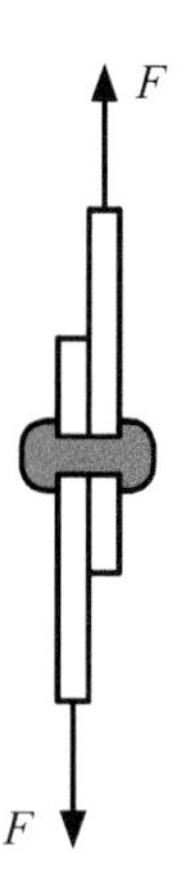

Ffig. 1.5.1 ac 1.5.2 Solidau dan ddiriant

Mae'n amlwg bod y defnydd yng ngholofn Nelson dan gywasgiad o ganlyniad i bwysau'r defnydd uwchben; mae'r cortyn bynji yn dioddef grymoedd tynnol, ac mae croesrymoedd yn gweithredu ar y rhybed. Mae ymateb defnyddiau gwahanol i ddiriant yn amrywiol iawn: ni allwn roi nwyon dan dyniant oherwydd nad yw'r moleciwlau wedi'u bondio at ei gilydd; ni all hylifau na nwyon ddioddef croesrymoedd gan nad yw eu siâp yn anhyblyg; mae nifer o ddefnyddiau peirianyddol, e.e. gwaith maen, yn torri'n rhwydd dan dyniant, ond mae dur yn gryf iawn. Mae'r rhan hon o'r llyfr yn ymdrin â sut mae defnyddiau'n ymddwyn dan rymoedd tynnol (yn bennaf).

Pwynt astudio

Ni all tonnau ardraws ledaenu trwy nwyon a hylifau gan na allant wrthsefyll croesrymoedd – dyna pam na all tonnau S ledaenu trwy graidd allanol y Ddaear.

Termau a diffiniadau

Tyniant yw'r grym y mae gwrthrych yn ei roi ar wrthrychau allanol o ganlyniad i gael ei estyn.

Termau a diffiniadau

Deddf Hooke: mae'r tyniant mewn cyfrannedd union â'r estyniad, ar yr amod nad yw'r estyniad yn rhy fawr.

Termau a diffiniadau

Mae defnydd yn **elastig** os yw'n dychwelyd i'w siâp gwreiddiol pan gaiff y diriant ei ddileu.

1.5.1 Deddf Hooke

Pan fydd gwrthrych yn dioddef grym tynnol, mae'n ymestyn. Ar gyfer y rhan fwyaf o wrthrychau, mae graddau'r estyniad mewn cyfrannedd union â'r tyniant – o leiaf ar gyfer estyniadau bychain. Dyma **ddeddf Hooke** (ar ôl Robert Hooke, ffisegydd o'r ail ganrif ar bymtheg). Os yw deddf Hooke yn gymwys, mae'r gwrthrych hefyd yn ymddwyn yn **elastig**. Os rhoir gormod o ddiriant ar wrthrych, bydd yn torri ond, yn aml iawn, cyn i hynny ddigwydd, mae'r graff tyniant–estyniad yn peidio â bod yn llinol. Mae rhai gwrthrychau, yn enwedig rhai a wnaed o ddefnydd hydwyth, yn mynd i ranbarth **plastig**, lle cânt eu hanffurfio'n barhaol gan y tyniant.

Mae graffiau ymddygiad tynnol fel arfer yn dangos tyniant yn erbyn estyniad (yn hytrach nag i'r gwrthwyneb). Mae sawl rheswm am hyn:

- Mae peiriannau sy'n profi tyniant fel arfer wedi'u cynllunio i roi estyniad penodol ac i fesur y tyniant sy'n cael ei greu.
- Mae graddiant y graff yn rhoi **anhyblygedd** y gwrthrych. Yr enw ar hyn yw **cysonyn y sbring** yn achos sbringiau.
- Yr arwynebedd o dan y graff yw'r gwaith sy'n cael ei wneud wrth estyn y gwrthrych. Ar gyfer defnyddiau elastig, dyma hefyd yr **egni potensial elastig** sydd wedi'i storio.

Dylech gyfeirio at Adran 1.4.3 am drafodaeth bellach ar y cysyniadau hyn.

1.5.1 Hunan-brawf

Mae sbring yn ymestyn 12.5 cm wrth hongian llwyth, màs 300 g, arno. Cyfrifwch gysonyn y sbring k ($F = k\,\Delta l$).

1.5.2 Diriant, straen a modwlws Young

Mae'r tyniant, F, yr estyniad, Δl a chysonyn y sbring, k, yn perthyn i wrthrych: sbring penodol, darn o wifren, bloc o goncrit ac ati. Mae'n fwy defnyddiol i beirianwyr ymdrin â mesurau sy'n ymwneud â defnyddiau, ac y gellir eu defnyddio i ragfynegi priodweddau nifer o wrthrychau gwahanol.

Mae'r bar yn Ffig. 1.5.4, hyd l ac arwynebedd trawstoriadol (a.t./*c.s.a.: cross-sectional area*) A, yn cael ei estyn Δl, sy'n gofyn am rym F. Os dychmygwn ddau far tebyg ochr yn ochr, yn rhoi cyfanswm a.t. o $2A$, yna bydd angen F i estyn pob un ohonynt Δl. Felly cyfanswm y tyniant yw $2F$.

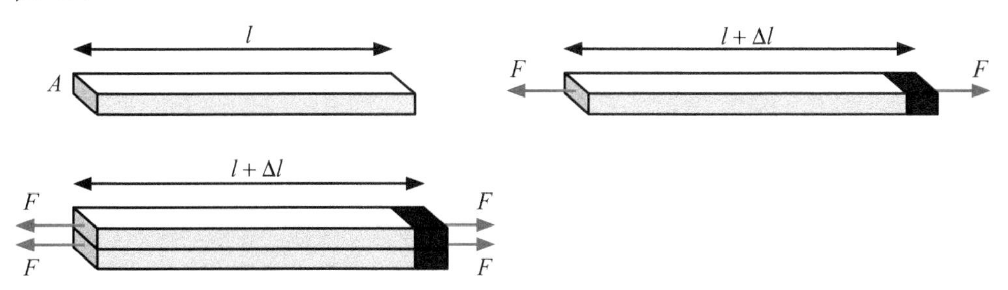

Ffig. 1.5.4 Tyniant ∝ a.t.

Casgliad: bydd dau far gyda'r un cyfansoddiad, ac o'r un hyd, yn cael eu hestyn yr un faint os yw'r gymhareb $\frac{F}{A}$ yr un peth. Yr enw ar y mesur hwn yw'r **diriant** (tynnol), σ.

Rydym nawr yn dychmygu'r ddau far wedi'u weldio ben wrth ben i roi cyfanswm hyd o $2l$, gyda'r un grym estyn yn cael ei roi. Mae gwerth y tyniant, F, yr un peth ym mhob un o ddau hanner y bar cyfansawdd, felly mae'r naill hanner a'r llall yn estyn Δl. Mae hyn yn golygu mai cyfanswm yr estyniad yw $2\Delta l$, fel yn Ffig. 1.5.5.

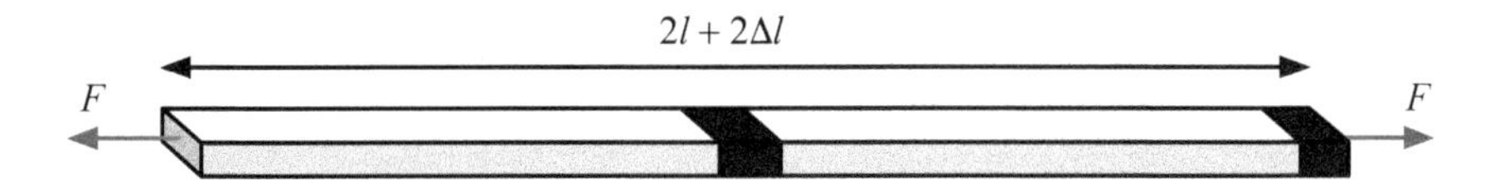

Ffig. 1.5.5 Estyniad ∝ hyd gwreiddiol

Casgliad: ar gyfer dau far gyda'r un cyfansoddiad, yr un a.t. a'r un tyniant, mae'r gymhareb $\frac{\Delta l}{l}$ yr un peth. Yr enw ar y mesur hwn yw'r **straen** (tynnol), ε.

Os yw'r bar yn ufuddhau i ddeddf Hooke, yna mae $F \propto \Delta l$, felly o ddiffiniadau o σ ac ε, rhaid ei bod hi'n wir bod $\sigma \propto \varepsilon$, ac rydym yn diffinio modwlws Young, E, y *defnydd* fel a ganlyn:

$E = \frac{\sigma}{\varepsilon}$, a gallwn ailysgrifennu hwn fel $E = \frac{Fl}{A\Delta l}$, o'r diffiniadau o σ ac ε.

Gwerthoedd nodweddiadol ar gyfer E, σ ac ε

Yn nhermau peirianneg, mae'r newton yn uned grym eithaf bach. Ar y llaw arall, mae'r m^2 yn uned arwynebedd eithaf mawr. Gall defnyddiau peirianyddol, fel dur a choncrit, wrthsefyll anffurfiad yn dda iawn. O ystyried y pwyntiau hyn i gyd, nid yw'n syndod fod gwerthoedd diriant yn fawr iawn (yn yr amrediad 100 MPa) a bod straen yn nodweddiadol fach iawn: straen o 0.001 neu lai ar gyfer **defnydd Hookeaidd**. Felly, mae gan fodwli Young werthoedd sy'n tueddu i fod yn yr amrediad 100 GPa. Mae Tabl 1.5.1 yn dangos E ar gyfer rhai defnyddiau cyffredin.

Termau a diffiniadau

Mae **diriant tynnol**, $\sigma = \frac{F}{A}$ ac

mae **straen tynnol**, $\varepsilon = \frac{\Delta l}{l}$, lle

F yw'r tyniant, A yw'r a.t., l yw'r hyd gwreiddiol a Δl yw'r cynnydd yn yr hyd.

Termau a diffiniadau

Ar gyfer defnydd sy'n ufuddhau i ddeddf Hooke, mae **modwlws Young**, $E = \frac{\sigma}{\varepsilon}$, lle σ yw'r diriant ac ε yw'r straen.

Pwynt astudio

Caiff **diriant** a **straen cywasgol** eu diffinio yn union yr un modd â diriant a straen tynnol. Yr enw ar y gymhareb diriant cywasgol i straen yw'r **modwlws cywasgiad** ac, ar gyfer cywasgiadau bach, mae ganddo'r un gwerth â modwlws Young.

UNED

Uned diriant yw'r pascal, Pa. Mae hwn yn gywerth ag N m^{-2}.

Nid oes gan straen uned gan ei fod yn gymhareb hyd i hyd arall.

Modwlws Young yw cymhareb diriant i straen, felly ei uned yw Pa.

Sylwch

Mae gan E werth mawr iawn (yn nodweddiadol, 10^{10}–10^{11} Pa). Yn y fformiwla

$E = \frac{Fl}{A\Delta l}$, mae'r mesurau mawr ar ben y ffracsiwn a'r rhai bach ar y gwaelod.

Termau a diffiniadau

Mae gwrthrych (neu ddefnydd) **Hookeaidd** yn ufuddhau i ddeddf Hooke.

Tabl 1.5.1 Gwerthoedd amrywiol modwlws Young

Defnydd	E/GPa
Dur meddal	210
Copr	117
Alwminiwm	69
Asgwrn hir dynol	14
Concrit	14–30
Derw (ar hyd y graen)	11
Gwydr	50–90
Rwber (straen bach)	~0.1
Diemwnt	1220

Os ydym yn gweithio gydag E, σ ac ε mae angen bod yn ofalus wrth ddefnyddio lluosyddion SI a ffurf safonol. Astudiwch yr enghraifft ganlynol.

Enghraifft

Cyfrifwch estyniad gwifren ddur 100 m o hyd, diamedr 1 mm, o'i rhoi dan dyniant trwy hongian màs 10.0 kg arni. [$E_{dur} = 210$ GPa.]

Datrysiad

Mae tyniant = $mg = 10.0 \times 9.81 = 98.1$ N; a.t. = $\pi(0.5 \times 10^{-3})^2 = 7.85 \times 10^{-7}$ m².

$$\therefore \text{ mae diriant, } \sigma = \frac{F}{A} = \frac{98.1\text{ N}}{7.85 \times 10^{-7}\text{ m}^2} = 1.249 \times 10^8\text{ Pa [125 MPa]}$$

$$E = \frac{\sigma}{\varepsilon} \therefore \varepsilon = \frac{\sigma}{E} = \frac{1.250 \times 10^8\text{ Pa}}{210 \times 10^9\text{ Pa}} = 0.000\,595$$

$$\therefore \Delta l = \varepsilon\, l = 0.000\,595 \times 100\text{ m} = 0.059\,5\text{ m} = 6.0\text{ cm (2 ff.y.)}$$

Fel arall, gallem ddechrau gydag $E = \frac{Fl}{A\Delta l}$ ac amnewid ar gyfer F (mg) ac A.

Eich dewis chi yw pa ddull i'w ddefnyddio.

1.5.2 Hunan-brawf

Mae tyniant o 1 kN ar far sydd ag a.t. 1 cm² a hyd 2.0 m. Mae modwlws Young yn 100 GPa.

Cyfrifwch yr estyniad a rhowch eich ateb mewn µm.

Pwynt astudio

Weithiau defnyddir y symbol x ar gyfer estyniad, bryd arall defnyddir Δl, felly gallwn ysgrifennu'r gwaith sy'n cael ei wneud wrth estyn fel a ganlyn:

$W = \frac{1}{2}Fx$ neu $W = \frac{1}{2}F\Delta l$

Gan fod $F = kx$ [neu $k\Delta l$] gallwn hefyd ysgrifennu:

$W = \frac{1}{2}kx^2$ neu $W = \frac{1}{2}k(\Delta l)^2$ ac

$W = \frac{1}{2}\frac{F^2}{k}$ neu $W = \frac{1}{2}\frac{F^2}{\Delta l}$

Pwynt astudio

Ar gyfer defnyddiau Hookeaidd, y lluoswm $\frac{1}{2}\sigma\varepsilon$ yw **egni straen yr uned cyfaint**. I ddangos hyn:

Mae'r egni a storiwyd, $W = \frac{1}{2}F\Delta l$

$$\therefore \frac{W}{V} = \frac{1}{2}\frac{F\Delta l}{Al} = \frac{1}{2}\frac{F}{A}\frac{\Delta l}{l} = \frac{1}{2}\sigma\varepsilon$$

1.5.3 Gwaith anffurfiad ac egni straen

Fel rydym wedi'i ddangos yn Adran 1.4.4(ch), y gwaith sy'n cael ei wneud wrth estyn gwrthrych Hookeaidd yw $\frac{1}{2}F\Delta l$, sef yr arwynebedd o dan y graff grym–estyniad. Edrychwch ar y **Pwynt astudio** am ffyrdd eraill o ysgrifennu'r fformiwlâu ar gyfer W. Mae rhyddhau'r tyniant a gadael i'r gwrthrych gyfangu yn caniatáu iddo wneud gwaith yn ei dro, a gan fod y graff ar gyfer llacio yr un peth â'r graff ar gyfer tyniant (ar gyfer defnyddiau Hookeaidd), mae'r gwaith sy'n cael ei wneud gan y gwrthrych wrth lacio yr un peth â'r gwaith sy'n cael ei wneud ar y gwrthrych wrth iddo anffurfio. Felly mae'r un mynegiadau – $\frac{1}{2}F\Delta l$, ac ati – yn rhoi'r egni a storiwyd mewn corff o ganlyniad i'w anffurfio. Caiff yr egni hwn ei alw'n **egni straen** neu'n **egni potensial** elastig.

Os ydym yn mesur estyniad band rwber sydd wedi ei lwytho (e.e. trwy hongian masau 100 g arno) ac yna wedi'i ddadlwytho, cawn gromlin llwyth–estyniad tebyg i'r un sydd yn Ffig. 1.5.6. Mae'r gromlin dadlwytho i'w gweld o dan y gromlin llwytho. Yr enw ar y ffenomen hon yw **hysteresis**, a dyma sy'n gyfrifol am wrthiant rholio mewn teiars ceir. Y gwaith sy'n cael ei wneud ar y rwber o'i estyn yw'r arwynebedd o dan y gromlin llwytho; y gwaith sy'n cael ei wneud gan y rwber wrth iddo gyfangu yw'r arwynebedd o dan y gromlin dadlwytho.

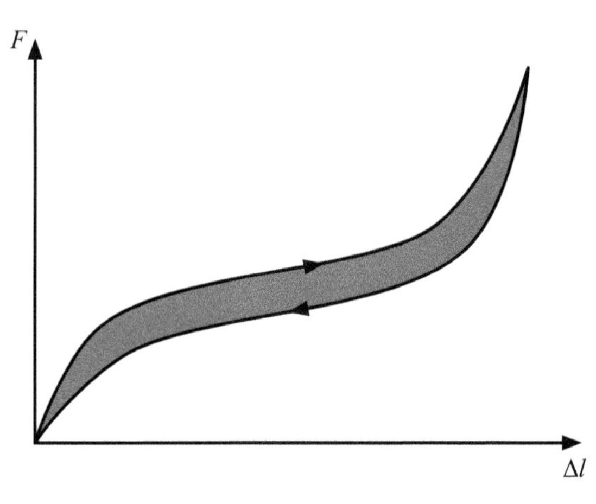

Ffig. 1.5.6 Hysteresis mewn rwber

1.5.3 Hunan-brawf

Cyfrifwch yr egni straen yn y bar yn Hunan-brawf 1.5.2.

Mae'r arwynebedd rhwng y cromliniau'n cynrychioli'r egni mecanyddol a gollwyd yn y cylchred: caiff hwn ei drosglwyddo i egni mewnol yn y rwber ac yna'i golli ar ffurf gwres. Rydym yn ymdrin ag elastigedd rwber yn Adran 1.5.7.

Hunan-brawf 1.5.4

Dangoswch ei bod hi hefyd yn bosibl ysgrifennu'r W/V yn y ffurf $\frac{1}{2}\frac{\sigma^2}{E}$ a $\frac{1}{2}\varepsilon^2 E$

1.5.4 Diriant a straen mewn metelau hydwyth

Mae priodweddau mecanyddol solid yn dibynnu ar ei adeiledd, hynny yw, y modd y mae'r gronynnau wedi'u trefnu a natur y grymoedd rhyngddynt. Mae'r tair isadran nesaf yn ymdrin â hyn ar gyfer dosbarthiadau gwahanol o solidau.

Termau a diffiniadau

Hydwyth – mae'n bosibl ei dynnu (yn wifren).

Hydrin – mae'n bosibl ei guro i wahanol siapiau.

(a) Adeiledd

Mae nifer o fetelau, er enghraifft dur, alwminiwm a chopr, yn **hydwyth**. Mae hyn yn golygu ei bod yn bosibl eu tynnu i ffurfio gwifrau. Mae defnyddiau hydwyth hefyd yn **hydrin**, yn enwedig pan maen nhw'n boeth. Mae'r metelau hyn yn grisialog: mae iddynt adeiledd cyfnodol sy'n cael ei alw yn ddellten. Ïonau positif yw'r gronynnau dellt mewn metelau, hynny yw, atomau sydd wedi colli un electron neu fwy. Mae'r rhain wedi'u clymu wrth ei gilydd gan 'fôr' o electronau *dadleoledig* negatif sy'n rhydd i symud rhwng yr ïonau.

Pwynt astudio

Mae'r ddellten risial a natur ddi-gyfeiriad bondio metelig yn caniatáu i afleoliadau symud, ac mae hyn yn arwain at hydwythedd.

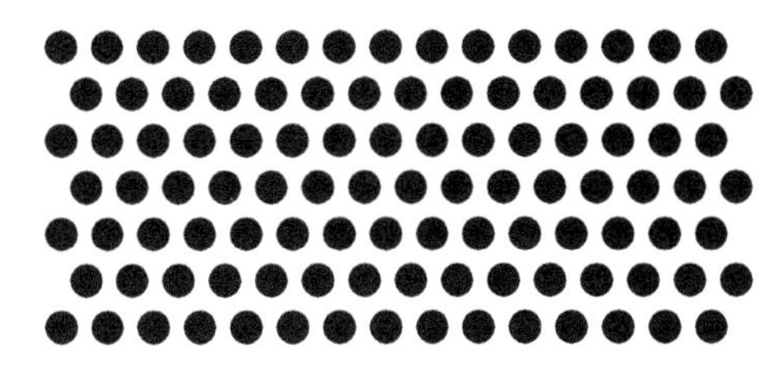

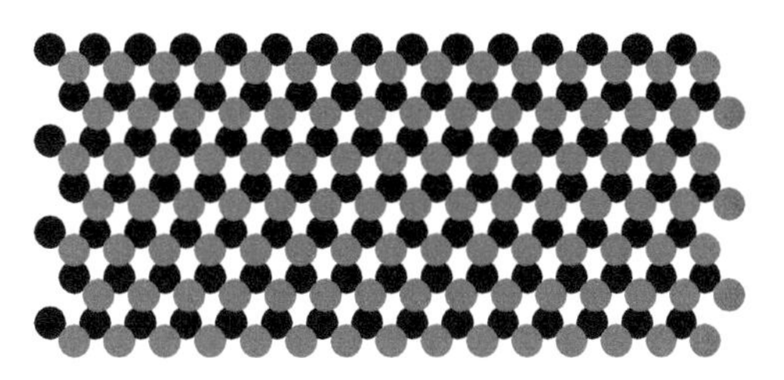

(a) (b)

Ffig. 1.5.7 Pacio hecsagonol mewn metelau

Gan fod ïonau metel yn sfferau, maen nhw'n pacio gyda chyn lleied o egni potensial â phosibl mewn planau sydd â'r trefniant hecsagonol a welir yn Ffig. 1.5.7(a). Mae'r ïonau yn y plân uwchben yn nythu yn y bylchau – y sfferau coch yn (b).

Mae llafnau tyrbin nwy sy'n cynnwys grisialau unigol o 'uwchaloi' o nicel wedi cael eu datblygu. Fodd bynnag, mae'r mwyafrif o samplau o fetel yn **bolygrisialog**. Wrth ymsolido o'r cyflwr tawdd, mae'r metel yn grisialu mewn sawl pwynt ar wahân.

Mae hyn yn arwain at ffurfio nifer mawr o grisialau bach iawn (graenau) sy'n cydgloi. Gallwn weld hyn yn Ffig. 1.5.8, sy'n dangos darn sgwâr ~100 µm o arwyneb sampl o aloi Ti–Al wedi'i lathru a'i ysgythru. Mae Ffig. 1.5.9 yn dangos trefniant posibl o'r ïonau metel. Mae trefniant hap i blanau'r grisial o un graen i'r nesaf. Nodwch nad yw ïonau'r ddellten yn cael eu dangos i'r un raddfa a bod, mewn gwirionedd, $\sim 10^5$ o blanau dellt mewn graen nodweddiadol. Mae ffiniau'r graenau yn cynnwys nifer mawr o atomau amhuredd, sy'n cael eu gwthio allan o'r graenau yn ystod grisialu.

Nodwedd bwysig arall o adeiledd metelau hydwyth yw bod y ddellten yn afreolaidd. Mae ½ plân ychwanegol o ïonau yn bresennol mewn **afleoliad ymyl**. Mewn **nam pwynt** mae ïon o'r ddellten ar goll, neu mae atom 'estron' neu ïon ychwanegol yn bresennol.

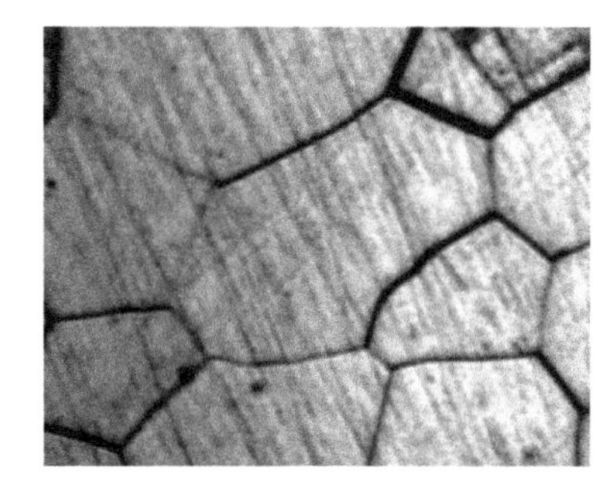

Ffig. 1.5.8 Aloi titaniwm-alwminiwn yn dangos y graenau

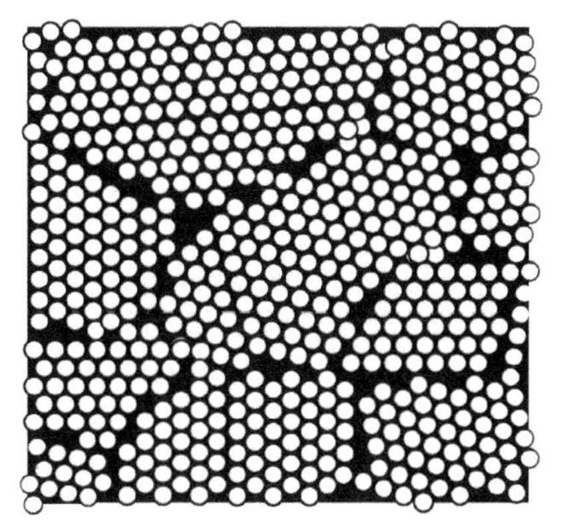

Ffig. 1.5.9 Cynrychioliad sgematig o ïonau

Pwynt astudio

Os edrychwch yn ofalus ar Ffig. 1.5.10 a Ffig 1.5.11 fe sylwch fod y bwlch yn yr adeiledd wedi tynnu'r ïonau sydd yn union o amgylch y nam pwynt oddi wrth yr ïonau cyfagos. Dyma sy'n digwydd ar ben yr afleoliad ymyl hefyd: mae'r rhain yn rhanbarthau gwan yn y ddellten.

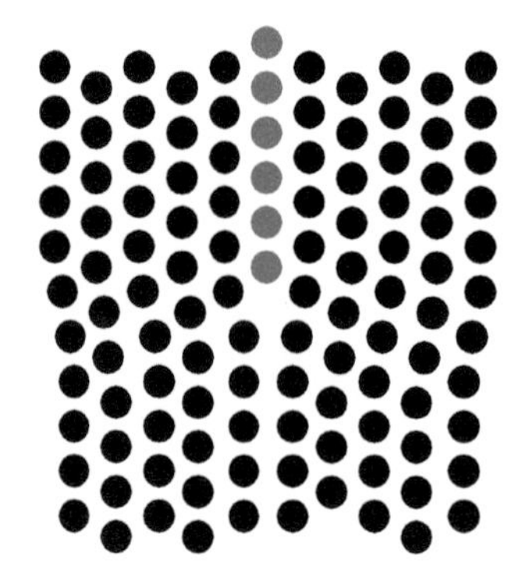

Ffig. 1.5.10 Afleoliad ymyl

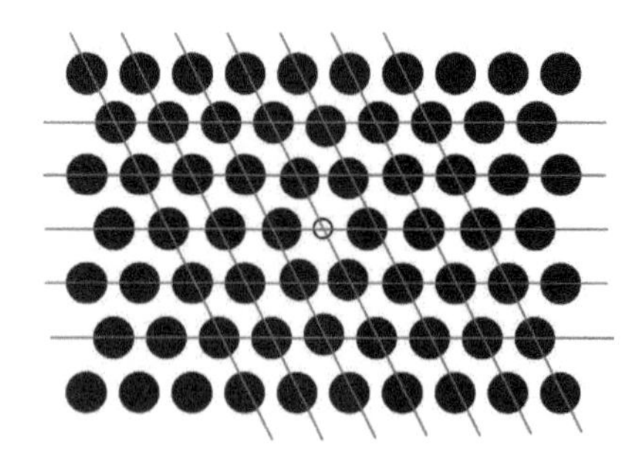

Ffig.1.5.11 Nam pwynt mewn dellten fetel

Yn y ddau fath o afleoliad, y cyfuniad o ddellten reolaidd, ffiniau graenau ac afleoliadau sy'n gyfrifol am briodweddau mecanyddol metelau polygrisialog.

(b) Graffiau diriant–straen

Yn nodweddiadol, mae gan samplau o fetelau hydwyth gromliniau diriant–straen tebyg i'r hyn sydd yn Ffig. 1.5.12, a gallwn nodi'r nodweddion canlynol:

- Rhan linol **OP**. Yr enw ar bwynt **P** yw'r **derfan gyfrannol**. Graddiant y darn hwn yw **modwlws Young** y defnydd.
- Pwynt **E** yw'r **derfan elastig**. Dim ond achosion o straen hyd at **P** sydd yn **elastig**; heibio i **P** maen nhw'n **blastig**.
- Y **pwynt ildio**, **Y**, lle mae'r defnydd yn arddangos cynnydd mawr yn y straen gyda dim ond ychydig neu ddim cynnydd o gwbl yn y diriant. Yr enw ar y diriant ar y pwynt hwn yw'r **diriant ildio**, σ_Y.
- Rhanbarth **plastig** eang, **YX**. Yr enw ar y diriant mwyaf yw'r **diriant torri** neu'r **cryfder tynnol eithafol**, σ_X. Mae X ar y graff yn nodi'r pwynt torri.
- Mae rhanbarth straen mwyaf y gromlin σ–ε yn plygu tuag i lawr yn nodweddiadol. Yn y rhanbarth hwn, mae'r sampl yn arddangos **gyddfu**, ac mae'r rhanbarth lle bydd y defnydd yn torri yn y pen draw yn culhau.

Ffig. 1.5.12 Cromlin σ–ε ar gyfer metel hydwyth

Mae union siâp y gromlin σ–ε yn amrywio yn ôl y defnydd a hefyd yn ôl hanes y defnydd (e.e. gwres neu driniaeth weithio arall).

Ymestyn a Herio

Yr enw ar y diriant, σ, yn Ffig 1.5.12 yw'r *diriant peirianyddol*. Caiff y tyniant ei rannu â'r a.t. heb ddiriant. Pan fydd gyddfu'n digwydd, mae'r a.t. yn lleihau ac mae'r gwir ddiriant yn fwy na'r diriant peirianyddol. Mewn graff o'r gwir ddiriant, ni fydd y gromlin σ–ε yn crymu i lawr ar y pen. Bydd yn para i godi yn lle hynny.

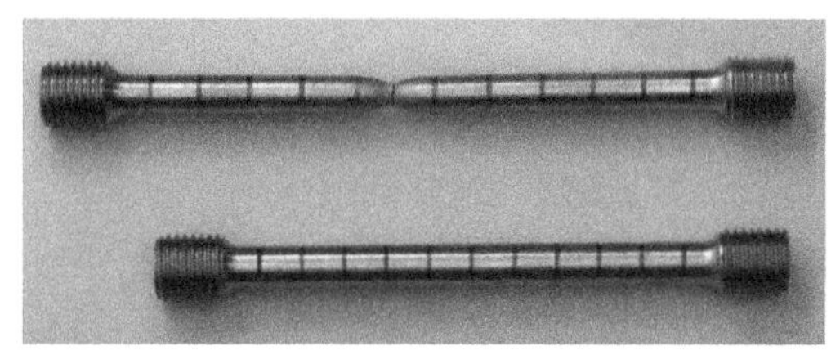

Ffig. 1.5.13 Sbesimen o fetel hydwyth cyn ac ar ôl prawf distrywiol

Mae'r llun 'cyn ac ar ôl' yn Ffig. 1.5.13 yn dangos effaith gyddfu ac anffurfio plastig mewn sbesimen o ddur meddal. Mae clip fideo o'r prawf tynnol hwn i'w weld ar YouTube.

(c) Adeiledd a phriodweddau

Pan fydd defnydd yn cael ei roi dan dyniant isel, h.y. fel bod $\sigma < \sigma_E$, mae'r gronynnau (ïonau) yn y ddellten yn gwahanu mwy. Anffurfiad elastig yw hyn oherwydd bod y grymoedd rhwng y gronynnau yn eu tynnu'n ôl i'w safle gwreiddiol wedi i'r tyniant gael ei ddiddymu. Mae Ffig. 1.5.14 yn dangos hyn – defnyddiwyd trefniant dellten giwbig gan ei bod yn haws gweld yr effaith – ac mae'n haws tynnu llun ohono!

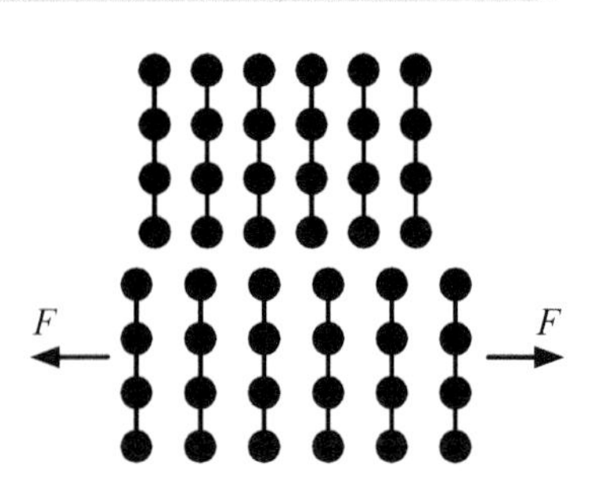

Ffig. 1.5.14 Straen elastig

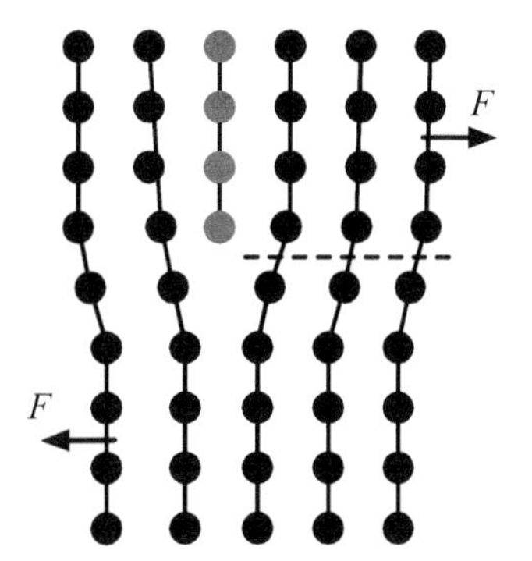

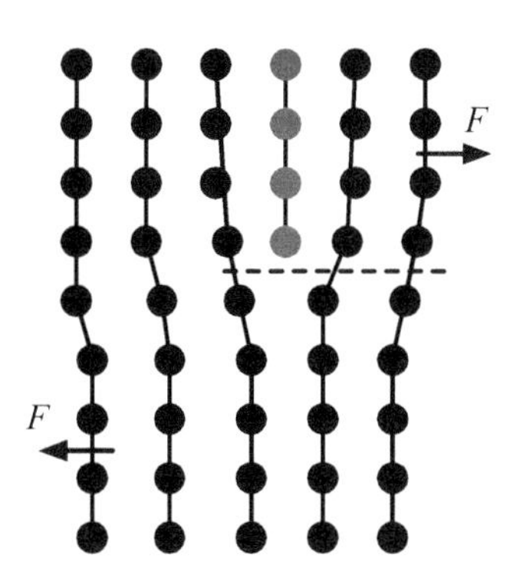

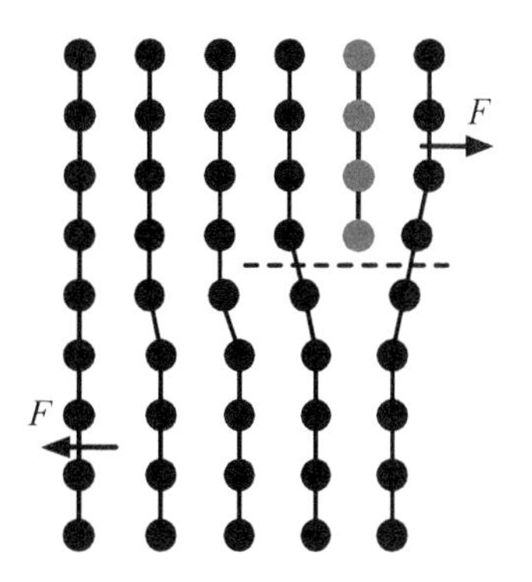

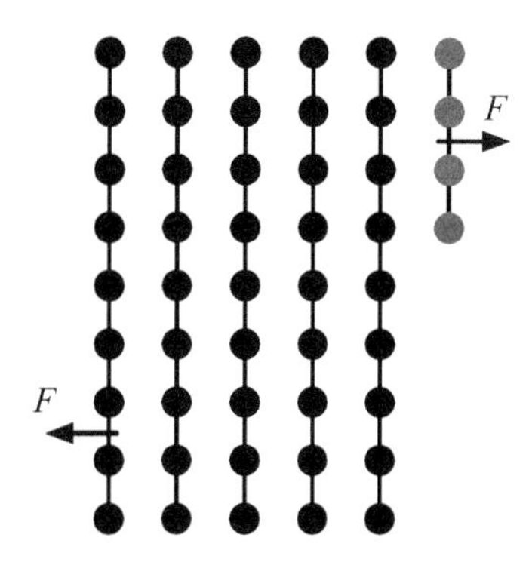

Ffig. 1.5.15 Mae symudiad afleoliad yn cynhyrchu straen plastig

Mae anffurfiad plastig yn digwydd pan fydd y gronynnau wedi'u had-drefnu mewn modd anghildroadwy. Mae hyn yn bosibl oherwydd presenoldeb afleoliadau ymyl. Mae'r afleoliad a ddangosir yn Ffig. 1.5.15 yn symud i'r dde dan ddylanwad y grymoedd gosod. Ychydig iawn yn unig y mae'r ïonau unigol yn ei symud; mae'r ïonau uwchben y llinell doredig yn disgyn i safle egni potensial is yn y plân nesaf, fel bod yr ½ plân ychwanegol yn symud i'r dde nes iddo gyrraedd ffin y graen; mae'r grisial yn hwyhau. Mae hyn yn digwydd ar y **diriant ildio**. Nid yw'r afleoliad yn symud yn ôl wedi i'r diriant gael ei ddiddymu, felly mae'r hwyhad yn blastig.

Mae manylion yr hyn sy'n digwydd nesaf yn dibynnu ar sawl ffactor:

1. Gall afleoliadau ymyl fynd yn gymysg (gweler Hunan-brawf 1.5.5), gan gyfyngu ar eu symudiad.
2. Maint y graenau – y mwyaf yw'r graenau, y mwyaf rhydd yw'r afleoliadau i symud.
3. Presenoldeb afleoliadau pwynt: gall atomau estron atal symudiad afleoliadau ymyl; bydd gwagle yn y ddellten yn cynhyrchu rhagor o afleoliadau ymyl.

Ar gyfer metelau gwahanol, yn enwedig aloion fel dur, gall newid y cyfansoddiad effeithio ar bob un o'r ffactorau hyn. Yn dibynnu ar y metel, gall patrymau gwresogi a throchoeri ei wneud yn fwy neu'n llai hydwyth. Yn gyffredinol, mae gweithio'r metel yn oer yn ei wneud yn fwy anhyblyg ac yn llai hydwyth gan fod hyn yn achosi i'r afleoliadau fynd yn gymysg.

Hunan-brawf 1.5.5

Brasluniwch ddiagram o'r hyn sy'n debygol o ddigwydd nesaf i'r grisial pan fydd dau afleoliad ymyl yn cyfarfod.

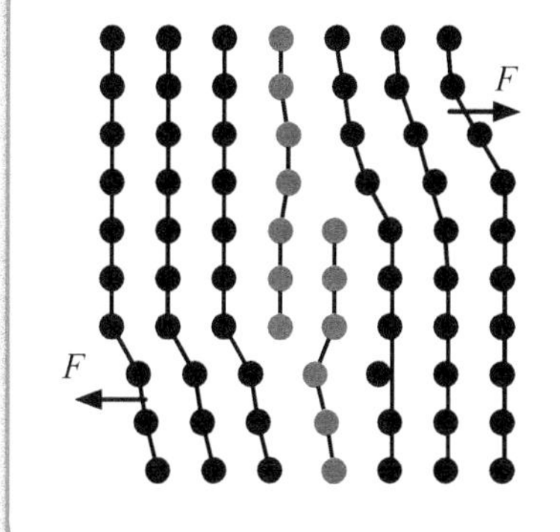

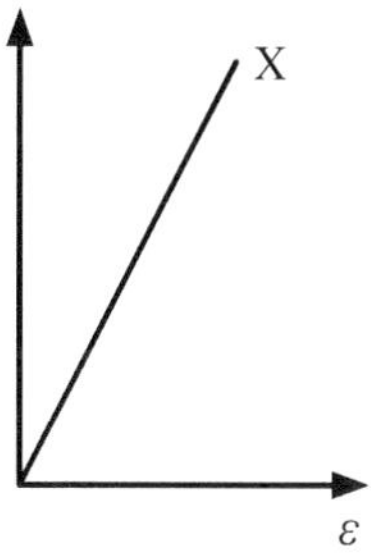

1.5.5 Diriant a straen mewn defnyddiau brau

Mae defnyddiau brau, er enghraifft haearn bwrw, cerameg a gwaith maen, yn gwbl elastig ac fel arfer yn Hookeaidd. Mae gan anfetelau brau adeiledd amorffaidd (anghrisialog). Mae Ffig. 1.5.17 ac 1.5.18 yn dangos y gwahaniaeth rhwng adeileddau grisialog (cwarts) ac amorffaidd (gwydr) silicon deuocsid, SiO_2, sydd wedi'i fondio'n gofalent.

Ffig. 1.5.16 Graff σ–ε ar gyfer defnydd brau

Mae gwydr yn ffurfio os yw'r SiO_2 yn oeri'n rhy gyflym o'r cyflwr tawdd i alluogi'r moleciwlau i'w trefnu eu hunain yn y ffurf grisialog.

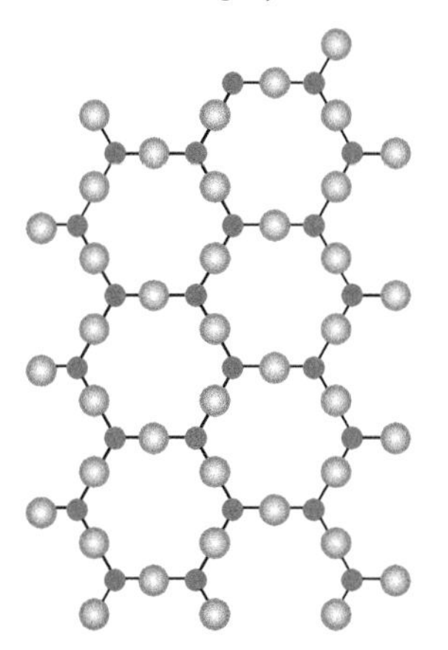
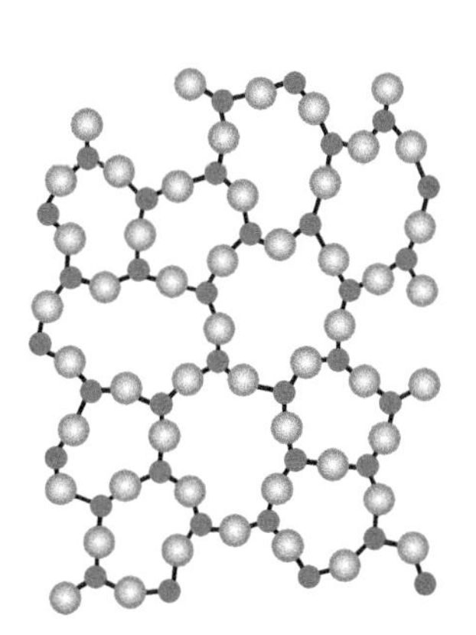

Ffig. 1.5.17 Silicon deuocsid grisialog a 1.5.18 Gwydrog

Ffig. 1.5.19 Gwydrfaen plu eira

Mewn adeiledd cofalent, mae atom yn cael ei fondio'n unigol i un arall trwy'r electronau sy'n cael eu rhannu. O ganlyniad, ni all atom gyfnewid y bondio i atom arall, felly nid yw anffurfiad plastig yn bosibl.

Mae gwydrau'n ansefydlog yn y tymor hir iawn. Mae'r gwydr folcanig, gwydrfaen, yn grisialu'n raddol. Mae'r sampl o 'wydrfaen plu eira' yn Ffig. 1.5.19 yn dechrau trawsnewid yn gwarts: mae ei foleciwlau yn eu had-drefnu eu hunain yn raddol. O ganlyniad i'r broses hon, nid oes gwydrfaen ar gael sy'n dyddio'n ôl i'r adeg cyn y cyfnod cretasig (144–66 miliwn o flynyddoedd yn ôl).

Mae defnyddiau amorffaidd yn frau oherwydd bod absenoldeb adeiledd grisialog yn golygu nad oes yna afleoliadau a all symud i gynhyrchu anffurfiad plastig. Mae haearn bwrw yn grisialog, ond mae'r grisialau yn fach iawn ac mae presenoldeb cyfran fawr o atomau amhuredd yn golygu bod afleoliadau yn aros yn eu hunfan.

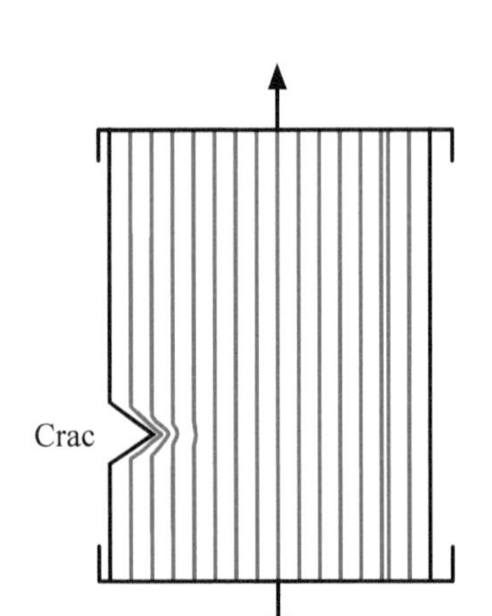

Ffig. 1.5.20 Methiant crac

Toriad brau

Mae defnyddiau brau yn wan dan dyniant, h.y. mae eu diriant torri yn isel. Yn wahanol i doriad hydwyth, mae'n bosibl rhoi'r darnau sydd wedi torri yn ôl at ei gilydd. Gallwn ludo cwpan sydd wedi torri oherwydd absenoldeb anffurfiad plastig.

Mae tyniant yn methu oherwydd lledaeniad crac. Mae Ffig. 1.5.20 yn dangos hyn. Gallwn weld llinellau'r diriant mewn coch. Mae'r rhain yn dangos sut mae'r tyniant yn cysylltu'r atomau yn y defnydd. Ni all y grymoedd rhyngatomig groesi'r bwlch oherwydd bod yr atomau'n rhy bell oddi wrth ei gilydd, felly rhaid trosglwyddo'r grymoedd o gwmpas blaen y crac. Canlyniad hyn yw bod y diriant yn chwyddo'n fawr. Bydd y defnydd brau yn dechrau torri ar flaen y crac: mae'r crac yn ymestyn, sy'n cynyddu'r diriant ar y blaen, ac felly mae'r crac yn lledaenu (ar fuanedd sain yn y defnydd), gan arwain at fethiant catastroffig.

Mae'n bosibl defnyddio defnyddiau brau mewn adeileddau sy'n cynnal llwyth os yw'r darn brau:

- bob amser dan gywasgiad oherwydd dyluniad yr adeiladwaith, fel ym mhileri bricwaith traphont ddŵr Pontcysyllte sy'n cynnal camlas Llangollen,
- neu wedi'i wasgu'n barod wrth ei gynhyrchu.

Ffig. 1.5.21 Traphont ddŵr Pontcysyllte

Mae gwaelod y trawst concrit yn Ffig. 1.5.22 dan dyniant ac mewn perygl o fethu oherwydd lledaeniad crac. Mae'r diagramau yn Ffig. 1.5.23 yn dangos sut caiff rhoden ddur, T, ei ddefnyddio yn y trawst concrit i'w gryfhau:

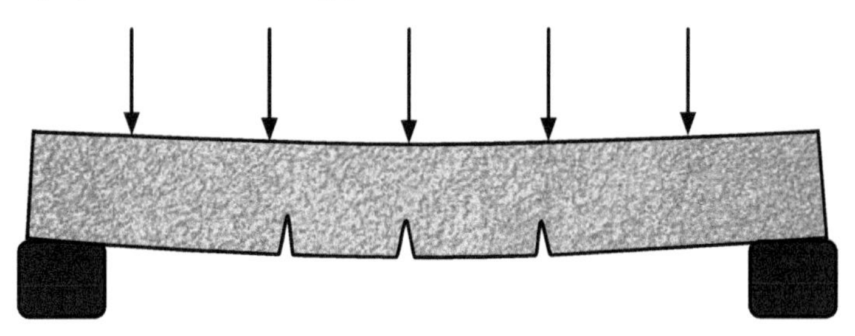

Ffig 1.5.22 Methiant crac mewn trawst

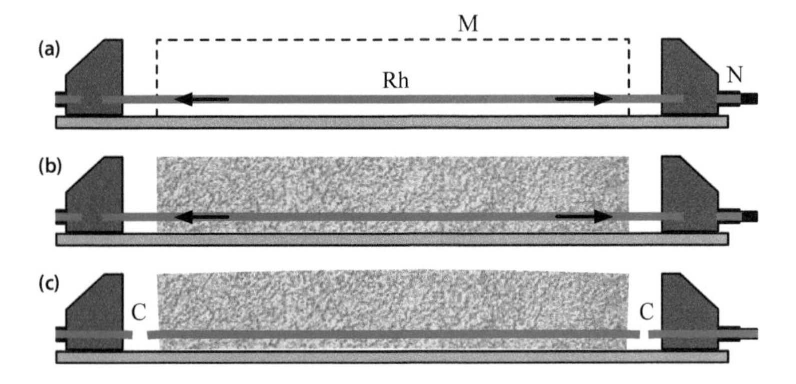

Ffig. 1.5.23 Trin trawst trwy ei wasgu'n barod

(a) Mae'r rhoden yn cael ei rhoi dan dyniant trwy dynhau'r nyten, N.
(b) Mae'r concrit sydd i'w gastio yn cael ei dywallt i'r mowld, M, a'i adael i galedu.
(c) Yna caiff y rhoden ei thorri ac mae'n cyfangu, gan roi wyneb isaf y concrit dan gywasgiad (ac achosi iddo blygu ychydig, fel y gwelir).

Os caiff llwyth ei roi ar ben y trawst wedyn, fel yn Ffig. 1.5.22, ni fydd wyneb isaf y trawst dan dyniant oni bai bod y llwyth yn fawr iawn.

1.5.6 Polymerau

(a) Beth yw polymerau?

Mae rwber, polythen, melamin a neilon yn **bolymerau**, h.y. mae eu moleciwlau'n gadwynau hir o unedau ailadroddol.

O ran ei gyfansoddiad, y polymer symlaf yw polythen, sydd wedi'i wneud o'r **monomer** ethen.

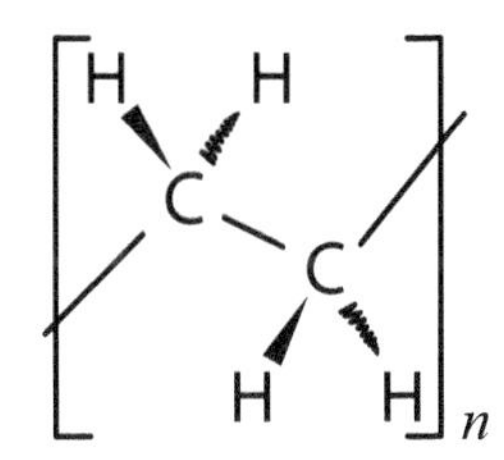

Ffig. 1.5.24 Ethen, ac uned ailadroddol polythen

Un o nodweddion arwyddocaol y bond C–C yw ei allu i gylchdroi, gan alluogi moleciwl y polymer i gymryd nifer enfawr o siapiau hap. Mae hyn yn arwyddocaol i briodweddau diriant–straen rwber.

Mewn rwber, y monomer isopren sydd wedi'i bolymeru, $CH_2=C(CH_3)CH=CH_2$. Yn y broses bolymeru, mae'r ddau fond dwbl yn cael eu hagor, gan alluogi'r unedau ailadroddol i gysylltu â'i gilydd i gynhyrchu poly-isopren. Yn y broses, mae'r ddau garbon canol yn ffurfio bond dwbl: C=C.

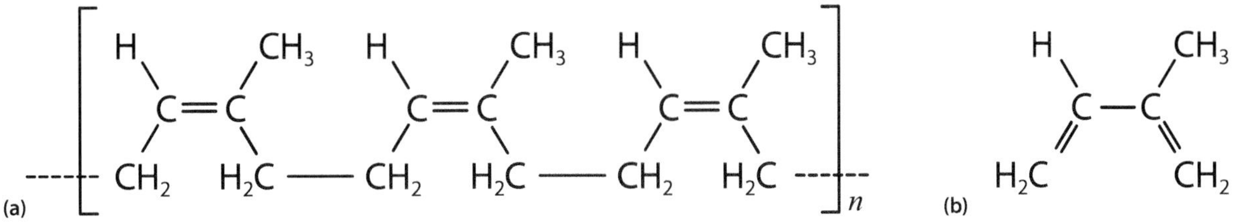

Ffig. 1.5.26 Rwber: (a) y polymer; (b) y monomer

Termau a diffiniadau

Mae **polymer** yn sylwedd y mae ei foleciwlau yn cynnwys cadwynau hir o adrannau unfath sy'n cael eu galw yn unedau ailadroddol.

Mae **monomer** yn foleciwl sy'n cynnwys bond dwbl a gaiff ei dorri ar agor i ffurfio uned ailadroddol polymer.

Pwynt astudio

Argraff artist o foleciwl ethen yn dangos orbitalau'r electronau.

Ffig. 1.5.25

(b) Diriant, straen a modwlws Young rwber

Mae'r nodweddion llwyth–estyniad/diriant–straen fel a ganlyn:

1. Mae'r graff diriant–straen (peirianyddol) yn aflinol: mae rwber yn anhyblyg ar gyfer estyniadau isel, yn mynd yn llai anhyblyg ac yna'n anhyblyg iawn. Gweler Ffig. 1.5.6.
2. Mae'r cromliniau llwytho a dadlwytho yn wahanol: yr enw ar hyn yw *hysteresis elastig*.
3. Mae'n arddangos straenau mawr: straenau hyd at 5, h.y. mae'r hyd terfynol ~5× yr hyd gwreiddiol mewn rhai mathau o rwber.
4. Mae gwerthoedd y diriant torri dipyn yn is nag ydynt ar gyfer y rhan fwyaf o ddefnyddiau peirianyddol. Gwerth σ_X yw ~16 MPa, o'i gymharu â ~80 MPa ar gyfer gwydr a 400 MPa ar gyfer dur meddal.
5. Mae'r cyfaint yn aros fwy neu lai yn gyson er gwaethaf yr estyniadau enfawr. Felly mae'n bwysig gwahaniaethu rhwng gwir ddiriant a diriant peirianyddol.

Hunan-brawf 1.5.6

Wrth i rwber ymestyn, mae ei gyfaint yn aros yn weddol gyson er gwaethaf ei estyniadau enfawr. Amcangyfrifwch y newid yn nhrwch band rwber sy'n cael ei estyn i 4 gwaith ei hyd gwreiddiol.

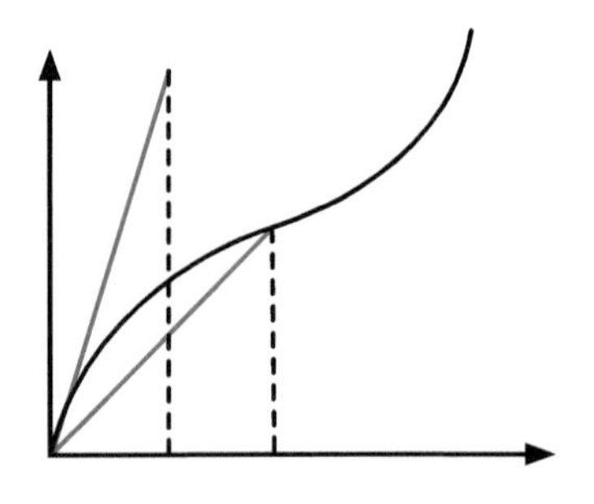

Ffig. 1.5.27 Pa fodwlws Young ar gyfer rwber?

Oherwydd yr aflinoledd, rhaid bod yn ofalus wrth gyfeirio at fodwlws Young rwber. Yn dibynnu ar y cyd-destun, gallai gyfeirio at:

- Graddiant tangiad y gromlin σ-ε yn y tarddbwynt.
- Gwerth $\frac{\sigma}{\varepsilon}$ ar gyfer diriant penodol, e.e. hanner ffordd ar hyd y rhanbarth sydd bron yn llinol.

Dyma raddiant y ddwy linell goch yn Ffig. 1.5.27. Ond beth am y broblem o hysteresis? Pa un bynnag rydym yn ei ddefnyddio, bydd gwerth E tua 10–20 MPa; mae hyn dipyn yn llai na'r 200 GPa ar gyfer dur.

1.5.7 Hunan-brawf

Mae gan sampl o rwber yr un dimensiynau â gwifren ddur. Rhoir yr un tyniant ar y ddau. Amcangyfrifwch gymhareb straen y ddau wrthrych.

(c) Adeiledd a phriodweddau rwber

Mae'r ongl rhwng bondiau carbon–carbon cyfagos tua 110°. O edrych ar adeiledd y moleciwl rwber yn Ffig. 1.5.26, mae'n ymddangos y dylai ei siâp fod fel y dangosir isod:

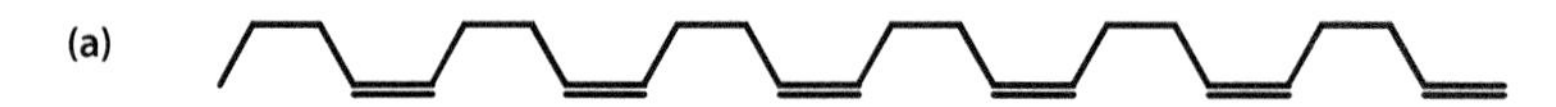

Fodd bynnag, mae hyn yn anghywir, neu o leiaf yn annhebygol iawn.

Gall y moleciwl gylchdroi'n rhydd o gwmpas pob un o'r bondiau C–C sengl (ond nid y bondiau dwbl, C=C), felly mae siâp naturiol moleciwlau rwber yn ddryslyd drwyddi draw.

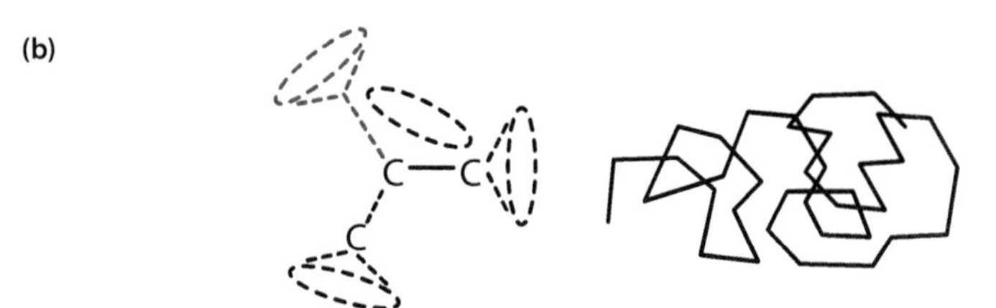

Ffig. 1.5.28 Moleciwlau rwber (a) estynedig a (b) dryslyd

Ymestyn a Herio

Os yw llwybr yn cynnwys n cam o hyd Δl, mewn hapgyfeiriadau, mae damcaniaeth hapgerddediad ystadegol yn rhagfynegi y bydd cyfanswm y dadleoliad $\sim\Delta l\sqrt{n}$. Mae moleciwl rwber yn cynnwys 10^6 uned ailadroddol sydd $\sim10^{-9}$ m yr un o hyd. Amcangyfrifwch faint moleciwl rwber.

Os rhoddir moleciwl rwber dan dyniant, mae'n ymateb trwy sythu:

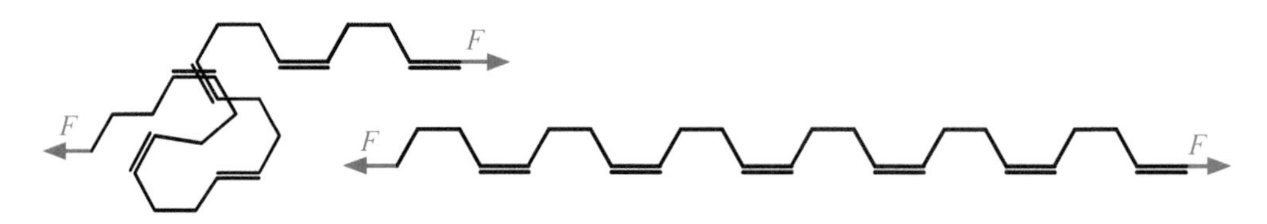

Ffig. 1.5.29 Sythu moleciwl rwber

Mae'r estyniad hwn yn caniatáu i'r (band) rwber ymestyn i sawl gwaith ei hyd gwreiddiol. Mae'r grym sydd ei angen yn llawer llai nag y mae wrth estyn defnyddiau crisialog neu amorffaidd oherwydd nad yw'r bondiau'n cael eu hestyn – dim ond eu cylchdroi. Mae presenoldeb **trawsgysylltau** rhwng moleciwlau, neu ddrysu'r moleciwlau gwahanol sydd wedi'u plethu trwy ei gilydd, yn cyfyngu ar gyfanswm posibl yr estyniad. Mae mudiant thermol yr atomau yn y moleciwlau, sy'n tueddu i achosi haprwydd y siâp, yn rhoi'r gwrthwynebiad i'r estyniad,
h.y. yr anhyblygedd.

Wrth ddileu'r tyniant, mae hapfudiant moleciwlaidd yr atomau o fewn y moleciwl yn achosi i siâp y moleciwlau ailhapio (*re-randomise*), gan achosi i'r rwber gyfangu. Bydd peth egni yn trawsnewid yn egni cinetig hap y moleciwlau trwy wrthdrawiadau rhwng moleciwlau, felly ni chaiff cymaint o waith ei wneud wrth gyfangu. Mae hyn yn arwain at yr effaith hysteresis.

Pwynt astudio

Mae gwyddonwyr defnyddiau yn aml yn cyflwyno trawsgysylltau S–S ychwanegol i rwber i'w wneud yn fwy anhyblyg. Yr enw ar y broses hon yw *fwlcaneiddio*.

1.5.7 Gwaith ymarferol

(a) Darganfod modwlws Young ar gyfer defnydd gwifren fetel

Mae Ffig. 1.5.30 yn dangos cyfarpar cyffredin a ddefnyddir mewn dosbarthiadau Ffiseg Safon Uwch i ddarganfod modwlws Young metelau, er enghraifft copr a dur meddal, ar ffurf gwifrau.

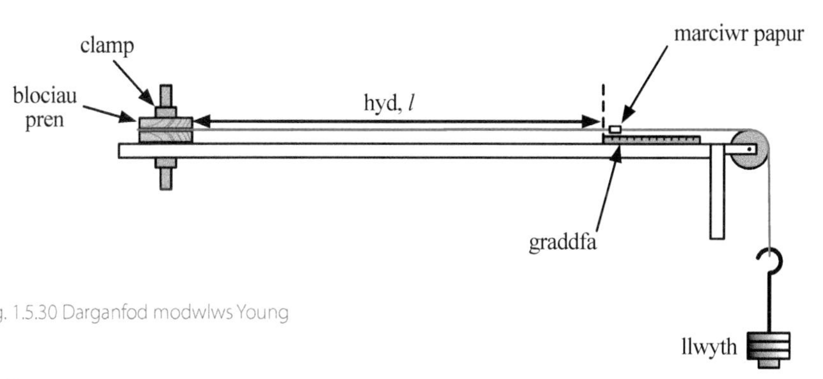

Ffig. 1.5.30 Darganfod modwlws Young

Dull:

1. Mesurwch ddiamedr, d, y wifren gyda micromedr neu galiperau fernier sydd â chydraniad 0.01 mm. Cyfrifwch yr a.t., A, o'r hafaliad $A = \pi\left(\frac{d}{2}\right)^2$.
2. Cysylltwch lwyth bach i roi tyniant gwreiddiol er mwyn sythu'r wifren.
3. Mesurwch hyd gwreiddiol, l_0, y wifren o'r blociau pren i'r marciwr papur, gan ddefnyddio riwl fetr â chydraniad 1 mm.
4. Ychwanegwch fàs hysbys, er enghraifft màs $10\text{ g} / 50\text{ g} / 100\text{ g}$, i'r bachyn.
5. Mesurwch yr estyniad, Δl, o'r llwyth sero.
6. Ailadroddwch gamau 4 a 5 i gael cyfres o werthoedd ar gyfer Δl ac m.
7. Ailadroddwch gamau 4 a 5 gyda gwerthoedd yn lleihau m.
8. Plotiwch graff o'r tyniant, T, wedi'i gyfrifo o $T = mg$, yn erbyn Δl.
9. Mesurwch raddiant mwyaf a graddiant lleiaf y graff llinell syth.
10. Cyfrifwch E a'i ansicrwydd trwy ddefnyddio $E = \frac{l_0}{A} \times \text{graddiant}$.

Nodiadau:

1. Efallai na fydd y graff ffit orau yn mynd trwy'r tarddbwynt. Y rheswm am hyn, yn aml, yw bod gan y wifren grychion mân y mae angen eu sythu.
2. Mae'n bosibl gwella manwl gywirdeb mesuriadau Δl trwy ddefnyddio lens llaw neu (yn well fyth) ficrosgop teithiol.

(b) Ymchwilio i'r berthynas grym–estyniad ar gyfer rwber

Yn syml iawn, gallwn lwytho a dadlwytho'r band rwber a mesur yr estyniadau o'r hyd gwreiddiol (mewn gwirionedd, yr hyd gyda llwyth bach iawn er mwyn sicrhau bod y band yn syth i ddechrau). Dylid llwytho'r band nes bod ei estyniad ychwanegol gyda llwythi ychwanegol yn fach iawn. Yn yr arbrawf hwn, er mwyn dangos hysteresis, rydym yn plotio'r estyniadau wrth lwytho a dadlwytho ar wahân, yn hytrach na defnyddio'r cyfartaledd.

Pwynt astudio

Rhoddir y modwlws Young gan yr hafaliad $E = \frac{Fl_0}{A\Delta l}$. Caiff Δl ei wneud yn ddigon mawr i'w fesur yn weddol gywir trwy wneud l_0 mor hir â phosibl, e.e. hyd mainc mewn labordy (4 m efallai).

Pwynt astudio

Caiff y wifren ei chlampio gan ddefnyddio'r blociau pren. Mae hyn yn arbed niwed i'r wifren yn y pwynt clampio.

CYNGOR YMARFEROL

Gweler Adran 3.2 am awgrym ar sut i fesur diamedr gwifren.

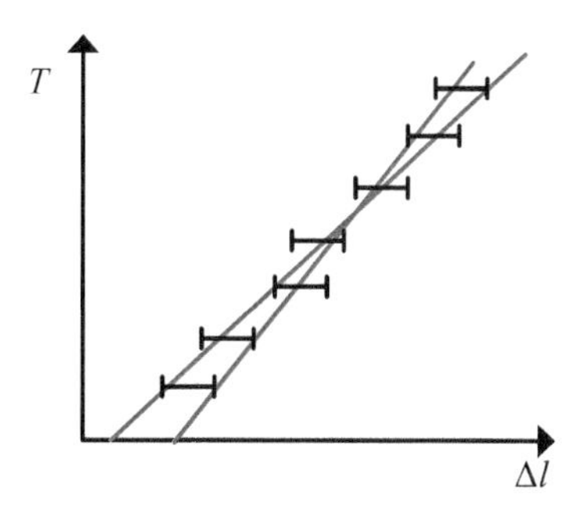

Ffig. 1.5.31 Graff T v Δl nodweddiadol

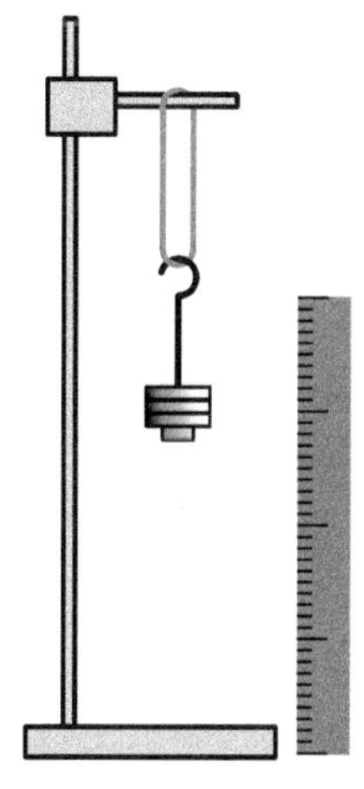

Ffig. 1.5.32 Ymchwilio i lwyth ac estyniad ar gyfer rwber

Ymarfer 1.5

1. Mae sbring yn estyn $8.0\ \text{cm}$ pan gaiff màs o $200\ \text{g}$ ei hongian arno. Cyfrifwch:

   (a) cysonyn y sbring, k,
   (b) yr egni potensial elastig yn y sbring gyda'r llwyth,
   (c) y gostyngiad yn egni potensial disgyrchiant y llwyth wrth iddo estyn y sbring $8.0\ \text{cm}$. [Tybiwch fod $g = 10\ \text{m s}^{-2}$]

2. Mae'r llwyth yn C1 yn cael ei hongian ar sbring arall y mae cysonyn ei sbring yn hanner yr un yn C1. Heb ailadrodd y cyfrifiadau, ysgrifennwch estyniad y sbring a'r atebion i (a), (b) ac (c).

3. Mae'r llwyth yn cael ei osod ar y sbring anestynedig yn C1, ac yna'i ollwng. Cyfrifwch:

   (a) buanedd y llwyth pan mae'r estyniad yn $8.0\ \text{cm}$,
   (b) estyniad mwyaf y sbring,
   (c) cyflymiad i fyny y llwyth ar bwynt yr estyniad mwyaf.

4. Cysonyn, k, sbring yw $24\ \text{N m}^{-1}$. Gan nodi eich rhesymau'n glir, darganfyddwch gysonyn dau sbring o'r fath wedi'u cysylltu

   (a) ben wrth ben a
   (b) ochr yn ochr [cyfeirir at y rhain weithiau fel 'mewn cyfres' ac 'mewn paralel' yn ôl eu trefn].

5. Mae rhoden silindrog, hyd $50\ \text{cm}$ a diamedr $5\ \text{mm}$, wedi'i gwneud o wydr gyda chryfder tynnol eithaf o $33\ \text{MPa}$ a modwlws Young o $60\ \text{GPa}$. Cyfrifwch y tyniant mwyaf y gall y rhoden ei gymryd a'r cynnydd yn ei hyd ar dyniant sydd 50% o'r gwerth mwyaf hwn.

6. Mae gwifren ddur, diamedr $1\ \text{mm}$, wedi ei chlymu'n llorweddol i 2 gynhalydd anhyblyg sydd $2\ \text{m}$ ar wahân. Mae'r tyniant cychwynnol a'r ysigiad (*sag*) yn y wifren yn ddibwys.

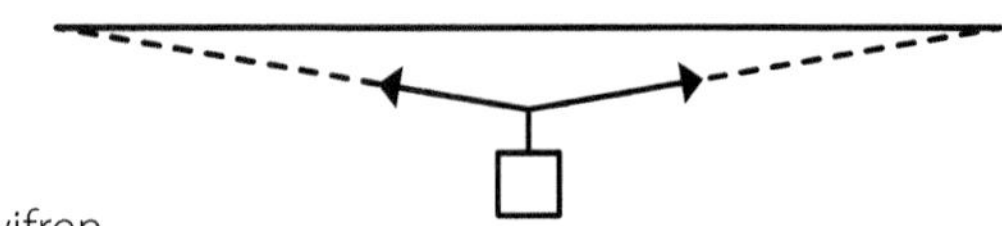

   Mae llwyth, màs $0.10\ \text{kg}$, yn cael ei hongian o ganol y wifren, ac yn achosi i'r wifren allwyro i lawr $2.0\ \text{cm}$ ar y pwynt hwnnw. Nid yw'r diagram wrth raddfa. Cyfrifwch:

   (a) Y tyniant yn y wifren.
   (b) Modwlws Young defnydd y wifren.

7. Trwy ystyried amrediad o lwythau (e.e. 0.2, 0.3 a $0.4\ \text{kg}$) ar gyfer y wifren yn C6, darganfyddwch pa mor agos y mae allwyriad y wifren mewn cyfrannedd union â'r llwyth a roddwyd. Os yw straen ildio'r dur yn 1.0×10^{-3}, beth yw'r llwyth mwyaf y gellir ei roi ar y wifren heb iddi basio'r pwynt ildio?

8. Mae rhaff wedi'i gwneud o neilon sydd â modwlws Young o $3.0\ \text{GPa}$; cafodd ei dylunio i'w defnyddio'n ddiogel ar ddiriant hyd at $30\ \text{MPa}$. Mae diamedr y rhaff yn $5.0\ \text{cm}$ ac mae'n $1\ \text{km}$ o hyd.

   (a) Cyfrifwch y llwyth mwyaf y dylid ei roi ar y rhaff.
   (b) Cyfrifwch yr egni a storiwyd yn y rhaff gyda'r llwyth hwn.
   (c) Mae'r rhaff yn cael ei chlymu i gwch, màs 20 **tunnell fetrig** [$1\ \text{t} = 10^3\ \text{kg}$], sy'n drifftio i ffwrdd ar gyflymder o $4\ \text{m s}^{-1}$, er mwyn ei ddal yn ei unfan. Cyfrifwch pa mor bell y mae'r rhaff yn ymestyn cyn stopio'r cwch.
   (ch) Cyfrifwch hyd lleiaf y rhaff a fyddai'n stopio'r cwch, heb fynd y tu hwnt i'r diriant diogel mwyaf.

9. Mae gwydr sydd wedi'i wasgu'n barod, sy'n cael ei alw weithiau'n *wydr golwg*, yn cael ei gynhyrchu mewn dalennau fel bod yr haenau allanol dan gywasgiad a'r haen ganol dan dyniant. Eglurwch pam mae'r gwydr hwn yn anoddach i'w dorri na gwydr arferol.

10. Mae dau silindr, sydd â'r un hyd a diamedr yn union, yn cael eu cysylltu'n sownd ben wrth ben. Mae modwlws Young un defnydd ddwywaith modwlws Young y llall. Caiff y silindr cyfansawdd ei roi dan dyniant. Cymharwch werth y mesurau canlynol ar gyfer y ddwy adran: y tyniant; yr estyniad; y diriant; y straen; yr egni a storiwyd.

11. Cyfrifwch fodwlws Young effeithiol y silindr cyfansawdd yn C10 yn nhermau modwlws Young isaf, E, y ddwy gydran. [Awgrym: Cyfrifwch gyfanswm yr estyniad ar gyfer diriant, σ, penodol.]

12. Mae silindr wedi'i wneud o gyfuniad o silindr y tu mewn i ail blisgyn silindrog. Mae arwynebedd trawstoriadol un gydran ddwywaith arwynebedd trawstoriadol y llall. Modwlws Young y gydran sydd â'r arwynebedd mwyaf yw E_1 a modwlws Young y llall yw E_2. Caiff y silindr cyfansawdd ei roi dan dyniant. Cymharwch werthoedd y mesurau canlynol ar gyfer y ddwy ran: y tyniant; yr estyniad; y diriant; y straen; yr egni a storiwyd.

13. Cyfrifwch fodwlws Young effeithiol y silindr cyfansawdd yn C12 yn nhermau E_1 ac E_2.

Mae myfyriwr yn hongian cyfres o fasau 500 g ar elastig catapwlt ac yn mesur yr estyniad. Dyma'r canlyniadau:

Màs/kg	0	0.50	1.00	1.50	2.00	2.50	3.00	3.50	4.00	4.50	5.00
Estyniad/cm	0.0	0.7	1.5	2.8	5.0	12.2	17.0	21.2	23.0	24.1	25.0

Yna mae'n tynnu'r masau fesul un ac yn mesur yr estyniad. Mae'n casglu'r data canlynol:

Màs/kg	0	0.50	1.00	1.50	2.00	2.50	3.00	3.50	4.00	4.50	5.00
Estyniad/cm	0.0	1.0	2.0	3.6	6.5	14.8	20.0	22.3	23.5	24.3	25.0

(a) Trwy luniadu graffiau addas, defnyddiwch y canlyniadau hyn i gyfrifo:

(i) Y gwaith sy'n cael ei wneud ar yr elastig o'i estyn o 0 i 25 cm.

(ii) Y gwaith sy'n cael ei wneud gan yr elastig wrth iddo gyfangu o 25 cm i 0.

(iii) Y newid yng nghyfanswm yr egni potensial os caiff màs 5 kg ei hongian ar yr elastig a'i ostwng 25 cm yn araf.

(b) Mae'r myfyriwr yn rhoi bwled, màs 5.0 g, mewn catapwlt, yn tynnu'r elastig yn ôl 25 cm, ac yn rhyddhau'r bwled ar ongl o 30° i'r llorwedd. Gan anwybyddu gwrthiant aer, cyfrifwch y pellter llorweddol y mae'r bwled yn ei deithio.

(c) Amcangyfrifwch faint effaith gwrthiant aer ar eich ateb i (b).

[Awgrym: Gweler Adran 1.3.5(c) a chymerwch fod $c_d \sim 0.5$ ar gyfer sffêr sy'n symud yn gyflym.]

1.6 Defnyddio pelydriad i ymchwilio i sêr

Ffig. 1.6.1 Y Tarw

Daw bron yr holl wybodaeth sydd gennym am y bydysawd o belydriad electromagnetig. Tynnwyd y llun o gytser y Tarw gan ddefnyddio pelydriad gweladwy, h.y. tonfeddi rhwng ~400 a 700 nm. Hyd yn ddiweddar, dyma'r unig amrediad o donfeddi a oedd ar gael i ni oherwydd bod atmosffer y Ddaear yn ddi-draidd i'r rhan fwyaf o'r sbectrwm electromagnetig. Fodd bynnag, mae telesgopau gofod, er enghraifft Spitzer a Chandra, wedi caniatáu i ni 'weld' y bydysawd ar draws yr amrediad cyfan, o belydrau radio i belydrau gama. Mae seryddiaeth amldonfedd yn rhoi i ni ddealltwriaeth llawer mwy cyflawn o'r prosesau yn y bydysawd.

Tynnwyd y delweddau canlynol o'r Haul, Ffig. 1.6.2, mewn golau gweladwy (450 nm) ac mewn golau uwchfioled (17.1 nm) o Arsyllfa Dynameg yr Haul ar 10 Hydref 2014.

Pwynt astudio

Mae safleoedd y brychau haul sy'n weladwy ar y ddelwedd 450 nm hefyd yn amlwg yn safleoedd lle gwelir prosesau nerthol ar y ddelwedd 17.1 nm.

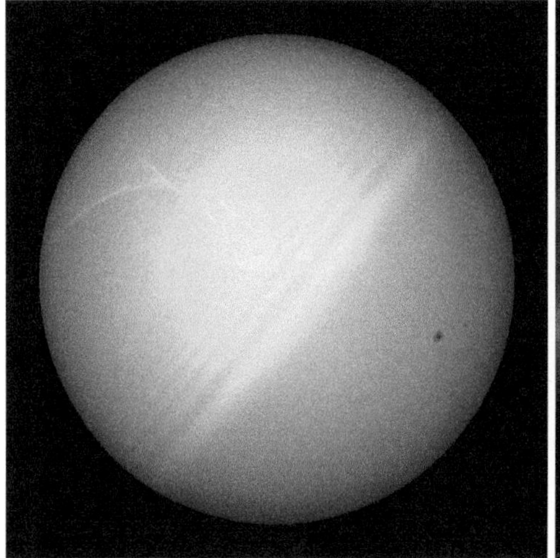

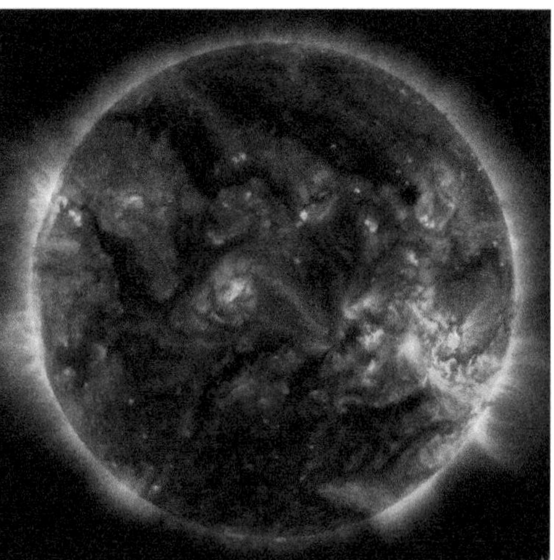

Ffig. 1.6.2 Yr Haul mewn (a) golau gweladwy a (b) golau uwchfioled

Derbyniwyd sawl niwtrino o uwchnofa SN1987A, gan ddarparu gwybodaeth ddefnyddiol am yr uwchnofa a rhoi prawf ar ein dealltwriaeth o ffiseg ronynnol. Mae seryddwyr hefyd yn ceisio canfod tonnau disgyrchiant.

Mae Adran 1.6.4 yn ymdrin â seryddiaeth amldonfedd yn fwy manwl.

Mae gwyddonwyr yn dadansoddi'r golau a ddaw o sêr trwy wahanu'r tonfeddi gwahanol, e.e. trwy ei basio trwy brism neu **ratin diffreithiant**, ac yna maen nhw naill ai'n creu delwedd neu'n plotio dwysedd yr egni ar donfeddi gwahanol. Mae Ffig. 1.6.3 ar y dudalen nesaf yn dangos enghreifftiau o'r ddau sbectrwm hyn ar gyfer y seren sydd agosaf atom ni, yr Haul.

Termau a diffiniadau

Gratin diffreithiant – gweler Adran 2.3.

Sbectrwm graffigol yr Haul, a gyhoeddwyd gan Fudiad Meteoroleg y Byd (*WMO: World Meteorological Organisation*), yw'r graff di-dor yn rhan uchaf y ffigur. Amrediad y donfedd yw ~ 200–1500 nm. Gallwn anwybyddu'r gromlin doredig am y tro. Mae'r ddelwedd liw yn dangos ymddangosiad sbectrwm gweladwy yr Haul. Dyma beth rydym yn ei weld (neu'n ei ddelweddu) pan fydd golau haul yn cael ei wasgaru trwy brism neu ei basio trwy ratin diffreithiant. Mae amrediad y donfedd tua 400–700 nm, a dangosir hefyd ei berthynas â'r graff sbectrwm.

Termau a diffiniadau

Mae **sbectrwm di-dor** yn cynnwys pob tonfedd o fewn amrediad penodol.

Mae **sbectrwm llinell** yn cynnwys cyfres o donfeddi unigol (neu, yn fwy cywir, cyfres o fandiau tonfedd cul iawn).

Mae sbectrwm yr Haul mewn dwy ran:

- **Sbectrwm di-dor** (y band disglair).
- **Sbectrwm llinell** (y llinellau tywyll, sydd hefyd i'w gweld ar y graff).

Termau a diffiniadau

Lluosog sbectrwm yw **sbectra**.

Mae'r sbectra hyn yn cynnwys llawer iawn o wybodaeth am y seren, yn arbennig dymheredd ei haen allanol a'i chyfansoddiad cemegol.

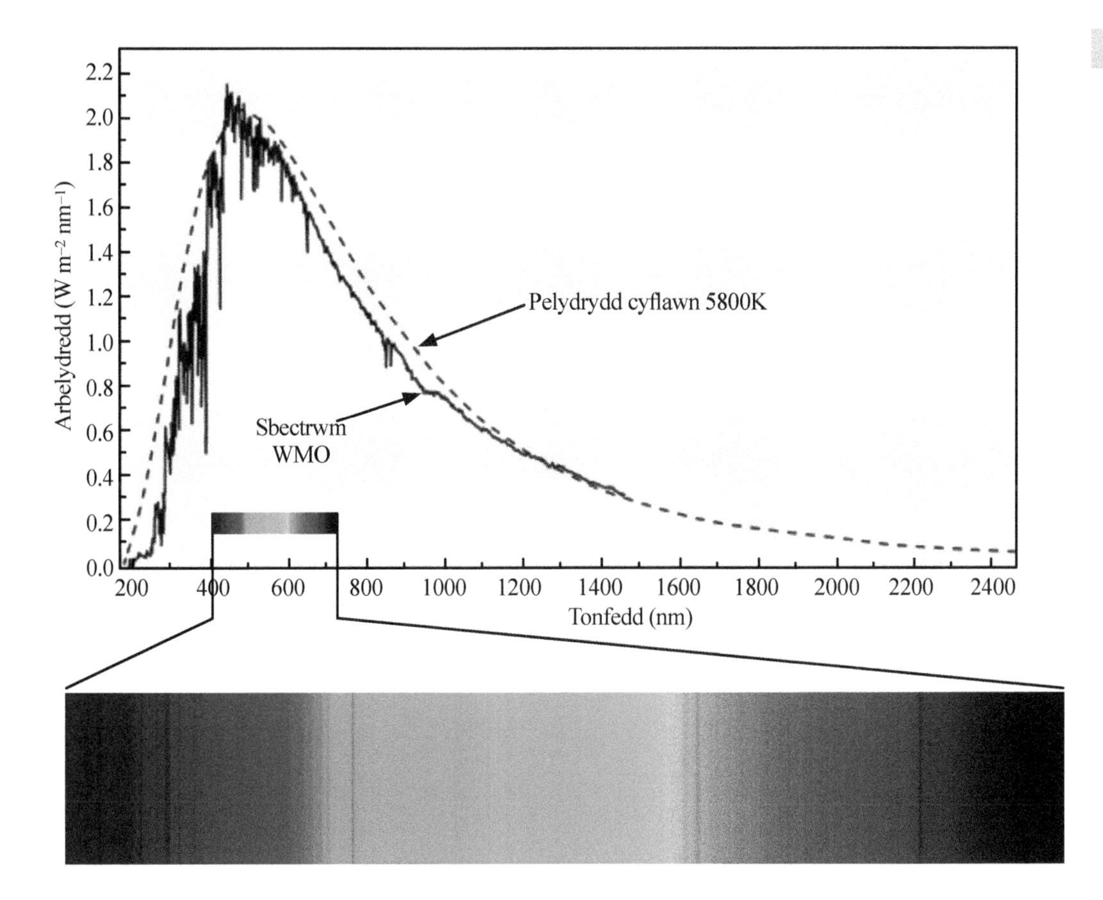

Ffig. 1.6.3 Sbectrwm yr Haul

Mae'r wybodaeth hon i'w chael yn y sbectrwm di-dor a'r sbectrwm llinell. Trwy ddefnyddio siâp y sbectrwm di-dor a safleoedd y llinellau tywyll (llinellau *Fraunhofer*), gall seryddwyr gymharu sêr a hefyd gasglu tystiolaeth am eu mudiant, ac oed y bydysawd hyd yn oed. Bydd yr adran hon yn archwilio sut cawn afael ar y wybodaeth hon.

1.6.1 Pelydriad cyflawn

Pan fydd gof yn gwresogi pedol mewn gefail, bydd y bedol yn allyrru pelydriad gweladwy. I ddechrau, mae'n tywynnu'n goch pŵl, ond wrth i'r tymheredd godi, mae'r disgleirdeb yn cynyddu ac mae'r lliw yn troi o goch i oren i felyn, fel y gwelir yn Ffig. 1.6.4. Mae union fanylion sbectrwm y pelydriad sy'n cael ei allyrru yn amrywio o ddefnydd i ddefnydd: yn gyffredinol, y mwyaf o belydriad y mae'r defnydd yn ei amsugno, y mwyaf y bydd yn ei allyrru. Mae gwyddonwyr yn defnyddio'r syniad o **belydrydd cyflawn** perffaith (gweler y blwch) fel safon ddamcaniaethol i gymharu cyrff eraill â hi.

Fel brasamcan ardderchog o belydriad cyflawn perffaith, mae gwyddonwyr wedi mesur y pelydriad sy'n dod o dwll bach yn ochr ffwrnais. Enw arall ar y pelydriad hwn yw **pelydriad ceudod**. Mae Ffig. 1.6.5 yn dangos yr egwyddor hon.

Os bydd pelydriad yn mynd i mewn i'r ceudod trwy'r agoriad, caiff ei adlewyrchu sawl gwaith. Os yw'r defnydd sy'n leinio'r ceudod yn dywyll iawn, bydd yn amsugno'r rhan fwyaf o'r pelydriad ar bob adlewyrchiad, felly ni fydd braidd ddim o'r pelydriad trawol yn ailymddangos o'r twll.

Pwynt astudio

Yr enw ar y llinellau tywyll yn sbectrwm yr Haul yw llinellau *Fraunhofer*, ar ôl y gwyddonydd o'r Almaen a sylwodd arnynt yn 1814. Roedd y cemegydd o Loegr, William Hyde Wollaston, wedi eu darganfod yn 1802.

Ffig. 1.6.4 Pelydriad thermol

Termau a diffiniadau

Mae **pelydrydd cyflawn** yn cael ei ddiffinio fel corff sy'n amsugno'r holl belydriad sy'n ei daro. Mae hefyd yn allyrru mwy o belydriad ar unrhyw donfedd yn y sbectrwm di-dor na chorff nad yw'n belydrydd cyflawn.

Pwynt astudio

Albedo gwrthrych yw ffracsiwn y pelydriad e-m y mae'n ei adlewyrchu. Mae albedo optegol y Ddaear yn ~0.3. Mae gan rai gwrthrychau traws-Neifionaidd (*TNO: trans-neptunian objects*), a gwrthrychau tebyg i gomedau yng nghysawd allanol yr Haul, albedo mor isel â 0.02.

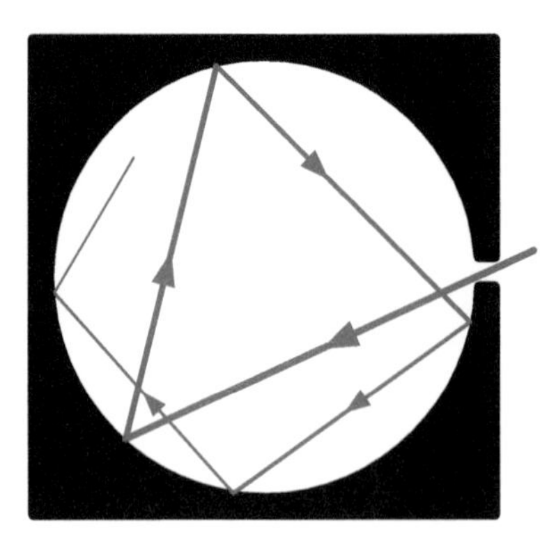

Ffig. 1.6.5 Mae ceudod yn amsugno'r pelydriad trawol bron i gyd

Termau a diffiniadau

Mynegir **tymheredd absoliwt**, T, mewn kelvin (K).

Diffinnir **tymheredd Celsius**, θ, gan:

$\theta / °C = T / K - 273.15$

Ar y **raddfa kelvin**, mae iâ yn ymdoddi ar 273.15 K, mae dŵr yn berwi ar 373.15 K ac mae sero absoliwt yn 0 K.

UNED

Sylwch mai uned y cysonyn Wien yw m K [metr kelvin] nid mK [milikelvin]. Mae bwlch yn bwysig weithiau!

1.6.1 Hunan-brawf

Yn yr enghraifft hon:

(a) Mynegwch λ_{mwyaf} mewn nm.

(b) Ym mha ran o'r sbectrwm e-m y mae λ_{mwyaf}?

(c) Heb ddefnyddio cyfrifiannell, amcangyfrifwch P a λ_{mwyaf} ar gyfer sffêr tebyg ar 6000 K.

Pwynt astudio

Nid yw pob **pelydriad** yn belydriad cyflawn, e.e. mae'r curiadau sy'n cael eu hallyrru gan bylsar yn deillio o electronau sy'n troelli o gwmpas llinellau maes magnetig (*pelydriad syncrotron* yw'r enw ar hyn).

Gan fod y ffwrnais yn boeth, y mae hefyd yn allyrru pelydriad, ac mae ychydig o hwn yn dianc trwy'r twll. Mae Ffig. 1.6.6 yn dangos sbectra'r pelydriad hwn ar wahanol dymereddau. Mae'r canlyniadau hyn yn gyson â'r arsylwadau ar wifren boeth sy'n disgleirio:

- Islaw tua 1000 °C, ni welir unrhyw belydriad gweladwy.
- Ar 1400 °C mae ychydig bach o olau coch yn cael ei allyrru.
- Ar 1800 °C mae llawer mwy o belydriad gweladwy yn cael ei allyrru, yn bennaf ar y pen tonfedd hir (coch) ond gyda rhai tonfeddi byrrach.

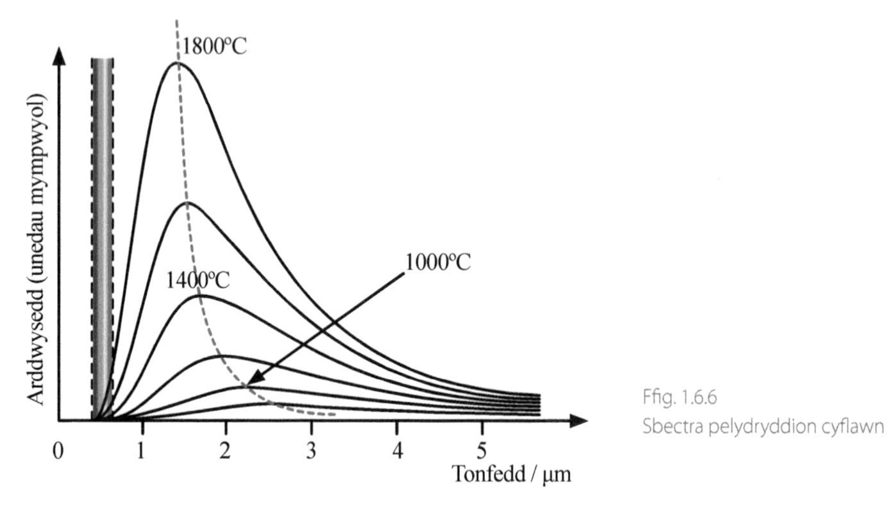

Ffig. 1.6.6 Sbectra pelydryddion cyflawn

Trwy astudio'r sbectra hyn yn y bedwaredd ganrif ar bymtheg, cynhyrchwyd dwy ddeddf empirig, a eglurwyd yn ddamcaniaethol yn ddiweddarach gan y ffisegydd o'r Almaen, Max Planck.

1. **Deddf dadleoliad Wien**: Mae tonfedd frig y pelydriad sy'n cael ei allyrru gan belydrydd cyflawn mewn cyfrannedd gwrthdro â thymheredd absoliwt y corff, h.y. mae $\lambda_{mwyaf} = \frac{W}{T}$, lle T yw'r tymheredd kelvin ac mae W yn gysonyn, sy'n cael ei alw'n gysonyn Wien erbyn hyn, sydd â gwerth o 2.898×10^{-3} m K.
2. **Deddf Stefan–Boltzmann**: Mae cyfanswm pŵer y pelydriad sy'n cael ei allyrru gan belydrydd cyflawn, fesul uned arwynebedd, mewn cyfrannedd union â T^4, h.y. pedwerydd pŵer y tymheredd absoliwt, h.y. mae $P = A\sigma T^4$, lle A yw arwynebedd yr arwyneb ac mae σ yn gysonyn, sy'n cael ei alw'n gysonyn Stefan, sydd â gwerth o 5.67×10^{-8} W m^{-2} K^{-4}.

Enghraifft

Tymheredd sffêr twngsten, diamedr 1.0 cm, yw 3000 K. Tybiwch fod y sffêr yn gweithredu fel pelydrydd cyflawn a chyfrifwch (a) bŵer y pelydriad sy'n cael ei allyrru, a (b) tonfedd y pelydriad sydd â'r arddwysedd mwyaf.

Ateb

(a) $P = A\sigma T^4 = 4\pi \times (0.005 \text{ m})^2 \times (5.67 \times 10^{-8} \text{ W m}^{-2} \text{ K}^{-4}) \times (3000 \text{ K})^4$

$\therefore$ Mae'r pŵer = 1.70 kW

(b) $\lambda_{mwyaf} = \frac{W}{T} = \frac{2.898 \times 10^{-3} \text{ m K}}{3000 \text{ K}} = 0.97\ \mu\text{m}$

Mae'r canlyniadau hyn yn bwysig i seryddwyr oherwydd bod nifer o wrthrychau seryddol yn allyrru pelydriad thermol, sy'n agos iawn i fod yn belydriad cyflawn. Er enghraifft: sêr, gyda thymheredd arwyneb hyd at ddegau o filoedd o kelvin; disgiau croniant o amgylch tyllau du (hyd at 10^6 K); pelydriad cefndir microdonnau cosmig (2.713 K).

1.6.2 Goleuedd, arddwysedd a phellter

(a) Y ddeddf sgwâr gwrthdro

Os edrychwn unwaith eto ar y sêr yng nghytser *y Tarw* yn Ffig. 1.6.1, sylwn fod eu disgleirdeb (a'u lliw) yn amrywio. Ydynt yn wahanol mewn gwirionedd, neu ydynt ar bellterau gwahanol yn unig, gyda'r rhai sy'n ymddangos yn wannach yn bellach i ffwrdd? Mae'r diagram yn Ffig. 1.6.7 yn dangos sut mae'r pelydriad o ffynhonnell fach, er enghraifft seren, yn lledaenu wrth iddo symud allan. Y pellaf i ffwrdd o'r seren, y mwyaf yw'r arwynebedd y mae'n rhaid i'r un faint o belydriad ei gwmpasu, felly lleiaf yw **arddwysedd** y pelydriad.

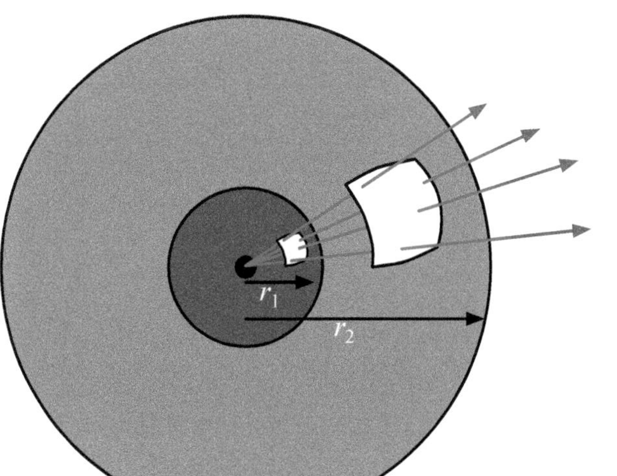

Ffig. 1.6.7 Deddf sgwâr gwrthdro

Gadewch i L gynrychioli goleuedd y seren.

Wrth groesi'r sffêr cyntaf, radiws r_1, mae'r pelydriad hwn wedi'i ledaenu ar draws arwynebedd y sffêr, sydd ag arwynebedd o $4\pi r_1^2$, felly rhoddir **arddwysedd**, I, y pelydriad gan:

$$I = \frac{L}{4\pi r_1^2}.$$

Yn r_2 yr arddwysedd yw

$$I = \frac{L}{4\pi r_2^2}.$$

Felly mae arddwysedd y pelydriad yn lleihau mewn cyfrannedd gwrthdro â sgwâr y pellter: bydd seren sydd 10 × yn bellach i ffwrdd na seren unfath yn ymddangos ddim ond $\frac{1}{100}$ mor ddisglair.

(b) Mesur pellter seren

Ar wahân i'r Haul, mae sêr bellterau anferthol i ffwrdd. Pa mor bell? Ar gyfer pellterau hyd at ~ 1000 blwyddyn golau, gall seryddwyr ddefnyddio'r ffaith bod safle seren agos yn ymddangos fel pe bai'n symud wrth i'r Ddaear symud o gwmpas yn ei orbit. Mae Ffig. 1.6.8 yn dangos hyn – ond mae'n gorliwio braidd!

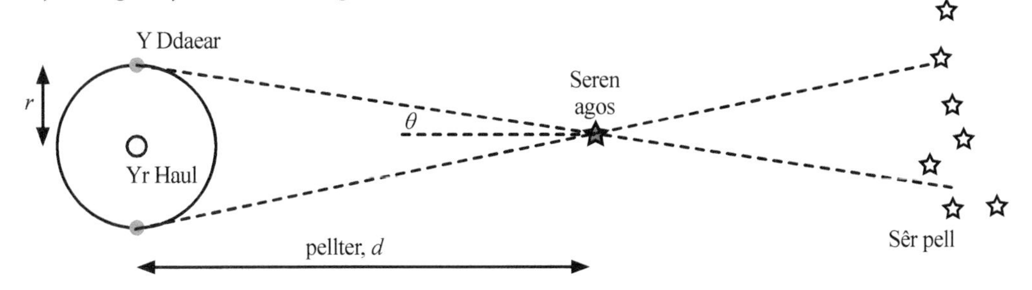

Ffig. 1.6.8

Dros gyfnod o hanner blwyddyn, mae'n ymddangos fel pe bai'r seren agos yn symud, o edrych arni yn erbyn y cefndir o sêr sydd llawer pellach i ffwrdd. Mae hyn oherwydd bod y Ddaear yn symud o gwmpas yn ei orbit. Os ydym yn gwybod radiws yr orbit, r, ac yn gallu mesur yr ongl, θ, yna gallwn gyfrifo'r pellter, d i'r seren.

Termau a diffiniadau

Goleuedd, *L*, seren yw cyfanswm yr egni sy'n cael ei allyrru fesul uned amser. Yr uned yw W.

Termau a diffiniadau

Arddwysedd, *I*, pelydriad yw'r pŵer fesul uned arwynebedd sy'n taro'r arwyneb ar ongl sgwâr i'r pelydriad. Yr uned yw W m^{-2}.

Hunan-brawf 1.6.2

Mae cannwyll yn cynhyrchu golau gyda phŵer o 0.1 W. Beth fydd arddwysedd ei phelydriad ar bellter o: (a) 1 m, (b) 10 m ac (c) 1 km?

Pwynt astudio

Nid yw goleuedd a disgleirdeb seren yr un peth. Gall seren bŵl agos ymddangos yr un mor ddisglair ag un oleuol bell.

Hunan-brawf 1.6.3

Mae sêr A a B yn ymddangos yr un mor ddisglair. Mae seren B ddwywaith mor bell i ffwrdd â seren A. Cymharwch oleuedd y ddwy seren.

Hunan-brawf 1.6.4

Mae'r pellter i seren X wedi'i fesur yn 10 blwyddyn golau [1 flwyddyn golau = 9.5 × 10^{15}m]. Mesurwyd arddwysedd y pelydriad a ddaw oddi arni yn 42.8 nW m^{-2}. Dangoswch fod ei goleuedd tua 5 × 10^{27} W.

GWIRIO'R FATHEMATEG

Gweler y bennod ar fathemateg am onglau mewn radianau ac am y brasamcan onglau bach, $\theta = \tan\theta$

Ffig. 1.6.9 Gaia Asiantaeth Gofod Ewrop

1.6.5 Hunan-brawf

Mae lloeren Gaia yn mesur paralacs serol blynyddol seren yn 2.0×10^{-10} radian. Cyfrifwch bellter y seren (a) mewn m a (b) mewn blynyddoedd golau.

Ymestyn a Herio

Mae seryddwyr yn mesur paralacs serol mewn *arcsecond* (as) a phellterau mewn *parsec* (pc). Ymchwiliwch i'r unedau hyn a'u defnyddio i ateb Hunan-brawf 1.6.5.

1.6.6 Hunan-brawf

Defnyddiwch atebion i rannau (a) a (b) yn yr enghraifft, ynghyd â deddf Stefan–Boltzmann, i amcangyfrif radiws yr Haul.

1.6.7 Hunan-brawf

Diamedr cymedrig ymddangosol yr Haul yn yr awyr yw $0.535°(9.34 \times 10^{-3}$ rad). Dangoswch fod hyn yn gyson â'r ateb i Hunan-brawf 1.6.6.

1.6.8 Hunan-brawf

Tonfedd frig seren X yn Hunan-brawf 1.6.4 yw 788 nm. Amcangyfrifwch dymheredd a radiws y seren.

Trwy ddefnyddio trigonometreg: mae $\tan\theta = \frac{r}{d}$, felly mae $d = \frac{r}{\tan\theta}$. Gan fod θ yn fach iawn (10^{-8} rad yn nodweddiadol) gallwn ddefnyddio'r brasamcan $\tan\theta \approx \theta$ (gyda θ mewn radianau) i gyfrifo'r pellter trwy ddefnyddio $d = \frac{r}{\theta}$, gan ddefnyddio radiws orbitol y Ddaear o 1.50×10^{11} km a θ wedi'i mesur mewn rad.

Trwy ddefnyddio telesgopau ar y ddaear, gall seryddwyr fesur θ i fanwl gywirdeb o tua 10^{-8} radian. Bydd taith Gaia, y telesgop gofod a lansiwyd ym mis Rhagfyr 2013 gan Asiantaeth Gofod Ewrop, yn mesur paralacsau serol mor fach â $\sim 5 \times 10^{-11}$ rad. Bydd hyn yn galluogi'r asiantaeth i fesur pellterau hyd at ddegau o filoedd o flynyddoedd golau.

Er mwyn mesur pellterau mwy, mae seryddwyr yn defnyddio gwrthrychau sydd â disgleirdeb hysbys. Os ydym yn gwybod gwir oleuedd gwrthrych ac yn mesur arddwysedd y pelydriad a dderbyniwyd, gallwn ddefnyddio'r ddeddf sgwâr gwrthdro i gyfrifo ei bellter. Ar gyfer pellterau i alaethau sy'n weddol agos, gall seryddwyr ddefnyddio sêr *newidiol Cepheid*; ar gyfer galaethau pellach maen nhw'n defnyddio *uwchnofâu math 1a*.

1.6.3 Pelydriad cyflawn a sêr

Erbyn hyn rydym mewn sefyllfa i ddehongli'r graff yn Ffig. 1.6.3. Mae'r llinell doredig yn rhoi siâp y sbectrwm ar gyfer pelydrydd cyflawn perffaith sydd â thymheredd o 5800 K. Ar gyfer tonfeddi o 400–1000 nm, h.y. y rhanbarth gweladwy ac isgoch agos, mae siâp cyffredinol y sbectrwm dan sylw yn cyfateb yn weddol agos i'r sbectrwm 5800 K. Mae hyn yn awgrymu bod yr Haul a sêr eraill yn allyrru pelydriad mewn modd sy'n debyg iawn i belydrydd cyflawn, ond nid yn union yr un peth. O'r graff, mae'n ymddangos bod tymheredd effeithiol ffotosffer (haen allanol) yr Haul ychydig yn is na 5800 K. Mae mesuriadau diweddar yn rhoi amcangyfrif ffit orau o 5770 K ar gyfer tymheredd yr Haul. Mae'n amlwg bod mwy i'w ddweud am hyn. Ystyriwn y llinellau Fraunhofer yn Adran 1.6.4.

Mae'r dybiaeth y gallwn drin sêr fel pelydryddion cyflawn yn caniatáu i ni gyfrifo tymheredd a diamedr seren o fesuriadau a wneir o'i sbectrwm, ar yr amod ein bod yn gwybod ei phellter. Gwneir hyn ar gyfer yr Haul yn yr enghraifft.

Enghraifft

Defnyddiwch y sbectrwm yn Ffig. 1.6.3 a'r data canlynol i amcangyfrif (a) tymheredd, (b) pŵer ac (c) diamedr yr Haul:

- Mae **arddwysedd** cymedrig pelydriad yr Haul ar y Ddaear = $1.36\ \text{kW m}^{-2}$.
- Mae radiws cymedrig orbit y Ddaear = 1.50×10^{11} m

Ateb

(a) O Ffig. 1.6.3, mae'r donfedd frig, $\lambda_{\text{mwyaf}} = 500$ nm

$\therefore$ Trwy ddefnyddio deddf Wien, mae'r tymheredd, $T = \frac{W}{\lambda_{\text{mwyaf}}} = \frac{2.898 \times 10^{-3}\ \text{m K}}{500 \times 10^{-9}\ \text{m}} = 5796\ \text{K}$

(b) Ar orbit y Ddaear, mae pelydriad yr Haul wedi ei ledaenu dros arwyneb sffêr, radiws 1.50×10^{11} m. Mae arwynebedd y sffêr = $4\pi r^2$.

$\therefore$ Mae pŵer yr Haul = $1.36 \times 10^3\ \text{W m}^{-2} \times 4\pi \times (1.50 \times 10^{11}\ \text{m})^2 = 3.85 \times 10^{26}$ W

1.6.4 Sbectra llinell: llinellau Fraunhofer

(a) Sbectra allyrru

Mae cemegwyr yn adnabod ïonau trwy ddefnyddio'r prawf fflam. Mae'r fflam yn Ffig. 1.6.10 yn 'goch brics', ac mae hyn yn dangos bod ïonau calsiwm yn bresennol. Yn yr un modd, mae'r rhanbarthau sy'n tywynnu'n binc ym mreichiau troellog galaeth y Trobwll, M51, yn Ffig. 1.6.11, yn dangos cymylau o hydrogen atomig. Mae seryddwyr yn galw'r rhain yn gymylau HI, ac maen nhw'n dangos rhanbarthau lle mae sêr newydd yn ffurfio.

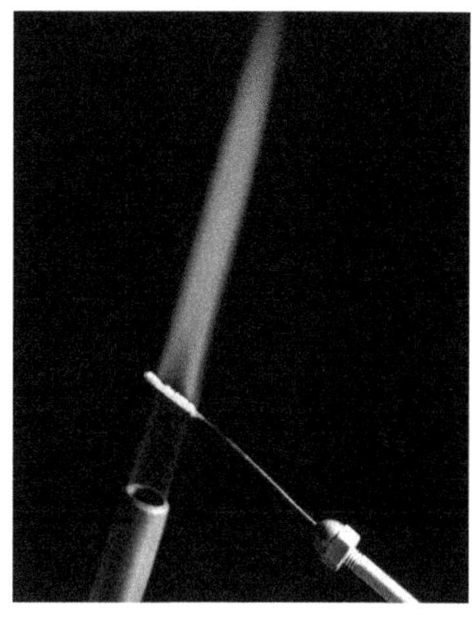

Ffig. 1.6.10 Prawf fflam yn dangos calsiwm, a lliwiau safonol rhai ïonau eraill

Lliw'r fflam	Elfen
Di-liw	Mg, Be
Coch	Li
Rhuddgoch	Sr
Coch brics	Ca
Coch-borffor	Rb
Porffor	K
Melyn	Na
Gwyrdd afal	Ba
Gwyrdd tywyll	Cu
Glas	Cs

Ni allai ffynonellau'r golau fod yn llai tebyg ond, a dweud y gwir, yr un yw'r ffiseg sy'n achosi i'r gronynnau sydd yn y fflam a'r cymylau nwy allyrru golau. Mae ffynhonnell yr egni yn wahanol: mae'r ïonau calsiwm yn y fflam yn deillio eu hegni o wrthdrawiadau â gronynnau eraill yn y fflam; pelydriad uwchfioled o sêr cawr sydd newydd eu ffurfio yng nghanol y cymylau nwy sy'n rhoi egni i'r atomau hydrogen.

Ffig. 1.6.11 M51, Galaeth y Trobwll

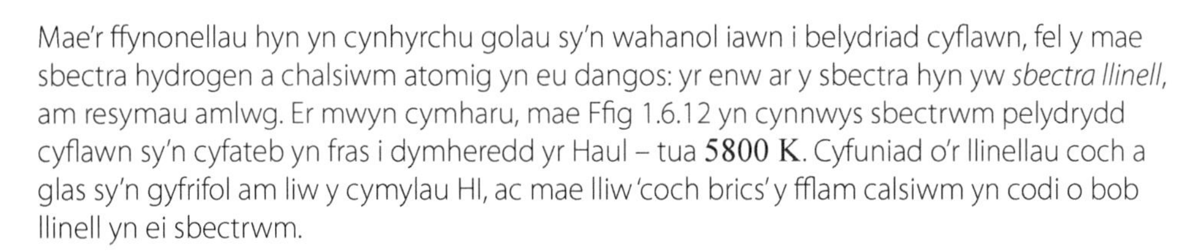

Mae'r ffynonellau hyn yn cynhyrchu golau sy'n wahanol iawn i belydriad cyflawn, fel y mae sbectra hydrogen a chalsiwm atomig yn eu dangos: yr enw ar y sbectra hyn yw *sbectra llinell*, am resymau amlwg. Er mwyn cymharu, mae Ffig 1.6.12 yn cynnwys sbectrwm pelydrydd cyflawn sy'n cyfateb yn fras i dymheredd yr Haul – tua 5800 K. Cyfuniad o'r llinellau coch a glas sy'n gyfrifol am liw y cymylau HI, ac mae lliw 'coch brics' y fflam calsiwm yn codi o bob llinell yn ei sbectrwm.

Bydd y rheswm pam mae nwyon dwysedd isel, p'un ai ydynt mewn fflam Bunsen neu yn y cymylau HI galaethol, yn cynhyrchu tonfeddi arwahanol yn unig yn hytrach na sbectrwm di-dor, yn cael ei archwilio'n fanwl yn Adran 2.7. Yn bwysig iawn i seryddwyr (a chemegwyr) mae elfennau gwahanol yn allyrru cyfuniadau gwahanol o donfeddi, felly mae'n bosibl defnyddio'r llinellau fel ôl bys sbectrol i adnabod y nwyon sy'n bresennol.

Pelydrydd cyflawn

Hydrogen

Calsiwm

Ffig. 1.6.12 Spectra allyrru atomig

(b) Sbectra amsugno

Er mwyn ein cyrraedd ni, mae'n rhaid i belydriad yr Haul deithio trwy nwy gwasgedd isel ei 'atmosffer' – y cromosffer a'r corona. Nid yw'r rhain fel arfer yn weladwy oni bai bod diffyg ar yr Haul (eclips), oherwydd, er eu bod yn allyrru golau, mae ffotosffer yr Haul lawer iawn yn fwy disglair. Tynnwyd y llun yn Ffig. 1.6.14 yn ystod diffyg ar yr Haul yn India yn 1980, a'r llun yn Ffig. 1.6.15 yn Ffrainc yn 1999. Sylwch fod lliw pinc yr *alldafliadau* (*prominences*) yn y cromosffer yn union yr un peth â'r ardaloedd HI yn M51 gan mai'r un broses sy'n gyfrifol amdanynt – nwy hydrogen sy'n tywynnu ydynt.

Yn union fel y mae hydrogen sy'n tywynnu yn allyrru golau ar nifer bach o donfeddi nodweddiadol yn unig, mae'r nwy hefyd yn amsugno golau ar yr un tonfeddi yn unig. Pan fydd pelydriad gweladwy gyda sbectrwm di-dor yn pasio trwy nwy, bydd y nwy yn amsugno dim ond y tonfeddi hyn.

Termau a diffiniadau

Y **sbectrwm amsugno** yw'r enw ar amrywiad arddwysedd pelydriad gyda thonfedd pan fydd defnydd yn ei amsugno.

Ffig. 1.6.14 Corona'r Haul

Ffig. 1.6.15 Cromosffer yr Haul

Mae Ffig. 1.6.13 yn dangos rhan weladwy **sbectrwm amsugno** hydrogen (mae'n allyrru ac yn amsugno yn yr uwchfioled a'r isgoch hefyd). Mae'r diagram hefyd yn dangos y berthynas rhwng y sbectrwm gallwch ei weld a'r cynrychioliad graffigol.

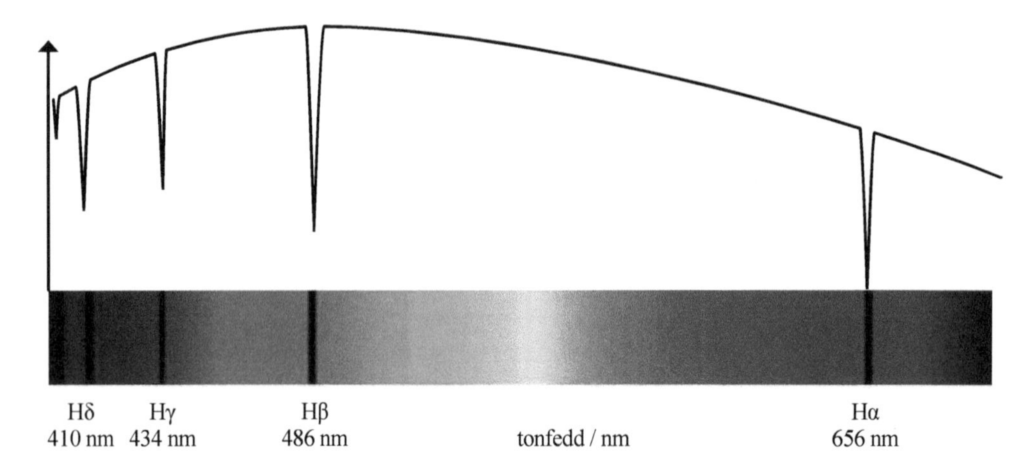

Ffig. 1.6.13 Sbectrwm amsugno hydrogen

Y labeli, Hα - Hδ, yw'r enwau a roddir i'r llinellau amsugno gan seryddwyr. Mae'n amlwg bod y llinellau'n ffurfio'r un patrwm ag a welwn yn y sbectrwm allyrru ar dudalen 75.

Mae sbectrwm yr Haul yn Ffig. 1.6.3 yn dangos nifer anferthol o **linellau Fraunhofer** o ganlyniad i'r nifer mawr o elfennau sy'n bresennol yn atmosffer yr Haul. Mae'r diagram nesaf yn dangos sbectrwm yr Haul wedi'i symleiddio, a'r llinellau Fraunhofer mwyaf amlwg. Mae Hunan-brawf 1.6.8 yn rhoi rhai o'r tonfeddi yn sbectra gwahanol elfennau; gallwn ddefnyddio'r rhain i adnabod elfennau sy'n bresennol yn yr Haul.

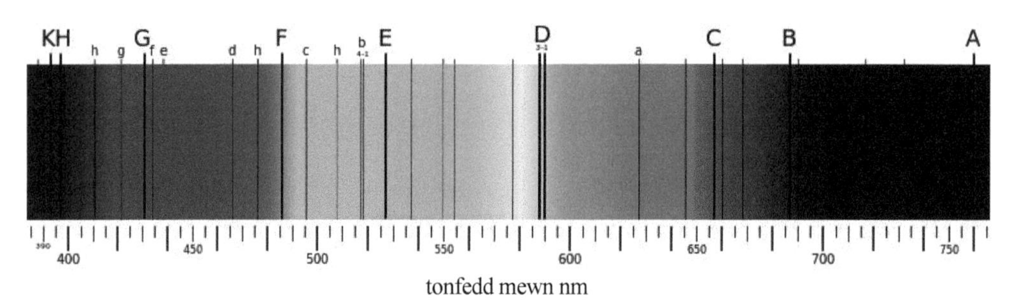

Ffig. 1.6.16 Sbectrwm yr Haul wedi'i symleiddio

1.6.9 Hunan-brawf

Defnyddiwch y tonfeddi sbectra allyrru canlynol (mewn nm) i enwi'r llinellau sydd wedi'u labelu yn Ffig. 1.6.16:

- Hydrogen (Hα) 656, (Hβ) 486
- Ocsigen (O_2) 759, 687
- Sodiwm (NaI) 589, 590
- Haearn (FeI) 440, 441, 452, 489, 492,496, 525, 527
- Calsiwm (CaI) 610, 612
- Calsiwm wedi'i ïoneiddio (CaII) 397, 393
- Bariwm wedi'i ïoneiddio (BaII) 455
- Magnesiwm (MgI) 470, 518, 552

(c) 'Llinellau coll' a thymheredd

Byddwch yn sylwi yn Hunan-brawf 1.6.9 nad yw rhai o'r llinellau sy'n ymddangos yn sbectrwm allyrru elfen (neu ïon) yn ymddangos, yn ôl pob golwg, yn sbectrwm yr Haul, er bod llinellau eraill o'r un elfen yn bresennol. Er enghraifft, mae'r llinell 470 nm ar gyfer magnesiwm atomig ar goll ond mae'n bosibl adnabod y llinell 518 nm. Y rheswm am hyn yw bod rhaid i atom fod yn y cyflwr egni isaf o ddau, gyda'r gwahaniaeth egni rhyngddynt yn hafal i egni'r ffoton, er mwyn iddo amsugno'r ffoton hwnnw. Rydym yn trafod hyn yn fwy manwl yn Adran 2.7. Os yw'r tymheredd yn rhy uchel, nifer bach iawn o atomau fydd yn y cyflwr egni isaf (bydd gwrthdrawiadau grymus yn eu rhoi mewn cyflwr mwy cynhyrfol), felly ni fyddant ar gael i amsugno'r ffoton. Os yw'r tymheredd yn rhy isel, mae'n bosibl y bydd hyd yn oed y cyflwr egni is yn rhy uchel i feddu ar boblogaeth o bwys.

Mae arsylwi ar ba linellau sy'n bresennol, a nodi eu hamlygrwydd, yn rhoi gwybodaeth i seryddwyr am dymheredd y nwy sy'n gyfrifol am y sbectrwm amsugno.

Ymestyn a Herio

Deilliodd Planck y fformiwla $\sigma = \frac{2\pi^5 k^4}{15c^2 h^3}$ ar gyfer cysonyn Stefan, lle mae egni, E_f, ffoton yn $E_f = hf$, a lle rhoddir EC, E_k, moleciwl gan $E_k = \frac{3}{2}kT$.

Archwiliwch hyn yn ddimensiynol ac yn rhifiadol.

1.6.5 Radioseryddiaeth

Mae'r testun hwn yn llawer rhy fawr i wneud cyfiawnder ag ef yma. Mae Ffig. 1.6.17 yn dangos telesgop enwog Jodrell Bank, a chwaraeodd ran fawr wrth sefydlu radioseryddiaeth yn faes academaidd. Mae'r rhan fwyaf o arsylwadau yn digwydd yn y rhanbarth microdon – mae'r atmosffer yn dryloyw i donnau radio tonfedd fer a microdonnau.

Ffig. 1.6.17 Telesgop radio Jodrell Bank

(a) Pelydriad cefndir microdonnau cosmig

Er bod rhywrai eisoes wedi rhagfynegi ei fodolaeth, dau seryddwr radio o UDA, Penzias a Wilson, a wnaeth ddarganfod pelydriad cefndir microdonnau cosmig (*CMBR: cosmic microwave background radiation*) ar ddamwain yn 1964. Mae'n cynrychioli'r pelydriad â rhuddiad anferth o'r Glec Fawr sy'n teithio trwy'r gofod. Pan oedd y bydysawd yn iau na 380 000 o flynyddoedd, roedd ei atomau i gyd wedi'u hïoneiddio oherwydd bod y tymheredd mor uchel. Ar yr adeg hon, oerodd y bydysawd ddigon (~3000 K) i ffurfio atomau hydrogen, a daeth y gofod yn dryloyw i belydriad. Y pelydriad hwn yw'r CMBR, ac mae Ffig. 1.6.18 yn dangos ei sbectrwm.

Mae'r graff yn cyfateb yn agos iawn i graff ar gyfer pelydrydd cyflawn ar dymheredd o 2.73 K. Mae'r barrau cyfeiliornad ar gyfer yr arsylwadau yn Ffig. 1.6.18 yn 400× yr hyd arferol – fel arall ni fyddent yn weladwy. Mae tymheredd effeithiol y *CMBR* yr un peth o fewn 1 rhan mewn 10^5 i bob cyfeiriad, a dangosir hyn yn Ffig. 1.6.19: yr amrywiaethau bach yw'r hadau y mae'r adeileddau rydym yn eu gweld yn y bydysawd (galaethau, clystyrau o alaethau) wedi tyfu ohonynt.

Hunan-brawf

Defnyddiwch Ffig. 1.6.18 i ddangos bod tymheredd pelydrydd cyflawn y *CMBR* ~2.7 K.

Ymestyn a Herio

Yn ôl pa ffactor y mae'r bydysawd wedi tyfu ers pan oedd yn 380 000 blwydd oed?

[Awgrym: wrth i'r bydysawd dyfu, mae tonfedd unrhyw olau sy'n pasio trwyddo yn ymestyn mewn cyfrannedd. Defnyddiwch dymheredd dadgyplu mater a phelydriad.]

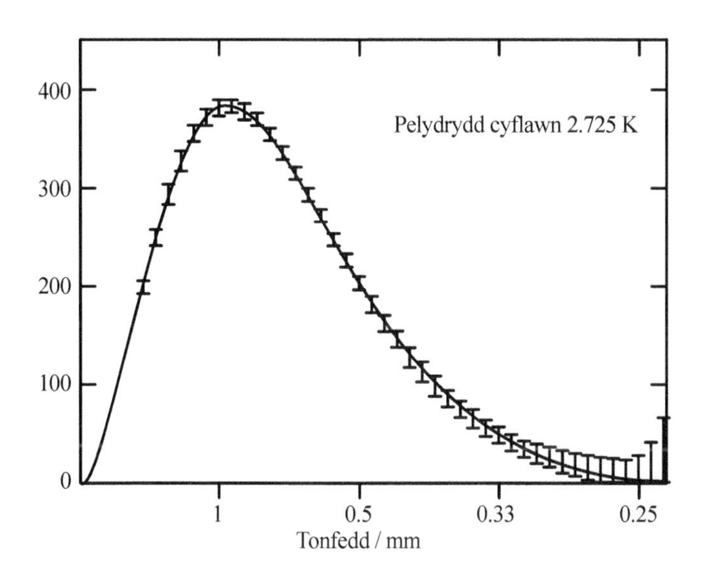

Ffig. 1.6.18 Sbectrwm *CMBR*

Ffig. 1.6.19 Amrywiaethau tymheredd 10^{-5} K.

(b) Y llinell hydrogen 21 cm

Yn ei gyflwr isaf, gall sbin yr electron sydd mewn hydrogen atomig fod yn baralel neu'n wrthbaralel (h.y. yn y cyfeiriad dirgroes) i sbin y niwclews. Wrth i'r atom newid rhwng y cyflyrau hyn, bydd naill ai'n amsugno neu'n allyrru pelydriad â'r donfedd benodol o 21.1 cm (3 ff.y.). Mae pelydriad ar y donfedd hon yn arwydd o bresenoldeb hydrogen atomig (HI), ac mae sensitifedd telesgopau radio yn caniatáu i seryddwyr ganfod cymylau hydrogen tenau iawn ar ymylon galaethau. Mae'n bosibl mesur eu cyflymder orbitol trwy ddefnyddio **symudiad Doppler**, ac mae hyn yn darparu tystiolaeth dros fodolaeth **mater tywyll**.

Termau a diffiniadau

Symudiad Doppler yw'r newid yn nhonfedd (neu amledd) pelydriad o ganlyniad i fudiant y ffynhonnell.

Termau a diffiniadau

Mae **mater tywyll** yn ddefnydd rhagdybiaethol sy'n angenrheidiol i allu egluro cyfradd cylchdroi galaethau. Dim ond trwy ei effeithiau disgyrchol y mae'n bosibl ei ganfod.

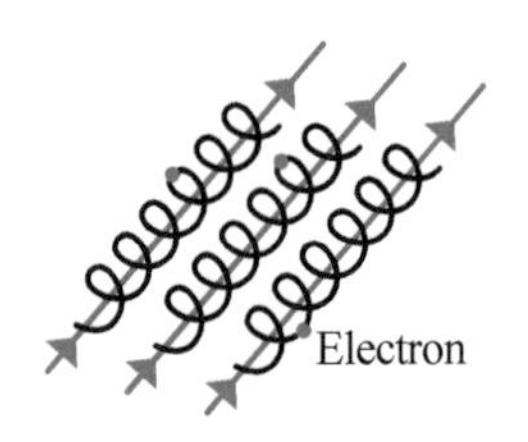

Ffig. 1.6.20 Mae electronau sy'n troelli mewn sbiral yn allyrru pelydriad

(c) Pelydriad syncrotron

Fel yn achos pelydriad HI 21 cm, nid pelydriad thermol yw hwn felly nid oes ganddo'r sbectrwm Planck. Caiff ei achosi gan electronau yn cylchdroi mewn sbiral o amgylch llinellau maes magnetig, fel sydd i'w weld yn Ffig. 1.6.20. Mae amrywiaeth eang o wrthrychau seryddol yn cynhyrchu meysydd magnetig dwys ac yn allyrru pelydriad syncrotron. Mae planedau'n cynhyrchu pelydriad syncrotron ar donfeddi radio. Mae gan sêr niwtron feysydd magnetig cryf ac maen nhw'n allyrru pelydriad syncrotron ar ffurf 'paladrau chwiloleuadau': os yw'r paladrau hyn yn fflachio dros y Ddaear, rydym yn gweld y gwrthrychau hyn ar ffurf pylsar. Yn y meysydd magnetig dwys a gynhyrchir gan uwchnofâu, gall y pelydriad syncrotron fod yn rhan weledol a hyd yn oed yn rhan uwchfioled y sbectrwm.

1.6.6 Seryddiaeth amldonfedd

Pwynt astudio

Mae cymylau llwch rhyngserol yn gwasgaru pelydriad gryfaf os oes gan y pelydriad donfedd sy'n debyg i faint y gronynnau llwch neu'n llai na nhw.

Pwynt astudio

Mae Arsyllfa Dynameg yr Haul yn cadw golwg parhaus ar yr Haul o'r gofod, o'r gweladwy (450 nm) i'r uwchfioled eithaf (17.1 nm) a phelydrau X meddal (9.4 nm), er mwyn monitro'r gwahanol brosesau yn yr Haul.

Mae gwahanol ranbarthau'r sbectrwm electromagnetig yn darparu gwybodaeth am brosesau gwahanol yn y bydysawd. Rydym wedi gweld bod rhan helaeth o bŵer yr Haul yn cael ei allyrru ar ffurf pelydriad isgoch agos, pelydriad gweledol a phelydriad uwchfioled agos. Mae hyn oherwydd bod tymheredd y ffotosffer tua 5800 K. Yr uchaf yw tymheredd gwrthrych, y byrraf fydd tonfeddi'r sbectrwm di-dor y mae'r gwrthrych yn ei allyrru.

Mae tymereddau lefelau is cromosffer yr Haul yn debyg i dymheredd y ffotosffer, ond mae'r tymheredd yn codi wrth bellhau oddi wrth arwyneb yr Haul, ac mae tymheredd corona'r Haul yn cyrraedd dros 10^6 K. Gall y tymheredd gyrraedd degau o filiynau o K yn ystod ffagliad yr Haul.

Gwelsom yn Adran 1.6.5 fod rhai prosesau anthermol yn arwain at allyrru pelydriad: pelydriad HI 21 cm a phelydriad syncrotron. Gall y rhain roi mwy o wybodaeth i ni am gymylau hydrogen ac am feysydd magnetig. Felly mae astudio pelydriad ar draws y sbectrwm e-m yn rhoi llawer mwy o wybodaeth nag arsylwadau mewn un rhanbarth sbectrol yn unig.

Ystyriwch y delweddau yn Ffig. 1.6.21, sy'n dangos galaeth droellog M81. Mae rhanbarthau gwahanol y sbectrwm electromagnetig yn datgelu prosesau gwahanol.

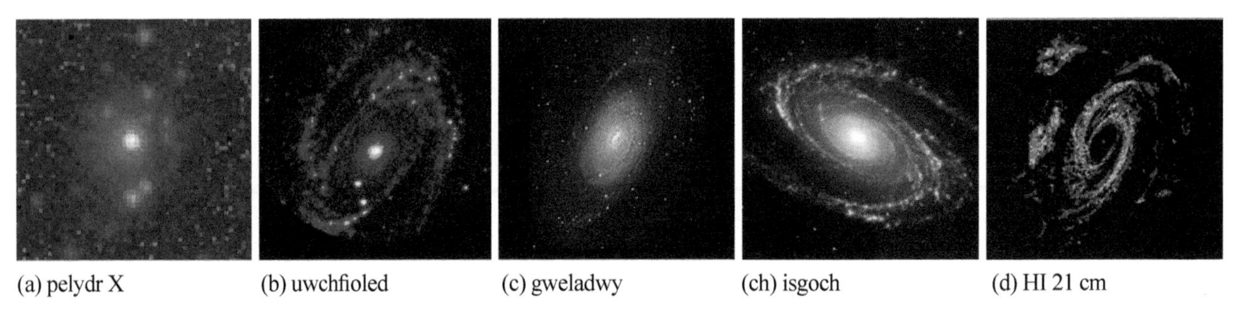

Ffig. 1.6.21 Delweddau o M81 mewn gwahanol fandiau tonfedd

Delwedd (c) mewn golau gweladwy yw'r ddelwedd gyfarwydd o alaeth droellog. Mae'r ddelwedd hefyd ar ddiffiniad uchel. Mae breichiau'r sbiral i'w gweld yn glir, yn ogystal â'r ymchwydd yn y canol. Hen sêr gyda màs isel yw'r sêr yn y canol yn bennaf, ac mae'r rhain yn ymddangos yn felynaidd. Mae'n bosibl gweld llwybrau o lwch hefyd. Ar y llaw arall, mae'r ddelwedd uwchfioled yn amlygu rhanbarthau poethach, ac yn dangos grwpiau o sêr cawr ifanc yn ffurfio ymhell o'r canol. Mae'r ddelwedd isgoch yn dangos rhanbarthau lle mae'r sêr yn gwresogi llwch, yn enwedig yn y breichiau troellog.

Dim ond y rhanbarthau sydd ar dymheredd uchel iawn sy'n ymddangos ar y ddelwedd pelydr X. Mae'r grŵp disglair yn y canol yn cael ei wresogi gan fater sy'n troelli i mewn i'r twll du enfawr yng nghalon yr alaeth. Nid yw'r ddau smotyn disglair arall oddi tano yn rhan o'r alaeth o gwbl. Cwasarau sydd llawer pellach i ffwrdd ac sy'n digwydd bod y tu ôl i M81 yw'r rhain. Ni allwn eu gweld yn yr un o'r delweddau eraill. Mae delwedd (d) yn dangos yr allyriad 21 cm sy'n nodweddiadol o hydrogen niwtral. Mae'n amlwg ar goll o ganol yr alaeth.

Mae Ffig. 1.6.22 yn rhoi syniad o allu radioseryddiaeth 21 cm i ddatgelu prosesau nad yw'n bosibl eu canfod ar donfeddi eraill. Mae'n dangos M81 unwaith eto, ond y tro hwn dangosir galaethau cyfagos llai hefyd. Wrth i'r galaethau gyfarfod, mae ffilamentau hir o hydrogen wedi'u tynnu allan i'r gofod sydd rhwng y galaethau. Dim ond sensitifedd telesgopau radio 21 cm sy'n ei gwneud hi'n bosibl creu'r delweddau hyn ac astudio dynameg rhyngweithiadau llanw galaethog.

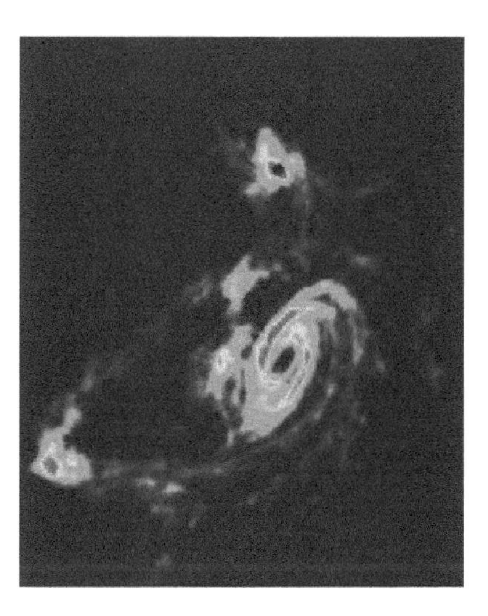

Ffig. 1.6.22 Effeithiau llanw yn y grŵp M81

Ymarfer 1.6

1. Mae gan seren corrach gwyn dymheredd o 24 000 K a diamedr o 14 000 km. Cyfrifwch:

   (a) ei goleuedd a
   (b) tonfedd frig ei sbectrwm.

2. Heb ddefnyddio cyfrifiannell, cymharwch oleuedd a thonfedd frig y seren corrach gwyn yn C1 â'r gwerthoedd cyfatebol ar gyfer yr Haul. Cymerwch fod tymheredd a diamedr yr Haul yn 6 000 K ac 1.4 miliwn km yn ôl eu trefn.

3. Trwy gyfrifo, awgrymwch pa ranbarthau o'r sbectrwm e-m sy'n briodol ar gyfer astudio prosesau sy'n digwydd ar:

   (a) 10 K, (b) 10^3 K, (c) 10^5 K (ch) 10^7 K.

4. Ym mha ffordd y byddai angen newid graddfeydd Ffig. 1.6.6 er mwyn cynnwys sbectrwm pelydrydd cyflawn ar 6 000 K (tymheredd bras yr Haul).

5. Mae gan seren cawr coch ddiamedr 1000 gwaith yn fwy na seren gorrach coch y mae tymheredd ei harwyneb yr un peth. Cymharwch eu pellterau o'r Ddaear o wybod bod y cawr coch yn ymddangos 100 gwaith yn fwy disglair. Dangoswch eich gwaith.

6. Mae'r ymchwydd yng nghanol galaeth droellog yn cynnwys hen sêr yn bennaf. Ychydig iawn o sêr newydd sy'n ffurfio. Beth yw'r cysylltiad rhwng hyn a diffyg allyriad 21 cm o ganol M81?

7. Maint nodweddiadol gronynnau llwch rhyngserol yw 0.1–1 μm. Mae sêr yn ffurfio o gymylau moleciwlaidd oer sy'n cynnwys gronynnau llwch. Eglurwch pam mae'n haws gwylio ffurfiant sêr trwy ddefnyddio pelydriad isgoch.

8. Mae'r disgiau o lwch a nwy sydd o gwmpas sêr ifanc, yr ydym yn credu y mae systemau planedol yn datblygu ohonynt, yn cael eu gwresogi (i sawl 100 K) gan y seren wreiddiol. Awgrymwch sut rydym yn canfod hyn yn sbectrwm y seren.

9. Mae'r pelydriad a ddaw o sêr ifanc poeth yn gwresogi cymylau cyfagos o hydrogen atomig (HI). Eglurwch ymddangosiad y rhanbarthau HI yn M51 (Ffig. 1.6.11) yn nhermau sbectrwm allyrru hydrogen (Ffig. 1.6.12).

10. Mae pylsar pelydr X yn seren niwtron (gweddillion uwchnofa) sy'n tynnu nwy o arwyneb ei seren gymar, sy'n gawr coch. Mae'r nwy hwn yn troelli i mewn i'r seren niwtron mewn *disg croniant*, sydd ym mhlân cyhydedd y seren. Mae'r pwynt lle mae'r gwrthdrawiad ag arwyneb y seren niwtron yn digwydd yn cael ei wresogi i ~10^7 K, ac mae'r safle hwn yn cylchdroi gyda'r seren. Mae cyfnod cylchdroi'r seren yn llai nag 1 eiliad. Disgrifiwch sut byddai hyn yn ymddangos i seryddwr pell sy'n gwylio ar ongl ymhell i ffwrdd o'r echelin cylchdro.

1.7 Gronynnau ac adeiledd niwclear

Termau a diffiniadau

Daw'r gair **atom** o'r gair Groeg atomos sy'n golygu nad yw'n bosibl ei wahanu.

Termau a diffiniadau

Mae gronyn yn **elfennol** os nad yw'n gyfuniad o ronynnau eraill.

Tan ddiwedd y bedwaredd ganrif ar bymtheg, ystyriwyd bod yr atom yn ronyn elfennol. Roedd tabl cyfnodol yr elfennau, a gyhoeddwyd am y tro cyntaf gan y cemegydd o Rwsia, Dmitri Ivanovich Mendeleev yn yr 1860au, yn awgrymu'n gryf bod gan atomau adeiledd sylfaenol. Erbyn diwedd y ganrif, roedd yr electron, sydd wedi'i wefru'n negatif, wedi ei adnabod fel cydran gyffredinol pob atom. Darganfyddwyd y niwclews atomig, sydd wedi'i wefru'n bositif, ac sy'n cynnwys màs yr atom bron i gyd, o ganlyniad i waith gan Rutherford, Geiger a Marsden rhwng 1908 ac 1913. Erbyn dechrau'r 1930au, roedd dau brif gyfansoddyn y niwclews – y proton a'r niwtron – wedi'u darganfod, a'r gred yn wreiddiol oedd eu bod yn ronynnau elfennol.

Mae datblygiad dealltwriaeth o adeiledd yr atom ers y cyfnod hwnnw yn cael ei ddangos yn sgematig ar gyfer atom dewteriwm (hydrogen trwm) yn Ffig. 1.7.1. Wrth i ddamcaniaeth cwantwm ddatblygu yn ystod yr 1920au, sylweddolwyd bod electronau'n bodoli mewn rhanbarth sydd y mymryn lleiaf o nanometr ar ei draws, sef, yn nodweddiadol, 100 000 × diamedr y niwclews. Yn yr 1930au darganfyddwyd bod y niwclews yn cynnwys protonau (p) a niwtronau (n); yr enw ar y rhain gyda'i gilydd yw niwcleonau. Yn yr 1960au a'r 1970au, dangosodd canlyniadau arbrofion gwrthdrawiad, o'r enw *gwasgariad anelastig dwfn*, fod niwcleonau'n cynnwys 3 gronyn o'r enw cwarciau, sydd wedi'u clymu at ei gilydd gan y *rhyngweithiad cryf*. Y gred yw bod y cwarciau hyn yn ronynnau elfennol.

Ffig 1.7.1 Adeiledd atom dewteriwm

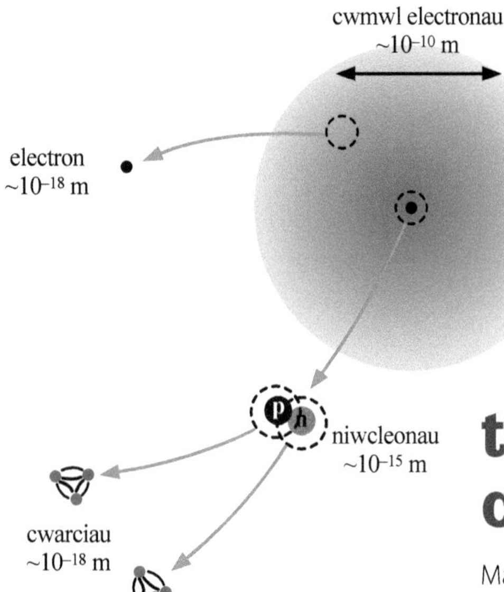

Darganfyddwyd toreth o ronynnau yn ystod degawdau canol yr ugeinfed ganrif, gan gynnwys hadronau, ffermionau, bosonau, mesonau, niwcleonau, baryonau, niwtrinoeon ... Mae model safonol ffiseg ronynnol yn helpu i symleiddio'r darlun hwn: caiff ei ddisgrifio'n gryno yma.

1.7.1 Y model safonol – tair cenhedlaeth o leptonau a chwarciau

Mae'r mater arferol sydd yn y bydysawd (gan anwybyddu'r *mater tywyll* dirgel y byddwn yn ymdrin ag ef yn ddiweddarach) bron i gyd yn cynnwys protonau a niwtronau trwm, ac electronau, sydd yn llawer ysgafnach. Rydym yn casglu bod gronynnau eraill o'r enw niwtrinoeon, sydd bron yn ddi-fàs, yn bodoli (gweler Adran 1.7.4), ac yn sylwi, wrth daro protonau a niwtronau yn erbyn ei gilydd, ein bod yn cynhyrchu cawod o ronynnau eraill, canolig eu màs. Yr enw ar y rhain yw **mesonau**.

Wrth i ronynnau pelydrau cosmig wrthdaro ag atomau yn yr uwchatmosffer, maen nhw'n cynhyrchu cawod o ronynnau o'r enw miwonau, sy'n ffurfio rhan o'r pelydriad cefndir y gallwn ei ganfod trwy ddefnyddio tiwb Geiger–Müller. Rydym yn gwybod erbyn hyn bod yr electronau, y miwonau a'r niwtrinoeon (a rhai gronynnau eraill) yn ronynnau elfennol, ac rydym yn eu galw'n **leptonau**. Yr enw ar y gronynnau eraill, y rhai trymion, yw **hadronau**, ac nid yw'r rhain yn elfennol – maen nhw'n gyfuniadau o gwarciau.

Mae Tabl 1.7.1 yn dangos y gronynnau elfennol sydd yn y **model safonol**.

Termau a diffiniadau

Lepton – gronyn elfennol gyda màs isel, e.e. electron, niwtrino.

Cwarc – gronyn elfennol, nad yw'n bodoli ar ei ben ei hun, sy'n cyfuno i ffurfio hadronau a baryonau, e.e. i fyny, i lawr.

Hadron – gronyn gyda màs uchel sy'n cynnwys cwarciau a/neu wrthgwarciau.

Baryon – hadron sy'n cynnwys 3 chwarc, e.e. proton, niwtron.

Gwrthfaryon – hadron sy'n cynnwys 3 gwrthgwarc, e.e. gwrthbroton.

Meson – hadron sy'n cynnwys cwarc a gwrthgwarc, e.e. pïon.

1.7.2 Unedau màs ac egni

Mae ffisegwyr gronynnol fel arfer yn mynegi egni mewn **electron foltiau** (eV) neu luosyddion ohono, er enghraifft, keV, MeV, GeV a TeV. Mae hyn yn gwneud cyfrif cynnydd mewn egni cinetig yn hawdd. Er enghraifft, mae electron sy'n cael ei gyflymu trwy gp 100 V yn ennill 100 eV o egni cinetig; byddai gronyn â gwefr $2e$ (e.e. gronyn alffa) yn ennill $2 \times 100 = 200$ eV o egni cinetig.

Tabl 1.7.1 Gronynnau model safonol

Cenhedlaeth	Leptonau		Cwarciau	
1af	**electron** Symbol: e^- gwefr: $-e$	**niwtrino electron** Symbol: ν_e gwefr: 0	**i fyny** Symbol: u gwefr: $\frac{2}{3}e$	**i lawr** Symbol: d gwefr: $-\frac{1}{3}e$
2il	**miwon** Symbol: μ^- gwefr: $-e$	**niwtrino miwon** Symbol: ν_μ gwefr: 0	**swyn** Symbol: c gwefr: $\frac{2}{3}e$	**rhyfedd** Symbol: s gwefr: $-\frac{1}{3}e$
3ydd	**tawon** Symbol: τ^- gwefr: $-e$	**niwtrino tawon** Symbol: ν_τ gwefr: 0	**top** Symbol: t gwefr: $\frac{2}{3}e$	**gwaelod** Symbol: b gwefr: $-\frac{1}{3}e$

Mae masau gronynnau hefyd yn cael eu mynegi fel cyfuniad o unedau egni a buanedd golau, c, gan ddefnyddio perthynas Einstein, $E = mc^2$.

Trwy ad-drefnu hwn cawn fod $m = \frac{E}{c^2}$, sy'n caniatáu i ni ysgrifennu màs gronyn yn yr uned eV/c^2. Yn yr unedau hyn, mae'r màs electronig, m_e yn 0.511 $\frac{\text{MeV}}{c^2}$. Rydym yn trawsnewid i unedau SI fel a ganlyn:

$$m_e = 0.511\ \frac{\text{MeV}}{c^2} = \frac{0.511 \times 1.602 \times 10^{-13}\ \text{J}}{(2.998 \times 10^8\ \text{m s}^{-1})^2} = 9.11 \times 10^{-31}\ \text{kg}.$$

1.7.3 Gwrthronynnau

Nid mewn ffuglen wyddonol yn unig y mae gwrthfater yn bodoli. Ar gyfer pob un o'r gronynnau yn Nhabl 1.7.1, mae yna wrthronyn gyda'r un màs yn union; os oes gan y gronyn wefr, mae gan y gwrthronyn wefr hafal a dirgroes. Rydym yn ffurfio'r symbol ar gyfer y rhan fwyaf o'r gwrthronynnau y byddwch yn dod ar eu traws trwy roi bar dros y symbol am y gronyn, e.e. $\bar{u}$, $\bar{\nu}_e$, $\bar{p}$ ar gyfer y gwrthgwarc i fyny, y gwrthniwtrino electron [neu 'niwtrino gwrthelectron'] a'r gwrthbroton yn ôl eu trefn. Yr eithriadau yw gwrthronynnau'r electron, y miwon a'r tawon; rydym yn ysgrifennu'r rhain fel e^+, μ^+ a τ^+ yn ôl eu trefn. Mae gan y gwrthelectron ei enw ei hun: y *positron*.

Wrth i ronyn a'i wrthronyn ryngweithio maen nhw'n difodi ei gilydd; hynny yw, maen nhw'n diflannu ac mae eu hegni-màs yn ei amlygu ei hun fel dau ffoton o belydriad electromagnetig. Rhoddir y symbol γ i'r ffotonau hyn gan eu bod ar y pen egni uchel iawn yn y sbectrwm e-m. Mae cyfanswm egni'r ffotonau yn hafal i swm egni-màs ac egni cinetig y gronynnau a ddifodwyd.

Enghraifft

Mae electron a phositron yn gwrthdaro'n benben â'i gilydd ac yn difodi ei gilydd. Mae gan y ddau ronyn egni cinetig o 100 keV. Cyfrifwch egni pob un o'r ffotonau a gynhyrchir.

Ateb

Mae màs electron = 511 keV / c^2, felly mae'r egni-màs yn 511 keV.

∴ Mae cyfanswm yr egni = cyfanswm yr egni-màs + cyfanswm yr egni cinetig

= 2×511 keV + 2×100 keV

= 1222 keV

∴ Mae gan bob ffoton egni o ½ × 1222 keV = 611 keV

Sylwch

Ar gyfer manyleb CBAC, mae'n ofynnol i chi fod yn ymwybodol o fodolaeth tair cenhedlaeth o ronynnau. Fodd bynnag, bydd cwestiynau am ryngweithiadau yn cynnwys y genhedlaeth gyntaf yn unig.

Termau a diffiniadau

Y **wefr elfennol**, e, yw'r wefr ar y proton, ac mae ganddi werth o 1.602×10^{-19} C (4 ff.y.). Mae'r wefr ar yr electron yn $-e$.

Termau a diffiniadau

Yr **electron folt** yw'r egni sy'n cael ei drosglwyddo pan fydd electron yn symud trwy wahaniaeth potensial o un folt. Trwy ddefnyddio'r diffiniad o folt, mae $W = QV$,

∴ mae 1 eV = 1.602×10^{-19} J

Hefyd, mae 1 keV = 1.602×10^{-16} J

ac mae 1 MeV = 1.602×10^{-13} J

Hunan-brawf 1.7.1

Er mwyn trawsnewid o MeV/c^2 i kg, rydym yn lluosi â $10^6 e$ ac yn rhannu ag c^2. Gwrthdrowch y dull hwn er mwyn mynegi màs proton, 1.672×10^{-27} kg, mewn GeV/c^2.

Pwynt astudio

Wrth i electron a phositron ddifodi ei gilydd, maen nhw'n cynhyrchu dau ffoton γ. Caiff y rhain eu hallyrru i gyfeiriadau dirgroes – fel arall ni fyddai momentwm yn cael ei gadw.

Hunan-brawf 1.7.2

Cyfrifwch donfedd, amledd a momentwm y ffotonau yn yr enghraifft. [Gweler Adran 2.7 ar gyfer momentwm ffoton.]

Gall y broses ddirgroes ddigwydd hefyd: os oes ganddo ddigon o egni, gall ffoton egni uchel greu pâr electron-positron. Mae angen iddo hefyd ryngweithio â gronyn arall (niwclews atomig fel arfer) er mwyn sicrhau bod egni a momentwm yn cael eu cadw ar yr un pryd. Yn Ffig. 1.7.2 mae ffoton egni uchel yn mynd i mewn o'r pen uchaf ac yn rhyngweithio ag atom hydrogen yn A (mae hyn yn digwydd mewn siambr swigod, sef tanc llawn o hydrogen hylifol). Mae'r ffoton hefyd yn bwrw allan electron egni uchel ac yn creu pâr electron-positron egni isel. Mae ail ffoton sy'n parhau at B, lle mae'n creu ail bâr e^-e^+ (egni uwch). Mae maes magnetig ar ongl sgwâr i'r dudalen yn achosi i'r gronynnau sydd wedi'u gwefru deithio mewn llinellau crwm: mae gwefrau dirgroes electronau a phositronau yn arwain at yr effaith 'cyrn hwrdd' nodweddiadol yn A.

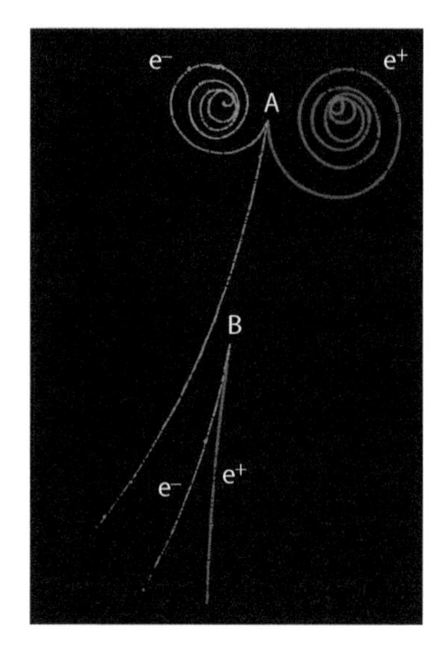

Ffig. 1.7.2 Cynhyrchu pâr e^-e^+

1.7.4 Y dystiolaeth dros niwtrinoeon

Mae niwtrinoeon yn ronynnau niwtral, màs isel iawn, sy'n rhyngweithio trwy'r grym gwan yn unig. Mae hyn yn golygu bod angen iddynt fod o fewn $\sim 10^{-18}$ m i ryngweithio, felly prin iawn yw'r rhyngweithiadau rhyngddynt: er enghraifft, gallai niwtrino nodweddiadol o'r Haul ddisgwyl treiddio i blwm o drwch 1–2 flwyddyn golau!

Cafwyd y dystiolaeth gyntaf dros fodolaeth niwtrinoeon o astudiaethau yn yr 1930au o sbectrwm egni gronynnau beta. Mae ffosfforws–32, ${}^{32}_{15}\text{P}$, yn dadfeilio trwy allyriad β^-. Cyn darganfod niwtrinoeon, disgwyliwyd i'r adwaith cyflawn fod fel a ganlyn:

$$ {}^{32}_{15}\text{P} \rightarrow {}^{32}_{16}\text{S} + {}^{0}_{-1}\text{e} $$

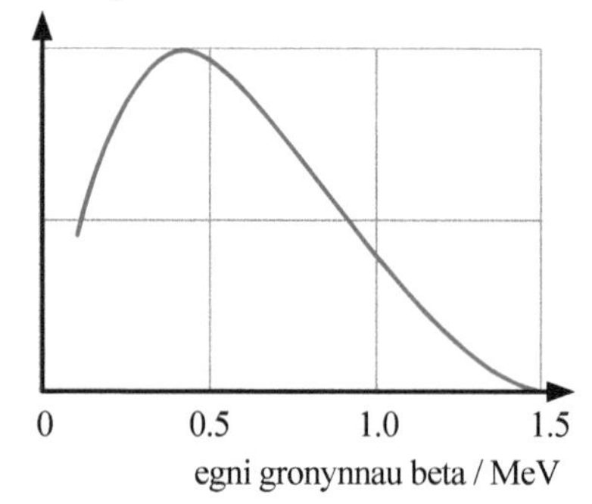

Ffig 1.7.3 Sbectrwm β ar gyfer P-32

Caiff 1.5 MeV o egni ei ryddhau yn y dadfeiliad. Trwy gymhwyso egwyddor cadwraeth momentwm, gallwn gyfrifo y dylai'r gronynnau beta gymryd yr egni bron i gyd (>99.9%), gyda'r niwclews sylffwr trymach yn cymryd y mymryn lleiaf. Cymharwch hyn â'r sbectrwm egni gwirioneddol yn Ffig. 1.7.3: 1.5 MeV yn wir yw uchafswm egni'r gronyn beta, ond mae yna sbectrwm di-dor o egnïon, gyda'r brig yn llai na 0.5 MeV. Nid yw'r sbectrwm egni hwn yn bosibl oni bai bod trydydd gronyn hefyd yn ffurfio, a all rannu'r egni gyda'r gronyn beta. Yr enw ar y gronyn hwn yw'r niwtrino (a bod yn fanwl gywir, y gwrthniwtrino electron), ac mae'r adwaith cyflawn fel a ganlyn:

$$ {}^{32}_{15}\text{P} \rightarrow {}^{32}_{16}\text{S} + {}^{0}_{-1}\text{e} + \overline{\nu}_e $$

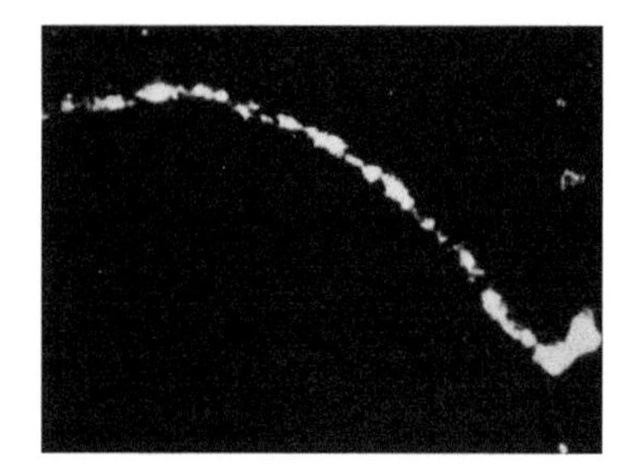
Ffig. 1.7.4 Dadfeiliad He-6 mewn siambr swigod

Mae'r llun yn Ffig. 1.7.4 yn dangos dadfeiliad β niwclews He-6. Fel yn Ffig. 1.7.2, mae hyn yn digwydd mewn siambr swigod. Y llwybr crwm yw'r gronyn β; y llwybr byr, tew yw adlam y niwclews Li-7 sy'n ffurfio. Er mwyn cadwraeth momentwm, rhaid i ronyn (niwtrino) gael ei allyrru tuag i lawr yn y llun. Nid yw'r niwtrino yn rhyngweithio ac felly nid yw'n gadael ôl.

1.7.5 Adeiladu gronynnau trwm

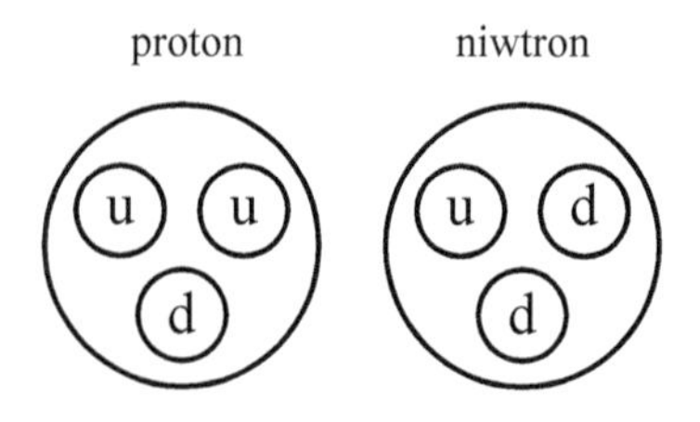

Ffig. 1.7.5 Cyfansoddiad cwarc niwcleonau

Mae electronau, gan eu bod yn leptonau, yn ronynnau elfennol; hynny yw, nid ydynt yn cynnwys gronynnau eraill. Ar y llaw arall, mae **hadronau**, e.e. protonau a niwtronau (sydd hefyd, gyda'i gilydd, yn cael eu galw'n niwcleonau), wedi'u gwneud o gwarciau sydd wedi'u clymu wrth ei gilydd gan y **grym cryf** (gweler Adran 1.7.6). Nid oes tystiolaeth uniongyrchol dros fodolaeth cwarciau. Ni chanfyddir cwarciau unigol byth. Maen nhw bob amser yn bodoli mewn cyfuniad (gweler Adran 1.7.8).

Mae tri math gwahanol o hadron:

- Mae **baryonau**, er enghraifft protonau a niwtronau, yn cynnwys tri chwarc. Mae baryonau cenhedlaeth gyntaf yn cynnwys cyfuniad o gwarciau i fyny (u) ac i lawr (d) yn unig.
- Mae **gwrthfaryonau**, er enghraifft gwrthbrotonau, yn cynnwys tri gwrthgwarc.
- Mae **mesonau** yn cynnwys cwarc a gwrthgwarc.

Mae Ffig. 1.7.5 yn dangos, yn sgematig, gyfansoddiad cwarc y proton a'r niwtron, a gallwn grynhoi hyn fel a ganlyn:

$$p = uud \quad n = udd$$

Mewn ffiseg ronynnol, sylwch mai'r symbol ar gyfer proton yw **p** yn hytrach nag ${}^{1}_{1}H$, fel sy'n arferol mewn ffiseg niwclear; y symbol ar gyfer niwtron yw **n** yn hytrach nag ${}^{1}_{0}n$. Ar ben hyn, nid oes trefn arbennig ar gyfer ysgrifennu'r cwarciau: mae **p** = **udu** ac **n** = **ddu** etc., yn ffyrdd derbyniol o ysgrifennu'r cyfansoddiad. Protonau yw'r unig faryonau sefydlog: mae yna ddamcaniaethau sy'n awgrymu eu bod yn ansefydlog ac yn meddu ar hanner oes o 10^{32} o flynyddoedd!

Caiff nifer mawr o fesonau eu creu mewn gwrthdrawiadau egni cymedrig i uchel rhwng baryonau (gyda mwy nag ychydig gannoedd o MeV). Yr enw ar y mesonau cenhedlaeth gyntaf yw **pionau** (neu mesonau pi). Mae eu henwau a'u cyfansoddiadau cwarc yn y diffiniadau isod:

Dyma adwaith cynhyrchu meson nodweddiadol

$$p + p \rightarrow p + n + \pi^{+}$$

a gallwn ysgrifennu hyn, ar y lefel cwarc, fel a ganlyn:

$$uud + uud \rightarrow uud + uud + u\bar{d}$$

Chwe baryon cenhedlaeth gyntaf yn unig sy'n bodoli. Mae Tabl 1.7.2 yn rhoi crynodeb ohonynt:

Tabl 1.7.2 Baryonau cenhedlaeth gyntaf

Teulu	Baryonau
Niwcleonau	p (uud); n (udd)
Gronynnau Δ	Δ^{++} (uuu); Δ^{+} (uud); Δ^{0} (udd); Δ^{-} (ddd)

Y symbol **Δ** yw'r briflythyren Roeg delta, felly enwau'r teulu **Δ** yw delta plws dwbl, delta plws, etc. Sylwch fod cyfansoddiadau cwarc y Δ^{+} a'r Δ^{0} yr un peth â rhai **p** ac **n** yn ôl eu trefn, ond mae gan Δ^{+} fàs o 1232 MeV/c^2 o'i gymharu â 938 MeV/c^2 ar gyfer y proton. Gallwn ystyried fod Δ^{+} yn gyflwr cynhyrfol o'r proton: yn yr un modd, mae Δ^{0} yn gyflwr cynhyrfol o'r niwtron. Trafodir hyn yn Ymestyn a Herio.

1.7.6 Rhyngweithiadau (grymoedd) rhwng gronynnau

Mae gwrthrychau macrosgopig yn profi dau fath o rym: disgyrchol ac electromagnetig. Mae dau rym arall hefyd yn effeithio ar ronynnau isatomig: y rhyngweithiadau cryf a gwan. Nid yw'r rhain yn cael eu profi o gwbl ar y raddfa bob dydd gan fod eu hamrediad pellter mor fach. Mae Tabl 1.7.3 yn rhoi crynodeb o'r pedwar grym yn ôl trefn eu cryfder cynyddol.

Tabl 1.7.3 Crynodeb o'r rhyngweithiadau

Rhyngweithiad	Yn cael effaith ar	Amrediad	Sylwadau
disgyrchiant	pob mater	anfeidraidd	dibwys ar gyfer gronynnau isatomig
gwan	pob gronyn	$\sim 10^{-18}$ m	arwyddocaol yn unig pan nad oes rhyngweithiadau e-m a chryf yn gweithredu
electromagnetig (e-m)	pob gronyn wedi'i wefru	anfeidraidd	mae hadronau niwtral yn teimlo'r rhain hefyd oherwydd bod gan gwarciau wefr
cryf	pob cwarc	$\sim 10^{-15}$ m	mae rhyngweithiadau rhwng hadronau yn teimlo'r rhain hefyd (e.e. rhwymo niwclear)

Pwynt astudio

Gan fod meson yn cynnwys cwarc a gwrthgwarc, nid oes angen diffinio categori ar wahân ar gyfer 'gwrthfeson'.

Pwynt astudio

Mae cyfansoddiadau'r gwrthbroton a'r gwrthniwtron fel a ganlyn:

$\bar{p} = \bar{u}\bar{u}\bar{d}$; $\bar{n} = \bar{u}\bar{d}\bar{d}$.

Pwynt astudio

Sylwch fod y wefr ar ddwy ochr yr adwaith yr un peth, felly hefyd nifer y cwarciau u (4); mae 2 gwarc d ar y chwith, a 3 d ac 1 gwrth-d ar y dde. Byddwn yn archwilio hyn ymhellach yn Adran 1.7.6.

Termau a diffiniadau

Mae pionau â'r enwau a'r cyfansoddiadau canlynol:

π^{+} (pi plws) = $u\bar{d}$

π^{-} (pi minws) = $d\bar{u}$ (neu $\bar{u}d$!)

π^{0} (pi sero) = $u\bar{u}$ neu $d\bar{d}$. Mae paladr o fesonau π^{0} yn cynnwys cyfuniad o'r ddau!

Mae'r màs ychwanegol yn perthyn i'r egni cyffroad. Mae'r effaith hon i'w gweld hefyd mewn lefelau egni atomig. Egni cyffroad cyntaf hydrogen atomig yw 10.2 eV. Beth yw ffracsiwn cynnydd màs atom hydrogen o'i osod yn ei gyflwr cynhyrfol cyntaf?

Hunan-brawf 1.7.3

Mae angen cyfran fwy o niwtronau ar niwclysau trymach i oresgyn gwrthyriad e-m cynyddol y protonau. Cyfeiriwch at gyfran y niwtronau yn y niwclysau sefydlog, ${}^{12}_{6}C$, ${}^{56}_{26}Fe$ a ${}^{197}_{79}Au$, i ddangos hyn.

Pwynt astudio

Defnyddir y gair *rhyngweithiad* yn aml yn lle *grym* oherwydd bod iddo oblygiadau ehangach nag atyniad a gwrthyriad yn unig. Mae'n cynnwys rheolaeth ar greu gronynnau neu ar eu dadfeiliad.

Sylwch

Wrth ystyried pa rym sy'n gyfrifol am adwaith, rhaid i ni hefyd gadw golwg ar y deddfau cadwraeth (Adran 1.7.7).

Sylwch

Mewn adwaith dadfeilio, y cryfaf yw'r grym, y byrraf yw'r amser dadfeilio.

Mewn adwaith gwrthdaro, y cryfaf yw'r grym, y mwyaf tebygol yw'r adwaith o ddigwydd.

1.7.4 Hunan-brawf

Yn nhermau cadwraeth egni, pam gall niwtron (màs 939.6 MeV/c^2) ddadfeilio yn broton (938.3 MeV/c^2), yn electron (511 keV/c^2) ac yn niwtrino, ond na all proton arunig ddadfeilio yn niwtron, yn bositron ac yn niwtrino?

Mae sadrwydd atomau yn codi o'r tri grym annisgyrchol:

- Mae electronau yn cael eu clymu wrth y niwclews gan y grym electromagnetig.
- Mae protonau a niwtronau yn cael eu clymu wrth ei gilydd yn y niwclews gan y grym cryf sy'n gwrthwynebu gwrthyriad e-m y protonau.
- Mae'r grym gwan yn gyfrifol am ddadfeiliad niwtronau mewn niwclysau sy'n gyfoethog o niwtronau, ac mae hyn yn arwain at ddadfeiliad β^-.

Yn gyffredinol, y grym sy'n gyfrifol am unrhyw ryngweithiad yw'r un cryfaf y mae pob gronyn ar ddwy ochr yr hafaliad yn ei deimlo. Er enghraifft:

- Mae pob un o'r gronynnau yn yr adwaith yn Adran 1.7.5 wedi'u ffurfio o gwarciau. Y rhyngweithiad cryf sy'n ei reoli, ac mae hyn yn golygu ei fod yn debygol o ddigwydd.
- Dim ond y grym gwan y mae niwtrinoeon yn ei deimlo, felly rhaid bod unrhyw ryngweithiad sy'n ymwneud â niwtrinoeon (e.e. dadfeiliad β^-) yn wan. Mae hyn yn arwain at allu uchel niwtrinoeon i dreiddio mater.

Mae amserau dadfeilio gronynnau, a'r grym sy'n gyfrifol, yn egluro cryfderau gwahanol y rhyngweithiadau. Dyma rai enghreifftiau:

Cryf	Δ^- (ddd) $\rightarrow n + \pi^-$	hyd oes ~ 10^{-24} s
Electromagnetig	π^0 ($u\bar{u}$) $\rightarrow \gamma + \gamma$	hyd oes ~ 10^{-12} s
Gwan	n (udd) $\rightarrow p + e^- + \bar{\nu}_e$	hyd oes ~ 15 munud

1.7.7 Deddfau cadwraeth mewn ffiseg ronynnol

Mae deddfau cyfarwydd cadwraeth egni a momentwm yn berthnasol i ffiseg ronynnol, er bod rhaid iddynt ystyried buaneddau perthnaseddol y gronynnau. Mae cadwraeth gwefr yn ddeddf gyffredinol, ac mae yna reolau ychwanegol – caiff un ei thorri weithiau!

(a) Cadwraeth rhif lepton

Ar gyfer y genhedlaeth gyntaf o leptonau, h.y. teulu'r electron, rydym yn rhoi rhif i bob un. Yr enw ar y rhif hwn yw'r *rhif lepton electron*, (L_e), fel y gwelir yn y tabl. Gwerth L_e ar gyfer pob gronyn arall yw sero. Mae arbrofion yn dangos bod y rhif lepton hwn bob amser yn cael ei gadw, h.y. wrth adio'r rhifau lepton ar gyfer yr adweithyddion ac ar gyfer y cynnyrch, mae'r rhifau bob amser yr un peth.

Gronyn	L_e
e^-	−1
e^+	−1
ν_e	1
$\bar{\nu}_e$	−1

I'r gwrthwyneb, pe byddai adwaith a awgrymir yn torri'r rheol cadwraeth L_e, gallwn fod yr un mor sicr fod yr adwaith yn amhosibl â phe bai'n torri'r rheol cadwraeth egni.

Mae gan y cenedlaethau eraill o leptonau, sef teuluoedd y miwonau a'r tawonau, eu rhifau lepton eu hunain, L_μ ac L_τ, a ddiffinnir yn yr un patrwm ag L_e. Caiff y rhain eu cadw ar wahân, fel y dangosir gan adwaith dadfeiliad miwon:

$$\mu^- \rightarrow e^- + \bar{\nu}_e + \nu_\mu$$

Mae $L_e = 0$ ar ddwy ochr yr hafaliad ac mae $L_\mu = 1$ ar y ddwy ochr, felly mae'r ddau rif wedi'u cadw.

1.7.5 Hunan-brawf

Dangoswch fod cadwraeth rhif lepton electron yn caniatáu dadfeiliad niwtronau (Adran 1.7.5). Awgrym: mae gan gwarciau rif lepton o sero.

1.7.6 Hunan-brawf

Mae miwonau positif (μ^+) yn dadfeilio yn bositronau ac yn niwtrinoeon. Ysgrifennwch yr hafaliad dadfeilio a dangoswch sut mae L_e ac L_μ yn cael eu cadw.

(b) Cadwraeth rhifau baryon a chwarc

Yn yr un modd â rhifau lepton, rydym yn diffinio rhif baryon, B. Mae gan bob baryon, e.e. proton, $B = 1$; mae gan wrthfaryonau $B = -1$; mae gan leptonau a mesonau $B = 0$. Unwaith eto, mae rhif baryon bob amser yn cael ei gadw. Ni allai'r adwaith canlynol ddigwydd:

$$p + \pi^- \rightarrow n + n$$

hyd yn oed pe bai gan y p a'r π^- ddigon o egni cinetig, ac er bod y wefr a'r rhif lepton yn cael eu cadw. Pam? Oherwydd bod cyfanswm y rhif baryon ar y chwith yn 1 ac ar y dde mae'n 2.

Mewn gwirionedd, mae cadwraeth rhif baryon yn achos arbennig o gadwraeth rhif cwarc, Q. Gan edrych unwaith eto ar yr 'adwaith amhosibl', a rhoi rhif cwarc o −1 i wrthgwarciau, gallwn gyfrif y cwarciau fel a ganlyn:

Ochr chwith: $Q = 3 + (1 - 1) = 3$ Ochr dde: $Q = 3 + 3 = 6$

Ar y llaw arall, mae cyfanswm Q ar gyfer $p + p \rightarrow p + n + \pi^+$ yr un peth ar y ddwy ochr. Os edrychwn yn fwy manwl, gwelwn fod y rhifau cwarc unigol, U (i fyny) a D (i lawr) yn cael eu cadw hefyd, os ydym yn cadw at yr arfer bod gan wrthgwarc werth o −1: ar y naill ochr a'r llall mae $U = 4$ a $D = 2$. Mae rhifau cwarc unigol yn cael eu cadw mewn rhyngweithiadau cryf a rhyngweithiadau e-m, ond **mae'n bosibl iddynt gael eu newid ±1 mewn rhyngweithiadau gwan**. Gan edrych unwaith eto ar ddadfeiliad niwtron:

$$n\ (udd) \rightarrow p + e^- + \bar{\nu}_e$$

Gan ysgrifennu hyn yn nhermau cwarciau: $udd \rightarrow uud + e^- + \bar{\nu}_e$,

U = 1	2	0	0
D = 2	1	0	0

Gwelwn fod U yn newid o 1 i 2 a bod D yn newid o 2 i 1. Mae cyfanswm y rhif cwarc, Q, yn 3 ar y ddwy ochr, ond mae un o'r cwarciau wedi newid ei flas o 'i lawr' i 'i fyny'.

Pwynt astudio

Ni chaiff nifer y mesonau ei gadw. Y dull dadfeilio π^+ mwyaf cyffredin (>99%) yw:

$\pi^+ \rightarrow \mu^+ + \nu_\mu$.

Y rheswm na chaiff mesonau eu cadw yw bod pob un yn cynnwys pâr $q\bar{q}$ ac felly mae $Q = 0$.

Hunan-brawf 1.7.7

Ar gyfer y dadfeiliad: $\pi^+ \rightarrow \mu^+ + \nu_\mu$,

(a) Eglurwch pa ryngweithiad sy'n gyfrifol.

(b) Dangoswch pa ddeddfau cadwraeth sy'n cael eu gweithredu.

Termau a diffiniadau

Dywedir bod gan y mathau gwahanol o gwarciau, i fyny, i lawr, etc., **flasau** gwahanol.

Sylwch

Mae'r canlynol yn arwydd o rym gwan:

1. Mae leptonau'n gysylltiedig: nid ydynt yn teimlo'r grym cryf.
2. Mae niwtrinoeon yn gysylltiedig: nid ydynt yn teimlo'r grym e-m.
3. Os oes cwarciau'n gysylltiedig, mae blas y cwarciau'n newid.
4. Os yw'n ddadfeiliad, mae'r hyd oes yn fwy na ~ 10^{-10} s.

Ymarfer 1.7

1. Mae proton, electron a niwclews heliwm yn cael eu cyflymu trwy wahaniaeth potensial o 500 V. Nodwch y cynnydd yn yr egni cinetig ar gyfer pob un

   (a) mewn eV a
   (b) mewn J.

2. Yn aml iawn caiff masau gronynnau atomig eu mynegi yn nhermau'r *uned màs atomig*, u, sydd â gwerth o 1.660×10^{-27} kg. Mae gan y niwtron fàs o 1.008 665 u. Cyfrifwch fàs niwtron

   (a) mewn kg,
   (b) mewn MeV/c^2 [$c = 2.998 \times 10^8$ m s^{-1}].

3. Mae'r isotop ymbelydrol ${}^{13}_{7}N$ yn dadfeilio trwy allyrru positron, pan fydd un o'r protonau yn ei niwclews yn trawsnewid yn niwtron. Dyma'r hafaliad:

   $$p \rightarrow n + e^+ + X$$

   lle mae X yn ronyn anhysbys. Hanner oes y dadfeiliad yw 10.1 munud.

   (a) Enwch X a defnyddiwch y deddfau cadwraeth perthnasol i gyfiawnhau eich dewis.
   (b) Nodwch pa un o'r rhyngweithiadau sy'n rheoli'r dadfeiliad hwn. Ceisiwch gyfiawnhau eich dewis.
   (c) Ni all proton arunig ddadfeilio yn niwtron yn y modd hwn. Eglurwch pa ddeddf cadwraeth fyddai'n cael ei thorri.

4. Mae'r gronynnau delta fel arfer yn dadfeilio yn bion wedi'i wefru (π^+ neu π^-) gyda naill ai proton neu niwtron mewn tua 10^{-24} s. Gweler diwedd Adran 1.7.6 am ddadfeiliad Δ^-. Gallwn ysgrifennu'r dadfeiliad hwn mewn dwy ffordd wahanol:

$$\Delta^- \rightarrow n + \pi^- \quad \text{a} \quad ddd \rightarrow udd + \bar{u}d$$

Ysgrifennwch hafaliadau tebyg ar gyfer dadfeiliad y gronynnau Δ eraill. Pa arwyddion sydd yna i ddangos mai'r rhyngweithiad cryf sy'n gyfrifol am y dadfeiliadau hyn?

5. Mae gan faryon ail genhedlaeth yr adeiledd cwarc uds. Mae'n dadfeilio yn ronynnau cenhedlaeth gyntaf (baryon a meson) ac mae'r dadfeiliad yn cymryd $\sim 2.6 \times 10^{-10}$ s.

(a) Pa arwyddion sydd yna i ddangos mai'r rhyngweithiad gwan sy'n gyfrifol am y dadfeiliad hwn?
(b) Mae dau ddull dadfeilio: ffurfio dau ronyn wedi'u gwefru neu ffurfio dau ronyn heb eu gwefru. Ysgrifennwch yr hafaliadau hyn ar lefel gronyn cyfansawdd ac ar lefel cwarc.
(c) Yn dilyn un dadfeiliad, mae'r meson yn dadfeilio wedyn yn ddau ffoton. Nodwch pa un o'r ddau ddull yn (b) a ddilynwyd, gan roi rheswm.

6. Un ffordd o ganfod presenoldeb niwtrinoeon yw trwy ddefnyddio hylif glanhau! Mae'r hylif hwn yn gyfoethog mewn clorin: mae 25% o atomau clorin ar ffurf yr isotop Cl-37. Bob hyn a hyn bydd niwtrino electron (e.e. o'r Haul) yn rhyngweithio â gronyn mewn niwclews Cl-37, gan drawsnewid y niwclews yn Ar-37. Mae'r rhifau proton ar gyfer clorin ac argon yn 17 ac 18 yn ôl eu trefn.

(a) Enwch y gronyn sydd yn newid yn y niwclews clorin, a'r gronyn y mae'n newid iddo. Eglurwch eich ateb.
(b) Ysgrifennwch yr hafaliad ar gyfer y rhyngweithiad, gan gynnwys y gronynnau perthnasol yn unig (h.y. anwybyddwch weddill y niwclysau).
(c) Mae nifer anferthol o niwtrinoeon o'r Haul yn pasio trwy'r Ddaear bob eiliad. Pam mai rhyngweithiad 'achlysurol' yn unig yw hwn?

7. Un traean yn unig o'r niwtrinoeon o'r Haul, pan fyddant yn cyrraedd y Ddaear, sy'n cynnwys niwtrinoeon electron. Mae'r ddau draean arall yn cynnwys niferoedd cyfartal, fwy neu lai, o niwtrinoeon tawon a miwon. Awgrymwch pam nad yw hi'n bosibl canfod y niwtrinoeon tawon a miwon fel yn C6. [Masau mewn MeV/c^2: $m_e \sim 0.5$; $m_\mu \sim 105$; $m_\tau \sim 1800$.]

8. Mae'r gronyn K^+ yn feson ail genhedlaeth gyda'r cyfansoddiad cwarc $u\bar{s}$. Mae'n dadfeilio yn feson π^+ ac X, sy'n ronyn cenhedlaeth gyntaf arall.

(a) Enwch X trwy ystyried y deddfau cadwraeth perthnasol.
(b) Ysgrifennwch yr adwaith dadfeilio, $K^+ \rightarrow \pi^+ \ldots$ ar y lefel cwarc.

Ymestyn a Herio

Mae'r ffigur yn dangos sbectra egni niwtrinoeon yr Haul sy'n deillio o'r adweithiau canlynol:

pp: $p + p \rightarrow d + e^+ + \nu_e$

pep: $p + e^- + p \rightarrow d + \nu_e$

^{7}Be: $^7Be + e^- \rightarrow {}^7Li + \nu_e$

^{8}B: $^8B \rightarrow {}^8Be + e^+ + \nu_e$

lle mae d yn ddewteron, sef y niwclews hydrogen trwm, ^2_1H.

(a) Eglurwch pam mae'r sbectra pp ac ^{8}B yn ddi-dor, ond mae pob un o'r lleill yn cynnwys llinellau unigol.
(b) Mae ymyl chwith pob un o'r rhanbarthau glas yn dangos terfan canfod egni isaf tri math o ganfodydd niwtrinoeon: galiwm, clorin a Kamiokande. Trwy ymchwilio i'r dulliau canfod, eglurwch egnïon y terfannau is hyn.

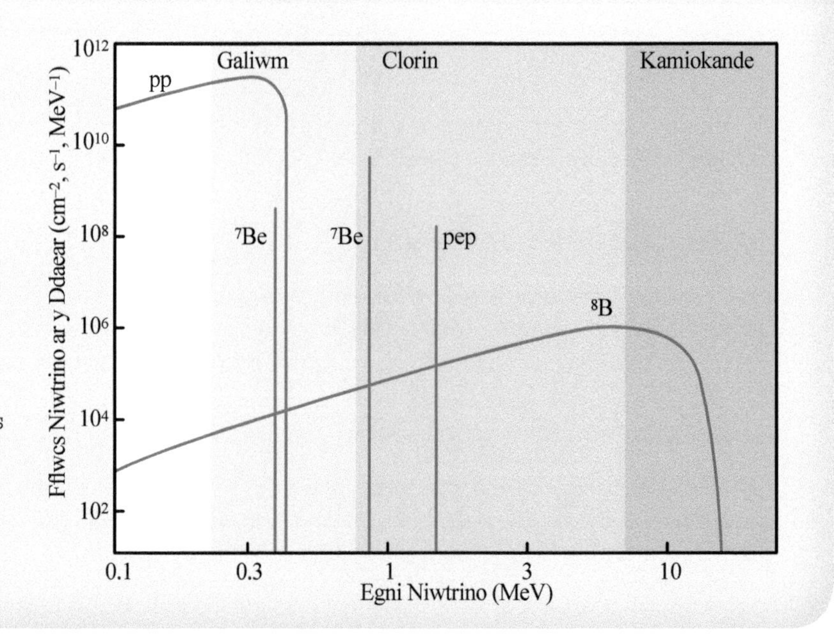

Cwestiynau arholiad enghreifftiol

1. (a) (i) Diffiniwch fuanedd cymedrig. **[1]**

(ii) Mae beiciwr modur yn cyrraedd rhanbarth 80 km/awr ar draffordd. Mae gwiriad buanedd cyfartalog yn cael ei gynnal ar y rhan 10 km hon. Ar ôl 6 km, mae'r beiciwr yn sylweddoli ei fod wedi bod yn gyrru 90 km/awr trwy gydol yr amser. Beth ddylai ei fuanedd uchaf fod trwy weddill y rhanbarth cyfyngedig, er mwyn sicrhau bod ei fuanedd cymedrig yn llai nag 80 km/awr? **[3]**

(b) Mae màs cyfunol y beic modur a'r beiciwr yn 350 kg. Mae'r graff yn dangos yr amrywiad cyflymder, v, gydag amser, t, dros gyfnod o 10 s.

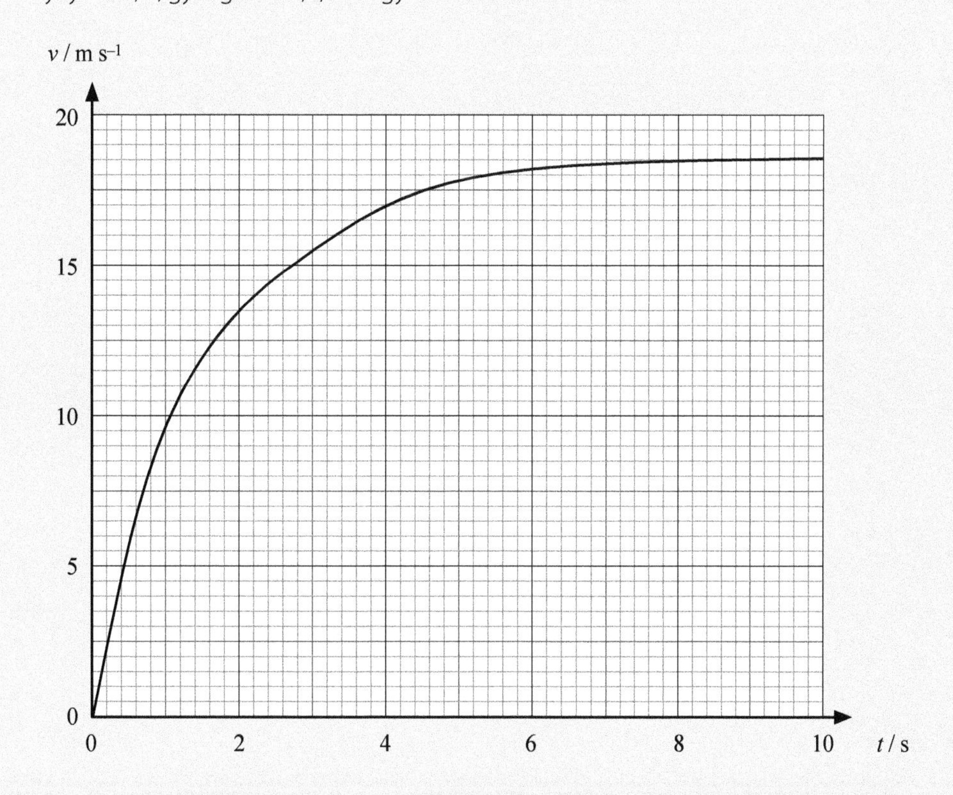

(i) Disgrifiwch, heb gyfrifo, sut mae'r **grym cydeffaith** sy'n gweithredu ar y beiciwr yn amrywio dros y cyfnod hwn o 10 eiliad. **[3]**

(ii) Darganfyddwch y grym cydeffaith sy'n gweithredu ar y beic modur ar 2.0 s. [Mae màs y beic a'r beiciwr = 350 kg]. **[3]**

(c) (i) Mae grym F yn gweithredu ar gorff sy'n symud ar gyflymder v. Mae F a v yn yr un cyfeiriad. Gan ddechrau gyda'r diffiniad ar gyfer pŵer, dangoswch fod y pŵer, P, yn cael ei roi gan $P = Fv$. **[3]**

(ii) Pan mae'r beiciwr yn rhan (b) yn teithio ar y cyflymder cyson a ddangosir yn rhan olaf y graff, mae pŵer allbwn defnyddiol y peiriant yn 2.45 kW. Cyfrifwch y **grym gyrru** sydd ei angen i gynnal y cyflymder hwn. **[1]**

(iii) Gan dybio bod y grym gwrtheddol mewn cyfrannedd â'r cyflymder, cyfrifwch bŵer allbwn y peiriant ar 2.0 s. **[3]**

(ch) Ychydig yn ddiweddarach, mae'r beiciwr modur yn rhan (b) yn brecio i ddisymudedd dros bellter o 25 m. Cyfrifwch y grym brecio cymedrig. **[3]**

2. Mae grŵp o fyfyrwyr yn ceisio darganfod gwerth ar gyfer modwlws Young dur meddal trwy ddefnyddio'r cyfarpar canlynol:

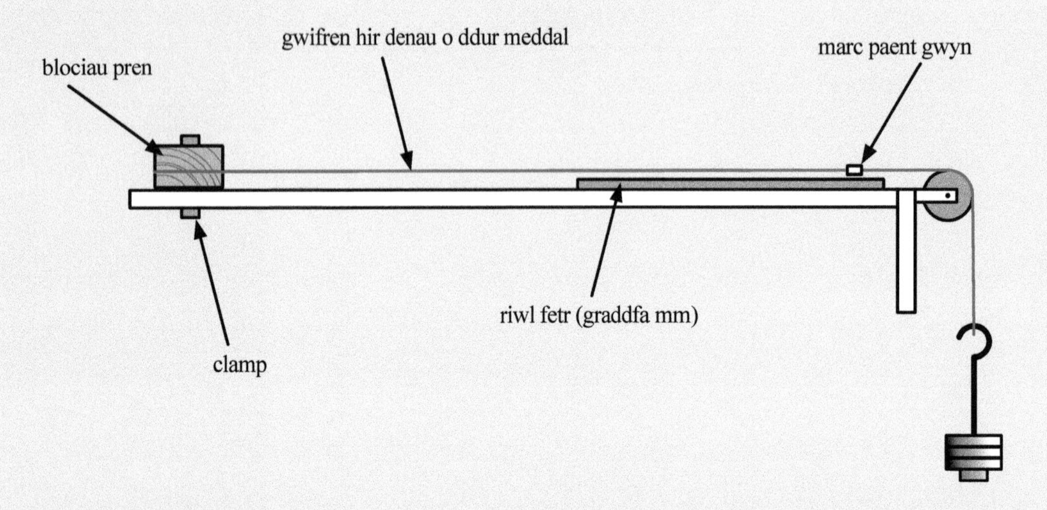

(a) Gan ddechrau gyda'r diffiniadau ar gyfer diriant, straen a modwlws Young, E, dangoswch fod estyniad, Δl, gwifren, hyd cychwynnol l_0 a diamedr d, sy'n dioddef llwyth tynnol o ganlyniad i bwysau màs, m, yn cael ei roi gan:

$$\Delta l = \frac{4l_0 mg}{\pi d^2 E}.$$ **[3]**

(b) Mae'r myfyrwyr yn darllen bod gwerth E o gwmpas 200 GPa, a bod y diriant ildio tua 300 MPa. Maen nhw'n bwriadu defnyddio gwifren ~4 m o hyd (o'r blociau at y marc), diamedr ~0.3 mm. Mae dewis o fasau hyd at 10 kg ar gael.

(i) Labelwch hyd, l, y wifren sydd i'w defnyddio yn y cyfrifiadau ar gyfer E. **[1]**

(ii) Amcangyfrifwch fàs y llwyth y mae ei angen i gyrraedd diriant o 250 MPa, yn y wifren, h.y. yn agos i'r diriant ildio ond gryn dipyn yn llai. **[2]**

(iii) Ystyriwch a yw'r cynigion hyn yn briodol trwy amcangyfrif gwerthoedd tebygol yr estyniad, Δl. **[3]**

(iv) Cynlluniodd y myfyrwyr ffordd o leihau'r ansicrwydd yng ngwerth terfynol E.
I. Nodwch pam mae cynyddu hyd y wifren yn lleihau'r ansicrwydd yn E. **[1]**
II. Trafodwch a fyddai defnyddio gwifren gyda diamedr llai yn arwain at ansicrwydd llai yn E. **[2]**

(c) Gan ddefnyddio trefniant gwahanol, cafodd grŵp arall o fyfyrwyr y gwerthoedd canlynol:
$d = 0.272 \pm 0.012$ mm;
$l_0 = 1535 \pm 2$ mm
graddiant y graff Δl yn erbyn $m = 1.27 \pm 0.06$ mm kg^{-1}

Cyfrifwch eu gwerth ar gyfer E ynghyd â'i ansicrwydd. **[4]**

3. Mae Delta Cephei (δ Cep) yn seren newidiol y mae tymheredd ei harwyneb yn amrywio rhwng gwerthoedd uchaf ac isaf sefydlog. Isod dangosir ei sbectrwm di-dor ar gyfer y tymheredd uchaf a'r tymheredd isaf.

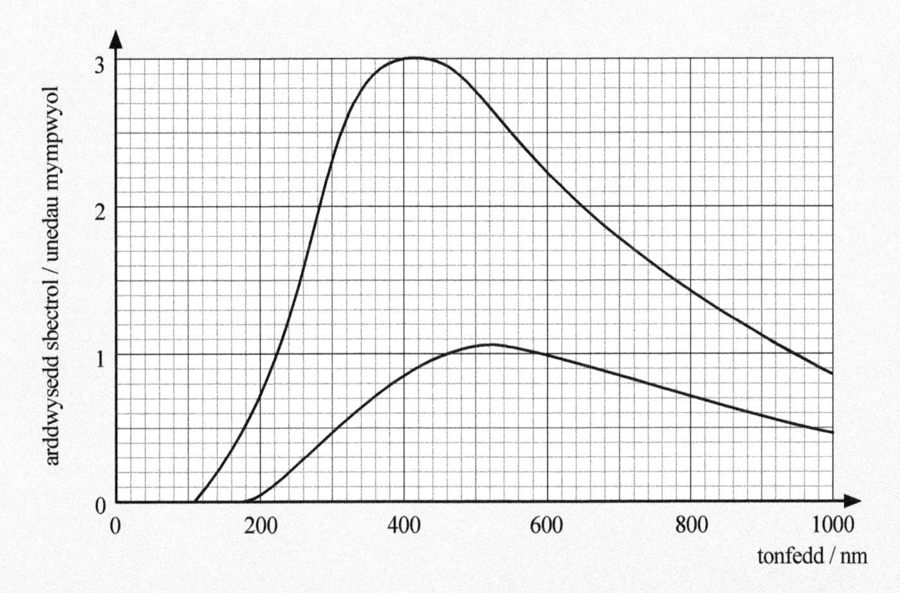

(a) **(i)** Dangoswch fod tymheredd uchaf, T_{mwyaf}, δ Cep fwy neu lai yn 7 000 K. **[2]**

(ii) Cyfrifwch y tymheredd isaf. **[1]**

(iii) Ar wahân i newidiadau yn y disgleirdeb, sut byddech chi'n disgwyl i ymddangosiad δ Cep newid rhwng ei thymereddau uchaf ac isaf? **[2]**

(b) Mae goleuedd δ Cep ar T_{mwyaf} yn 1.46×10^{30} W. Cyfrifwch ei diamedr ar y tymheredd hwn. **[4]**

(c) Yn ôl damcaniaeth gyffredin, y rheswm am y newid yn y tymheredd a'r disgleirdeb yw bod δ Cep yn seren guriadol, h.y. mae'n chwyddo ac yn crebachu'n gyfnodol. Mae'r graffiau yn dangos yr amrywiaeth yn y goleuedd, L, a'r radiws, r, dros ychydig mwy nag un cylchred.

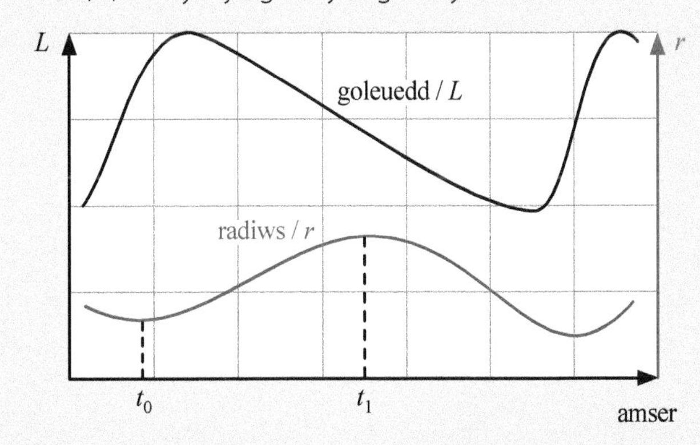

(i) Mae amserau t_0 a t_1 wedi'u marcio. Disgrifiwch yr hyn sy'n digwydd i'r radiws a'r goleuedd o gwmpas yr amserau hyn, a defnyddiwch y disgrifiadau i gasglu sut mae'r tymheredd yn newid. **[3]**

(ii) Marciwch ar y graff amcangyfrifon o amserau'r tymereddau uchaf ac isaf, t_{mwyaf} a t_{lleiaf}. Ceisiwch gyfiawnhau eich amcangyfrifon. **[2]**

4. (a) Mae'r electron, y proton, y niwtrino electron a'r meson π^- oll yn ronynnau cenhedlaeth gyntaf. Mae rhai ohonynt yn ronynnau elfennol, ac mae'r lleill yn ronynnau cyfansawdd.

Enwch y gronynnau elfennol a nodwch gyfansoddiad y lleill. **[3]**

(b) Isod gwelir un o'r adweithiau sy'n digwydd yn y gadwyn proton–proton yn yr Haul:

$$^{7}_{4}\mathrm{Be} + \mathrm{e}^- \rightarrow {}^{7}_{3}\mathrm{Li} + \nu_\mathrm{e}$$

(i) Dim ond un o'r gronynnau yn y niwclews beryliwm sy'n rhan o'r adwaith. Enwch y gronyn hwn ac ysgrifennwch yr adwaith yn nhermau'r cwarciau sy'n gysylltiedig. **[2]**

(ii) Pa un o'r rhyngweithiadau niwclear – cryf, gwan ynteu electromagnetig – sy'n cyfrannu i'r adwaith hwn? Rhowch ddau reswm dros eich ateb. **[2]**

(iii) Pa ddeddfau cadwraeth y mae'r adwaith hwn yn eu henghreifftio? Ceisiwch gyfiawnhau eich atebion. **[2]**

(c) Mae'r mwyafrif o'r niwtrinoeon a gynhyrchir yng nghraidd yr Haul yn dianc o'r Haul. Mae'n bosibl canfod rhai ohonynt ar y Ddaear trwy ddefnyddio dulliau radiocemegol, lle mae niwtrino yn taro niwtron yn niwclews atom addas, e.e. Cl-37, ac yn ei drawsnewid yn broton:

$$\nu_\mathrm{e} + \mathrm{n} \rightarrow \mathrm{p} + \mathrm{e}^-$$

Mae'n bosibl canfod yr adwaith wrth i'r niwclews ymbelydrol newydd ddadfeilio yn hwyrach.

Mae'r atom newydd, Ar-37, yn fwy masfawr na'r atom cyntaf, felly ni all yr adwaith ddigwydd oni bai bod gan y niwtrino ddigon o egni cinetig i gynhyrchu'r màs ychwanegol, yn ôl hafaliad Einstein, $E = mc^2$.

Mae gan y niwtrinoeon a gynhyrchir yn yr adwaith yn rhan (b) egni o 1.38×10^{-13} J. Defnyddiwch y data canlynol i benderfynu a yw hi'n bosibl i Cl-37 ganfod y niwtrinoeon hyn. **[2]**

Mae màs atom Cl-37 = 36.965 90 u ; mae màs atom Ar-37 = 36.966 77 u;

$1\ \mathrm{u} = 1.66 \times 10^{-27}$ kg; $c = 3.00 \times 10^8\ \mathrm{m\ s^{-1}}$.

5. (a) Dyma ddau o'r hafaliadau mudiant ar gyfer cyflymiad cyson

$$v = u + at \text{ ac } x = \frac{u+v}{2}t$$

Defnyddiwch yr hafaliadau hyn i ddangos, ar gyfer gwrthrych sy'n cyflymu o ddisymudedd, fod

$$v^2 = 2ax$$

a bod $x = \frac{1}{2}at^2$ **[4]**

(b) Mae cyfuno dau gyflymder nid yn unig yn dibynnu ar eu maint ond hefyd ar eu cyfeiriadau.

(i) Mae'r diagram yn dangos grym o 120 N, a grym arall, wedi eu lluniadu i'r un raddfa.

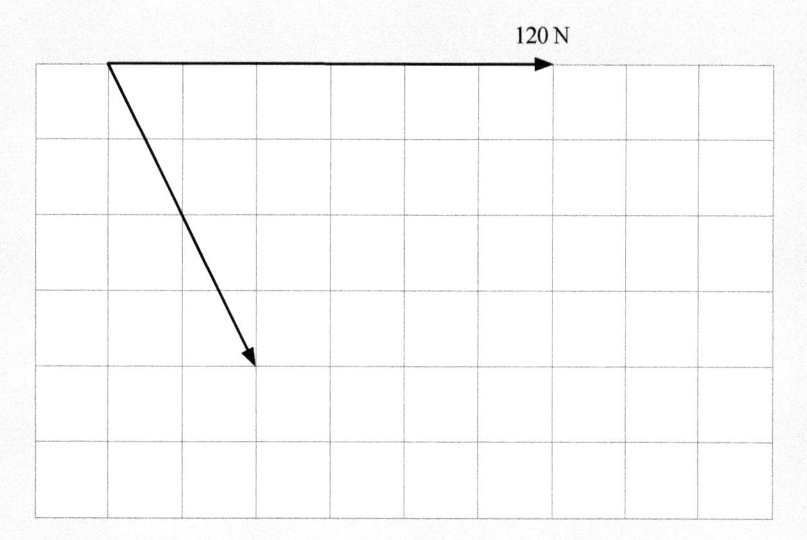

Cwblhewch y diagram i ddangos y grym cydeffaith, a nodwch ei faint a'i gyfeiriad. **[2]**

(ii) Rhowch yr enw cyffredinol ar fesurau sy'n adio yn y modd hwn. **[1]**

(c) Caiff carreg ei thaflu'n llorweddol o glogwyn, uchder 40 m. Mae'n taro'r ddaear islaw ar ongl o 60° i'r llorwedd. Gan anwybyddu effaith gwrthiant aer, cyfrifwch fuanedd y tafliad. **[3]**

Trosolwg: Uned 2 Trydan a Golau

Dargludiad trydan
t94

- Y wefr electronig, e, a'r coulomb.
- Cerrynt trydanol yw cyfradd llif gwefr, a chaiff ei fynegi mewn amperau (A), lle mae $\text{A} = \text{C s}^{-1}$.
- Mecanwaith dargludiad mewn metelau, a deillio a defnyddio $I = nAve$.

Gwrthiant
t100

- Gwahaniaeth potensial ac uned gp; cyfrifiadau pŵer.
- Nodweddion I–V ar gyfer lamp ffilament a gwifren fetel ar dymheredd cyson.
- Deddf Ohm; diffiniad ac uned gwrthiant.
- Gwrthiant a throsglwyddo egni yn nhermau gwrthdrawiadau electronau rhydd; amrywiad gwrthiant gyda thymheredd ar gyfer metelau.
- Gwrthedd.
- Uwchddargludedd, a thymheredd trosiannol uwchddargludol; y defnydd a wneir o uwchddargludyddion; uwchddargludyddion tymheredd uchel.

GWAITH YMARFEROL
- Ymchwilio i nodweddion I–V lamp a gwifren fetel ar dymheredd cyson.
- Darganfod gwrthedd metel.
- Ymchwilio i amrywiad gwrthiant gyda thymheredd ar gyfer gwifren fetel.

Cylchedau cerrynt union
t112

- Cadwraeth egni a gwefr mewn cylched; cerrynt a gp mewn cylchedau cyfres a pharalel.
- Cyfuniadau o wrthiant cyfres a pharalel.
- Rhannwr potensial mewn cylchedau, gan gynnwys cydrannau aflinol.
- g.e.m. a gwrthiant mewnol ffynhonnell bŵer; cyfrifo cerrynt a gp mewn cylchedau gydag un cyflenwad pŵer neu gyfuniad cyfres o gyflenwadau.

GWAITH YMARFEROL
- Darganfod gwrthiant mewnol cell.

Natur tonnau
t124

- Tonnau ardraws ac arhydol, trosglwyddo egni a pholareiddiad.
- Y termau dadleoliad, osgled, tonfedd, amledd, cyfnod a chyflymder ton; gwahaniaethau gwedd; yr hafaliad tonnau $c = f\lambda$.
- Graffiau dadleoliad–amser a dadleoliad–pellter ar gyfer tonnau ardraws.
- Blaendonnau ar onglau sgwâr i gyfeiriad y lledaeniad, gyda phob pwynt yn gydwedd.

GWAITH YMARFEROL
- Ymchwilio i bolareiddiad.

Priodweddau tonnau
t130

- Diffreithiant – dibyniaeth ar donfedd a maint y rhwystr.
- Ymyriant dwy ffynhonnell ac egwyddor arosodiad; cydlyniad; ffynonellau cydlynol.
- Arbrawf Young, pwysigrwydd hanesyddol, rheolau gwahaniaeth llwybr; fformiwla holltau Young.
- Gratinau diffreithiant; deillio a defnyddio fformiwla gratin diffreithiant.
- Tonnau unfan a chynyddol; ystyried tonnau unfan fel arosodiad dwy don gynyddol; nodau a phellter rhyngnodol.

GWAITH YMARFEROL
- Darganfod λ gan ddefnyddio holltau dwbl Young.
- Darganfod λ gan ddefnyddio gratin diffreithiant.
- Darganfod buanedd sain gan ddefnyddio tonnau unfan.

Plygiant golau
t144

- Deddf Snell ac indecs plygiant; deddf Snell yn gysylltiedig â'r model tonnau ar gyfer lledaeniad golau.
- Adlewyrchiad mewnol cyflawn; deillio'r hafaliad ar gyfer ongl gritigol.
- Ffibrau optegol amlfodd ac adlewyrchiad mewnol cyflawn; gwasgariad amlfodd; ffibrau optegol unmodd a chyfraddau trawsyrru data.

GWAITH YMARFEROL
- Mesur indecs plygiant defnydd.

Ffotonau
t154

- Dangos a dadansoddi'r effaith ffotodrydanol; eglurhad ffotonau yn arwain at hafaliad ffotodrydanol Einstein.
- Trefnau maint tonfeddi ac egnïon ffoton y sbectrwm electromagnetig.
- Cynhyrchu sbectra allyrru llinell ac amsugniad llinell o atomau gan ddefnyddio gratin diffreithiant.
- Diagramau lefel egni atomig; egnïon ïoneiddiad.
- Diffreithiant electronau, priodweddau gronynnau/tonnau; perthynas de Broglie, gwasgedd pelydriad.

GWAITH YMARFEROL
- Darganfod h gan ddefnyddio LEDau.

Laserau
t166

- Mae allyriad ysgogol yn rhoi golau cydlynol.
- Yr angen am wrthdroad poblogaeth; cyflawni hyn trwy bwmpio mewn systemau 3 a 4 lefel.
- Adeiledd laser; manteision a defnyddiau laserau lled-ddargludydd.

Trydan a Golau

Uned 2

Mae tri maes amlwg i ganolbwyntio arnynt yn yr uned hon ac mae cysylltiad agos rhyngddynt:

- Trydan

  Mae'r testun hwn yn ymchwilio i natur cerrynt trydanol, ynghyd â'r ffordd y mae defnyddiau a dyfeisiau gwahanol yn ymateb i geryntau. Mae'n archwilio priodweddau cylchedau a chyflenwadau pŵer, gan ganiatáu i fyfyrwyr ragfynegi eu hymddygiad.

- Tonnau

  Yn debyg i drydan, mae mudiant tonnau yn un o gonglfeini ffiseg fodern. Mae'r testun hwn yn dosbarthu tonnau ac yn archwilio eu priodweddau mewn manylder mathemategol. Defnyddir y model tonnau ar gyfer golau i egluro ffenomenau plygiant, diffreithiant ac ymyriant.

- Ffotonau

  Erbyn hyn rydym yn deall bod pelydriad electromagnetig, yn ogystal â meddu ar briodweddau tonnau, yn ymddwyn fel llif o ronynnau o'r enw ffotonau. Mae'r testun hwn yn cyflwyno tystiolaeth o blaid hyn ac yn defnyddio'r model hwn, ynghyd â gwybodaeth am atomau, i egluro'r sbectra amsugno atomig, a gyflwynwyd yn Uned 1. Caiff elfennau sylfaenol gweithrediad laser eu harchwilio.

Cynnwys

Gwaith ymarferol

Mae Uned 2 yn cynnig cyfoeth o gyfleoedd, yn arbennig yn yr adrannau ar drydan a thonnau, er mwyn i fyfyrwyr barhau i ddatblygu eu sgiliau ymarferol.

2.1 Dargludiad trydan

Mae'r adran fer hon yn rhoi'r ffeithiau elfennol am wefr drydanol (grymoedd rhwng gwefrau, pam rydym yn dweud bod gan electronau wefr negatif, cadwraeth gwefr, etc.). Yna gallwn drafod gwefrau sy'n symud a gwneud cysylltiad meintiol rhwng cyflymder gwefrau sy'n symud mewn gwifren a'r cerrynt yn y wifren.

2.1.1 Gwefr drydanol

Mae'r adran hon yn ymdrin yn bennaf â *gwefr drydanol* (*gwefr* yn unig o hyn allan) yn llifo mewn dargludyddion trydanol. Caiff *dargludydd* trydanol, o'i gyferbynnu ag *ynysydd* trydanol fel aer, ei *ddiffinio* fel defnydd, neu ddarn o ddefnydd, y gall gwefr lifo trwyddo.

Ymchwiliwyd i wefr yn gyntaf trwy astudio *statig* – a oedd yn bodoli ar arwynebau defnyddiau a oedd wedi eu rhwbio â defnyddiau eraill. [Os yw'r defnydd sy'n cael ei rwbio yn ddargludydd, rhaid ei ddal ag ynysydd i atal y wefr rhag cael ei dargludo i ffwrdd, er enghraifft gan ddwylo.]

Cynigiwyd dau fath o wefr. Roedd y rhain yn ddigon i egluro'r grymoedd atynnol a'r grymoedd gwrthyrru a welwyd rhwng *unrhyw* ddefnyddiau a oedd wedi eu rhwbio.

- Dywedwyd bod gan wydr, o'i rwbio â sidan, wefr *bositif*.
- Dywedwyd bod gan ambr, o'i rwbio â ffwr, wefr *negatif*.

Felly roedd y grymoedd atynnol a gwrthyrru yn ufuddhau i'r rheol (gweler Ffig. 2.1.1):

Mae gwefrau tebyg (e.e. dau bositif) yn gwrthyrru, mae gwefrau annhebyg yn atynnu.

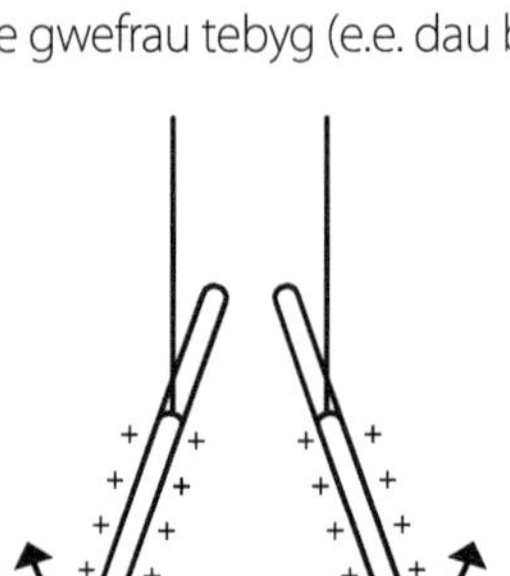
Mae rhodenni gwydr (neu bersbecs ...), sydd wedi'u rhwbio'n briodol, yn gwrthyrru

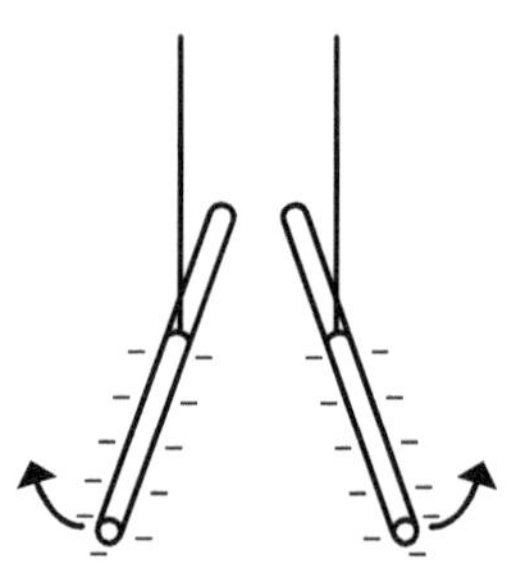
Mae rhodenni ambr (neu bolythen ...), sydd wedi'u rhwbio'n briodol, yn gwrthyrru

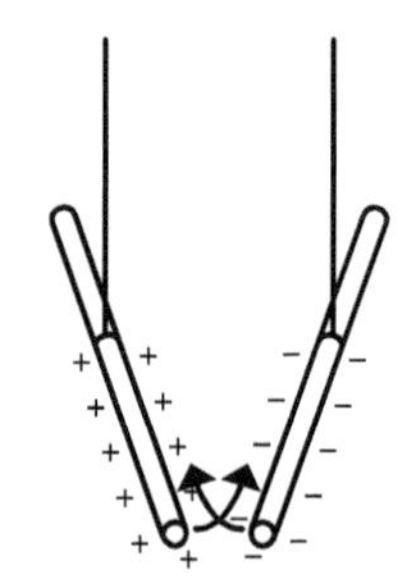
Mae rhodenni gwydr (neu bersbecs ...) ac ambr (neu bolythen ...), sydd wedi'u rhwbio'n briodol, yn atynnu

Ffig. 2.1.1

Mae *positif* a *negatif* yn enwau addas, oherwydd gall y gwefrau gwahanol ddiddymu, neu niwtralu, ei gilydd, fel sy'n digwydd pan fydd metelau sydd wedi'u gwefru'n ddirgroes yn cyffwrdd.

Dros ganrif ar ôl gwneud y darganfyddiadau hyn, darganfyddwyd y gronynnau sydd y tu mewn i'r atom. Mae gan brotonau wefr bositif (yn ôl y diffiniad rhwbio gwydr â sidan) ac mae gan electronau wefr negatif. Felly, erbyn hyn, rydym yn egluro gwefru'r gwydr fel rhwbio rhai electronau oddi ar rai o'r atomau ar arwyneb y gwydr, a'u trosglwyddo i'r sidan.

Mae gwefr yn fesur sgalar, sydd fel arfer yn cael ei ddynodi gan Q neu q. Yr uned SI ar gyfer gwefr yw'r coulomb.

Caiff gwefr proton ei dynodi gan e. Caiff gwefr electron ei dynodi gan $-e$. Mae arbrofion yn dangos, i bedwar ffigur ystyrlon, fod $e = 1.602 \times 10^{-19}$C.

Nid oes eithriadau i'r *ddeddf cadwraeth gwefr* (gweler y **Termau a diffiniadau**), cyn belled ag yr ydym yn gwybod. Mae'n berthnasol hyd yn oed pan gaiff gronynnau eu creu neu eu difa, er enghraifft pan fydd niwtron (dim gwefr) yn 'dadfeilio' i roi proton ac electron (sydd â

Termau a diffiniadau

Deddf cadwraeth gwefr
Mae'r wefr net mewn system yn aros yn gyson (ar yr amod na all gwefrau fynd i mewn iddi na'i gadael).

2.1.1 Hunan-brawf

Cyfrifwch nifer yr electronau gyda chyfanswm gwefr o 1.0 coulomb.

2.1.2 Hunan-brawf

Mae rhoden bolythen yn ennill gwefr negatif o 3.2 nC pan gaiff ei rhwbio â ffwr. Eglurwch yr hyn sy'n digwydd yn nhermau electronau, gan gyfrifo sawl un sy'n gysylltiedig.

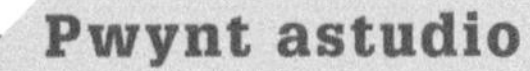
Pwynt astudio

Mae'r coulomb wedi'i enwi ar ôl Charles-Augustin de Coulomb. Darganfyddodd ef (yn yr 1780au) fod cryfder y grymoedd rhwng cyrff bach wedi'u gwefru yn dibynnu ar y gwahaniad rhyngddynt.

Ffig. 2.1.2
Charles-Augustin de Coulomb

gwefrau hafal a dirgroes) a gwrthniwtrino (dim gwefr). Enghraifft fwy cyffredin o gadwraeth gwefr fyddai dau sffêr metel yn cyffwrdd â'i gilydd, y naill â gwefr bositif a'r llall â gwefr negatif. Mae'r wefr net (cyfanswm y wefr bositif – cyfanswm y wefr negatif) yn aros yr un peth; mae 'niwtraliad' – llwyr neu rannol – yn digwydd yn syml oherwydd bod yr electronau rhydd yn cael eu hailddosbarthu.

2.1.2 Cerrynt trydanol

Mae gwefr yn llifo trwy wifrau mewn cylched drydanol. Ni allwn weld y llif, felly sut ydym yn gwybod bod hyn yn digwydd o gwbl? Mae Ffig. 2.1.3 yn dangos y cyfarpar a ddefnyddir i gynnal arbrawf i ddangos hyn.

Ffig. 2.1.3

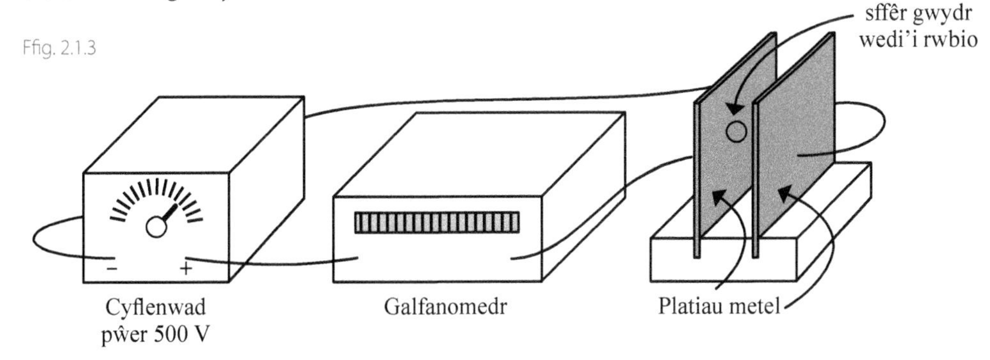

Pan gaiff y cyflenwad pŵer ei droi ymlaen, mae'r galfanomedr (canfodydd cerrynt trydanol sensitif) yn allwyro am ychydig. Yna, os caiff pêl fach wydr (un wag, fel pelen ar goeden Nadolig, i sicrhau màs isel) ei rhwbio â sidan a'i hongian ar edefyn ynysu hir yn y bwlch, bydd yn cyflymu oddi wrth un plât (sydd, mae'n rhaid, wedi'i wefru'n bositif) tuag at y llall (sydd wedi'i wefru'n negatif). [Mae angen anwybyddu effeithiau disgyrchiant.]

Mae allwyriad y galfanomedr yn digwydd pan fydd y platiau yn ennill gwefr – sy'n digwydd, mae'n rhaid, trwy'r gwifrau cysylltiol. Mae'r cyflenwad pŵer yn gyrru electronau i un cyfeiriad trwy'r gwifrau a thrwy ei lwybr dargludo mewnol ei hun, gan dynnu rhai electronau oddi ar un plât a rhoi electronau ychwanegol ar y llall.

Cyn darganfod protonau ac electronau, doedd neb yn gwybod p'un ai gwefr bositif neu wefr negatif oedd yn llifo mewn dargludyddion. Cytunodd gwyddonwyr ar y confensiwn i dybio mai gwefr bositif ydoedd. *Mewn diagramau cylched, mae'r saethau sy'n dangos y cerrynt yn dal i ddangos y cyfeiriad y byddai gwefr bositif yn llifo iddo.*

Erbyn hyn, rydym yn gwybod mai electronau sy'n llifo mewn metelau (y dargludyddion mwyaf cyffredin o lawer) – a hynny yn y cyfeiriad dirgroes i'r cerrynt confensiynol! Mae niwclews positif pob atom wedi'i amgylchynu gan y rhan fwyaf o electronau'r atom, i ffurfio ïon positif. Mae'r ïonau'n dirgrynu ar hap o gwmpas safleoedd sefydlog mewn dellten risial reolaidd. Yn y mwyafrif o fetelau, cyfran fach yn unig o'r electronau sy'n rhydd i lifo. Er enghraifft, mewn copr, mae pob atom yn cyfrannu un electron i'r 'casgliad' o electronau rhydd.

O hyn ymlaen byddwn yn trafod cylchedau sydd â llwybrau dargludol cyflawn. Mae Ffig. 2.1.5 yn dangos y symlaf o'r rhain. Mae'r wefr yn llifo'n barhaus. Nodwch y bydd y symbolau a ddefnyddir mewn diagramau cylched yn cael eu labelu y tro cyntaf y cânt eu defnyddio. Bydd angen i chi ddysgu'r rhai nad ydych yn gyfarwydd â nhw.

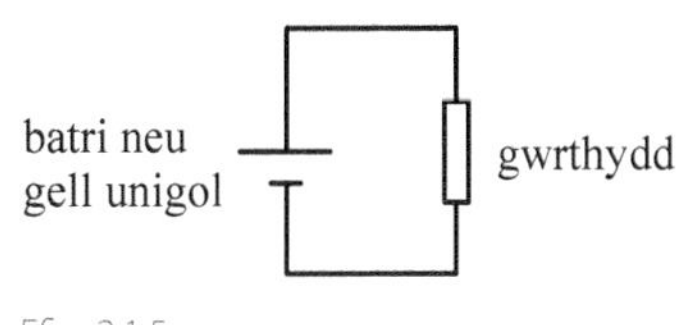

Ffig. 2.1.5

Diffinnir cerrynt, fel mesur y gellir ei gofnodi, yn y **Termau a diffiniadau**.

Mewn symbolau, mae $I = \dfrac{\Delta Q}{\Delta t}$

Termau a diffiniadau

Y **cerrynt trydanol**, I, trwy ddargludydd yw cyfradd llif y wefr: y wefr sy'n pasio fesul uned amser trwy drawstoriad o'r dargludydd.

UNED: amper (A) = C s^{-1}

Pwynt astudio

Mae'r amper yn uned SI sylfaenol (caiff ei ddiffinio yn nhermau grymoedd magnetig rhwng gwifrau sy'n cludo ceryntau).
Mae'r coulomb yn uned ddeilliadol: y wefr sy'n pasio mewn 1 eiliad pan fydd y cerrynt yn 1 A. Felly mae C = A s.

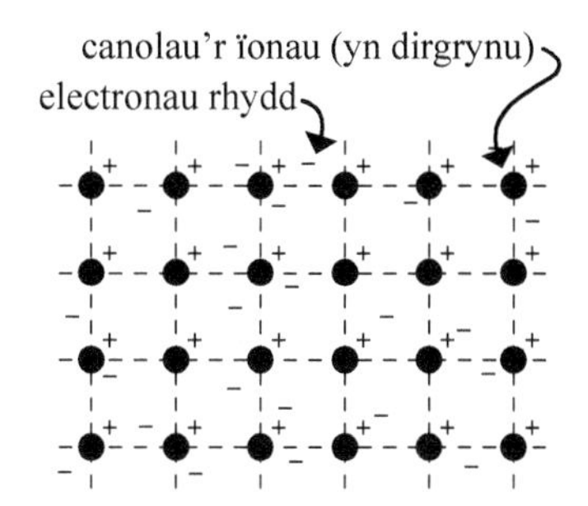

Ffig. 2.1.4 Enghraifft syml o adeiledd metel

Pwynt astudio

Mae'r amper wedi'i enwi ar ôl André-Marie Ampère, a wnaeth ddarganfod (yn yr 1820au) nifer o effeithiau magnetig ceryntau trydanol.

Pwynt astudio

Byddwn i gyd yn disgyn i'r trap weithiau, ond ceisiwch osgoi ysgrifennu 'Mae cerrynt yn llifo ...' Pe byddai ystyr i hyn o gwbl, byddai'n golygu 'mae cyfradd llif gwefr yn llifo'.

2.1.3 Hunan-brawf

Rhoddir gwerth o 45 A awr. (45 amper awr) i fatri car. O'i 'wefru' unwaith, gall gynnal cerrynt o 5 A am 9 awr (neu 3 A am 15 awr, etc.). Nodwch pa fesur ffisegol a roddir gan 45 A awr, a'i fynegi mewn SI.

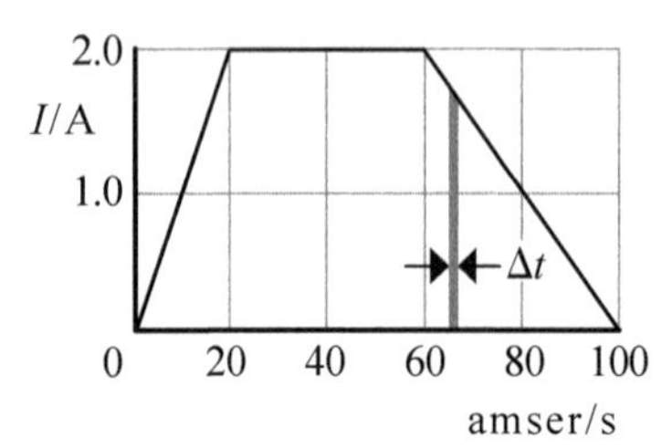

Ffig. 2.1.6

Enghraifft: defnyddio'r diffiniad o gerrynt

Trwy ddefnyddio cyflenwad pŵer newidiol, mae'r cerrynt mewn lamp drydan yn cael ei amrywio fel y gwelir yn Ffig. 2.1.6. Cyfrifwch y wefr sy'n pasio trwy'r lamp yn ystod yr amser a ddangosir.

Mewn unrhyw gyfwng amser byr, Δt, mae'r wefr ΔQ sy'n llifo yn $I\Delta t$. Ond $I\Delta t$ yw 'arwynebedd' y stribed o dan y graff ar gyfer y cyfwng hwnnw. Mae hyn o leiaf yn wir pan fydd Δt mor fach fel ei bod hi'n bosibl anghofio'r wyneb goleddol. Felly cyfanswm y wefr yw swm 'arwynebedd' y stribedi cul iawn, hynny yw, yr 'arwynebedd' o dan y graff.

Yn yr achos hwn, mae $Q = ½ \times 2.0\,\text{A} \times 20\,\text{s} + 2.0\,\text{A} \times 40\,\text{s} + ½ \times 2.0\,\text{A} \times 40\,\text{s} = 140\,\text{C}$.

2.1.3 Sut mae cerrynt yn dibynnu ar gyflymder drifft electronau rhydd mewn metel

Pwynt astudio

Mae algebra'r deilliant yn rhoi $I = -nAve$, ond rydym yn hepgor yr arwydd minws. Yn $I = nAve$, I a v yw *meintiau* y cerrynt a'r cyflymder drifft. Rydym yn *cofio* bod y cerrynt confensiynol yn y cyfeiriad dirgroes i gyflymder drifft yr electronau rhydd.

(a) Cyflymder drifft

Mae electronau rhydd yn rhannu egni thermol hap y metel. Mae $10^5\ \text{m s}^{-1}$ yn fuanedd thermol nodweddiadol ar gyfer electron ar dymheredd ystafell. Gan fod cyfeiriadau'r mudiant yn gymysg, ac yn newid wrth i'r electronau rhydd daro'r ïonau (sy'n dirgrynu), ni fydd y mudiant thermol yn achosi i wefr lifo ar hyd y wifren. Rydym yn rhoi ystyriaeth yn unig i unrhyw *gyflymder drifft* sy'n cael ei arosod ar yr electronau rhydd i un cyfeiriad *ar hyd* y wifren, fel sy'n digwydd wrth gysylltu batri ar draws dau ben y wifren.

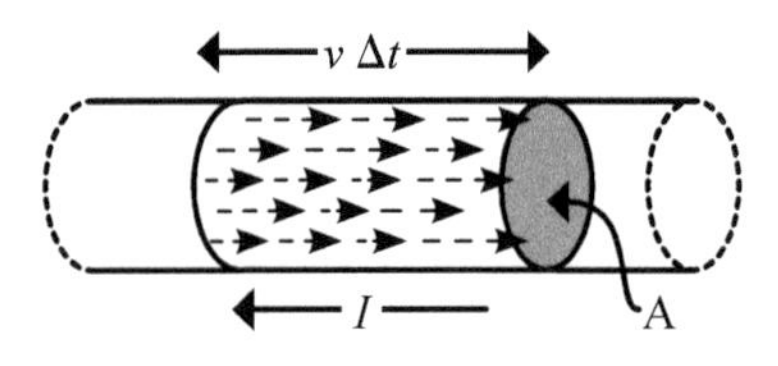

Ffig. 2.1.7
Er mwyn helpu i ddangos bod $I = nAve$

(b) Y deilliant

Tybiwch mai v yw cyflymder drifft cymedrig yr electronau rhydd mewn gwifren. Yna bydd pob electron rhydd mewn hyd $v\,\Delta t$ o ddargludydd yn pasio trwy'r trawstoriad wedi'i liwio o'r wifren a welir yn Ffig. 2.1.7 mewn amser Δt.

Faint o electronau rhydd fydd hynny? Mae cyfaint hyd $v\,\Delta t$ o wifren, arwynebedd trawstoriadol A, yn $Av\,\Delta t$, felly mae nifer yr electronau rhydd sydd ynddi yn $nAv\,\Delta t$, lle n yw *crynodiad yr electronau rhydd*, sef nifer yr electronau rhydd fesul *uned* cyfaint o'r metel. Oherwydd bod gan bob electron wefr o $-e$ ...

Mae'r wefr sy'n pasio trwy drawstoriad yn amser Δt yn $\Delta Q = -nAv\,\Delta t\,e$.

Ond mae cerrynt, $I = \dfrac{\Delta Q}{\Delta t}$, felly mae gennym (gweler y Pwynt astudio): $I = nAve$

2.1.4 Hunan-brawf

Tybiwch fod gan y wifren gopr, yn yr enghraifft o ddefnyddio $I = nAve$ hanner y diamedr yn unig. Cyfrifwch v ar gyfer yr un cerrynt. Ceisiwch wneud hyn trwy nodi'r un ffactor y mae angen ei newid, yn hytrach na thrwy wneud yr un cyfrifiad am yr eilwaith gydag 1.25×10^{-3}m yn lle 2.5×10^{-3}m!

Enghraifft: defnyddio $I = nAve$

Mae gwifren gopr wedi'i hynysu mewn cylched prif oleuadau car yn cludo cerrynt o $8.0\ \text{A}$. Mae diamedr y dargludydd copr yn $2.5\ \text{mm}$. Cyfrifwch gyflymder drifft yr electronau rhydd yn y wifren, a gwnewch sylwadau ar eich ateb. Mae crynodiad yr electronau rhydd mewn copr
yn $8.47 \times 10^{28}\ \text{m}^{-3}$.

Mae $I = nAve$ felly mae $v = \dfrac{I}{nAe} = \dfrac{I}{n\pi\left(\dfrac{d}{2}\right)^2 e}$

lle d yw diamedr y wifren. Felly, gan amnewid y rhifau, mae

$$v = \frac{8.0\ \text{A}}{8.47 \times 10^{28}\ \text{m}^{-3}\,\pi\left(\dfrac{2.5 \times 10^{-3}\text{m}}{2}\right)^2 1.60 \times 10^{-19}\text{C}} = 1.2 \times 10^{-4}\ \text{m s}^{-1}$$

[Gwiriwch fod yr unedau'n cyfateb!] Mae'r cyflymder drifft yn fach, er bod **8.0 A** yn gerrynt gweddol. [Byddai'n cymryd dros **2 awr** i electron rhydd deithio **1 metr** trwy'r wifren!] Fodd bynnag, mae'r electronau rhydd yn dechrau drifftio trwy'r wifren o fewn nanoeiliad i gau'r switsh i gynnau'r prif oleuadau. Mae'r 'maes trydanol', sy'n achosi iddynt ddechrau drifftio, yn teithio ar hyd y wifren fwy neu lai ar fuanedd golau.

Amedrau

Teclyn ar gyfer mesur cerrynt yw amedr (Ⓐ). Rhaid i'r cerrynt sydd i'w fesur fynd trwyddo. Mae egwyddorion gwahanol y tu ôl i sut mae mathau analog (pwyntydd a graddfa) a digidol yn gweithio, ond mae gan y ddau fath lwybrau dargludol gwrthiant isel ar gyfer y cerrynt. Mae hyn yn sicrhau nad yw eu presenoldeb yn y gylched yn lleihau'r cerrynt yn sylweddol.

Pwynt astudio

Mae amedr yn aml iawn ar ffurf 'amlfesurydd' digidol a osodwyd ar amrediad *cerrynt*. Dylech ddechrau bob tro gydag amrediad sydd â gwerth uchel (e.e. **10 A**). Yna newidiwch, os yw'n ddiogel gwneud hynny, i amrediad cerrynt is (e.e. gwerth uchaf o **200 mA**), er mwyn ennill mwy o ffigurau ystyrlon.

Mae'r cerrynt yr un peth yr holl ffordd o gwmpas cylched gyfres

Mae hyn yn golygu, er enghraifft yn Ffig. 2.1.8, fod $I_1 = I_2 = I_3$. Mae hyn yn dilyn o ddeddf cadwraeth gwefr. Ystyriwch $I_1 = I_2$; mae'n golygu bod cyfradd llif y wefr i mewn i'r gwrthydd yr un peth â chyfradd llif y wefr allan ohono; ni all gwefr ddiflannu na chael ei chreu. Ond ydy hi'n bosibl i electronau rhydd gasglu yn y gwrthydd? Na: byddai gormodedd o electronau rhydd, pob un â gwefr negatif, yn gwrthyrru ei gilydd.

Yn arbrofol, byddech yn disgwyl i'r tri amedr ddangos yr un darlleniad. Os nad yw hyn yn wir, beth fyddech yn ei wneud cyn honni eich bod wedi dadbrofi bod $I_1 = I_2 = I_3$? Gallech gyfnewid safleoedd yr amedrau i weld a yw'r darlleniadau'n dilyn y mesuryddion. Os felly, beth fyddech yn ei gasglu o hynny? Neu gallech osod un amedr mewn lleoedd gwahanol yn eu tro!

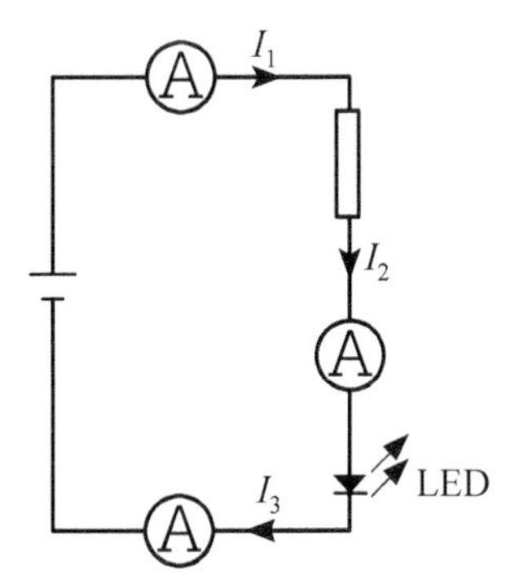

Ffig. 2.1.8

Ymarfer 2.1

1. Cyfrifwch y wefr ar y niwclews $^{235}_{92}\mathrm{U}$.

2. Mae 69.1% o atomau copr naturiol yn $^{63}_{29}\mathrm{Cu}$, a'u màs yn 1.046×10^{-25} kg bob un, ac mae 30.9% yn $^{65}_{29}\mathrm{Cu}$, a'u màs yn 1.079×10^{-25} kg bob un.

   Mae dwysedd copr yn $8930\ \mathrm{kg\ m^{-3}}$. Cyfrifwch gyfanswm y wefr a gludir gan yr holl electronau mewn ciwb 1 cm o gopr.

3. Mae'r defnydd ymbelydrol artiffisial $^{99}_{43}\mathrm{Tc}$ yn allyrru gronynnau β^-. Mae gan sampl o **1.0 mg** o $^{99}_{43}\mathrm{Tc}$ actifedd o **640 MBq**, h.y. mae'n allyrru **640 miliwn** o ronynnau β^- bob eiliad. Cyfrifwch y cerrynt trydanol rhwng y sampl $^{99}_{43}\mathrm{Tc}$ a'i gynhalydd er mwyn i'r sampl aros yn drydanol niwtral. Nodwch gyfeiriad y cerrynt.

4. Caiff y cerrynt a gyflenwir gan fatri **Ni-Cd** ailwefradwy ei fonitro wrth iddo ddadwefru, a chynhyrchir y graff isod.

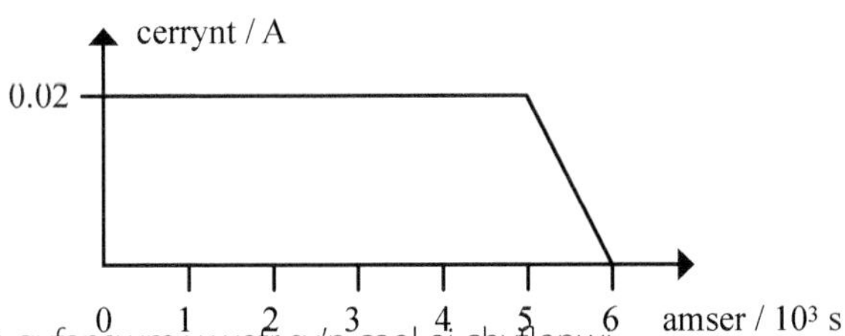

(a) Cyfrifwch gyfanswm y wefr sy'n cael ei chyflenwi.
(b) Mae label ar y batri yn nodi bod ganddo gynhwysedd o **100 mA awr**. Gwnewch sylwadau ar hyn.

5. Mae cynhwysydd yn ddyfais ar gyfer storio gwefrau wedi'u gwahanu. Mae myfyriwr yn cysylltu gwrthydd ar draws cynhwysydd sydd wedi'i wefru, ac mae'n dadwefru, h.y. mae'r wefr ar un o'i blatiau yn lleihau. Mae'r myfyriwr yn monitro gweddill y wefr, Q, dros amser ac yn plotio'r graff isod.

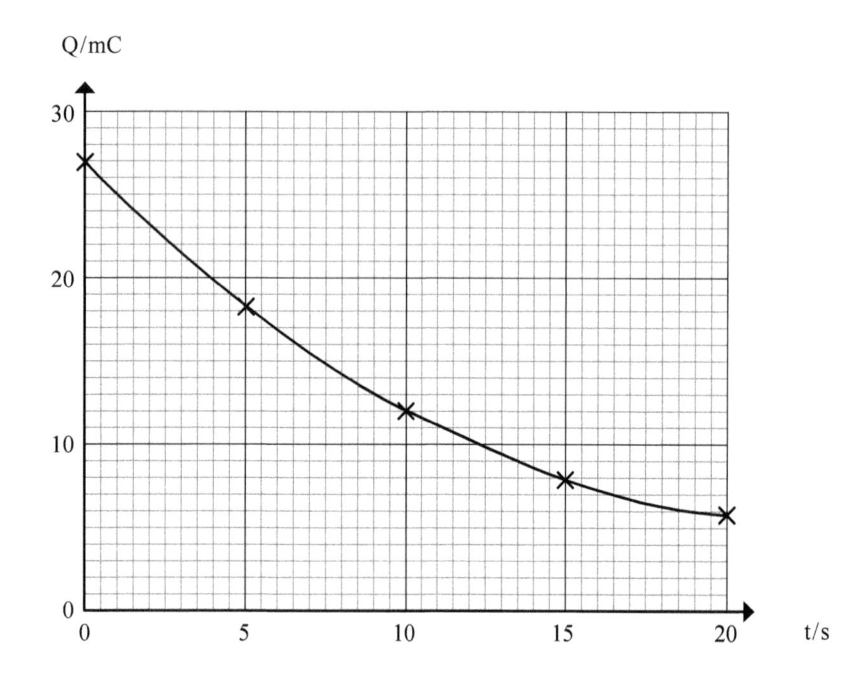

Defnyddiwch y graff i gyfrifo:

(a) Y cerrynt cymedrig rhwng $t = 0$ a 15 s.
(b) Y cerrynt cychwynnol, h.y. y cerrynt ar $t = 0$ s.

6. Sylwodd y myfyriwr yng nghwestiwn 5 fod y graff yn edrych yn debyg i graff dadfeiliad ymbelydrol. Mae hyn yn golygu y dylai'r amser y mae Q yn ei gymryd i haneru fod yr un peth bob tro. Trwy gymryd darlleniadau o'r graff, dangoswch ei bod hi'n ymddangos bod hyn yn wir, a darganfyddwch werth yr hanner oes hwn.

7. Radiws ïonig alwminiwm yw 63 pm. Mae gan alwminiwm metelig 3 electron rhydd i bob ïon o alwminiwm.

(a) Trwy ystyried cyfaint ïon o alwminiwm, amcangyfrifwch sawl electron rhydd sydd ym mhob m^3 o alwminiwm metelig.
(b) Cyfrifwch gyflymder drifft yr electronau rhydd mewn dargludydd alwminiwm, diamedr 1 cm, sy'n cludo cerrynt o 1 kA.

8. Mae germaniwm yn lled-ddargludydd. Mae ganddo lawer llai o gludyddion gwefr symudol nag sydd gan ddargludyddion metelig. Mewn germaniwm ar dymheredd ystafell, mae tua 18 cludydd gwefr symudol i bob miliwn atom o germaniwm. Mae gwifren germaniwm, diamedr 1 mm, yn cludo cerrynt o 10 mA.

Amcangyfrifwch gyflymder drifft y cludyddion gwefr o'r data canlynol:

Mae màs atom o germaniwm = 1.20×10^{-25} kg;
Mae dwysedd germaniwm = 5.3×10^{3} kg m^{-3}.

9. Mae gwifren gopr, diamedr 1 mm yn cludo cerrynt eiledol sy'n amrywio, fel y dangosir yn y graff. Mae crynodiad yr electronau rhydd yn 8.5×10^{28} m^{-3}.

(a) Brasluniwch graff i ddangos sut mae cyflymder drifft yr electronau yn amrywio gydag amser.

(b) Defnyddiwch eich graff i amcangyfrif y pellter y mae electron rhydd yn ei ddrifftio mewn hanner cylchred.

Gwnewch sylwadau ar eich ateb.

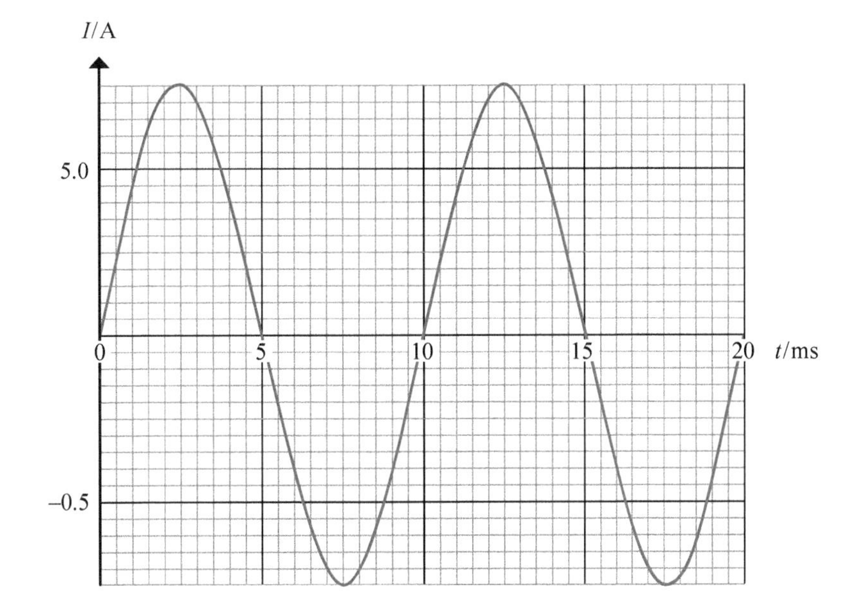

Mae'r cwestiwn hwn yn cynnwys rhai cysyniadau o Adran 2.2.

Mae cynhwysydd, C, (gweler cwestiwn 5) heb ei wefru i gychwyn. Caiff ei gysylltu yn y gylched ganlynol:

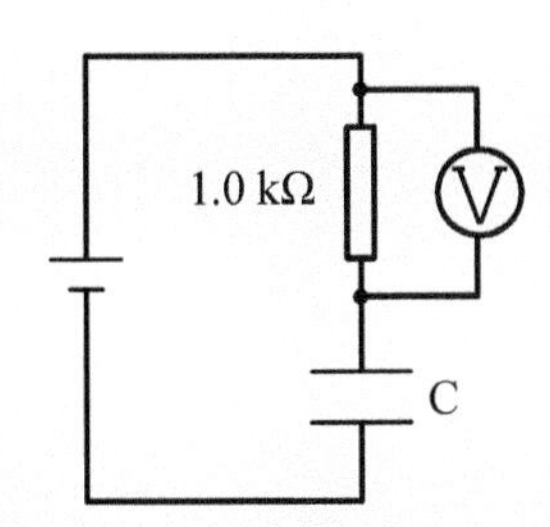

Pan gaiff y switsh ei gau, mae'r gp ar draws y gwrthydd yn amrywio gydag amser, fel a ganlyn:

amser / s	2.0	5.0	7.0	10.0	12.0	15.0	20.0
gp / V	6.53	3.54	2.02	1.19	0.78	0.41	0.14

(a) Trwy luniadu graff addas, amcangyfrifwch gyfanswm y wefr sy'n cael ei throsglwyddo o amgylch y gylched wrth i'r cynhwysydd wefru.

(b) Darganfyddwch hanner oes y berthynas I–t.

(c) Pa ffracsiwn o'r wefr gyfan sy'n cael ei throsglwyddo yn yr hanner oes a ddarganfyddwyd gennych yn rhan (b)?

2.2 Gwrthiant

Termau a diffiniadau

Y **gwahaniaeth potensial**, V, rhwng dau bwynt, X ac Y, yw'r gwaith sy'n cael ei wneud (neu'r egni potensial trydanol a gollir), fesul uned gwefr sy'n pasio rhwng X ac Y.

UNED: folt (V) = J C^{-1}.

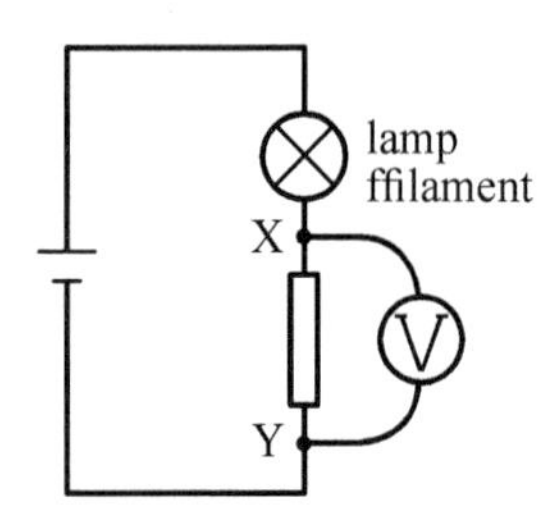

Ffig. 2.2.1 Y foltmedr yn y man cywir

Pwynt astudio

Y symbol ar gyfer gp yw V (neu ΔV) ac, fel gyda phob symbol ar gyfer mesurau ffisegol, caiff ei ysgrifennu mewn teip italig. Y symbol ar gyfer ei uned yw V, sef llythyren arferol neu 'Rufeinig', fel pob symbol ar gyfer unedau.

Pwynt astudio

Er mwyn ceisio osgoi camgymeriadau, cysylltwch y foltmedr yn olaf wrth adeiladu cylched.

2.2.1 Hunan-brawf

Amcangyfrifir bod un fellten nodweddiadol yn cludo cerrynt cymedrig o 30 kA am amser o 0.5 ms, a'i bod yn afradloni 450 MJ. Cyfrifwch y gp.

Wedi astudio cerrynt fel cyfradd llif gwefr, rydym bellach yn troi ein sylw at yr *egni* sy'n cael ei drosglwyddo. Y syniad allweddol yw'r *gwahaniaeth potensial (gp)*, ac rydym yn mynd i'r afael â hwn yn gyntaf. Mae'n ein galluogi i ddiffinio cysyniad defnyddiol *gwrthiant*, a byddwn yn trafod yn fanwl yr hyn sy'n rhoi gwrthiant i wifren fetel. Yn olaf, edrychwn yn fyr ar y ffenomen anghyffredin, uwchddargludedd.

2.2.1 Gwahaniaeth potensial

Mae foltmedr (Ⓥ) yn darllen y *gwahaniaeth potensial* rhwng dau bwynt, X ac Y, mewn cylched – ar yr amod bod un o'r gwifrau wedi'i chysylltu ag X a'r llall ag Y! Felly, yn Ffig. 2.2.1, bydd y foltmedr yn dangos y gp ar draws y gwrthydd, ac nid ar draws y lamp ffilament. Os ydym am wybod y gp ar draws cydran benodol, rhaid cysylltu'r foltmedr ar draws y gydran honno.

Dywedir bod X ar botensial uwch nag Y os yw'r foltmedr yn rhoi darlleniad positif pan fydd gwifren goch, neu '+', y mesurydd wedi'i chysylltu ag X.

Tybiwch fod y foltmedr yn dangos 6.0 V. Mae hyn yn dweud, *am bob coulomb sy'n pasio rhwng X ac Y, y caiff 6.0 J o waith ei wneud, gan achosi i 6.0 J o egni newid categori: o egni potensial trydanol i ffurf arall.*

Defnyddir y term foltedd yn aml i olygu gwahaniaeth potensial. Mae diffiniad ffurfiol ar gyfer *gwahaniaeth potensial* i'w weld yn y ***Termau a diffiniadau***.

Os oes gwrthydd rhwng X ac Y, fel yn Ffig. 2.2.1, mae'r wefr yn gwneud gwaith wrth iddi deithio trwy'r gwrthydd (bydd mwy am hyn yn nes ymlaen). Felly mae'n colli egni potensial trydanol (gallu gwefr i wneud gwaith oherwydd ei safle), ac mae'r gwrthydd yn ennill egni thermol hap. Mae'r egni thermol hap hwn yn dianc i'r amgylchedd ar ffurf gwres – cyfeirir at hyn fel *afradloni egni.*

Enghreifftiau

1. Os yw'r gp ar draws gwrthydd yn 6.0 V, a'r cerrynt trwyddo yn 1.5 A, faint o wres y mae'n ei gynhyrchu bob munud ar ôl cyrraedd tymheredd cyson?

   Mae'r gwres sy'n cael ei allyrru = EP trydanol a gollir fesul uned gwefr × y wefr sy'n pasio

   $$= 6.0\ \text{V} \times (1.5\ \text{A} \times 60\ \text{s}) = 540\ \text{J}$$

2. Gan gyfeirio at Ffig. 2.1.3, mae'r bêl wydr yn colli egni potensial trydanol wrth iddi symud ar draws y bwlch, o'r plât positif i'r plât negatif. Mae'n ennill egni cinetig. [Dyma egwyddor y cyflymydd gronynnau.]

   Tybiwch fod gan y bêl fàs o 10 g a gwefr o 6.0 nC, a'i bod yn dechrau o ddisymudedd ac yn cyrraedd buanedd o 0.060 m s^{-1}. Beth fyddai'r gp rhwng y platiau?

   Mae

   $$\text{gp} = \frac{\text{EP trydanol a gollir}}{\text{y wefr sy'n pasio}} = \frac{\text{EC a enillir}}{\text{y wefr sy'n pasio}} = \frac{\tfrac{1}{2} \times 0.010 \times 0.060^2\ \text{J}}{6.0 \times 10^{-9}\ \text{C}} = 3000\ \text{V}.$$

2.2.2 Pŵer trydanol

Trwy gyffredinoli'r rhesymu yn yr enghraifft gyntaf yn 2.2.1, pan fydd yna gerrynt, I am amser Δt, trwy ddargludydd sydd â gp V ar ei draws (gweler Ffig. 2.2.2), yna mae'r …

Gwaith sy'n cael ei wneud =
EP trydanol a gollir fesul uned gwefr × y wefr sy'n pasio

Felly mae $\quad \text{Gwaith} = V \times I\Delta t$

Ffig. 2.2.2

Gallwn ddefnyddio'r term *pŵer*, P, mewn cysylltiad ag unrhyw system (mecanyddol, trydanol, thermol ...). Gweler y **Termau a diffiniadau**. Yn yr achos trydanol hwn, mae

$$\text{Pŵer} = \frac{\text{Gwaith trydanol}}{\text{amser a gymerwyd i wneud y gwaith}} = \frac{VI\,\Delta t}{\Delta t} \text{ felly mae } P = VI.$$

Enghraifft

Mewn cyflymydd gronynnau syml, mae paladr o brotonau yn pasio o blât metel X at blât metel Y. Y gp rhwng y platiau hyn yw $150\ \text{kV}$, gyda phlât X ar y potensial uchaf. Mae nifer y protonau sy'n gadael X (ac yn cyrraedd Y) bob eiliad yn $7.0 \times 10^{16}\ \text{s}^{-1}$. Cyfrifwch y pŵer trydanol.

Mae cerrynt = gwefr sy'n llifo fesul uned amser = $7.0 \times 10^{16}\ \text{s}^{-1} \times e$

$= 7.0 \times 10^{16}\ \text{s}^{-1} \times 1.60 \times 10^{-19}\ \text{C} = 11.2\ \text{mA}$

∴ Mae pŵer, $P = VI = 150\ \text{kV} \times 11.2\ \text{mA} = 1.7\ \text{kW}$.

Termau a diffiniadau

Ystyr **pŵer** yw cyfradd gwneud gwaith neu gyfradd trosglwyddo egni (er enghraifft, rhwng categorïau).

Felly mae

$$\textit{Pŵer} = \frac{\text{Y gwaith sy'n cael ei wneud}}{\text{amser a gymerwyd}}$$

neu mae

$$\textit{Pŵer} = \frac{\text{Egni a drosglwyddir}}{\text{amser a gymerwyd}}$$

UNED: watt (W) = J s^{-1}

Hunan-brawf 2.2.2

Pan fydd y gp ar draws gwrthydd yn 6.0 V, mae'r cerrynt yn 120 mA. Cyfrifwch: (a) y pŵer sy'n cael ei afradloni, (b) y wefr sy'n llifo mewn 30 munud, (c) yr egni sy'n cael ei afradloni mewn 30 munud.

Hunan-brawf 2.2.3

Yn amser t, mae gwefr Q yn pasio trwy wrthydd sydd â gp V ar ei draws. Y pŵer sy'n cael ei afradloni yw P. Mynegwch t yn nhermau Q, V a P.

2.2.3 Graffiau I yn erbyn V (I–V) ar gyfer dargludyddion

Mae yna gysylltiad rhwng y cerrynt trwy ddargludydd a'r gp ar ei draws. Pan fydd un yn sero, felly hefyd y llall. Wrth i un gynyddu, felly hefyd y llall (bron bob tro). Rydym yn defnyddio 'dargludydd' i olygu unrhyw beth sy'n dargludo, er enghraifft darn o wifren, gwrthydd, lamp ffilament, deuod wedi'i gysylltu yn y safle 'ymlaen', fel y deuod allyrru golau a ddangosir yn Ffig. 2.1.8.

Cymharu â llif dŵr

Mae'r cerrynt trydanol trwy ddargludydd yn debyg i gyfradd llif dŵr o un tanc i'r llall trwy bibell (Ffig. 2.2.3). Mae'r *gwahaniaeth uchder* rhwng lefelau'r dŵr yn y tanciau yn debyg i'r gwahaniaeth potensial mewn cerrynt trydanol. Pan fydd y gwahaniaeth uchder yn sero, mae cyfradd y llif yn sero. Y mwyaf yw'r gwahaniaeth uchder, y mwyaf yw cyfradd y llif. Byddai'n bosibl cynnwys pwmp i symud y dŵr o'r tanc isaf yn ôl i'r tanc uchaf er mwyn cadw lefelau'r dŵr yn gyson. Byddai hwn yn gweithredu fel batri mewn cylched drydanol.

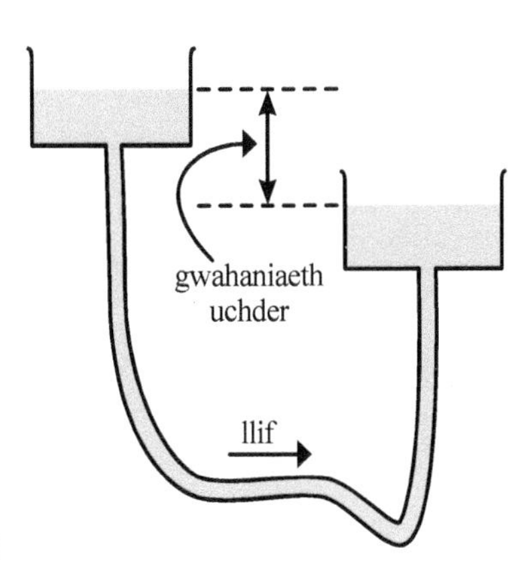

Ffig. 2.2.3 Cymharu â llif dŵr

Termau a diffiniadau

Deddf Ohm

Mae'r cerrynt, I trwy ddargludydd mewn cyfrannedd union â'r gp, V, ar ei draws.

Mae'r ddeddf yn berthnasol i fetelau (a nifer o ddargludyddion un sylwedd eraill) ar dymheredd cyson.

2.2.4 Gwrthiant

Termau a diffiniadau

Diffinnir **gwrthiant**, R, dargludydd gan

$$R = \frac{\text{gp ar draws y dargludydd}}{\text{cerrynt trwy'r dargludydd}}$$

Mewn symbolau, mae: $R = \frac{V}{I}$

UNED: ohm (Ω) = V A^{-1}

Diffinnir **dargludiant**, G, dargludydd gan

$$G = \frac{\text{cerrynt trwy'r dargludydd}}{\text{gp ar draws y dargludydd}}$$

Mewn symbolau, mae: $G = \frac{I}{R}$

UNED: siemens (S) = A V^{-1}

Diffinnir gwrthiant dargludydd yn y **Termau a diffiniadau**.

Mae gan ddargludydd sy'n ufuddhau i ddeddf Ohm wrthiant *cyson* dim ots pa gp rydym yn ei roi ar ei draws.

Er mwyn eich darbwyllo'ch hun bod yr honiad hwn yn wir, cyfrifwch y gwrthiant ar dri foltedd gwahanol ar gyfer y wifren fetel y mae ei graff I–V i'w weld yn Ffig. 2.2.4. Os yw hyn yn rhy hawdd, ewch i **Ymestyn a Herio**.

Mae gan ddargludydd, nad yw'n ufuddhau i ddeddf Ohm, wrthiant sydd yn dibynnu ar y gp.

Trwy ystyried y gymhareb $\frac{V}{I}$, dylech allu diddwytho, o edrych ar y graffiau (Ffig. 2.2.4), bod gwrthiant yr LED yn disgyn (yn sylweddol) wrth i'r gp gynyddu, ond bod gwrthiant y lamp ffilament yn cynyddu. Mewn gwirionedd, hyd at tua 0.2 V, mae'r lamp ffilament dan sylw yn ufuddhau i ddeddf Ohm, oherwydd prin y mae gwrthiant y ffilament (sydd yn wifren fetel denau) yn newid tymheredd.

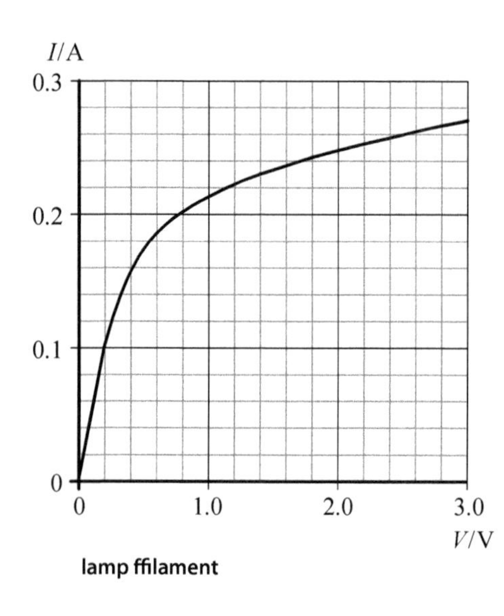

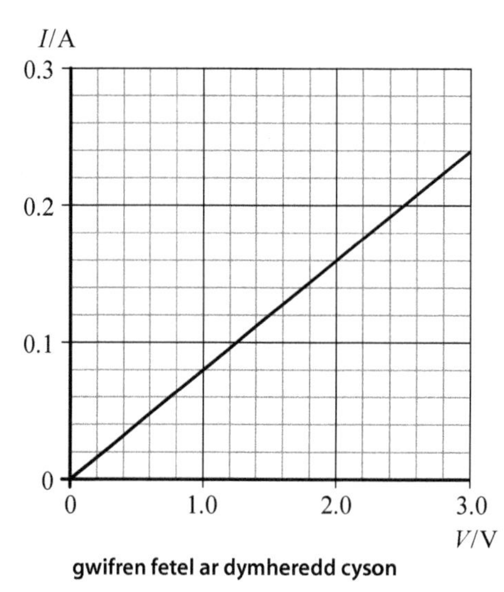

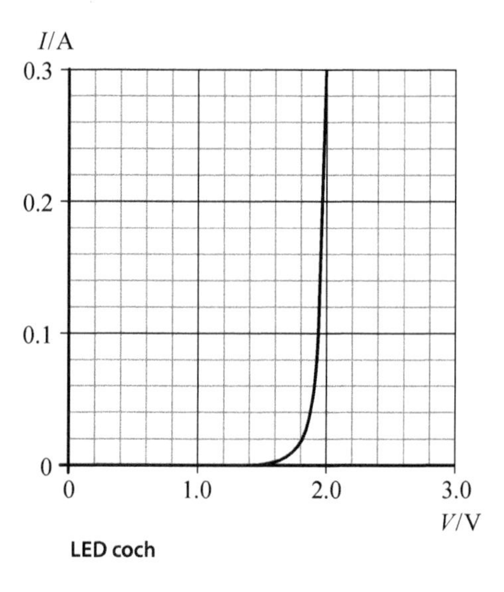

Ffig. 2.2.4 Graffiau I–V

Defnyddiwch drionglau cyflun ar graff I–V, sydd yn llinell syth trwy'r tarddbwynt, i ddangos bod rhaid i R fod yn gyson.

Mae'r graff canol, sydd yn llinell syth trwy'r tarddbwynt, yn arddangos deddf Ohm. Os dyblir y gp, yna mae'r cerrynt yn dyblu, ac yn y blaen.

Fel y gwelwch, nid yw pob dargludydd (yn wir, y mwyafrif ohonynt) yn ufuddhau i ddeddf Ohm: mae lamp ffilament ac LED (deuod allyrru golau) yn ddwy enghraifft o **ddargludyddion anohmig**. Fodd bynnag, *ar yr amod bod eu tymereddau'n gyson*, mae rhai mathau pwysig iawn o ddargludyddion *yn* ohmig, gan gynnwys gwifrau metel a'r mwyafrif o ddyfeisiau un sylwedd (er enghraifft gwrthyddion carbon).

Dargludiant

Diffinnir y term hwn yn y **Termau a diffiniadau**. Yn amlwg, ar gyfer unrhyw ddargludydd, mae

$$G = \frac{1}{R} \text{ ac mae } R = \frac{1}{G}$$

Ni fyddwn yn defnyddio'r syniad o ddargludiant yn aml iawn.

(a) Beth sy'n achosi gwrthiant mewn metel: darlun wedi'i symleiddio

Dechreuwn drwy ddwyn i gof (gweler Adran 2.1.2) mai trwy ddrifft electronau rhydd y mae gwefr yn llifo mewn metel. Er mwyn i ddrifft ddigwydd mewn gwifren fetel, mae angen i rym weithredu ar bob electron rhydd, i'w yrru ar hyd y wifren. O'i roi mewn ffordd arall, rhaid cael gp ar draws y wifren. [Mae gp yn awgrymu bod *gwaith* yn cael ei wneud ar y gwefrau, sy'n awgrymu bod grymoedd yn gweithredu arnynt yng nghyfeiriad eu mudiant.]

Mae'n ymddangos bod gwall yn y ddadl a gyflwynwyd uchod: bydd grym cyson ar electron rhydd yn rhoi iddo gyflymiad cyson yn hytrach na chyflymder cyson. Mae hyn yn wir – tan i'r electron daro yn erbyn un o'r ïonau sy'n dirgrynu. [Mae buaneddau thermol uchel yr electronau rhydd yn golygu bod gwrthdrawiadau o'r fath yn digwydd yn aml iawn.] Mae'r gwrthdrawiad yn dileu'r cyflymder drifft y mae'r electron wedi'i ennill: ar gyfartaledd, mae'n rhaid iddo gyflymu unwaith eto o ddisymudedd, ac yn y blaen. Y canlyniad (gweler Ffig. 2.2.5 am gynrychioliad bras) yw cyflymder drifft cymedrig penodol, v, a, gan fod $I = nAve$, mae'n rhoi cerrynt penodol ar gyfer gp penodol ar draws y wifren. Mewn geiriau eraill, bydd gan y wifren *wrthiant* meidraidd – o ganlyniad i wrthdrawiadau rhwng electronau rhydd ac ïonau sy'n dirgrynu.

Hunan-brawf 2.2.4

Cyfrifwch wrthiant y lamp ffilament o'r graff yn Ffig. 2.2.4, pan mae'r gp yn (a) 0.20 V, (b) 3.0 V.

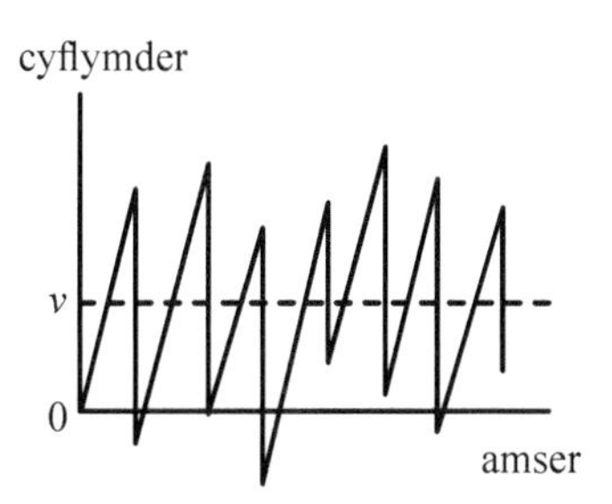

Ffig. 2.2.5 Cyflymder drifft cymedrig, v

(b) Afradloni pŵer mewn dargludydd

Tybiwch fod y cerrynt trwy wrthydd 5.0 Ω yn 0.30 A. Faint o bŵer sy'n cael ei afradloni ynddo? Gallem wneud hyn mewn dau gam:

Mae'r gp ar draws y gwrthydd yn $V = IR = 0.30\ \text{A} \times 5.0\ \Omega = 1.5\ \text{V}$,

felly mae $P = VI = 1.5\ \text{V} \times 0.30\ \text{A} = 0.45\ \text{W}$.

Nid oes angen i ni *gyfrifo'r* gp mewn gwirionedd oherwydd, trwy gadw at symbolau am ychydig eto, mae

$P = VI = (IR)I$, hynny yw, mae $P = I^2R$

Yn yr un modd, os ydym yn gwybod gwrthiant, R dargludydd a'r gp, V, ar ei draws, gallwn gyfrifo'r pŵer yn uniongyrchol oherwydd, *fel y dylech fod yn gallu dangos*, mae:
$P = \frac{V^2}{R}$. I grynhoi, mae $P = IV = I^2R = \frac{V^2}{R}$.

Hunan-brawf 2.2.5

Cyfrifwch y cerrynt sydd ei angen er mwyn i goil gwresogi 2.0 Ω gynhyrchu 50 W o bŵer.

Enghraifft

Mae gan wrthydd, gwrthiant 47 Ω, bŵer uchaf o 5.0 W. Cyfrifwch y gp uchaf y gellir ei osod ar ei draws yn ddiogel.

Mae $P = \frac{V^2}{R}$, felly mae $V = \sqrt{PR} = \sqrt{5.0\ \text{W} \times 47\ \Omega} = 15\ \text{V}$

(c) Afradloni pŵer mewn metel: y darlun electronau rhydd

Mae'r afradloni pŵer rydym newydd fod yn sôn amdano yn cyfeirio at y gyfradd y mae egni'n newid categori o egni potensial trydanol i egni dirgryniadau hap. Mewn metel, mae'r newid yn digwydd oherwydd bod yr electronau rhydd, sydd ag egni ychwanegol o ganlyniad i'r gp, yn taro yn erbyn yr ïonau trwy'r amser, fel y trafodwyd yn gynharach. Mae osgled dirgryniad yr ïonau yn cynyddu oherwydd y gwrthdrawiadau caletach; hynny yw, mae'r wifren yn poethi! Cyfeirir at y gwresogi trydanol hwn weithiau fel gwresogi Joule (gweler Ffig. 2.2.6) ar ôl James Prescott Joule, a wnaeth dipyn o waith i sefydlu'r syniad o gadwraeth egni. Dyma egwyddor y gwresogydd trydanol a'r lamp ffilament.

Ffig. 2.2.6 James Prescott Joule

2.2.5 Gwrthedd

Pa ffactorau sy'n effeithio ar wrthiant darn o wifren?

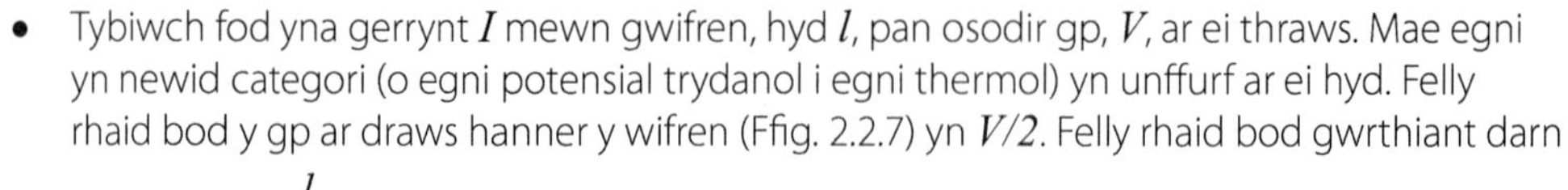

- Tybiwch fod yna gerrynt I mewn gwifren, hyd l, pan osodir gp, V, ar ei thraws. Mae egni yn newid categori (o egni potensial trydanol i egni thermol) yn unffurf ar ei hyd. Felly rhaid bod y gp ar draws hanner y wifren (Ffig. 2.2.7) yn $V/2$. Felly rhaid bod gwrthiant darn sydd â hyd o $\frac{l}{2}$ yn:

  $\frac{V/2}{I} = \frac{1}{2}\frac{V}{I} = \frac{1}{2} \times$ gwrthiant hyd l.

  Gan gyffredinoli, mae gwrthiant gwifren, R, mewn cyfrannedd â'i hyd, l.

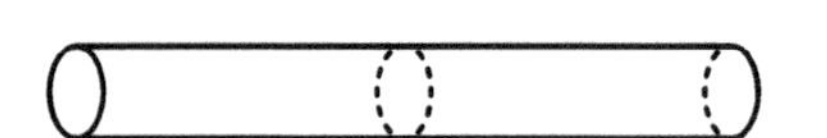

Ffig. 2.2.7 Dwy hanner gwifren

- Ond gallwn hefyd ystyried bod y wifren wedi'i gwneud o ddau 'hanner', y ddau gyda hanner arwynebedd trawstoriadol y wifren wreiddiol (Ffig. 2.2.8). Bydd y ddau yn cludo cerrynt (hanner y cyfanswm), felly rhaid bod

  Gwrthiant gwifren, arwynebedd $\frac{A}{2}$, yn $\frac{V}{I/2} = 2\frac{V}{I} = 2 \times$ gwrthiant arwynebedd A.

  Gan gyffredinoli, mae gwrthiant gwifren mewn cyfrannedd gwrthdro ag arwynebedd ei thrawstoriad, A. [Nid oes gwahaniaeth beth yw siâp y trawstoriad, gan mai crynodiad yr electronau rhydd sy'n penderfynu sut mae'r cerrynt yn rhannu, ac mae hwn yr un peth trwy'r metel i gyd, dim ots beth yw ei siâp.]

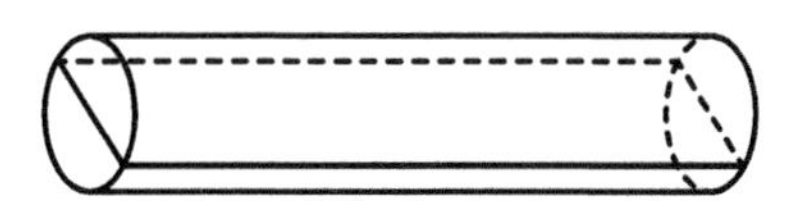

Ffig. 2.2.8 Gwifren wedi'i hollti ar ei hyd

Termau a diffiniadau

Rhoddir gwrthiant, R, gwifren, hyd l ac arwynebedd trawstoriadol A, gan

$$R = \frac{\rho l}{A}$$

lle mae ρ yn gysonyn, o'r enw **gwrthedd**, ar gyfer defnydd y wifren ar dymheredd penodol.

UNED ρ: Ω m

Gallwn gynnwys y ddibyniaeth ar l ac A yn yr un hafaliad sy'n cael ei roi yn y ***Termau a diffiniadau***. Mae'r hafaliad hwn hefyd yn cynnwys ffactor ρ, gwrthedd, ac mae hyn yn gofalu am effaith defnydd y wifren (a'r tymheredd) ar ei gwrthiant. A dweud y gwir, mae'r hafaliad yn *diffinio* gwrthedd – ar yr amod bod ystyr y llythrennau eraill yn cael ei nodi! Gwiriwch fod yr uned a roddir ar gyfer ρ yn gorfod bod yn gywir.

Yr isaf yw'r gwrthedd, y gorau yw'r metel am ddargludo trydan. Arian yw'r dargludydd confensiynol gorau, gyda gwrthedd o $1.59 \times 10^{-8}\ \Omega$ m, ar 20°C, yn cael ei ddilyn gan gopr ($1.68 \times 10^{-8}\ \Omega$ m), aur ($2.44 \times 10^{-8}\ \Omega$ m) ac alwminiwm ($2.82 \times 10^{-8}\ \Omega$ m). Nid yw haearn ($9.72 \times 10^{-8}\ \Omega$ m) yn dda iawn. Cymharwch fetelau ag ynysyddion: gwrthedd sylffwr yw $1 \times 10^{15}\ \Omega$ m.

Rydym yn trafod *mesur* gwrthedd metel, ar ffurf gwifren, yn Adran 2.2.8.

2.2.6 Hunan-brawf

Caiff gwifren fetel ei hymestyn fel bod ei hyd yn cynyddu 1.0%. Os yw ei chyfaint a'i gwrthedd yn aros yr un peth, beth yw canran cynnydd y gwrthiant?

Enghraifft

Mae constantan yn aloi nicel-copr. Nid yw ei wrthedd yn ddibynnol iawn ar dymheredd ac, o ystyried ei fod yn fetel, mae ganddo wrthedd uchel: $4.9 \times 10^{-7}\ \Omega$ m. Mae'n ddefnydd delfrydol ar gyfer gwneud gwrthyddion 'gwifren wedi'i weindio'. Cyfrifwch hyd gwifren gonstantan, diamedr 0.19 mm, y bydd ei hangen i wneud gwrthydd 15 Ω.

Gan ad-drefnu'r hafaliad gwrthedd ac amnewid y data, cawn fod:

$$l = \frac{RA}{\rho} = \frac{R\pi\left(\frac{d}{2}\right)^2}{\rho} = \frac{15\ \Omega \times \pi \times (0.095 \times 10^{-3}\ \text{m})^2}{4.9 \times 10^{-7}\ \Omega\text{m}} = 0.87\ \text{m}.$$

2.2.7 Hunan-brawf

Mae 19 llinyn o wifren gopr, diamedr 0.30 mm a hyd 0.50 m y tu mewn i orchudd pvc gwifren gysylltiol hyblyg. Cyfrifwch wrthiant y wifren gysylltiol. Beth fyddai ei gwrthiant delfrydol?

Dargludedd

Dargludedd, σ, defnydd (ar dymheredd penodol) yw cilydd ei wrthedd.

Felly mae $\sigma = \frac{1}{\rho}$ ac mae $\rho = \frac{1}{\sigma}$

Dargludiant, G gwifren (gweler Adran 2.2.4) yw

$G = \frac{1}{R} = \frac{A}{\rho l}$, a gaiff ei fynegi'n fwy naturiol, efallai, ar y ffurf $G = \frac{\sigma A}{l}$.

2.2.6 Sut mae gwrthiant metel yn dibynnu ar y tymheredd

Mae gwrthiant gwifren fetel yn cynyddu gyda thymheredd. Gallwn ymchwilio i hyn trwy ddefnyddio cyfarpar syml iawn ar draws yr amrediad tymheredd $0°C$ i $100°C$, fel sy'n cael ei ddisgrifio yn adran 2.2.8. Y newid yng ngwrthedd y metel, ρ, sydd bron yn llwyr gyfrifol am yr effaith hon, gan fod ehangiad thermol y wifren yn achosi'r mymryn lleiaf yn unig o newid i l ac A.

Mae'r graff bras yn dangos perthynas nodweddiadol, a ddarganfyddwyd trwy arbrofi dros amrediad mwy eang o dymereddau nag sy'n bosibl mewn labordy arferol.

- Sylwch ein bod wedi defnyddio tymheredd Celsius, θ.
- Ar yr echelin fertigol mae'r gwrthedd, ρ, wedi'i rannu â chysonyn, ρ_0, sef y gwrthedd ar $0°C$. [Nid yw'n hanfodol rhannu ρ â ρ_0; mantais gwneud hyn yw y bydd y graff wedyn yn ffitio'r mwyafrif o fetelau pur, o leiaf yn fras.]

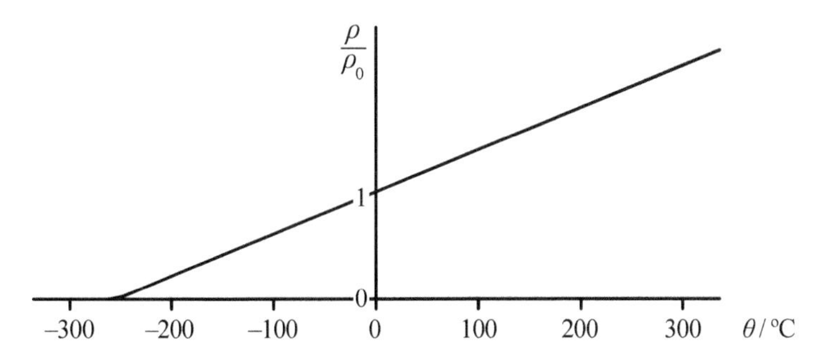

Ffig. 2.2.9 Gwrthedd gwifren metel pur yn erbyn tymheredd

Mae'r graff bron yn syth dros amrediad eithaf mawr o dymereddau (o leiaf o -100 °C hyd at $+200$ °C). Yma mae'r graddiant yn wahanol ar gyfer metelau gwahanol, ond mae'r gwerth tua 0.004 °C^{-1} ar gyfer y rhan fwyaf o fetelau pur. Mae'n is ar gyfer aloion.

Byddwn yn ystyried gwrthedd metelau ar dymereddau isel iawn yn nes ymlaen.

Gwrthiant a thymheredd ar gyfer metel: eglurhad electronau rhydd

Ar gyfer gp penodol wedi'i osod ar draws gwifren, caiff cyflymder drifft cymedrig yr electronau rhydd ei gyfyngu gan y gwrthdrawiadau rhyngddynt a'r ïonau sy'n dirgrynu. (Gweler yr adran gynharach: Beth sy'n achosi gwrthiant mewn metel.) Yr uchaf yw'r tymheredd, y mwyaf yw osgled y dirgryniad a'r byrraf yw'r amser cymedrig rhwng y gwrthdrawiadau. Mae hyn yn lleihau'r cyflymder drifft cymedrig, v, a hefyd, gan fod $I = nAve$, y cerrynt (ar gyfer gp penodol). Felly, gan fod $R = \frac{V}{I}$, mae'r gwrthiant yn cynyddu! Sylwch nad yw crynodiad yr electronau rhydd, n, yn dibynnu ar y tymheredd mewn metel.

Enghraifft: siâp y graff I–V ar gyfer lamp ffilament.

Bydd rhoi gp digon mawr yn achosi gwresogi Joule (oherwydd gwrthdrawiadau caletach rhwng yr electronau rhydd a'r ïonau). Mae'r codiad yn y tymheredd yn cynyddu gwrthiant y ffilament (oherwydd y cynnydd yn osgled dirgrynu'r ïonau)! Felly wrth i ni ddyblu'r gp, mae'r cerrynt yn cynyddu – ond bydd yn llai na dwbl. Nodwch y gall gwrthiant ffilament ar dymheredd gweithredu o 2500 °C fod dros 10 gwaith yn fwy na'i wrthiant ar dymheredd ystafell; gweler Hunan-brawf 2.2.8.

Hunan-brawf 2.2.8

Mae lamp ffilament twngsten prif gyflenwad (a gondemniwyd yn wastraffwr egni!) wedi'i labelu '240 V, 60 W'. Ar 0 °C mae ei gwrthiant yn mesur yn 67.0 Ω. Cyfrifwch:

(a) Sawl gwaith mwy y bydd ei gwrthiant yn cynyddu rhwng 0 °C a'i thymheredd gweithio.

(b) Ei thymheredd gweithio, gan dybio, ar gyfer pob codiad o un radd Celsius yn y tymheredd, y bydd ei gwrthiant yn cynyddu 0.0045 gwaith ei gwrthiant ar 0 °C.

Mae R_0 gwifren sydd wedi'i gwneud o aloi copr gyda metel arall yn uwch nag ydyw ar gyfer gwifren gopr o'r un hyd a thrwch. Mae hyn oherwydd bod ïonau'r metel arall yn tarfu ar drefniant rheolaidd grisialog yr ïonau copr, gan wneud gwrthdrawiadau gan electronau rhydd yn fwy tebygol. Fodd bynnag, mae rhan syth y graff R/R_0 yn erbyn tymheredd yn llai serth nag ydyw ar gyfer copr pur. Awgrymwch pam.

2.2.7 Uwchddargludedd

Termau a diffiniadau

Mae **uwchddargludydd** yn ddefnydd sydd yn colli ei wrthiant trydanol i gyd islaw tymheredd penodol, sef y *tymheredd trosiannol uwchddargludol* (neu'r *tymheredd critigol uwchddargludol*).

Yn 1911, wrth oeri gwifren a oedd wedi'i gwneud o fercwri (wedi'i rewi) i dymereddau is ac is, darganfyddodd y ffisegydd o'r Iseldiroedd, Heike Kamerlingh Onnes, fod gwrthiant y wifren yn disgyn yn sydyn i sero ar $-269.0\ °C$, neu ei fod o leiaf yn mynd yn rhy isel i'w fesur. Roedd wedi newid i fod yr hyn rydym yn ei alw erbyn heddiw yn *uwchddargludydd*. Mae ganddo *dymheredd critigol uwchddargludol neu dymheredd trosiannol uwchddargludol*, θ_c, o $-269.0\ °C$. Cadwch mewn cof fod *sero absoliwt*, y tymheredd isaf posibl, yn $-273.15\ °C$.

Erbyn hyn, mae ffisegwyr wedi sylwi ar uwchddargludedd mewn nifer o fetelau. Mae'r tymereddau trosiannol i gyd o fewn ychydig raddau i sero absoliwt. Sylwch ar y graff bras o wrthiant yn erbyn tymheredd sydd yn Ffig. 2.2.10. Ymysg y metelau *nad* ydynt wedi llwyddo i uwchddargludo, er gwaethaf eu hoeri i dymheredd sydd fymryn bach iawn uwchlaw sero absoliwt, y mae copr, arian ac aur – y dargludyddion gorau ar dymereddau arferol! Gweler Ffig. 2.2.11.

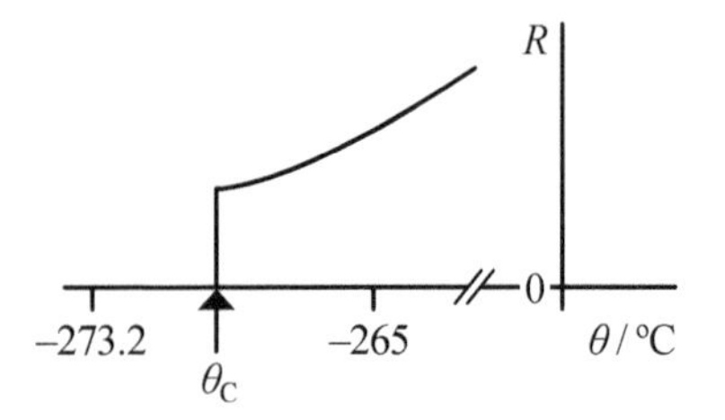

Ffig. 2.2.10 Trosiad uwchddargludol

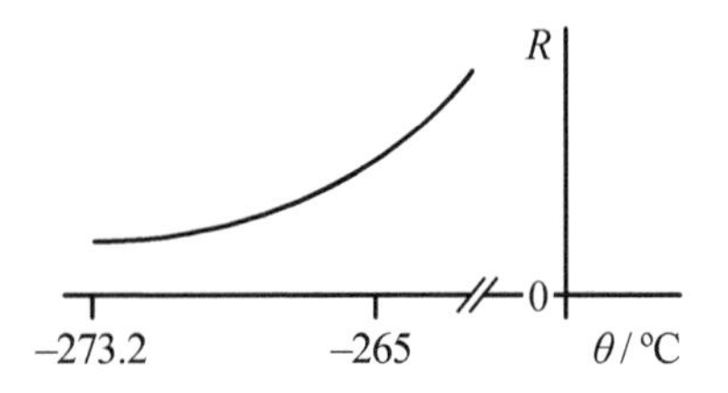

Ffig. 2.2.11 Metel anuwchddargludol

Yn 1986, darganfyddwyd ei bod hi'n bosibl achosi i rai defnyddiau ceramig arbennig uwchddargludo, gyda thymereddau trosiannol tipyn uwch na'r rheini ar gyfer metelau, ac ychydig uwchben $-196\ °C$ yn bennaf. [$-196\ °C$ yw berwbwynt nitrogen hylifol, felly gellir ei ddefnyddio fel oerydd (cymharol rad) i gadw'r *uwchddargludyddion 'tymheredd uchel'* hyn yn uwchddargludo.]

A yw gwrthiant uwchddargludydd yn sero mewn gwirionedd? Darganfyddwyd nad yw cerrynt, wedi iddo gael ei gychwyn mewn cylch o fetel uwchddargludol, yn gostwng yn amlwg dros gyfnodau o flynyddoedd, hyd yn oed yn absenoldeb gwahaniaeth potensial!

Defnyddio uwchddargludyddion

Mae gwifrau uwchddargludol yn cludo cerrynt heb afradloni unrhyw egni. Yn ogystal â'r egni sy'n cael ei *arbed*, nid oes angen cael gwared ar unrhyw wres diangen.

Mae terfyn ar y cerrynt y gall gwifren uwchddargludol ei gludo, nid oherwydd bod y wifren yn poethi (nid oes gwresogi Joule!), ond oherwydd ei bod yn cynhyrchu maes magnetig. Mae maes magnetig rhy fawr yn achosi i uwchddargludydd 'ymddwyn yn arferol' *hyd yn oed ar dymereddau islaw* θ_c.

Mae sawl cebl trawsyrru pŵer trydanol prototeip wedi cael eu gosod, gan ddefnyddio uwchddargludyddion (cerameg) 'tymheredd uchel'. Mae cadw'r cebl yn oer iawn ar ei hyd yn fusnes drud, ond gallai'r egni sy'n cael ei arbed olygu bod systemau o'r fath yn economaidd.

Mae angen electromagnetau sy'n cynhyrchu meysydd magnetig mawr mewn gofod eithaf mawr mewn peiriannau delweddu cyseiniant magnetig (*MRI: magnetic resonance imaging*) ar gyfer gwneud diagnosis meddygol. Mae eu hangen hefyd ar gyfer y mwyafrif o fathau o gyflymyddion gronynnau ac ar gyfer cerbydau sy'n hofran trwy gyfrwng magnetau. Defnyddir gwifrau uwchddargludol bob tro ar gyfer coiliau yr electromagnetau hyn. Tra bo angen craidd o haearn ar y coil mewn electromagnet confensiynol, nid oes angen un mewn coil uwchddargludol. Mewn peiriant *MRI*, mae hyn yn gadael lle i'r claf – sy'n dipyn o fantais. [Er mwyn atal yr uwchddargludydd rhag ymddwyn yn arferol o ganlyniad i'r maes magnetig, rhaid ei oeri *ychydig islaw* ei dymheredd trosiannol.]

Ffig. 2.2.12 Coil magnet *MRI*

Pwynt astudio

Mae mwy i uwchddargludyddion na gwrthiant sero. Er enghraifft, o'i oeri trwy'r tymheredd trosiannol, mae un dosbarth o uwchddargludyddion yn gyrru allan pob llinell maes fagnetig o'i du mewn.

Nid ydym yn ceisio *egluro* uwchddargludedd yma. Mae yna eglurhad arferol (ond anodd iawn) o'r effaith hon mewn metelau, ond nid oes eglurhad y cytunir arni'n gyffredinol ar gyfer uwchddargludyddion ar dymereddau uchel.

2.2.8 Ymchwiliadau arbrofol

(a) Ymchwilio i'r berthynas I–V ar gyfer dargludydd

Rydym yn gosod y dargludydd sydd dan brawf yn y gylched a ddangosir yn Ffig. 2.2.13. Sylwch fod yr amedr mewn cyfres ag ef a bod y foltmedr wedi'i osod ar ei draws.

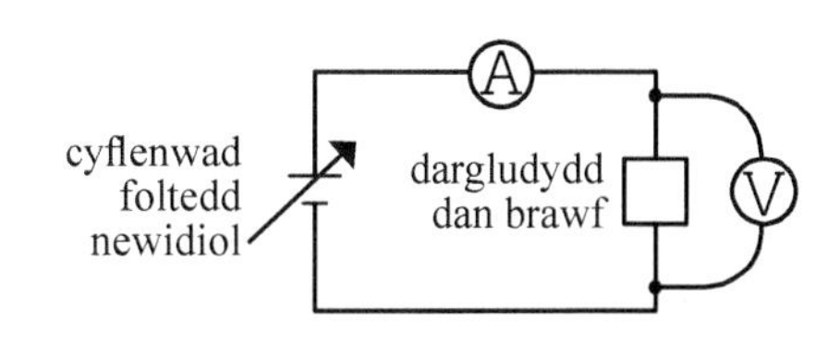

Ffig. 2.2.13 Cylched ar gyfer gwneud darlleniadau V ac I

- Eglurwyd y rhagofalon ar gyfer defnyddio amlfesurydd fel amedr mewn Pwynt astudio cynharach.
- Gallai'r cyflenwad foltedd newidiol fod yn uned bwrpasol a yrrir gan y prif gyflenwad neu'r gylched 'rhannwr potensial' a ddangosir yn Ffig. 2.2.14. Rydym yn egluro sut mae hwn yn gweithio yn Adran 2.3.3.
- *Gan ddechrau ar sero*, rydym yn cynyddu'r gp, fesul cam, o sero hyd at yr uchafswm a ganiateir ar gyfer y dargludydd sydd dan brawf (e.e. efallai fod label '3 V, 0.45 A'ar lamp ffilament), gan gymryd darlleniadau ar gyfer I a V bob tro.
- Mae'n arferol cyflwyno'r canlyniadau ar graff I–V: I (fertigol) yn erbyn V. Rydym yn cymryd darlleniadau ychwanegol os nad yw siâp lleol y graff yn glir, er enghraifft lle mae'n plygu. Ar gyfer graff crwm, byddem yn disgwyl cymryd tua deg pâr o ddarlleniadau, a llai, efallai, ar gyfer graff syth.

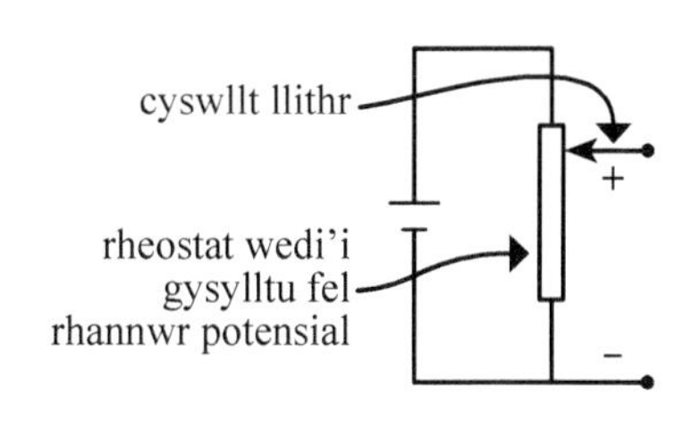

Ffig. 2.2.14 Cyflenwad foltedd newidiol

(b) Darganfod gwrthedd y metel mewn gwifren

Y peth hawsaf yw ymchwilio i wifren heb ei hynysu (noeth) sydd wedi'i gwneud o aloi (e.e. constantan), sydd â gwrthedd cymharol uchel. Yn y bôn, mae angen i ni fesur gwrthiant, R, hyd, l, a diamedr, d, y wifren gan fod

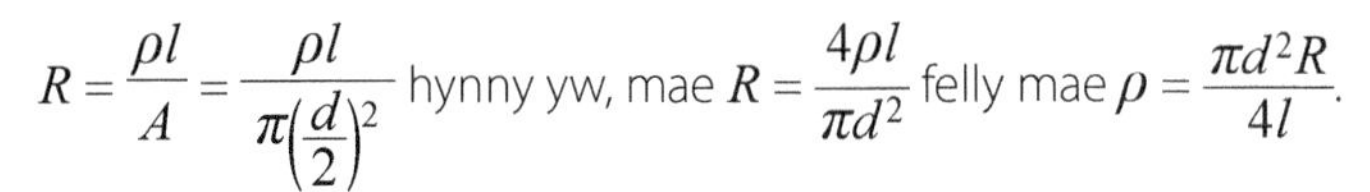

$R = \frac{\rho l}{A} = \frac{\rho l}{\pi\left(\frac{d}{2}\right)^2}$ hynny yw, mae $R = \frac{4\rho l}{\pi d^2}$ felly mae $\rho = \frac{\pi d^2 R}{4l}$.

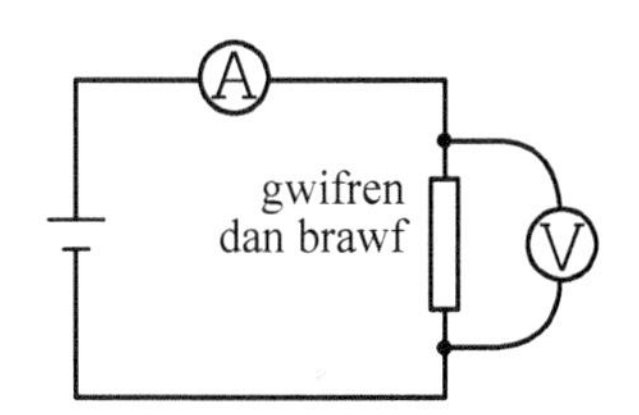

Ffig. 2.2.15 Cylched arall ar gyfer mesur gwrthiant

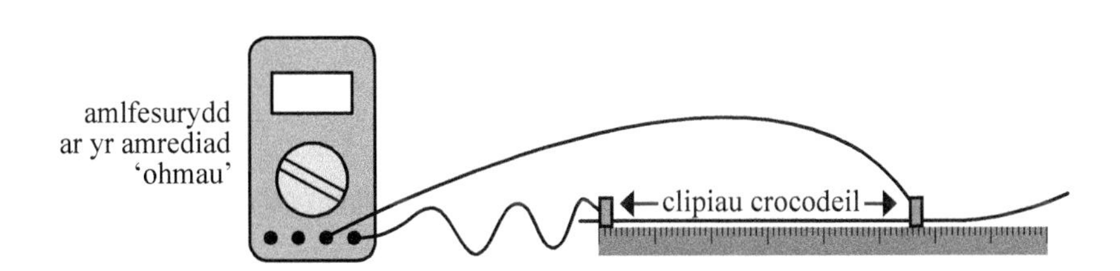

Ffig. 2.2.16 Mesur gwrthiant a hyd gwifren denau

R Gallwn ddefnyddio mesurydd digidol ar yr amrediad ohmau. Rhaid tynnu ei gyfeiliornad sero (yr hyn sydd ar y darllenydd pan gaiff y clipiau crocodeil ar bennau'r gwifrau eu dal gyda'i gilydd) o unrhyw ddarlleniad ar gyfer gwrthiant. Ar y llaw arall, gallem ddefnyddio batri, amedr a foltmedr, wedi'u cysylltu fel yr awgrymir yn Ffig. 2.2.15.

l Caiff hyd y wifren rhwng y clipiau crocodeil ei fesur gyda riwl metr. Mae angen lleihau ansicrwydd o ganlyniad i baralacs, gwifren nad yw'n syth, a'r pwynt cyswllt anhysbys rhwng y wifren a'r clipiau crocodeil.

d Mae'n debygol y bydd gan y wifren ddiamedr sy'n llai na 0.3 mm, felly byddai ansicrwydd absoliwt o 0.01 mm yn creu ansicrwydd o dros 3% yn d a thros 6% yn d^2, gan mai d^2 sy'n ymddangos yn yr hafaliad ar gyfer ρ. Yn bendant, mae angen offeryn sydd â chydraniad o ddim mwy na 0.01 mm: bydd caliperau electronig neu fedrydd sgriw micromedr yn gwneud y tro. Rydym yn cymryd cymedr pump neu chwe mesuriad wedi'u gwasgaru ar hyd y wifren, ac ar draws diamedrau gwahanol.

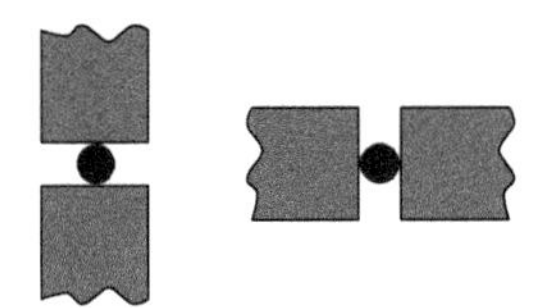

Ffig. 2.2.17

Pwynt astudio

Roedd gwerth cymedrig d, sef diamedr y wifren y plotiwyd y graff R–l **uchaf** yn Ffig. 2.2.18 ar ei chyfer, yn 0.215 mm (±0.01 mm). Graddiant y graff yw

$$\frac{(9.60 - 0.00)\ \Omega}{(0.700 - 0.000)\ \text{m}} = 13.7\ \Omega\ \text{m}^{-1}$$

Mae hyn yn rhoi gwrthedd o

$$\rho = \frac{\pi d^2}{4} \times \text{graddiant}$$

$$= \frac{\pi(0.000215\ \text{m})^2}{4} \times 13.7\ \Omega\ \text{m}^{-1}$$

$$= 5.0 \times 10^{-7}\ \Omega\ \text{m}$$

2.2.9 Hunan-brawf

Plotiwyd y graff **isaf** yn Ffig. 2.2.18 o fesuriadau R ac l ar gyfer darn mwy trwchus o wifren constantan. Darganfyddwch raddiant y graff, a thrwy hynny ddiamedr y wifren, gan gymryd bod gwrthedd constantan yn $5.0 \times 10^{-7}\ \Omega$ m.

⚠ Rhybuddion diogelwch

1. Dŵr poeth: perygl llosg. Peidiwch â gorlenwi'r tegell. Cymysgwch gan ddefnyddio tröydd hir yn unig.
2. Y prif gyflenwad trydan: Cadwch yn glir o'r cyfarpar pan fydd y tegell wedi'i droi ymlaen. Sychwch unrhyw ddŵr – ar ôl diffodd y tegell wrth y wal.

Ymestyn a Herio

Er mwyn i'r tymheredd godi'r un faint wrth i'r dŵr boethi, bydd angen amserau poethi hirach a hirach. Awgrymwch pam.

Gallem ddarganfod ρ trwy roi un set o fesuriadau cymedrig yn yr hafaliad. Fodd bynnag, mae'n fantais mesur gwrthiant darnau hirach a hirach o'r un wifren, a phlotio graff o R yn erbyn l fel y gwelir isod.

Gan fod $R = \frac{4\rho l}{\pi d^2}$, rydym yn disgwyl i'r graff fod yn llinell syth trwy'r tarddbwynt, gyda graddiant o $\frac{4\rho}{\pi d^2}$. Felly mae $\rho = \frac{\pi d^2}{4} \times$ graddiant. Gweler y Pwynt astudio.

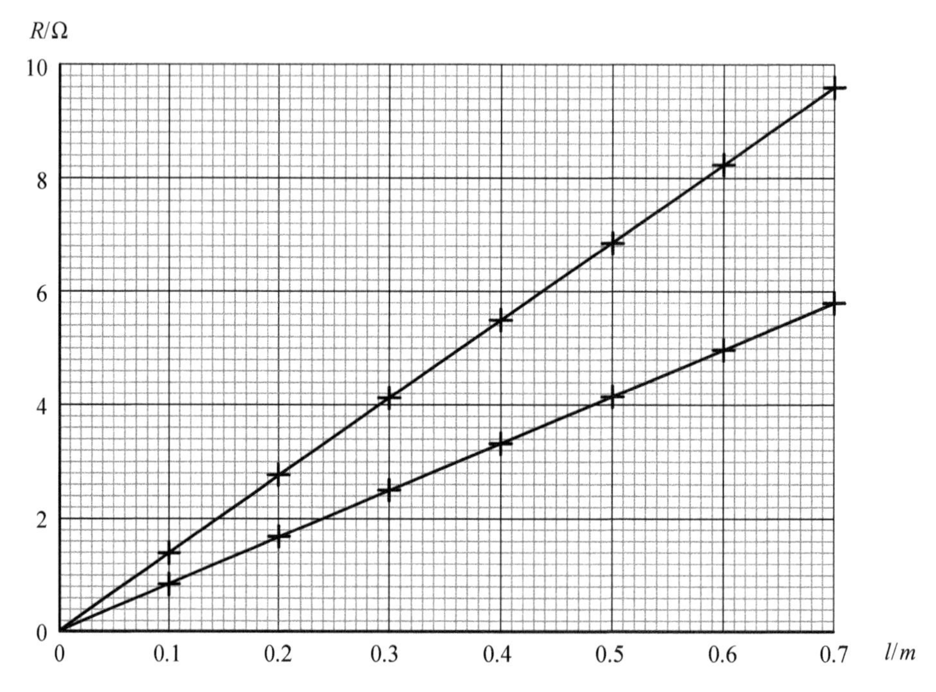

Ffig. 2.2.18 Gwrthiant yn erbyn hyd ar gyfer gwifrau constantan

(c) Sut mae gwrthiant gwifren fetel yn dibynnu ar y tymheredd

Gallem ddefnyddio'r cyfarpar a ddangosir yn Ffig. 2.2.19, ond un posibiliad yn unig yw hyn. Byddai'n bosibl defnyddio bicer o ddŵr wedi'i boethi gan losgydd Bunsen yn lle'r tegell. Yn lle defnyddio'r amlfesurydd ar yr amrediad *ohmau*, gallem roi'r coil o wifren yn y gylched a ddangosir yn Ffig. 2.2.19, a chyfrifo'r gwrthiant trwy ddefnyddio $V = IR$.

- Rydym yn dechrau gyda'r tegell wedi'i ddiffodd wrth y wal, a chymysgedd o iâ mân a dŵr o gwmpas y coil o wifren.
- Ar ôl ei droi, rydym yn darllen y tymheredd a'r gwrthiant; rydym yn cyfrifo'r gwrthiant trwy dynnu cyfeiliornad sero y mesurydd (y darlleniad pan fydd y chwiliedyddion yn cyffwrdd ei gilydd).
- Rydym yn troi'r tegell ymlaen am ddigon o amser i ganiatáu i'r iâ ymdoddi.
- Ar ôl diffodd y tegell, rydym yn troi'r dŵr yn araf gan ddefnyddio tröydd hir nes i'r tymheredd sefydlogi, ac yna'n cymryd pâr arall o ddarlleniadau.
- Rydym yn dal ati i ailadrodd y broses, gan anelu at godiadau o tua 10 °C i 15 °C bob tro, nes cyrraedd ~100 °C.
- Caiff graff ei blotio o wrthiant yn erbyn tymheredd. Disgwylir i'r graff fod yn llinell syth ac iddi raddiant positif. Mae'n werth cyfrifo'r tymheredd lle byddai'r gwrthiant yn sero, pe byddai'r berthynas llinell syth yn parhau hyd at dymereddau isel.

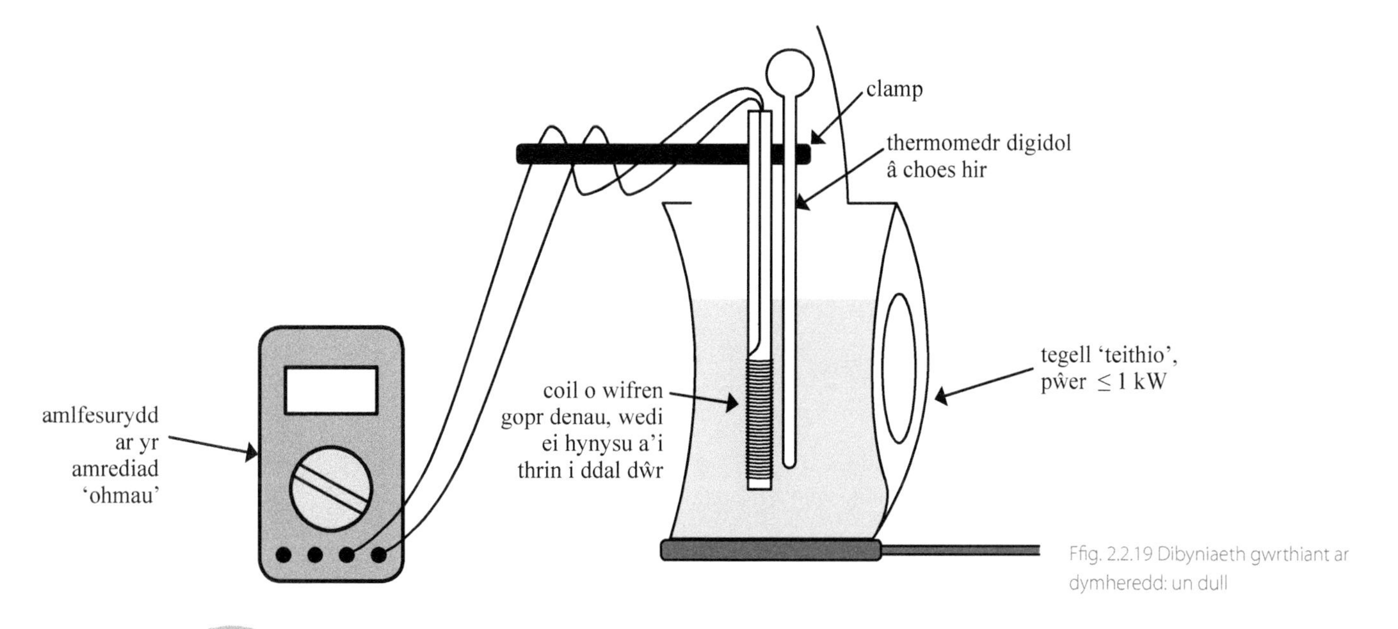

Ffig. 2.2.19 Dibyniaeth gwrthiant ar dymheredd: un dull

Ymarfer 2.2

1. Mae tegell trydan wedi'i labelu 230 V, 2.5 kW. Cyfrifwch:

(a) Y cerrynt y mae'r tegell yn ei gymryd.

(b) Gwrthiant yr elfen wresogi.

2. Gp y prif gyflenwad yn yr UE yw 230 V, gyda goddefiant o +10%/–6% yn y DU a +6%/–10% yn llawer o wledydd Ewrop, e.e. yr Almaen. Fodd bynnag, am resymau hanesyddol, mae'r foltedd sy'n cael ei drawsyrru yn ~240 V yn y DU ac yn ~220 V yn yr Almaen. Cyfrifwch y gwir bŵer a ddefnyddir gan y tegell yn C1, o'i ddefnyddio (a) yn y DU a (b) yn yr Almaen. Gwnewch sylwadau ar yr amser y mae'n ei gymryd i'r tegell ferwi.

3. Mae hen fwlb golau wedi'i labelu 240 V, 60 W. Mae bwlb tortsh wedi'i labelu 6 V, 0.25 A. Dangoswch sut y dylai'r ddwy ddyfais hyn allu gweithredu fel y nodir ar y label o'u cysylltu mewn cyfres mewn cylched addas.

4. Mae'r diagram yn dangos gwn electronau. Mae'n cynnwys coil wedi'i wresogi, sef y catod K, sy'n allyrru electronau, ac anod siâp cwpan, A. Caiff yr electronau eu cyflymu gan y gp rhwng y catod a'r anod. Mae'r rhan fwyaf o'r electronau a gyflymir yn taro'r anod, ond mae cyfran fach yn dod allan mewn paladr cul trwy'r twll. ($m_e = 9.11 \times 10^{-31}$ kg)

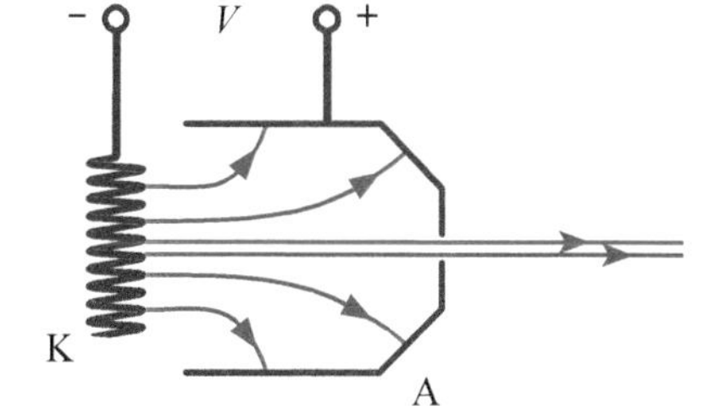

Caiff y gwn electronau ei osod gyda gp o 1 kV. Mae'r catod yn allyrru 5.0×10^{15} electron yr eiliad, ac mae 95% o'r rhain yn taro'r anod. Cyfrifwch:

(a) Y pŵer sy'n cael ei gyflenwi gan ffynhonnell y foltedd.

(b) Yr egni a drosglwyddir wrth i electron deithio o K i A.

(c) Y buanedd y mae'r electronau'n ei gyrraedd.

(ch) Y cerrynt yn y wifren rhwng A a'r derfynell +.

5. (a) Cyfrifwch y momentwm y mae'r electronau yn C4 yn ei ennill.

(b) Sylwir bod yr anod yn tywynnu'n goch disglair. Eglurwch pam, a nodwch y pŵer y mae'n ei belydru i ffwrdd.

(c) Amcangyfrifwch y grym y mae'r electronau'n ei roi ar yr anod, gan egluro'ch ateb yn nhermau N2 ac N3.

6. Caiff paladr o brotonau ($m_p = 1.66 \times 10^{-27}$ kg) ei gynhyrchu mewn cyfarpar tebyg i'r gwn electronau sydd yn C4, ac mae'n gweithredu ar 10 kV.
Cyfrifwch fuanedd y protonau yn y paladr.

7. Caiff fformiwlâu perthnaseddol Newton ac Einstein ar gyfer momentwm eu cymharu yn y blwch isod.

Momentwm Newtonaidd: $p_N = mv$

Momentwm perthnaseddol: $p_E = \dfrac{mv}{\sqrt{1-\dfrac{v^2}{c^2}}}$

I bob pwrpas, maen nhw yr un peth ar gyfer buaneddau isel iawn, $v \ll c$.

(a) Dangoswch, ar gyfer buaneddau sy'n is nag 14% o fuanedd golau, fod y gwahaniaeth rhwng dau werth y momentwm yn llai nag 1%.

(b) Defnyddiwch eich ateb i (a) er mwyn awgrymu foltedd uchaf y gallwn gyflymu (i) electronau a (ii) protonau trwyddo, heb yr angen i ddefnyddio damcaniaeth perthnasedd Einstein.

8. Mesurodd myfyriwr wrthiant, R, darn o wifren haearn ar dymereddau, θ, rhwng 0 °C a 100 °C.

θ/°C	9	20	34	49	69	85	99
R/Ω	12.0	12.7	13.6	14.6	16.5	17.2	18.4

Dangosir y canlyniadau yn y tabl. Credir bod tymheredd yr ystafell (20 °C) a'r tymereddau 'berwi' yn gywir o fewn ±0.5 °C. Mae gan y tymereddau eraill ansicrwydd o ±2 °C. Mae'r ansicrwydd yng ngwerthoedd y gwrthiant yn ±0.1 Ω.

(a) Plotiwch y darlleniadau R, θ ynghyd â'u barrau cyfeiliornad, a lluniadwch linellau eithaf (mwyaf/lleiaf).

(b) Defnyddiwch yr ateb i (a) i ddarganfod y graddiant, m, a'r rhyngdoriad, R_0, ar yr echelin R, ynghyd â'u hansicrwydd.

(c) Yr enw ar y mesur $\dfrac{1}{R_0}\dfrac{\Delta R}{\Delta \theta}$ yw'r *cyfernod tymheredd gwrthiant*, a'i symbol yw α.

(i) Defnyddiwch y diffiniad i ddarganfod yr uned ar gyfer α.

(ii) Yn ôl tudalen ar y we, mae gwerth α ar gyfer haearn yn 6.41×10^{-3} uned. Dangoswch os yw hyn yn cytuno â'ch ateb i (b).

(ch) Nid yw haearn pur yn mynd yn uwchddargludydd, h.y. mae ganddo wrthiant trydanol ansero ar bob tymheredd. Defnyddiwch y canlyniadau i ddangos nad yw'r berthynas linol uchod rhwng gwrthiant a thymheredd yn dal ar dymereddau isel iawn.

9. Mae dau fyfyriwr yn ymchwilio i'r berthynas cerrynt–foltedd (I–V) ar gyfer bwlb ffilament prif olau car sydd wedi'i labelu 12 V, 24 W. Maen nhw'n gosod cylched addas i archwilio amrywiad y foltedd isel a'r foltedd uchel. Roeddent yn disgwyl i'r ffilament ufuddhau i ddeddf Ohm ar gyfer folteddau isel, ond nid ar gyfer folteddau uchel.

V / V	I / A
0.00	0.000
0.25	0.117
0.50	0.234
0.75	0.352
1.00	0.469
1.50	0.634

V / V	I / A
2.00	0.741
4.00	1.078
6.00	1.342
8.00	1.568
10.00	1.768
12.00	1.951

(a) Eglurwch yn fyr pam roeddent yn disgwyl dau ymddygiad gwahanol.

(b) Roedd eu cyflenwad pŵer yn rhoi allbwn mewn camau o 2.0 V yn unig. Lluniadwch gylched y gallent ei defnyddio i ymchwilio i'r cerrynt ar folteddau isel, ac eglurwch sut mae'n gweithio.

(c) Dangosir eu canlyniadau yn y tabl. Plotiwch graff o I yn erbyn V ac amcangyfrifwch werth V trosiannol pan fydd yr ymddygiad yn newid.

(ch) Cyfrifwch wrthiant y ffilament ar folteddau isel ac ar y foltedd gweithredol (12 V).

(d) Mae'r myfyrwyr yn darllen mai'r berthynas rhwng I a V, yn y rhanbarth foltedd uchel, yw $I = kV^n$, a bod gwerth n fwy neu lai yn 0.6. Plotiwch graff o I yn erbyn $V^{0.6}$ i ymchwilio i hyn, a thrafodwch i ba raddau y mae'r llinell yn cytuno ag $I = kV^{0.6}$ ar gyfer folteddau uwchben y trosiad. Addaswch eich ateb i'r foltedd trosiannol (c) rhwng yr ymddygiad ohmig a'r ymddygiad anohmig.

(dd) [Ar gyfer ymgeiswyr Safon Uwch] Plotiwch graff log addas i ddarganfod gwerth mwy manwl gywir ar gyfer n. Defnyddiwch y canlyniadau i gael gwerth ar gyfer k.

Mae'r cwestiwn hwn yn cynnwys rhai cysyniadau o Adran 2.3.

Cynhwysedd gwres sbesiffig, c, sylwedd yw'r egni gwres sydd ei angen i godi tymheredd 1 kg o'r sylwedd 1°C.

Er mwyn mesur gwerth c ar gyfer alwminiwm, mae grŵp o fyfyrwyr yn defnyddio gwresogydd troch trydanol i wresogi bloc 1.00 kg o alwminiwm am 20 munud. Maen nhw'n monitro'r tymheredd ac yn nodi'r tymheredd uchaf a gyrhaeddwyd. Dangosir eu canlyniadau isod:

gp = 12.0 V; I = 2.50 A; tymheredd (ystafell) cychwynnol = 22.0 °C, tymheredd uchaf = 53.6 °C

(a) Defnyddiwch y data i amcangyfrif cynhwysedd gwres sbesiffig alwminiwm.

(b) Mewn ymgais i ystyried effaith unrhyw wres a gollwyd, mae'r myfyrwyr yn monitro'r tymheredd ar ôl diffodd y gwresogydd trydanol, ac yn sylwi bod y tymheredd yn disgyn i 50.1°C ar ôl 5 munud.

Gan dybio bod y gyfradd colli gwres mewn cyfrannedd â'r gwahaniaeth rhwng tymheredd y bloc a thymheredd yr ystafell, amcangyfrifwch:

(i) y tymheredd uchaf y byddai'r bloc wedi ei gyrraedd pe na bai gwres yn cael ei golli, a

(ii) gwell gwerth ar gyfer y cynhwysedd gwres sbesiffig.

2.3 Cylchedau cerrynt union

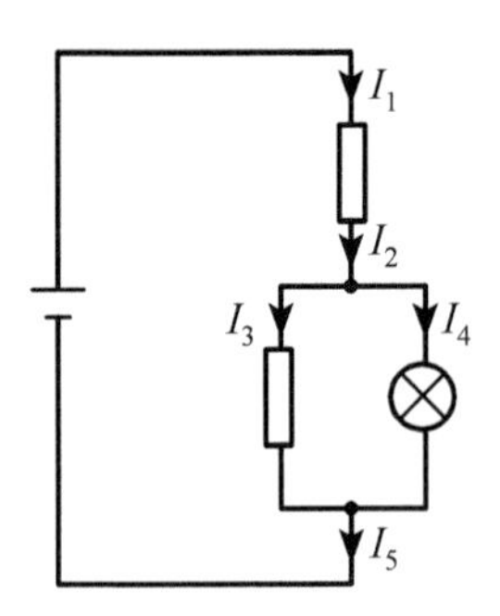

Ffig. 2.3.1 Ceryntau

Pwynt astudio

Deddf gyntaf Kirchhoff

Mae swm y ceryntau sy'n dod i mewn i bwynt mewn cylched yn hafal i swm y ceryntau sy'n mynd allan o'r pwynt hwnnw.

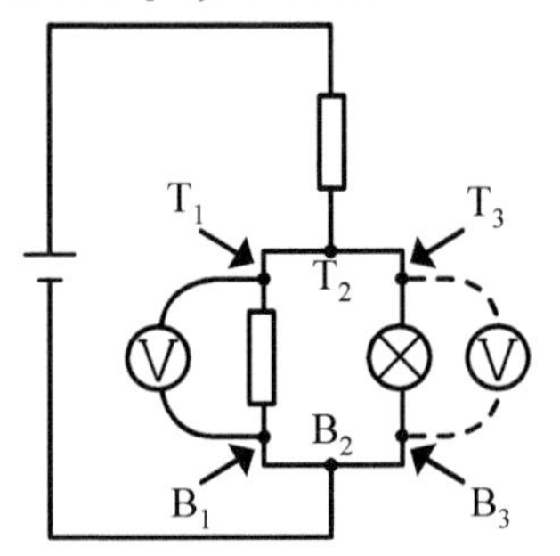

Ffig. 2.3.2 Dewis foltmedr

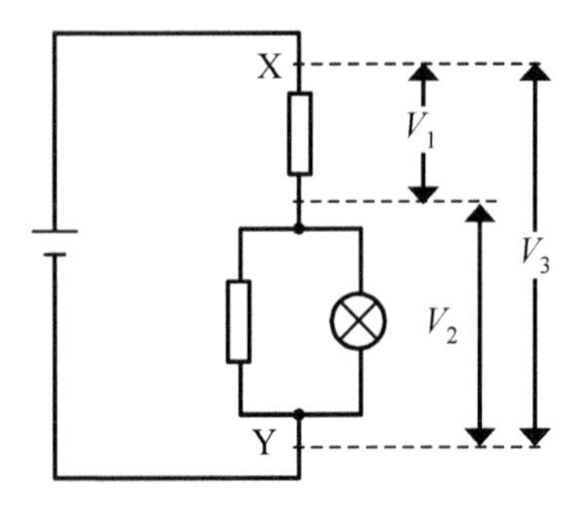

Ffig. 2.3.3 Gp mewn cyfres

2.3.1 Hunan-brawf

Mae'r lamp ffilament, y mae ei graff I–V wedi ei roi yn Ffig. 2.2.4, wedi'i chynllunio ar gyfer gp o 2.5 V ar ei thraws.

(a) Cyfrifwch werth y gwrthydd cyfres y mae ei angen i redeg y lamp yn iawn oddi ar fatri 12 V.

(b) Cyfrifwch y pŵer sy'n cael ei afradloni (i) yn y lamp a (ii) yn y gwrthydd, a gwnewch sylwadau ar y gwerthoedd hyn.

Mae'n bosibl cydrannu nifer o gylchedau yn gyfuniadau o elfennau dargludol (er enghraifft, gwrthyddion, lampau) mewn cyfres a/neu mewn paralel, a chyflenwad pŵer. Rydym yn dangos sut i gyfrifo'r ceryntau a'r gp yn y cylchedau hyn, ac yn gorffen trwy ystyried dau achos pwysig, y rhannwr potensial a'r cyflenwad pŵer sydd â gwrthiant mewnol.

2.3.1 Ceryntau a gp mewn cylchedau cyfres a pharalel

(a) Ceryntau

Rydym eisoes wedi gweld (yn 2.1.2) sut mae deddf cadwraeth gwefr yn dangos bod rhaid i'r cerrynt fod yr un peth yr holl ffordd o amgylch cylched *gyfres* syml (hynny yw, pob cydran mewn cylch heb unrhyw ganghennau). Fodd bynnag, tybiwch yn lle hynny *fod* yna ganghennau, ac felly mae gennym gydrannau *mewn paralel* fel yn achos y gwrthydd isaf a'r lamp ffilament yn Ffig. 2.3.1. Gan fod cadwraeth gwefr, rhaid bod y ceryntau (cyfraddau llif gwefr) trwy'r ddwy gydran hyn yn adio i roi'r cerrynt sydd yn y gylched 'cyn' ac 'ar ôl' iddi rannu. Mewn geiriau eraill, mae:

$$I_1 = I_2 = (I_3 + I_4) = I_5$$

Mae hyn yn dangos y rheol syml sy'n cael ei alw yn *ddeddf gyntaf Kirchhoff* (gweler y Pwynt astudio).

(b) Gwahaniaethau potensial

Rydym yn dechrau trwy edrych ar y cyfuniad paralel yn Ffig. 2.3.2. Os yw'r foltmedr yn y safle ar y chwith neu ar y dde, mae'n rhaid i'r darlleniad fod yr un peth, oherwydd bod T_1 a T_3 wedi'u cysylltu â gwifren (o wrthiant dibwys), ac felly, i bob pwrpas, yr un pwynt ydynt. Mae'r un peth yn wir ar gyfer B_1 a B_3.

Mewn geiriau eraill, pan fydd y cydrannau mewn paralel, mae'r gp yr un peth ar draws y ddau ohonynt: dim ond *un* gp sydd!

[Yn fwy sylfaenol: mae'r gp yn codi o rymoedd ar electronau rhydd o ganlyniad i ddosbarthiad gwefr a achosir gan y batri. Mae'r grymoedd yn gwneud gwaith ar yr electronau rhydd sy'n mynd o un pwynt i'r llall (e.e. o B_2 i T_2). Mae swm y gwaith yn annibynnol ar y llwybr rhwng y pwyntiau, yn union fel y gwaith sy'n cael ei wneud arnom ni gan dynfa'r Ddaear wrth i ni newid lefelau trwy ddefnyddio grisiau yn lle ramp goleddol.]

Yn olaf, ystyriwch y gp ar draws cydrannau mewn cyfres, fel y dangosir yn Ffig. 2.3.3. Ar gyfer electron sy'n mynd o Y i X, mae'r gwaith sy'n cael ei wneud arno wrth iddo deithio trwy naill ai'r gwrthydd isaf neu'r lamp ffilament yn eV_2, ac wrth iddo deithio trwy'r gwrthydd uchaf mae'n eV_1. Felly mae cyfanswm y gwaith wrth iddo deithio o Y i X yn $(eV_1 + eV_2)$, ond mae hefyd yn eV_3. Felly mae $eV_1 + eV_2 = eV_3$. Gan rannu'r cwbl gydag e:

$$V_1 + V_2 = V_3.$$

Felly mae gp mewn cyfres yn adio.

Mae'r rheolau ar gyfer gp mewn cylchedau sy'n cynnwys cydrannau mewn cyfres ac mewn paralel, felly, yn ganlyniad i gadwraeth *egni*.

Enghraifft

Mae gan yr LED coch, y mae ei graff $I–V$ i'w weld yn Ffig. 2.2.4, y disgleirdeb cywir gyda cherrynt o $20\ \text{mA}$. Cyfrifwch wrthiant y gwrthydd y mae'n rhaid ei osod mewn cyfres â'r LED i'w redeg ar y cerrynt hwn oddi ar gyflenwad 6.0 V.

Yn gyntaf, rydym yn rhoi'r wybodaeth ar ddiagram cylched (Ffig. 2.3.4). Ond mae Ffig. 2.2.4 yn dangos, ar gyfer cerrynt o $20\ \text{mA}$, fod angen gp o $2.0\ \text{V}$ (i 2 ff.y.) ar draws yr LED. Gan fod gp mewn cyfres yn adio, mae angen 'gostwng' ($6.0\ \text{V} - 2.0\ \text{V}$) ar draws y gwrthydd, felly mae'n rhaid bod ei werth, R, yn …

$$R = \frac{4.0\ \text{V}}{0.020\ \text{A}} = 200\ \Omega$$

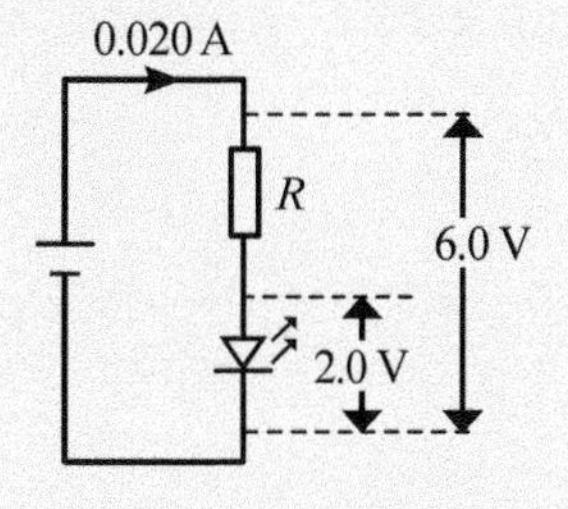

Ffig. 2.3.4 Data i ddarganfod R

(c) Nodyn ar wrthiant amedrau a foltmedrau

Edrychwch ar y gylched yn Ffig. 2.3.5. Mae'r mesurau yn ymyl y mesuryddion yn Ffig. 2.3.5 yn nodi eu darlleniadau. Ni fyddai'n wirion gofyn: ai dyma'r gp a'r ceryntau *cyn cysylltu'r mesuryddion*? Yr ateb yw: ie, ar yr amod bod:

- Gwrthiant y foltmedr mor uchel fel bod y cerrynt trwyddo yn ddibwys.
- Gwrthiant pob amedr mor isel (o'i gymharu â'r gwrthyddion) fel na fydd y cerrynt yn lleihau wrth eu rhoi mewn cyfres.

Gyda mesuryddion modern, mae fel arfer yn ddiogel tybio bod hyn yn wir. Er enghraifft, mae gan amlfesurydd digidol nodweddiadol sy'n dewis ei amrediad ei hun (*auto-ranging*), ac sydd wedi'i osod ar yr amrediad 'foltiau CU', wrthiant o $10\ \text{M}\Omega$ neu fwy. Ar ei amrediad 10 A, mae ei wrthiant fel arfer yn fymryn lleiaf o ohm. Gweler Sylwch.

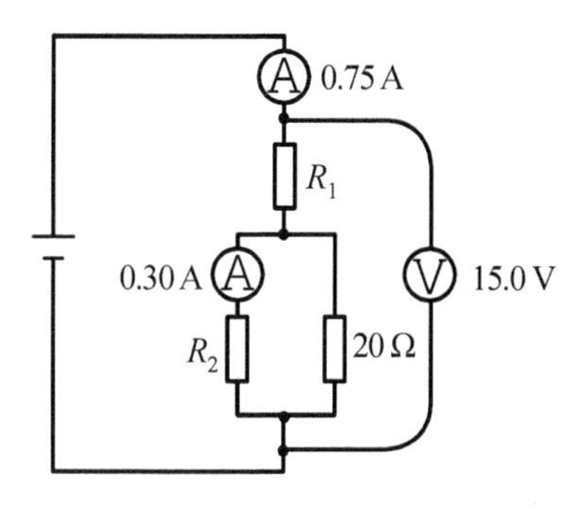

Ffig. 2.3.5 Gwrthyddion anhysbys

Enghraifft aml-gam

Darganfyddwch y gwrthiannau R_1 ac R_2 yn Ffig. 2.3.5.

Mae'r enghraifft hon, yn wahanol i'r un ddiwethaf, braidd yn annaturiol, ond mae'n dangos bron pob un o reolau sylfaenol cylchedau ar waith.

Rydym yn gwybod beth yw'r ceryntau trwy R_1 ac R_2, ond ddim y gp ar eu traws – hyd yma. Rydym yn dechrau trwy gyfrifo'r unig beth y mae'n bosibl ei gyfrifo ar unwaith. Mae hyn yn rhoi i ni un peth arall, ac yn y blaen.

- Ar gyfer y gwrthydd $20\ \Omega$, mae'r cerrynt = $0.75\text{A} - 0.30\ \text{A} = 0.45\ \text{A}$.
- Felly mae'r gp ar draws y gwrthydd $20\ \Omega$ yn $V = IR = 0.45\ \text{A} \times 20\ \Omega = 9.0\ \text{V}$.
- Dyma hefyd yw'r gp ar draws R_2.
- Felly mae $R_2 = \dfrac{9.0\ \text{V}}{0.30\ \text{A}} = 30\ \Omega$.
- Ond mae R_1 mewn cyfres â'r cyfuniad paralel, sydd â gp o $9.0\ \text{V}$ ar ei draws. Felly mae'r gp ar draws R_1 yn $V = 15.0\ \text{V} - 9.0\ \text{V} = 6.0\ \text{V}$.
- Felly mae $R_2 = \dfrac{6.0\ \text{V}}{0.75\ \text{A}} = 8.0\ \Omega$.

Mae hyn yn syml iawn ar yr amod eich bod yn gofalu bod pob gp wedi'i gysylltu â'r gydran/cydrannau yn y gylched y mae'n perthyn iddi, h.y. sicrhewch fod eich gwaith yn glir.

Sylwch

Oni bai y dywedir yn wahanol, tybiwch fod gan amedrau a foltmedrau wrthiant sero a gwrthiant anfeidraidd yn ôl eu trefn.

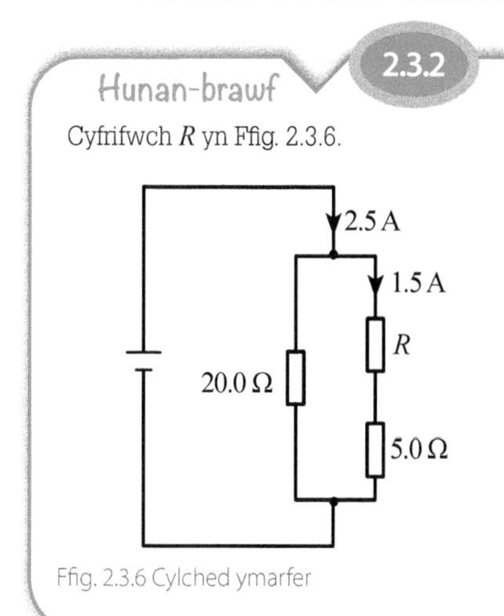

Ffig. 2.3.6 Cylched ymarfer

2.3.2 Fformiwlâu ar gyfer gwrthiannau mewn cyfres ac mewn paralel

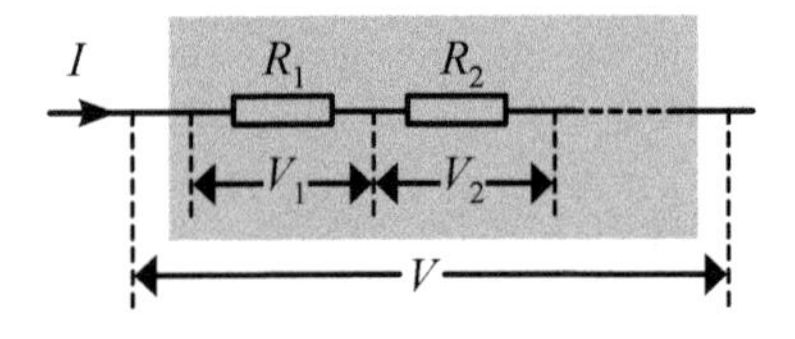

Ffig. 2.3.7 Gwrthiannau mewn cyfres

(a) Gwrthiannau mewn cyfres

Os oes mesuryddion wedi'u gosod i fesur y gp, V, a'r cerrynt, I, yn Ffig. 2.3.7, yna byddai $\frac{V}{I}$ yn rhoi gwrthiant y cyfuniad neu wrthiant cywerth, R, popeth yn y blwch llwyd,

hynny yw, y gwrthyddion mewn cyfres.

Fodd bynnag, rydym wedi dangos bod gp mewn cyfres yn adio, hynny yw, mae

$V = V_1 + V_2 + \ldots.$

Mae'r cerrynt, I, yr un peth ym mhob gwrthydd, felly gallwn ailysgrifennu'r hafaliad fel a ganlyn:

$IR = IR_1 + IR_2 + \ldots.$

Trwy rannu'r cwbl gydag I, mae: $R = R_1 + R_2 + \ldots.$

Efallai fod hyn yn ymddangos yn rhy amlwg i fynnu deilliant, ond nodwch nad yw gwrthiannau *bob amser* yn adio …

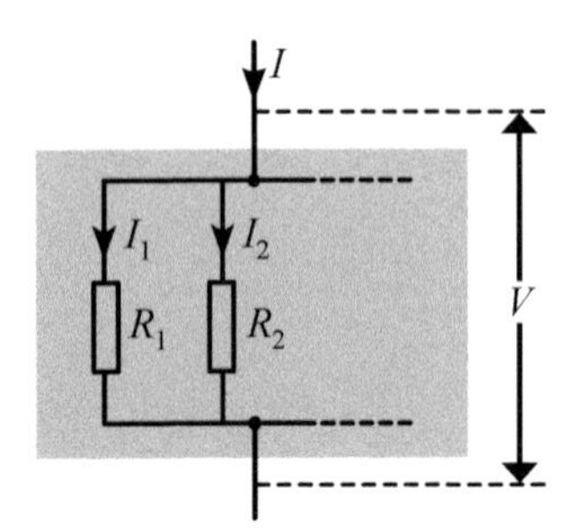

Ffig. 2.3.8 Gwrthiannau mewn paralel

(b) Gwrthiannau mewn paralel

Mae'r gwrthyddion yn Ffig. 2.3.8 mewn paralel. Y tro hwn, y ceryntau trwy'r gwrthyddion unigol sy'n adio i roi'r cerrynt, I, sy'n mynd i mewn i'r cyfuniad ac yn ei adael.

Felly mae $I = I_1 + I_2 + \ldots.$

Dim ond un gp, V, sydd, felly mae $\frac{V}{R} = \frac{V}{R_1} + \frac{V}{R_2} + \ldots$

Trwy rannu'r cwbl gyda V cawn fod $\frac{1}{R} = \frac{1}{R_1} + \frac{1}{R_2} + \ldots$

Yma, R yw gwrthiant *cywerth* neu wrthiant cyfuniad y gwrthyddion, fel y byddem yn ei ddarganfod trwy fesur V ac I a rhannu V gydag I. [Gallem ysgrifennu'r hafaliad olaf yn syml yn nhermau dargludiant: $G = G_1 + G_2 + \ldots$.]

Enghraifft

Darganfyddwch wrthiant gwrthyddion $3.0\ \Omega$ a $4.0\ \Omega$ mewn paralel.

Gan hepgor yr unedau, mae $\frac{1}{R} = \frac{1}{3} + \frac{1}{4}$

Gallem ddarganfod R yn gyflym iawn gyda chyfrifiannell, ac mae hynny'n iawn os yr ateb yn unig sydd ei angen. Fodd bynnag, at ein dibenion ni mae'n fwy defnyddiol adio'r ffracsiynau trwy roi'r naill a'r llall dros y *cyfenwadur* (neu *enwadur cyffredin*) o 3×4.

Trwy wneud hynny, mae $\frac{1}{R} = \frac{4}{3\times4} + \frac{3}{4\times3} = \frac{3+4}{3\times4} = \frac{7}{12}$

Felly mae $R = \frac{12}{7} = 1.71\ \Omega$.

Sylwch fod gwrthiant y cyfuniad yn llai na'r ddau wrthiant unigol. Dyna fel y dylai fod oherwydd, gyda dau wrthydd wedi'u cysylltu rhwng yr un ddau bwynt, bydd y cerrynt yn fwy (ar gyfer yr un gp) na phe bai un gwrthydd yn unig.

2.3.3 Hunan-brawf

Mae'n bosibl cysylltu tri gwrthydd $12\ \Omega$ â'i gilydd mewn cyfuniadau â dwy derfynell: pob un mewn cyfres, pob un mewn paralel, ac mewn dwy ffordd arall. Cyfrifwch wrthiannau'r pedwar cyfuniad hyn.

2.3.4 Hunan-brawf

Cyfrifwch geryntau x ac y.

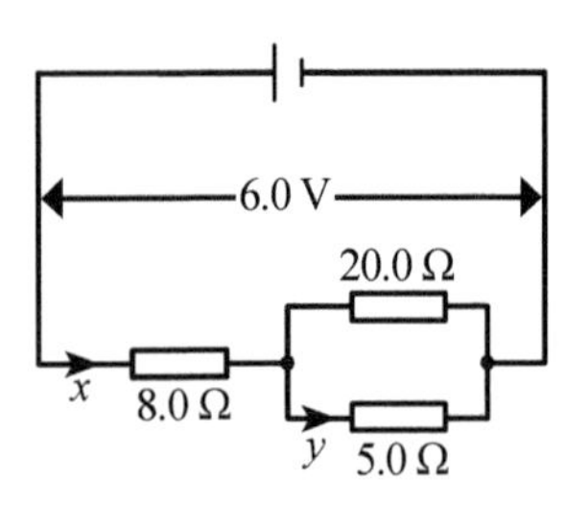

Ymestyn a Herio

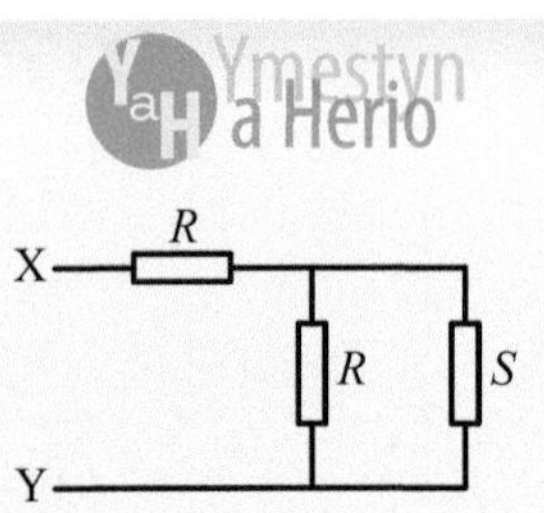

Gadewch i g fod y gymhareb $\frac{S}{R}$. Darganfyddwch werth g sy'n golygu bod y gwrthiant a gaiff ei fesur rhwng X ac Y yn S. Dylai fod gennych hafaliad cwadratig i'w ddatrys yn g. [Yna, er diddordeb, chwiliwch am wybodaeth am y *gymhareb aur*.]

Y lluoswm wedi'i rannu gyda'r swm ar gyfer dau wrthydd mewn paralel

Mae'n ddefnyddiol ail-wneud yr enghraifft uchod mewn algebra ar gyfer dau wrthiant.

$$\frac{1}{R} = \frac{1}{R_1} + \frac{1}{R_2} = \frac{R_2 + R_1}{R_1 R_2} \text{ felly mae } R = \frac{R_2 R_1}{R_1 + R_2} = \frac{\text{lluoswm } R_1 \text{ ac } R_2}{\text{swm } R_1 \text{ ac } R_2}.$$

Mae'n hawdd cofio hyn (mae'r *unedau* yn dweud wrthych y dylai'r lluoswm fod ar y top) ac mae'n hawdd ei ddefnyddio, *ac* nid oes rhaid cofio cymryd cilydd ar y diwedd! Yr unig rybudd yw ei fod yn gweithio ar gyfer dau wrthydd ar y tro yn unig.

n o wrthiannau hafal mewn paralel

Dylech ddangos drosoch eich hun fod y gwrthiant cywerth yn

$$R = \frac{1}{n} \times \text{un gwrthiant unigol}$$

Nid yw'n bosibl cydrannu rhwydwaith o wrthyddion yn gyfuniad o wrthyddion mewn cyfres ac mewn paralel bob tro. Mae'r rhwydwaith a ddangosir yn Ffig. 2.3.9 yn enghraifft o hyn. Mae'n bosibl cyfrifo'r gwrthiant, serch hynny. Gweler Ymestyn a Herio am dechneg sydd ychydig y tu hwnt i Safon Uwch.

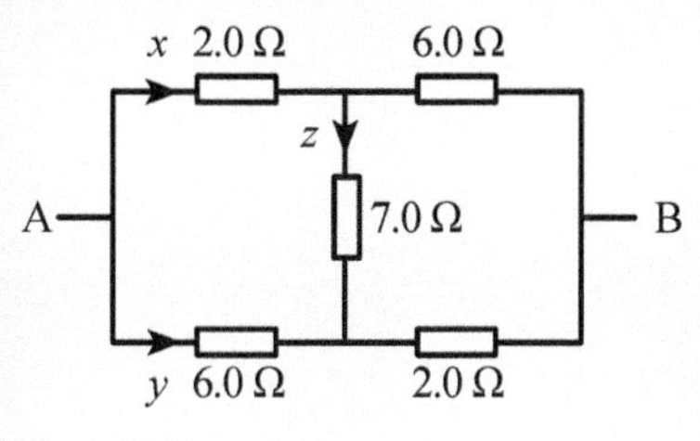

Ffig. 2.3.9 Her

Darganfyddwch y gwrthiant rhwng A a B yn Ffig. 2.3.9 trwy dybio bod gp (mae **8.0 V** yn dwt) yn cael ei osod rhwng A a B. Defnyddiwch ddeddf gyntaf Kirchhoff i fynegi ceryntau trwy'r gwrthyddion llaw dde yn nhermau z ac x neu y. Rhwng unrhyw ddau bwynt, mae'r gp yn annibynnol ar y llwybr. O A i B trwy'r gwrthydd uchaf mae gennym $2x + 6(x - z) = 8$.

Ysgrifennwch ddau hafaliad arall o'r fath. Datryswch ar gyfer x ac y, a thrwy hynny cyfrifwch $x + y$, a fydd yn caniatáu i chi gyfrifo'r gwrthiant.

2.3.3 Y rhannwr potensial

Dyma'r enw a roddir i wrthyddion sydd wedi'u cysylltu mewn cyfres er mwyn 'rhannu' y gp, V_{cyfan}, ar draws y cyfuniad. Yn Ffig. 2.3.10 mae gennym ...

$$V_1 = IR_1, V_2 = IR_2 \ldots V_{cyfan} = I(R_1 + R_2 \ldots) \text{ hynny yw, mae } V_{cyfan} = IR_{cyfan}.$$

Trwy rannu, mae $\frac{V_1}{V_2} = \frac{R_1}{R_2}$ ac yn y blaen, ac mae $\frac{V_1}{V_{cyfan}} = \frac{R_1}{R_{cyfan}}, \frac{V_2}{V_{cyfan}} = \frac{R_2}{R_{cyfan}}$ ac yn y blaen.

Mae cymhareb y gwahaniaethau potensial, yn syml iawn, yn hafal i gymhareb y gwrthiannau y byddai'r gwahaniaethau potensial yn cael eu mesur ar eu traws!

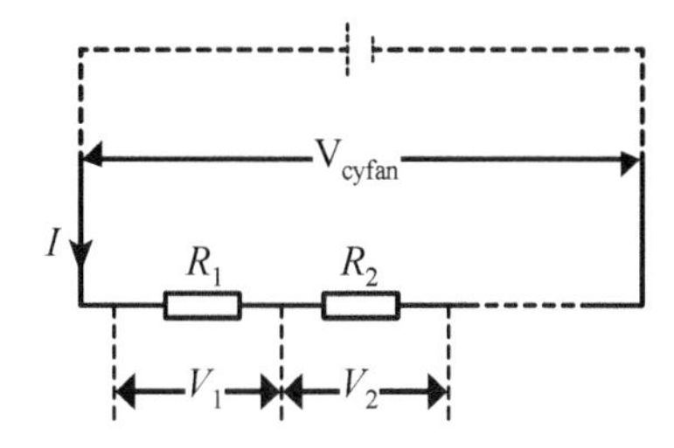

Ffig. 2.3.10 Rhannwr potensial (cyffredinol)

(a) Defnyddio rhannwr potensial i roi gp allbwn penodol

Os ydym yn gosod gp *mewnbwn*, V_{mewn}, ar draws dau wrthydd, fel y gwelir yn Ffig. 2.3.11, gallwn gael gp allbwn, V_{allan}, ar draws y naill wrthydd neu'r llall (rydym wedi dewis R_2). Trwy ddewis y gwrthyddion yn gywir, gallwn gael unrhyw V_{allan} o'n dewis, (ar yr amod bod $V_{allan} \leq V_{mewn}$) gan fod

$$\frac{V_{allan}}{V_{mewn}} = \frac{R_2}{R_1 + R_2}, \text{ hynny yw, mae } V_{allan} = \frac{R_2}{R_1 + R_2} V_{mewn}.$$

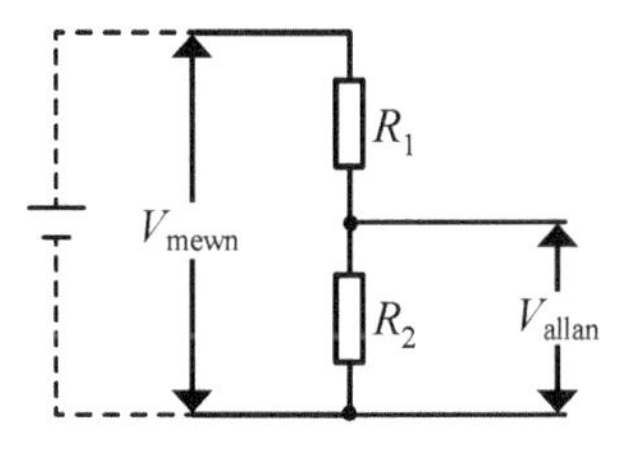

Ffig. 2.3.11 Rhannwr potensial

Fel enghraifft, dewiswn R_1 ac R_2 fel bydd $V_{allan} = 3.0$ V pan mae $V_{mewn} = 9.0$ V. Mae

$$\frac{R_1}{R_2} = \frac{\text{gp ar draws } R_1}{\text{gp ar draws } R_2} = \frac{6.0 \text{ V}}{3.0 \text{ V}} = 2.0.$$

Felly mae'n ymddangos ei bod hi'n bosibl cael $R_1 = 2.0\ \Omega$, $R_2 = 1.0\ \Omega$, neu $R_1 = 30\ \Omega$, $R_2 = 15\ \Omega$, neu $R_1 = 2000\ \Omega$, $R_2 = 1000\ \Omega$ ac yn y blaen.

Yn ymarferol, byddem yn osgoi gwrthiannau *isel* iawn, er mwyn peidio â chymryd gormod o egni o'r cyflenwad pŵer, a gorboethi R_1 ac R_2. Ystyriwch y cyfuniad $R_1 = 2.0\ \Omega$, $R_2 = 1.0\ \Omega$. Yn yr achos hwn, byddai cyfanswm y pŵer sy'n cael ei afradloni yn y gwrthyddion yn $\frac{V^2}{R} = \frac{(9.0 \text{ V})^2}{3.0\ \Omega} = 27$ W: sy'n hafal i bŵer haearn sodro bach!

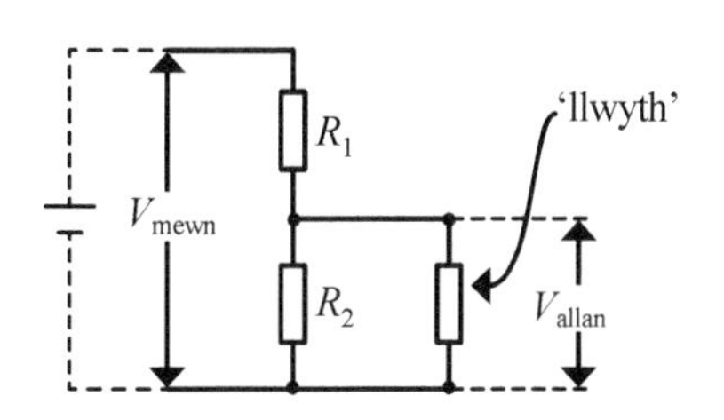

Ffig. 2.3.12 Rhannwr potensial wedi'i lwytho

2.3.5 Hunan-brawf

Os yw $R_1 = 30\ \Omega$, $R_2 = 15\ \Omega$, a $V_{mewn} = 9.0$ V yn y rhannwr potensial yn Ffig. 2.3.12, cyfrifwch ganran y gostyngiad yn V_{allan} pan gysylltir R_L, llwyth o 1000 Ω, ar draws R_2.

Gallai R_1 ac R_2 fod yn rhy *uchel* hefyd ... Nid oes amheuaeth bod angen y 3.0 V oherwydd bod angen 3.0 V ar draws rhyw ddyfais, a ddangosir gan R_L yn Ffig. 2.3.12. Dywedwn fod R_L yn llwyth sydd wedi'i gysylltu ar draws allbwn y rhannwr potensial. Tybiwch fod $V_{mewn} = 9.0$ V, $R_1 = 2000\ \Omega$, $R_2 = 1000\ \Omega$, $R_L = 1000\ \Omega$. Bydd hyn yn rhoi V_{allan} sy'n llai na 3.0 V, gan fod y llwyth wedi newid y gwrthiant 'isaf' yn y rhannwr potensial yn 500 Ω (dau wrthiant 1000 Ω mewn paralel) felly mae

$$V_{allan} = \frac{500\ \Omega}{2000\ \Omega + 500\ \Omega} 9.0\ \text{V} = 1.8\ \text{V}$$

Trwy lwytho rhannwr potensial rydym yn lleihau ei gp allbwn. Fodd bynnag, mae'r gostyngiad yn fach iawn os yw R_1 ac R_2 lawer yn is na gwrthiant y llwyth, R_L. Gweler Hunan-brawf 2.3.5.

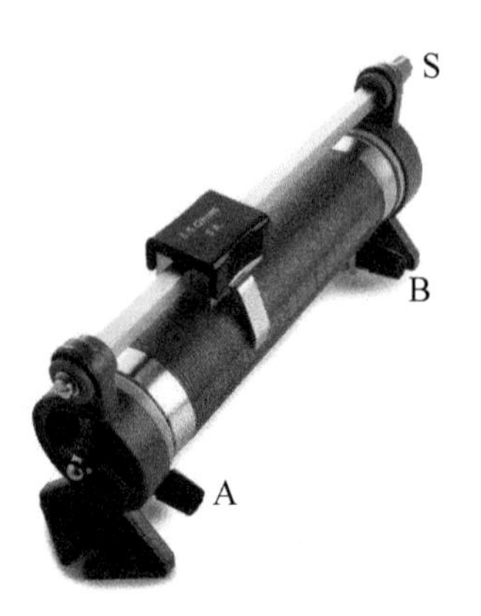

Ffig. 2.3.13 Rheostat

(b) Rhannwr potensial newidiol

Mae'r syniad yn syml: rydym yn gwneud y gymhareb R_1 i R_2 yn newidiol. Gallwn wneud hyn trwy ddefnyddio rheostat labordy cyffredin (Ffig. 2.3.13). Sylwch fod ganddo dair terfynell. Mae'r ddwy isaf – 'A' a 'B' – yn cysylltu â dau ben coil un haen o wifren noeth sydd â gwrthedd uchel. Felly mae'r gwrthiant rhwng A a B yn sefydlog (tua 15 Ω yn aml). Mae'r derfynell uchaf, 'S', wedi'i chysylltu â *chyswllt llithr* sy'n gallu gwasgu yn erbyn y coil ar unrhyw bwynt ar ei hyd, gan ei 'rannu' yn ddwy ran, AS ac SB. Gwrthiannau'r ddwy ran yw R_2 ac R_1, ond gallwn amrywio eu cymhareb.

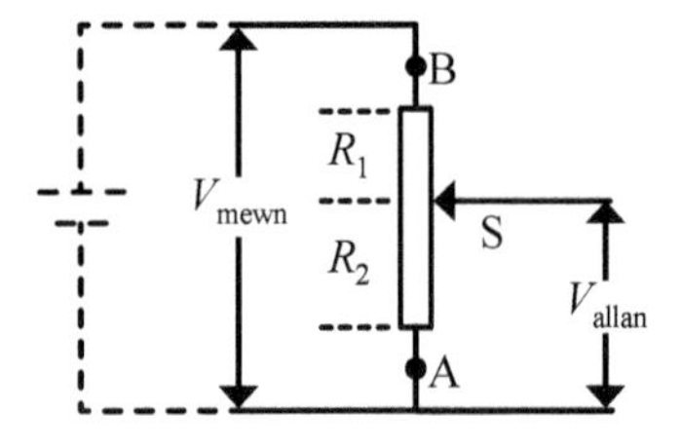

Ffig. 2.3.14 Rhannwr potensial newidiol

Mae Ffig. 2.3.14 yn dangos y symbol cylched ar gyfer rhannwr potensial newidiol. Nodwch yn ofalus sut mae'r cysylltiadau iddo yn cyfateb i'r terfynellau ar y rheostat, a sut mae V_{mewn} wedi'i gysylltu ar draws AB. Bydd V_{allan} tua ¾V_{mewn} os yw'r cyswllt llithr ¾ o'r ffordd rhwng A a B, ac yn y blaen.

Mae gan ranwyr potensial newidiol nifer o ddibenion mewn electroneg. Mae'r ffurf arferol yn cynnwys gwrthydd carbon, ar siâp arc fawr o gylch (tua 270 °) ac mae cyswllt llithr yn symud ar hyd y gwrthydd carbon trwy ei gylchdroi.

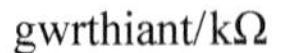

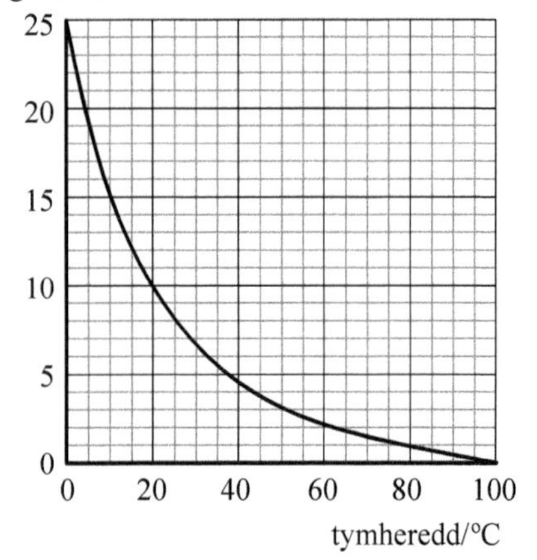

Ffig. 2.3.15 Gwrthiant yn erbyn tymheredd ar gyfer thermistor *NTC*

(c) Rhanwyr potensial sy'n cynnwys synwyryddion gwrtheddol

Mae synwyryddion yn ddyfeisiau sy'n 'ymateb' i newidiadau o'u hamgylch. Byddwn yn ystyried dau synhwyrydd sy'n ymateb trwy newid eu gwrthiant. Mae *thermistor* yn gwneud hyn wrth i'r tymheredd newid, ac mae *gwrthydd golau-ddibynnol* (*LDR*: *light-dependent resistor*) yn gwneud hyn wrth i lefel y golau newid. Trwy sicrhau bod un o'r gwrthyddion mewn rhannwr potensial yn thermistor neu'n *LDR*, bydd y newid yn arwain at newid yn y gp allbwn – mae hyn yn ddefnyddiol ar gyfer 'ysgogi' systemau digidol, larymau ac ati.

Cylched thermistor

Dim ond y thermistor cyfernod tymheredd negatif (*NTC*: *negative temperature coefficient*) y byddwn yn ei ystyried. Mae ei wrthiant yn gostwng wrth i'r tymheredd godi, fel y gwelir yn Ffig. 2.3.15. Mae'r thermistorau hyn wedi'u gwneud o ddefnydd lled-ddargludol, sef ocsid metel fel arfer, gydag atomau 'amhuredd' wedi'u hychwanegu'n fwriadol. Wrth i'r tymheredd gael ei godi, mae nifer y cludyddion gwefr symudol (electronau rhydd yn bennaf neu 'dyllau positif' yn bennaf) yn cynyddu, gan leihau'r gwrthedd.

Mae Ffig. 2.3.16 yn dangos thermistor yn cael ei ddefnyddio fel un o'r gwrthiannau mewn cylched rhannwr potensial – sylwch ar y symbol ar gyfer thermistor. Wrth i'r tymheredd godi, bydd ei wrthiant, R_1, yn gostwng, ond bydd R_2 yn aros yr un peth (bron), felly bydd V_{allan} yn cynyddu.

Enghraifft

Yn Ffig. 2.3.16, mae V_{mewn} yn $9.0\ \mathrm{V}$. Mae V_{allan} wedi'i gysylltu â mewnbwn larwm a fydd yn cael ei gychwyn pan fydd V_{allan} yn cyrraedd $2.5\ \mathrm{V}$. Mae perthynas gwrthiant–tymheredd y thermistorau i'w weld yn Ffig. 2.3.15. Cyfrifwch werth y gwrthydd sefydlog, R_2, y mae ei angen i gychwyn y larwm pan fydd y tymheredd yn cyrraedd $40\ °\mathrm{C}$.

Rydym yn nodi'n gyntaf fod gwrthiant y thermistor, R_1, ar dymheredd o $40\ °\mathrm{C}$, tua $4.5\ \mathrm{k\Omega}$.

Gan fod $\frac{R_2}{R_1} = \frac{\text{gp ar draws } R_2}{\text{gp ar draws } R_1}$ yn yr achos hwn mae $\frac{R_2}{4500\ \Omega} = \frac{2.5\ \mathrm{V}}{9.0\ \mathrm{V} - 2.5\ \mathrm{V}} = 0.385.$

Mae hyn yn rhoi $R_2 = 1.7\ \mathrm{k\Omega}$.

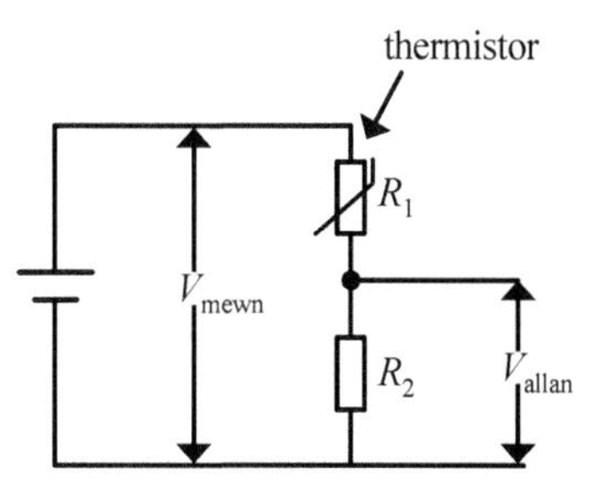

Ffig. 2.3.16 Thermistor fel rhan o rannwr potensial

Hunan-brawf 2.3.6

Yn dilyn ymlaen o'r enghraifft, os caiff R_2 ei newid i $2.4\ \mathrm{k\Omega}$, darganfyddwch ar ba dymheredd y byddai'r larwm yn cychwyn.

Nodyn: Rydym wedi tybio bod gan y *larwm* wrthiant mewnbwn uchel iawn, er mwyn peidio â *llwytho*'r rhannwr potensial yn sylweddol.

Cylched *LDR*

Mae gan rai lled-ddargludyddion, er enghraifft cadmiwm sylffid, wrthedd uchel iawn yn y tywyllwch, ond maen nhw'n dargludo'n well ac yn well wrth i lefel y golau gynyddu. Mae hyn oherwydd bod ffotonau yn gallu cyflenwi digon o egni i daro cyfran fach o'r electronau allan o'r bondiau rhwng atomau, gan greu electronau rhydd (a thyllau positif). Caiff *LDR* ei wneud trwy roi haen o led-ddargludydd o'r fath ar ffurf 'trac' igam-ogam ar 'is-haen' ynysu wedi'i hamgáu mewn cas tryloyw.

Mae Ffig. 2.3.17 yn dangos *LDR* yn cael ei ddefnyddio fel un o'r gwrthyddion mewn cylched rhannwr potensial. Mae'r *LDR* yn cymryd lle'r thermistor yn Ffig. 2.3.16, felly y mwyaf disglair yw'r golau sy'n tywynnu ar yr *LDR*, yr uchaf yw V_{allan}. Caiff y cylch ei hepgor yn aml o'r symbol ar gyfer *LDR*, ond dylid ei gynnwys mewn gwirionedd!

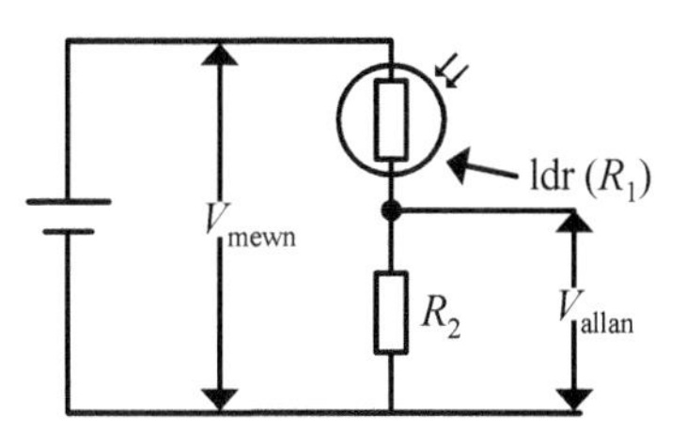

Ffig. 2.3.17 *LDR* fel rhan o rannwr potensial

Hunan-brawf 2.3.7

Nodwch sut byddai'r V_{allan} yn ymddwyn pe byddem yn cyfnewid yr *LDR* a'r gwrthydd sefydlog yn Ffig. 2.3.17.

Ffig. 2.3.18

ar gyfer ymgeiswyr Safon Uwch yn yr ail flwyddyn

Rydym am edrych yn fwy gofalus ar y graff gwrthiant yn erbyn tymheredd ar gyfer y thermistor *NTC*. Tybiwn, ar gyfer gp penodol, fod y cerrynt mewn cyfrannedd â chrynodiad yr electronau rhydd, n, fel bod y gwrthiant mewn cyfrannedd gwrthdro ag n.

Gallem ddisgwyl i n fod mewn cyfrannedd â ffactor Boltzmann, $e^{-\frac{E}{kT}}$, lle k yw cysonyn Boltzmann, T yw'r tymheredd kelvin ac E yw'r egni y mae ei angen i gynhyrfu electron o ryw gyflwr isaf i gyflwr lle mae'n symudol. (Gweler Ymestyn a Herio ar ddiwedd 2.8.1.) Felly, gan anwybyddu effeithiau cymharol fach, er enghraifft gwrthdrawiadau mwy aml rhwng electronau rhydd ac ïonau dirgrynol, gallwn ddisgwyl y bydd gwrthiant y thermistor yn

amrywio yn ôl $R = R_1 e^{\frac{E}{kT}}$, lle mae R_1 yn rhyw gysonyn gyda'r uned Ω.

Cymerwch werthoedd R ar $0\ °\mathrm{C}$ ac $20\ °\mathrm{C}$ o'r graff, a thrwy hynny darganfyddwch E. Gwnewch hyn am yr ail dro ar gyfer $10\ °\mathrm{C}$ a $40\ °\mathrm{C}$, i weld a fyddwch yn cael yr un gwerth ar gyfer E.

2.3.4 Cyflenwadau pŵer

Yma, rydym yn ystyried y rhan y mae batri, neu gyflenwad pŵer arall, yn ei chwarae mewn cylched. Mewn gwirionedd, cyfuniad cyfres o gelloedd yw *batri*, ond yn aml caiff un gell ei galw'n fatri. Mae cell yn cynnwys dau *electrod* wedi'u gwneud o ddefnyddiau dargludol gwahanol, sydd wedi'u gwahanu gan *electrolyt* o hylif neu bast dargludol mewn cas nad yw, gobeithio, yn gollwng. Mae Ffig. 2.3.19 yn ddiagram wedi'i symleiddio o'r gell *alcaliaidd* boblogaidd. Y symbol ar gyfer cell yw -|⊢, ond erbyn hyn gellir defnyddio hwn i olygu batri neu gyflenwad pŵer. Weithiau dangosir batri o ddwy gell gan -||⊢, ac yn y blaen.

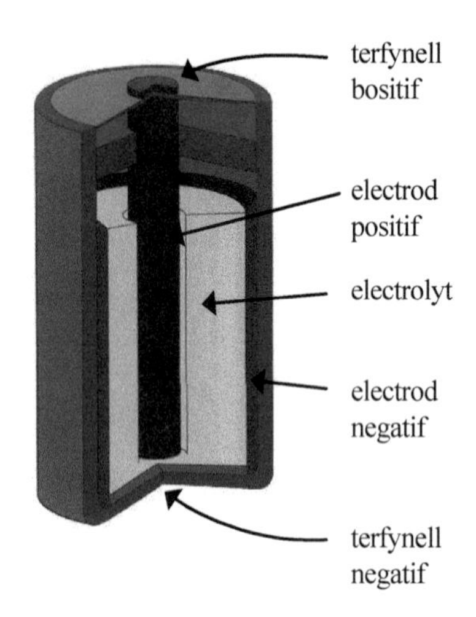

Ffig. 2.3.19 Cell (wedi'i symleiddio)

Termau a diffiniadau

g.e.m. cell neu fatri yw'r egni sy'n newid categori o egni cemegol i egni potensial trydanol fesul uned gwefr sy'n pasio trwy'r gell.
UNED: $\text{J C}^{-1} = \text{V}$.

(a) g.e.m. cell

Mae adweithiau cemegol mewn cell yn golygu trosglwyddo gwefr (trwy gyfrwng ïonau) o un electrod trwy'r electrolyt i'r llall. Felly mae un electrod yn ennill gwefr bositif (diffyg bach o electronau) ac mae'r llall yn ennill gwefr negatif (gormodedd bach o electronau).

Caiff swm penodol, E, o waith fesul uned gwefr ei wneud ar y wefr wrth iddi gael ei throsglwyddo. Yr enw ar E yw g.e.m. y gell. Gweler y **Termau a diffiniadau**. Mae E yn dibynnu ar wneuthuriad cemegol y gell ac, yn aml, mae'n $1.5\ \text{J C}^{-1}$ yn fras, sef tua $1.5\ \text{V}$.

Pan fydd y gell yn *gylched agored*, sy'n golygu nad oes dim wedi'i gysylltu â hi, mae'r gwefrau sydd wedi'u trosglwyddo i'r electrodau yn atal (trwy rymoedd gwrthyrru) trosglwyddiad gwefr pellach – a'r adwaith cemegol cysylltiedig. Yr amod ar gyfer atal trosglwyddiad gwefr pellach yw bod y gp, V, ar draws terfynellau'r gell yn hafal i E. [Efallai y byddai o gymorth i feddwl am V (cylched agored) fel uchder tomen a adeiladwyd trwy daflu defnydd ar ei phen, ac E yw'r uchder mwyaf y gall y taflwr ei daflu.]

Felly, ar gylched agored, mae $V = E$.

Rydym yn mesur g.e.m. cell trwy gysylltu foltmedr, ond dim byd arall, ar draws terfynellau'r gell. Cofiwch fod gwrthiant y foltmedr yn uchel iawn, felly mae'r gell, i bob pwrpas, yn gylched agored.

Pwynt astudio

Ystyr g.e.m. yw *grym electromotif*, enw gwirion ar fesur gyda'r uned V, felly mae'n well ei dalfyrru na'i ddefnyddio'n llawn. Mae *electromotedd* yn gynnig gwell ar gyfer yr enw.

(b) Gwrthiant mewnol

Wrth gysylltu llwyth (er enghraifft gwrthydd, LED, swnyn, modur trydanol) rhwng terfynellau'r gell, rydym yn darparu llwybr dargludol allanol, felly gall gwefr lifo'n barhaus mewn dolen gaeedig gyflawn, a bydd trosglwyddiadau egni'n digwydd, fel y gwelir yn Ffig. 2.3.20. [Mae'r symbolau'n answyddogol.]

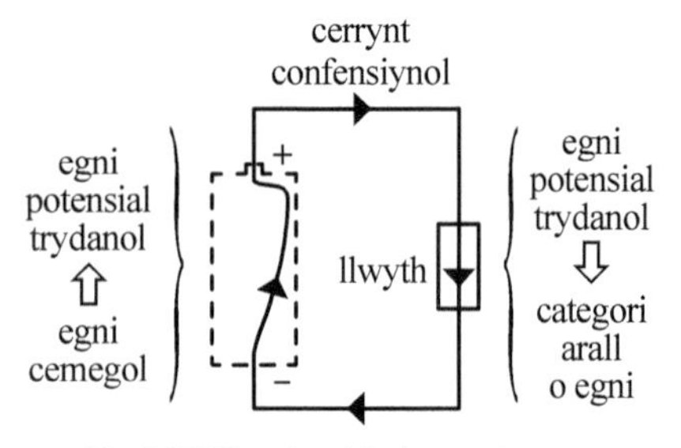

Ffig. 2.3.20 Trosglwyddiadau egni y tu mewn a'r tu allan i gell (wedi'u symleiddio)

Mewn gwirionedd, mae Ffig. 2.3.20 wedi'i symleiddio. Gwelwn fod y gp, V, ar draws terfynellau'r gell yn gostwng wrth i ni gysylltu llwyth ar draws y terfynellau sy'n arwain at gerrynt. Yr isaf yw gwrthiant y llwyth, y mwyaf yw'r cerrynt, I, a mwyaf yw'r gostyngiad yn V. Fel arfer, fel brasamcan teg, mae

$$V = E - Ir$$

lle mae r yn gysonyn, uned Ω, o'r enw *gwrthiant mewnol* y gell.

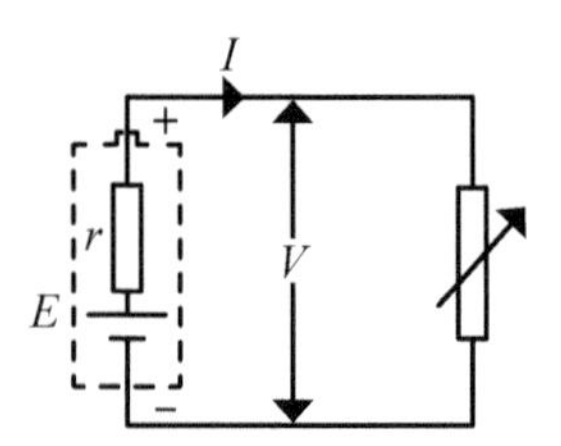

Ffig. 2.3.21 Dangos cell gan gynnwys y gwrthiant mewnol

Yn aml, mae'n helpu i gynnwys r mewn diagramau cylched, fel yn Ffig. 2.3.21. Er bod r yn codi'n bennaf o ganlyniad i wrthdrawiadau rhwng ïonau sy'n drifftio trwy'r electrolyt, ni allwn ei fesur yn uniongyrchol (hyd yn oed pe gallem fynd i mewn i'r gell gyda chwiliedyddion amlfesurydd ar ei amrediad ohmau) gan nad yw'n bosibl gwahaniaethu rhyngddo a swyddogaeth pwmpio gwefr y gell, fel y mae ei g.e.m. yn ei ddangos.

Dyma ddehongliad o dermau'r hafaliad…

$$V = E - Ir$$

Egni a drosglwyddir fesul uned gwefr i'r gylched allanol

Egni a drosglwyddir fesul uned gwefr, o egni cemegol i egni potensial trydanol, y tu mewn i'r gell

Egni fesul uned gwefr sy'n cael ei afradloni y tu mewn i'r gell

Gan luosi trwy'r hafaliad 'foltedd' blaenorol ag I, mae gennym hafaliad ar gyfer pŵer:

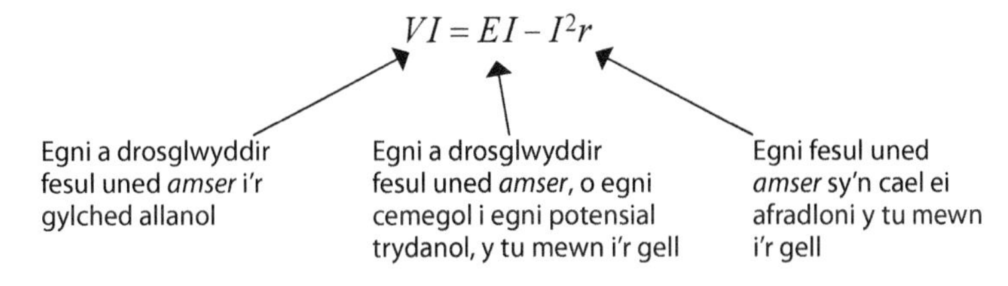

Hunan-brawf 2.3.8

Cyfrifwch (a) y cerrynt a (b) cyfanswm y pŵer a gynhyrchir gan y gell pan gaiff gwrthydd 5.0 Ω ei gysylltu ar draws cell, g.e.m. 1.50 V a gwrthiant mewnol 0.50 Ω.

Enghraifft 1

Mae gan gell g.e.m. o 1.62 V. Pan gaiff gwrthydd 1.50 Ω ei gysylltu ar draws ei therfynellau, mae'r gp yn disgyn i 1.39 V. Cyfrifwch: (a) gwrthiant mewnol y gell, (b) ffracsiwn y pŵer cyfan sy'n cael ei afradloni yn y gwrthiant mewnol.

(a) Yn gyntaf rydym yn rhoi'r data mewn diagram, fel y dangosir. Gan ystyried y llwyth 1.50 Ω, mae:

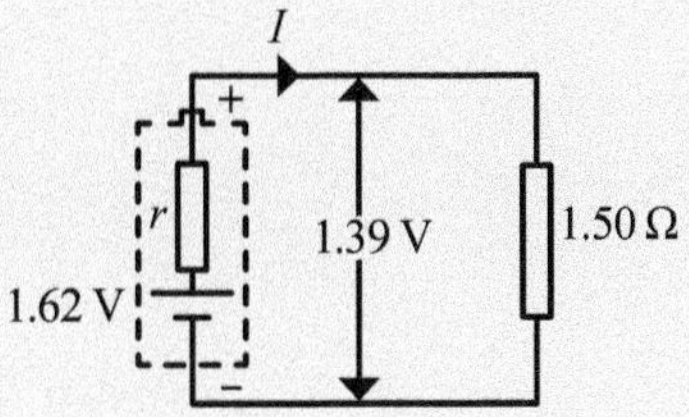

$$I = \frac{1.39\ \text{V}}{1.50\ \Omega} = 0.927\ \text{A}.$$

Felly (gweler y diagram) mae

$$r = \frac{1.62\ \text{V} - 1.39\ \text{V}}{0.927\ \text{A}} = 0.25\ \Omega.$$

(Diagram: I; +; r; 1.62 V; –; 1.39 V; 1.50 Ω)

(b) $$\frac{\text{pŵer yn } r}{\text{pŵer a gynhyrchir}} = \frac{I^2 r}{EI} = \frac{Ir}{E} = \frac{1.62\ \text{V} - 1.39\ \text{V}}{1.62\ \text{V}} = 0.14.$$

Hunan-brawf 2.3.9

Pan gaiff dau wrthydd 2.5 Ω eu cysylltu mewn paralel ar draws cell, mae'r cerrynt trwy'r gell yn 0.88 A. Pan gaiff y ddau wrthydd eu cysylltu mewn cyfres ar draws y gell, mae'r cerrynt yn 0.28 A. Ysgrifennwch ddau hafaliad, y naill a'r llall yn cynnwys E ac r, a'u datrys yn gydamserol i ddarganfod gwerthoedd E ac r.

Enghraifft 2

Brasluniwch graff o V yn erbyn I ar gyfer cell, g.e.m. 1.50 V a gwrthiant mewnol 0.50 Ω.

Mae gennym $V = 1.50\ \text{V} - 0.50\ \Omega \times I$. Mae V yn gostwng yn llinol gydag I. Pan mae $I = 0$, $V = 1.50$ V; pan mae $I = 1.00$ A, mae $V = 1.00$ V, ac yn y blaen, ac felly cawn y graff sydd wedi'i fraslunio.

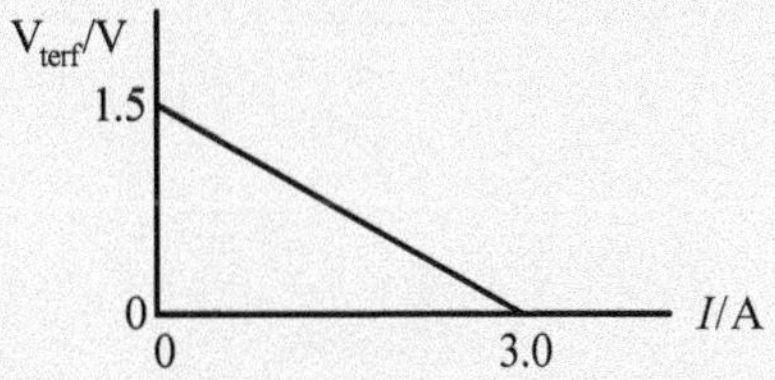

(Graff: V_{terf}/V; 1.5; 0; 0; 3.0; I/A)

Sylwch fod $I_{mwyaf} = \frac{E}{r}$, sy'n cyfateb i wrthiant allanol o sero; dywedwn fod y gell mewn *cylched fer*. Mae celloedd yn poethi ac yn colli eu hegni'n gyflym mewn cylched fer. Nid ydynt yn ei hoffi.

Ymestyn a Herio

Ar gyfer cell, g.e.m. E a gwrthiant mewnol r,

(a) Brasluniwch graff o I yn erbyn gwrthiant, R y llwyth allanol.

(b) Dangoswch y dylai $\frac{1}{I}$ yn erbyn R fod yn llinell syth gyda graddiant $\frac{1}{E}$ a rhyngdoriad $\frac{r}{E}$.

(c) Batrïau

Caiff celloedd yn aml eu cysylltu mewn cyfres i gynhyrchu g.e.m. mwy. Yn ymarferol, nid oes llawer o bwynt defnyddio unrhyw beth heblaw am gelloedd unfath. Mae

g.e.m. y batri = swm g.e.m. y celloedd mewn cyfres

Rhaid cysylltu positif un gell â negatif y nesaf, ac yn y blaen. Mae g.e.m. unrhyw gell sydd wedi'i chysylltu y ffordd anghywir yn cyfrif fel g.e.m. negatif. Gweler yr enghraifft yn y Pwynt astudio.

Pwynt astudio

Tybiwch fod batri wedi ei adeiladu o 4 cell, pob un ag $E = 1.60$ V, $r = 0.25$ Ω.

Yna ar gyfer y batri –|‖|‖|–, mae $E = 6.4$ V, $r = 1.0$ Ω.

Ond ar gyfer y batri sydd wedi'i gysylltu'n anghywir –|‖‖|–, mae $E = 3.2$ V, $r = 1.0$ Ω.

2.3.10 Hunan-brawf

Mae batri'n cynnwys 3 cell, pob un ag $E = 1.60$ V, $r = 0.25\ \Omega$.

Cyfrifwch y cerrynt y mae'n ei yrru trwy lwyth o $2.0\ \Omega$, a'r gp ar draws y llwyth.

Ailadroddwch hyn ar gyfer yr achos pan fydd un gell wedi'i chysylltu o chwith.

2.3.11 Hunan-brawf

Brasluniwch graff o I yn erbyn R ar gyfer cyflenwad pŵer, g.e.m. E a gwrthiant mewnol r. Beth yw gwerthoedd I pan mae $R = 0$, $R = r$, $R = \infty$?

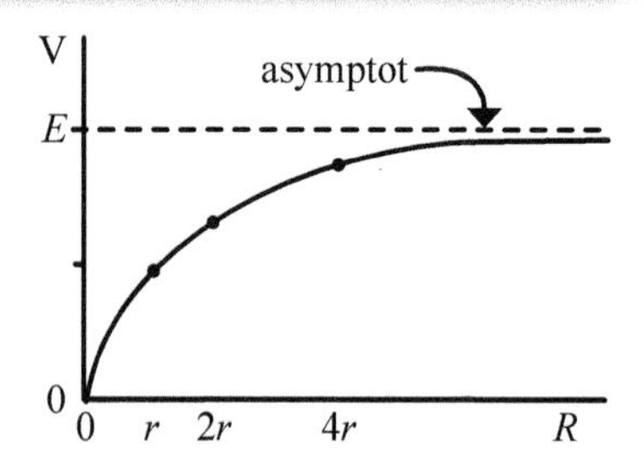

Pwynt astudio

Gallwn ddehongli'r hafaliad $V = \frac{ER}{R+r}$ fel y gp ar draws y gwrthydd allbwn, R, ar gyfer rhannwr potensial gyda foltedd mewnbwn E.

(a) Deilliwch yr hafaliad uchod ar gyfer pŵer allbwn cyflenwad pŵer.

(b) Nodwch werth(oedd) P pan mae R yn sero a phan mae R yn anfeidraidd.

(c) Brasluniwch graff o P yn erbyn R.

(ch) [Ar gyfer mathemategwyr] Darganfyddwch werth R (yn nhermau r), lle mae P yn uchafswm, a rhowch werth y P mwyaf hwn [awgrym: calcwlws].

Nodwch hefyd fod:

Gwrthiant mewnol batri = swm gwrthiannau mewnol y celloedd

Yma, nid oes unrhyw arwyddion minws hyd yn oed pan fydd cell wedi'i chysylltu o chwith.

Os cysylltir n cell unfath mewn *paralel* (positif wrth bositif a negatif wrth negatif) byddai gennym fatri gyda'r un g.e.m. ag un gell, ond gwrthiant mewnol o

$$\frac{1}{n} \times \text{gwrthiant mewnol un gell.}$$

Fodd bynnag, yn ymarferol, nid yw celloedd byth yn gwbl unfath a, hyd yn oed heb unrhyw lwyth, byddai yna geryntau bach yn y celloedd a'r gwifrau sy'n eu cysylltu. Y rheol gyffredinol yw: *peidiwch byth â chysylltu celloedd mewn paralel.*

(ch) Cerrynt, gp ac allbynnau pŵer cyflenwad pŵer

Gallwn ddefnyddio'r berthynas cyflenwad pŵer $V = E - Ir$, ynghyd â'r hafaliadau arferol ar gyfer pŵer, gp, cerrynt a gwrthiant, i ymchwilio i sut mae'r gwahanol fesurau yn amrywio gyda gwrthiant y llwyth allanol.

- $V = IR$: mae amnewid ar gyfer V yn $V = E - Ir$ yn rhoi $IR = E - Ir$, a gallwn ad-drefnu hwn i roi:

$$I = \frac{E}{R + r}$$

  Felly y cerrynt yn y gylched yw'r g.e.m. (y gallwn ei ystyried fel y 'foltedd cyfan') wedi'i rannu â chyfanswm y gwrthiant.

- $I = \frac{V}{R}$: mae hwn ychydig yn fwy cymhleth, ond mae amnewid ar gyfer I yn $V = E - Ir$ yn rhoi

$$V = E - \frac{V}{R}r.$$

  Mae lluosi ag R ac ad-drefnu – cewch chi wneud hyn fel ymarfer – yn rhoi $V(R + r) = ER$, sy'n arwain at

$$V = \frac{ER}{R + r}$$

- Yn yr un modd, gallwn ddangos bod y pŵer allbwn, $P = \frac{E^2 R}{(R + r)^2}$

2.3.5 Darganfod gwrthiant mewnol cyflenwad pŵer

Mae Adran 2.3.4 yn darparu'r theori y mae ei hangen i ddarganfod gwrthiant mewnol batri neu gyflenwad pŵer arall.

(a) Trwy fesur V ac I

Rydym yn gosod y gylched a ddangosir yn Ffig. 2.3.22. Gallai'r gwrthiant newidiol fod yn rheostat labordy. [Y tro hwn, nid ydym yn ei ddefnyddio fel rhannwr potensial.] Gallai hefyd fod yn nifer o wrthyddion. Ar gyfer y dechneg hon, nid yw gwerthoedd penodol y gwrthiant newidiol yn bwysig. Ni allent fod yn llawer mwy (na llai) na'r gwrthiant mewnol.

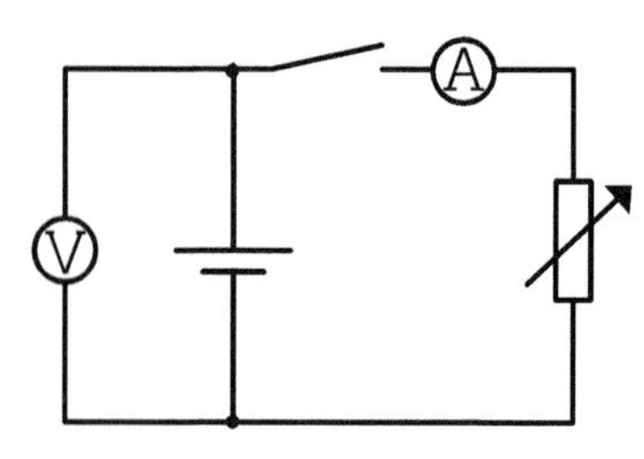

Ffig. 2.3.22 Darganfod r trwy fesur V ac I

Y syniad yw cymryd sawl pâr o ddarlleniadau ar gyfer V ac I (mae o leiaf 7 yn dda), a phlotio graff o V yn erbyn I. Gan mai'r berthynas rhwng V ac I yw

$$V = E - Ir$$

disgwylir graff llinol gyda graddiant negatif, sy'n hafal i $-r$, a rhyngdoriad o E ar yr echelin V.

Dylid cymryd y darlleniad cyntaf gyda'r switsh ar agor, fel bod $I = 0$. Os nad oes gennym werth bras ar gyfer y gwrthiant mewnol, mae angen cymryd darlleniadau prawf i sefydlu gwerth y cerrynt sydd yn lleihau V yn sylweddol, ac yna set o ddarlleniadau gyda cheryntau cytbell bras, hyd at sawl gwaith y gwerth hwn.

Mae'r graff yn Ffig. 2.3.23 yn dangos set nodweddiadol o ganlyniadau ar gyfer cyflenwad pŵer gyda gwrthiant mewnol uchel.

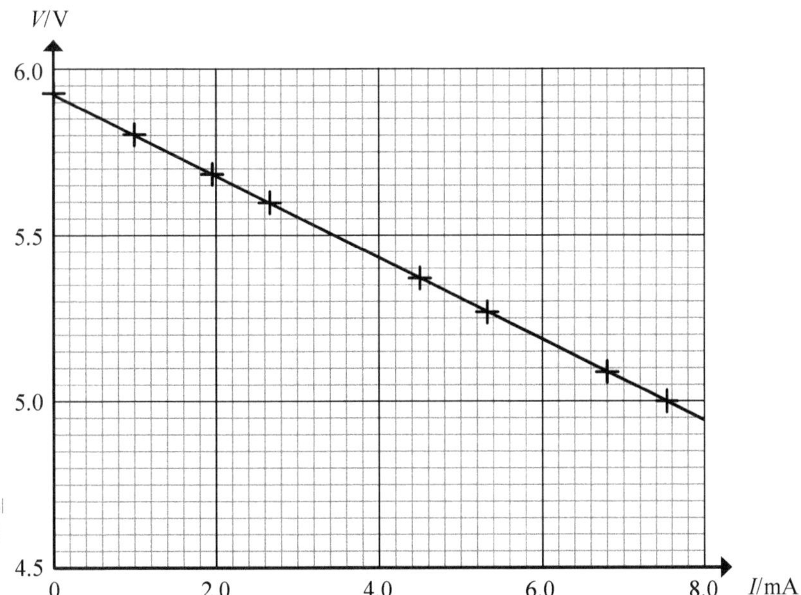

Ffig. 2.3.23 Canlyniadau graff V–I nodweddiadol ar gyfer cyflenwad pŵer

CYNGOR YMARFEROL

Dylid gadael y switsh ar agor pan nad ydych yn cymryd darlleniadau neu pan rydych yn addasu'r gwrthydd newidiol; mae celloedd go iawn yn dioddef o ddrifft i lawr yn y g.e.m. dan lwyth – niwsans yr ydym yn ceisio ei leihau.

CYNGOR YMARFEROL

Yn yr arbrawf hwn, nid oes llawer o werth mewn ailadrodd darlleniadau. Mae'n well cymryd nifer mawr o barau o werthoedd.

Hunan-brawf 2.3.12

Ar gyfer y cyflenwad pŵer sydd â'r graff V–I yn Ffig. 2.3.23, darganfyddwch: (a) y g.e.m. a'r gwrthiant mewnol a (b) y cerrynt a'r gp ar draws y terfynellau ar gyfer gwrthiant allanol o 200 Ω.

(b) Trwy fesur I a'r gwrthiant allanol

Os ydym yn mesur (neu'n gwybod) gwerth y gwrthiant allanol, R, yn y gylched yn Ffig. 2.3.22, nid oes angen i ni fesur y cerrynt yn ogystal â'r gp ar draws y terfynellau. Os ydych wedi cwblhau'r Ymestyn a Herio yn Adran 2.3.4 (b), byddwch wedi dangos bod dileu V o $V = E - Ir$ a $V = IR$ yn arwain at y berthynas:

$$\frac{1}{I} = \frac{1}{E}R + \frac{r}{E}$$

felly mae gan graff o $\frac{1}{I}$ yn erbyn R raddiant o $\frac{1}{E}$ a rhyngdoriad o $\frac{r}{E}$.

Hunan-brawf 2.3.13

Nodwch sut i ddarganfod g.e.m. a gwrthiant mewnol cyflenwad pŵer o wybod graddiant a rhyngdoriad graff o $\frac{1}{I}$ yn erbyn R.

(c) Trwy fesur V a'r gwrthiant allanol

Fel y gwelsom yn Adran 2.3.4 (ch), mae'r gp ar draws y terfynellau, V, yn dibynnu ar werth y gwrthiant allanol, R, yn ôl:

$$V = \frac{ER}{R+r}.$$

Trwy droi'r hafaliad hwn cawn fod $\frac{1}{V} = \frac{R+r}{ER}$. Gallwn wahanu'r ochr dde yn ddau derm i roi

$$\frac{1}{V} = \frac{r}{E}\frac{1}{R} + \frac{1}{E},$$

felly mae graff o $\frac{1}{V}$ yn erbyn $\frac{1}{R}$ yn llinell syth gyda graddiant o $\frac{r}{E}$ a rhyngdoriad o $\frac{1}{E}$.

Hunan-brawf 2.3.14

Nodwch sut i ddarganfod g.e.m. a gwrthiant mewnol cyflenwad pŵer o wybod graddiant a rhyngdoriad graff o $\frac{1}{V}$ yn erbyn $\frac{1}{R}$.

Ymarfer 2.3

1. Yn y cwestiwn hwn, mae'r isysgrifau yn cyfeirio at wrthyddion, felly ystyr V_{10}, I_{10} a P_{10} yn ôl eu trefn yw'r gp ar draws gwrthydd $10\ \Omega$, y cerrynt sydd ynddo a'r pŵer sy'n cael ei afradloni ganddo.

(a) Darganfyddwch I_{10}, I_{60} ac I_{30} yn nhermau I.

(b) Darganfyddwch y gymhareb $\frac{V_{60}}{V_{10}}$.

(c) Darganfyddwch y gymhareb $\frac{P_{10}}{P_{30}}$.

(ch) Os yw $I = 0.15$ A, cyfrifwch

  (i) y gp rhwng dau ben y rhwydwaith, a

  (ii) cyfanswm y pŵer sy'n cael ei afradloni.

2. Yn y gylched a ddangosir, mae gwrthiant mewnol y cyflenwad pŵer yn ddibwys. Darganfyddwch y gwrthiant anhysbys, R i 2 ff.y.

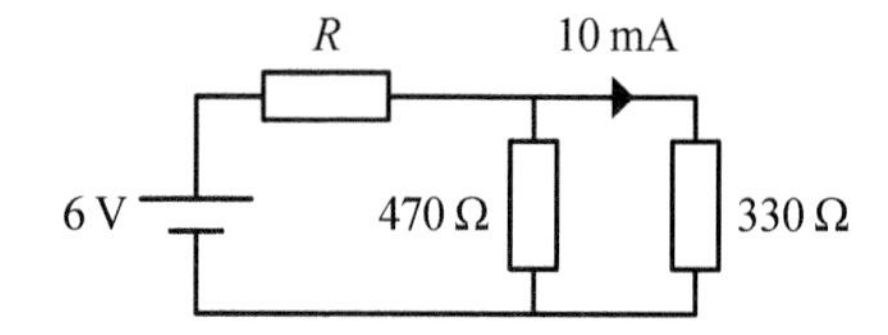

3. Cyfrifwch pa hyd o wifren nicrom, diamedr 0.2 mm, sydd â gwrthiant sy'n hafal i R yn C2. [Gwrthedd = $4.7 \times 10^{-7}\ \Omega$ m]

4. Mae elfen 24 W, 12 V gwresogydd tanc pysgod wedi ei gwneud o ddarn, hyd L, o wifren gwrthiant. Cyfrifwch hyd:

(a) Gwifren o'r un defnydd a'r un diamedr, y byddai ei hangen i wneud gwresogydd 12 W, 24 V.
(b) Gwifren o'r un defnydd ond dwbl y diamedr, y byddai ei hangen i wneud gwresogydd 12 W, 12 V.
(c) Gwifren sy'n ddwbl y diamedr a hanner y gwrthedd, y byddai ei hangen i wneud gwresogydd 12 W, 6 V.

Mae cwestiynau 5, 6 a 7 yn ymwneud â'r gylched rhannwr potensial.

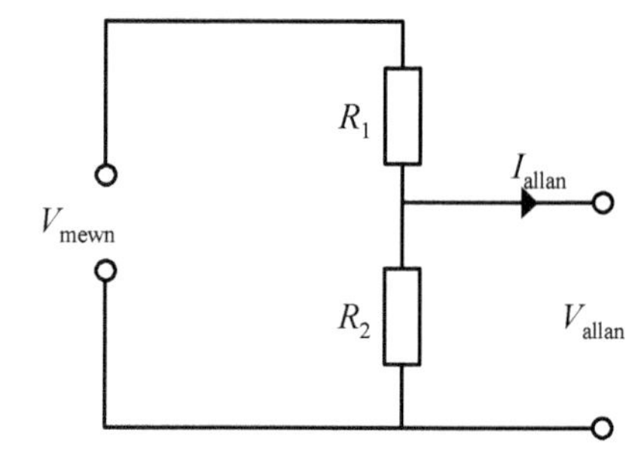

5 Mae $V_{mewn} = 12$ V, $R_1 = 10\ \Omega$, $R_2 = 20\ \Omega$.

(a) Cyfrifwch V_{allan} os yw $I_{allan} = 0$.
(b) Cyfrifwch V_{allan} pan gysylltir ail wrthydd $20\ \Omega$ mewn paralel â'r cyntaf.
(c) Cyfrifwch V_{allan} os yw $I_{allan} = 0.15$ A.

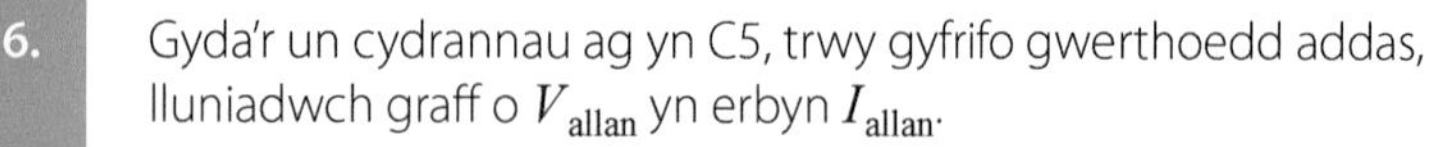

6. Gyda'r un cydrannau ag yn C5, trwy gyfrifo gwerthoedd addas, lluniadwch graff o V_{allan} yn erbyn I_{allan}.

7. Dangoswch yn algebraidd fod y gylched rhannwr potensial yn ymddwyn fel cyflenwad pŵer, g.e.m. $\frac{V_{mewn}R_2}{R_1+R_2}$ a gwrthiant mewnol $\frac{R_1R_2}{R_1+R_2}$. [Awgrym: defnyddiwch yr un gwaith ag yn C6 i ddarganfod mynegiad ar gyfer V_{allan} yn nhermau I_{allan}, a'i ysgrifennu yn y ffurf $V_{allan} = a + bI_{allan}$.]

8. Mae'r foltedd ar draws deuod allyrru golau (LED) fwy neu lai yn gyson dros amrediad eang o geryntau pan mae yn y cyflwr dargludo ac yn allyrru golau. Mae'r foltedd fwy neu lai yn 2 V ar gyfer nifer o LEDau.

Mae angen dangosydd 'ymlaen' ar raglen electroneg.

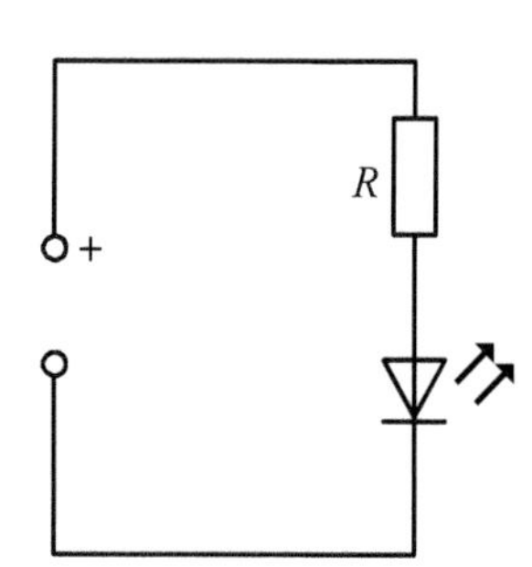

(a) Mae'r peiriannydd yn penderfynu defnyddio LED coch, gyda cherrynt o 20 mA, wedi'i bweru gan gyflenwad 5.0 V, fel yn y diagram. Cyfrifwch werth, R, y gwrthydd y mae ei angen.
(b) Mae gan swp o LEDau coch, melyn, gwyrdd a glas folteddau tanio o 1.9 V, 2.1 V, 2.5 V a 2.8 V yn ôl eu trefn. Dewiswch wrthyddion i'w gyrru o gyflenwad 5.0 V os yw'r cerrynt i fod yn 20 ± 5 mA. Dyma'r gwrthyddion sydd ar gael: $100\ \Omega$, $120\ \Omega$, $150\ \Omega$, $180\ \Omega$, $220\ \Omega$.

Q1 circuit: I, $10\ \Omega$, $60\ \Omega$, $30\ \Omega$

9. Mewn arbrawf i ddarganfod gwrthedd nicrom, defnyddiodd myfyriwr ficromedr analog i fesur diamedr y wifren ar bwyntiau amrywiol, a chafodd y canlyniadau canlynol: 0.311 mm, 0.316 mm, 0.314 mm a 0.317 mm. Defnyddiodd y myfyriwr glipiau crocodeil i gysylltu ohm-medr (amlfesurydd ar y raddfa gwrthiant) â'r wifren, a oedd wedi'i hymestyn ar hyd riwl metr. Roedd darlleniadau'r gwrthiant, R, ar gyfer yr hydoedd amrywiol, l, fel a ganlyn:

l / cm	20	30	40	50	60	70	80	90	100
R / Ω	2.15	3.15	4.00	5.08	5.99	7.10	7.95	8.85	9.87

Amcangyfrifwyd bod yr ansicrwydd yn y mesuriadau l yn ± 1.0 cm.

Defnyddiwch y canlyniadau i ddarganfod gwerth ar gyfer gwrthedd nicrom. Gwnewch sylw ar y rhyngdoriad ar yr echelin R.

Mae cwestiynau 10–13 yn ymwneud â chylchedau sy'n cynnwys bwlb dangosydd 6.0 V, 60 mA gyda'r graff I–V a ddangosir, a gwrthydd 100 Ω.

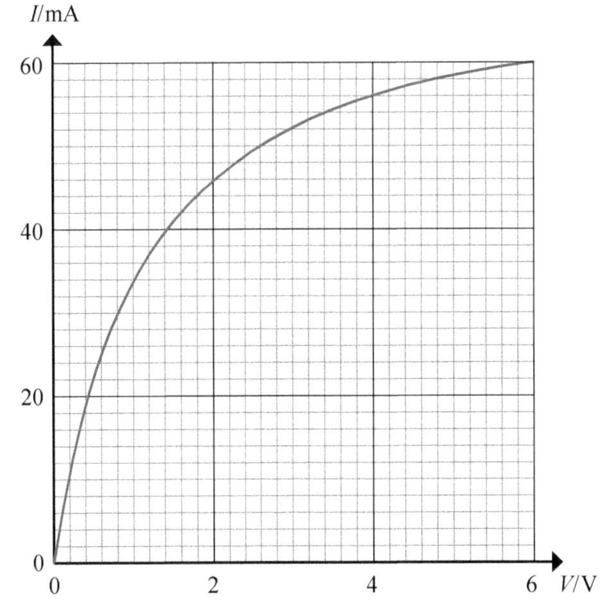

10. Defnyddiwch y graff i ddarganfod gwrthiant y bwlb (a) pan mae'n gweithredu ar y foltedd a nodwyd arno a (b) pan mae'r gp ar ei draws yn 2.0 V.

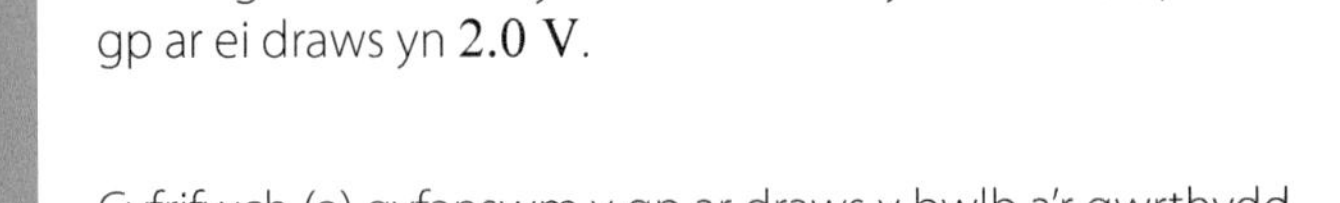

11. Cyfrifwch (a) gyfanswm y gp ar draws y bwlb a'r gwrthydd mewn cyfres, gyda cherrynt o 45 mA, a (b) cyfanswm y cerrynt mewn cyfuniad paralel o'r ddau, gyda gp o 4.0 V ar eu traws.

12. Cysylltir y bwlb a'r gwrthydd mewn paralel, ac mae cyfanswm y cerrynt yn y pâr yn 80 mA. Darganfyddwch y cerrynt yn y naill a'r llall a'r gp ar draws y pâr. [Awgrym: yn gyntaf, ar yr un echelinau ag ar gyfer y bwlb, lluniadwch graff cerrynt–foltedd ar gyfer y gwrthydd.]

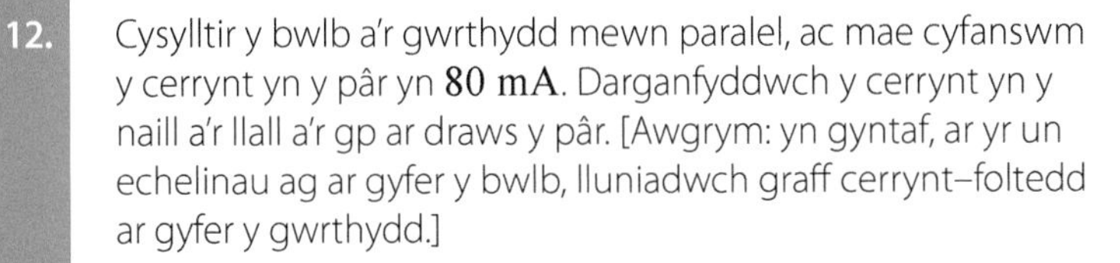

13. Gosodir gp o 10 V ar draws y bwlb a'r gwrthydd mewn cyfres. Darganfyddwch y gp ar draws pob un, a'r cerrynt.

14. Defnyddiodd myfyriwr set o dri gwrthydd, pob un â gwrthiant o 10.0 ± 0.2 Ω, a foltmedr, i fesur gwrthiant mewnol cyflenwad pŵer. Tybiodd fod y gwrthyddion yn unfath. Mesurodd y gp ar draws terfynellau'r cyflenwad gydag un gwrthydd, a phob cyfuniad cyfres a pharalel posibl o ddau a thri gwrthydd wedi'u cysylltu. Anghofiodd fesur y gp heb wrthydd, ac anghofiodd nodi'r cyfuniadau a ddefnyddiodd. Roedd ei darlleniadau gp (mewn V) fel a ganlyn: 7.92, 8.58, 8.82, 6.88, 6.07, 8.34, 7.36.

Trwy nodi'r cyfuniadau posibl ar gyfer y gwrthyddion a chyfrifo eu gwrthiannau, penderfynwch pa wrthiant allanol sy'n arwain at bob darlleniad gp. Plotiwch graff addas a darganfyddwch g.e.m. a gwrthiant mewnol y cyflenwad.

2.4 Natur tonnau

Ffig. 2.4.1 Tswnami

2.4.1 Hunan-brawf

Rhowch ddwy enghraifft arall o drosglwyddiad egni: un sy'n hwyluso bywyd ar y Ddaear, ac un a ddatblygwyd gan ddyn.

Termau a diffiniadau

Mae **ton (gynyddol)** yn gynnwrf, neu'n ddilyniant o gynhyrfau, sy'n teithio trwy gyfrwng, gan fynd ag egni gyda hi, ond heb fynd â gronynnau'r cyfrwng gyda hi.

2.4.2 Hunan-brawf

Rhoddir buanedd tonnau ardraws ar raff estynedig gan

$$v = \left(\frac{T}{\mu}\right)^n$$

lle μ yw màs y rhaff fesul uned hyd, a T yw'r tyniant ynddi. Trwy ystyried *unedau*, darganfyddwch werth n.

2.4.3 Hunan-brawf

Rhoddir buanedd sain mewn aer gan

$$v = \sqrt{\frac{1.40p}{\rho}}$$

lle p yw'r gwasgedd aer. Mae ρ yn un arall o briodweddau aer. Awgrymwch pa un, a cheisiwch gadarnhau eich awgrym trwy wirio unedau.

Sut gellir trosglwyddo egni o un lle i'r llall? Dyma rai enghreifftiau:

1 Mae bwled a daniwyd o ddryll yn cludo egni cinetig.
2 Mae olew neu nwy sy'n llifo mewn pibell yn cludo ychydig o egni cinetig ond, yn fwy pwysig, mae'n cludo egni cemegol.
3 Mae tonnau seismig sy'n teithio trwy gramen y Ddaear, a tswnamis sy'n teithio trwy'r môr, yn trosglwyddo symiau brawychus o egni dros ysbeidiau byr o amser.
4 Mae tonnau sain sy'n teithio trwy'r aer yn cludo egni a all ysgogi niwronau yn y glust fewnol, neu gynhyrchu 'signalau' trydanol mewn microffonau.

Yn 1 a 2, mae mater (defnydd) yn teithio o un lle i'r llall, gan fynd â'r egni gydag ef. Mae 3 a 4 yn gwbl wahanol: mae 'cynnwrf', sy'n cludo egni, yn teithio (neu'n *lledaenu*) trwy '*gyfrwng*' (solid, hylif neu nwy). Caiff gronynnau'r cyfrwng eu dadleoli dros dro yn unig o'u safleoedd arferol wrth i'r cynnwrf, neu'r *don*, basio trwodd.

Hyd yn oed mewn cyngerdd roc, ac eithrio wrth ymyl y seinyddion, mae dadleoliad mwyaf moleciwlau aer o ganlyniad i donnau sain yn llai na 0.1 mm. Pan fydd tswnami mawr yn cyrraedd y lan, efallai y bydd y gronynnau dŵr yn cael eu dadleoli sawl metr, ond mae'n bosibl y bydd y don ei hun wedi teithio degau neu gannoedd o gilometrau.

2.4.1 Sut mae tonnau'n lledaenu

Byddwn yn edrych ar don yn teithio mewn rhaff dynn. Mae'n bosibl dadlau mai dyma'r enghraifft symlaf o don.

Tybiwch fod rhywun, yn sydyn, yn dadleoli un pen i'r rhaff ryw fymryn bach i gyfeiriad sydd ar ongl sgwâr i'r rhaff ei hun. Mae Ffig. 2.4.2 (a) yn dangos y rhaff ychydig yn hwyrach ac mae (b) yn ddiagram corff rhydd ar gyfer cyfran fach, P, o'r rhaff. Mae'r grym cydeffaith ar P ar ongl sgwâr (bron) i linell y rhaff, neu'n *ardraws* iddi, felly bydd P yn cyflymu (o ddisymudedd) yn y cyfeiriad hwnnw, a chaiff ei dadleoli ei hun ymhen dim. Yn y modd hwn, caiff y dadleoliad ardraws ei gludo ar hyd y rhaff: (c).

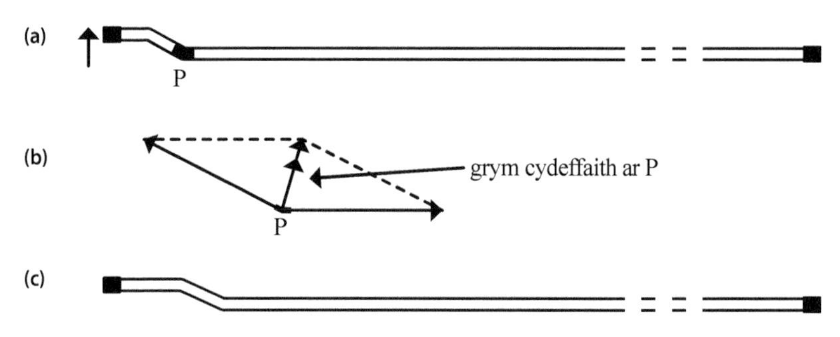

Ffig. 2.4.2 Lledaeniad tonnau ardraws ar raff

Mae pob ton fecanyddol (tonnau seismig, tonnau sain, tonnau dŵr ...) yn lledaenu yn yr un ffordd gyffredinol. Mae rhan ddadleoledig o'r cyfrwng yn rhoi grym (anghytbwys) ar ddarn cyfagos ac yn y blaen. Fel arfer, mae *buanedd* teithio'r don yn dibynnu ar briodweddau'r *cyfrwng*. Gweler Hunan-brawf 2.4.2 a 2.4.3 am enghreifftiau.

2.4.2 Tonnau ardraws

Mae'r tonnau mewn rhaff (gweler 2.4.1) yn *ardraws*: mae dadleoliad pob gronyn ar ongl sgwâr i gyfeiriad teithio'r don.

Enghraifft arall o don ardraws yw *ton eilaidd* (S) neu don *groesrym* (Ffig.2.4.3) sy'n gallu teithio trwy gramen y Ddaear o ddigwyddiad tanddaearol (er enghraifft pan fydd màs o graig yn llithro'n sydyn yn erbyn un arall).

Mae tonnau golau a thonnau *electromagnetig* eraill hefyd yn ardraws. Maen nhw'n arbennig oherwydd gallant deithio mewn gwactod, lle mae eu buanedd, c, yn 3.00×10^8 m s^{-1}. [Mae eu buanedd mewn aer yr un peth, i 3 ffigur ystyrlon.] Er nad oes angen cyfrwng arnynt, mae tonnau e-m, mewn sawl ffordd, yn ymddwyn yn union fel tonnau ardraws eraill. Byddwn yn cyflwyno tystiolaeth dros hyn yn nes ymlaen. Darllenwch **Ymestyn a Herio** – os ydych yn barod i fentro ...

Mae Ffig. 2.4.4 (a) yn giplun o raff sy'n cael ei hysgwyd ar un pen mewn mudiant dirgrynol neu *osgiliadol*. Mae'r tonnau ardraws yn *bolar* (neu'n *llinol bolar* i fod yn fanwl gywir), sy'n golygu bod dadleoliad y gronynnau wedi'i gyfyngu i ddim ond un o'r cyfeiriadau posibl sydd ar ongl sgwâr i gyfeiriad teithio'r don. Mae Ffig. 2.4.4 (b) hefyd yn dangos ton bolar, ond y tro hwn mae cyfeiriad y polareiddiad yn wahanol.

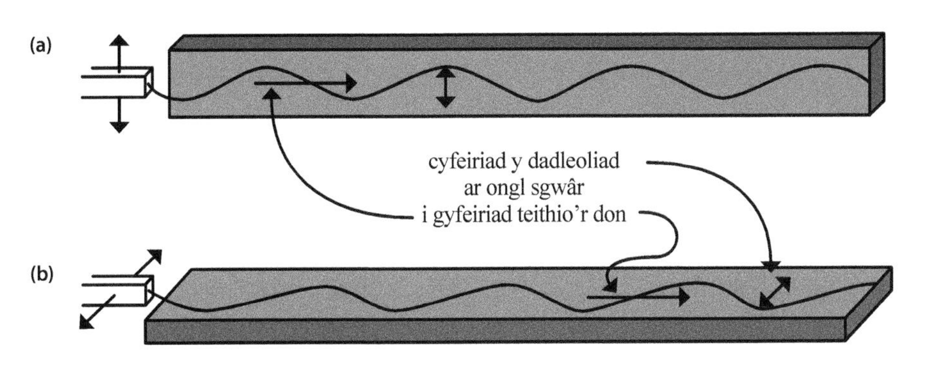

Ffig. 2.4.4 Tonnau ardraws polar ar raff

Pe byddem yn ysgwyd un pen i'r rhaff mewn cyfres hap o gyfeiriadau gwahanol, pob un ar ongl sgwâr i linell y rhaff, yna byddai'r tonnau a fyddai'n teithio yn y rhaff *heb eu polareiddio*.

2.4.3 Tonnau arhydol

Ni all tonnau croesrym deithio trwy nwy neu hylif (oherwydd ni all haenau olynol (gweler Ffig. 2.4.3) y nwy neu'r hylif roi grymoedd tangiadol ar ei gilydd heb lithro ac afradloni egni, sy'n cael ei drosglwyddo yn egni thermol hap).

Mae tonnau arhydol (gweler y **Termau a diffiniadau**) *yn gallu* teithio trwy nwy neu hylif, yn ogystal â thrwy solid. Mae'r tonnau *cynradd* (P) sy'n teithio trwy gramen, mantell a chraidd y Ddaear o ddigwyddiad tanddaearol yn donnau arhydol. Felly, hefyd, donnau *sain*: yn Ffig. 2.4.5 mae côn papur y seinydd yn osgiliadu yn ôl ac ymlaen, gan anfon tonnau o deneuadau (T) a chywasgiadau (C) trwy'r aer. Mae'n bosibl anfon tonnau arhydol trwy sbring *Slinky* hefyd (Ffig. 2.4.6).

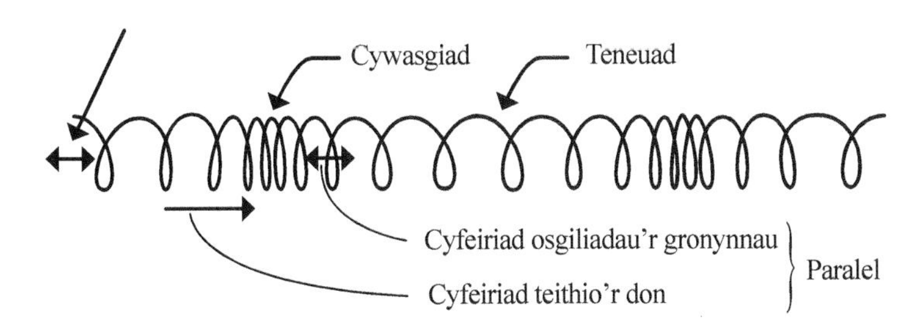

Ffig. 2.4.6 Ton arhydol ar *Slinky*

Termau a diffiniadau

Mewn **ton ardraws**, caiff gronynnau'r cyfrwng eu dadleoli ar ongl sgwâr i gyfeiriad teithio'r don.

Mewn ton ardraws **wedi ei pholareiddio'n llinol**, dim ond yn un yn unig o'r cyfeiriadau sydd ar ongl sgwâr i gyfeiriad teithio'r don y mae'r dadleoliadau.

Mewn **ton arhydol** caiff gronynnau'r cyfrwng eu dadleoli'n baralel i gyfeiriad teithio'r don.

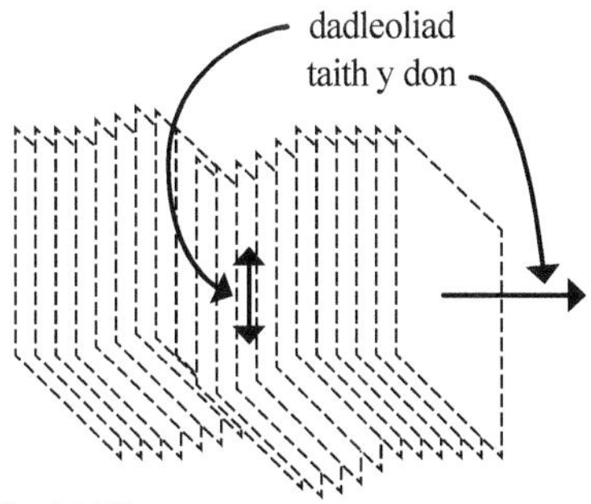

Ffig. 2.4.3 Ton groesrym

Wrth i **don e-m** deithio, mesurau fector o'r enw *cryfder maes trydanol a chryfder maes magnetig* sy'n osgiliadu ar bob pwynt, yn hytrach na *gronynnau* yn osgiliadu. Mae'r ddau fector yn osgiliadu ar ongl sgwâr i gyfeiriad teithio'r don (ac i'w gilydd). Pan rydym yn sôn am *ddadleoliad* ar gyfer ton e-m, yr hyn rydym yn ei olygu, yn gonfensiynol, yw cryfder maes *trydanol*. Dychwelwn at hyn yn nes ymlaen. Tan hynny, gallwch ystyried dadleoliadau mewn ton e-m fel dadleoliadau gronynnau.

Ffig. 2.4.5 Tonnau sain o seinydd

2.4.4 Tonnau o ffynonellau sy'n osgiliadu

Byddwn yn tybio bellach bod ffynhonnell pob ton yn *osgiliadu* (dirgrynu) yn *sinwsoidaidd*, fel y dangosir yn y graff dadleoliad yn erbyn amser (Ffig. 2.4.7). Mae *sinwsoidaidd* yn disgrifio siâp y graff. Sylwch ei fod yn *gyfnodol* – mae'n ailadrodd yr un *gylchred* drosodd a throsodd. Bydd dadleoliad y gronynnau yn y cyfrwng hefyd yn amrywio'n sinwsoidaidd.

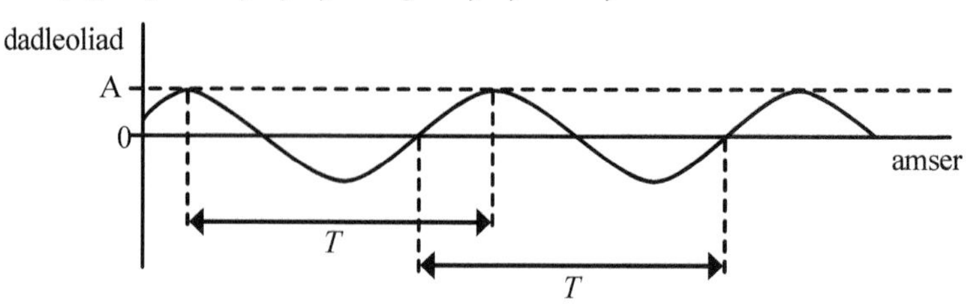

Ffig. 2.4.7 Graff dadleoliad–amser ar gyfer gronyn sy'n osgiliadu

Gan gyfeirio at y graff, rydym yn diffinio'r termau sylfaenol yn y blwch **Termau a diffiniadau**.

Enghraifft

Beth yw cyfnod osgiliadau sydd ag amledd o 10 Hz?

Bydd 10 cylchred yn ffitio i 1 eiliad, felly mae'r cyfnod yn $\frac{1}{10}$ s = 0.10 s.

Gan gyffredinoli, mae $T = \frac{1}{f}$, a gellir ad-drefnu hyn i roi $f = \frac{1}{T}$.

Nodwch y pwyntiau canlynol:

- Mae pob un o ronynnau'r cyfrwng yn osgiliadu gydag amledd ffynhonnell y tonnau; nid yw'n bosibl colli nac ennill cylchredau o osgiliadau wrth i'r don deithio!
- Pam mae'r graff yn dechrau ar y pwynt penodol hwn yn y cylchred? Mae'r fan yn y cylchred lle bydd y don ar yr amser rydym yn dewis galw $t = 0$ yn dibynnu ar bellter y gronyn o ffynhonnell y don.

Termau a diffiniadau

Cylchred yw'r darn lleiaf o osgiliad, yn cychwyn ar unrhyw bwynt, sy'n ailadrodd yn union.

Osgled, A, osgiliad yw gwerth mwyaf y dadleoliad. UNED: m

Y **cyfnod** (neu'r **amser cyfnodol**), T, yw'r amser y mae un cylchred o osgiliadau yn ei gymryd. UNED: s

Amledd, f, osgiliad yw nifer y cylchredau fesul uned amser. UNED: hertz (Hz). [Ystyr yr uned 'hertz' yw 'bob eiliad' (s^{-1}) ond dim ond ar gyfer osgiliadau yr ydym yn ei defnyddio.]

2.4.4 Hunan-brawf

Mae pwynt ar linyn tynn yn gwneud 56 cylchred o osgiliadau mewn 35 s. Cyfrifwch:

(a) Yr amser byrraf y mae'n ei gymryd iddo fynd o'r dadleoliad mwyaf i sero.

(b) Yr amledd.

Termau a diffiniadau

Mae osgiliadau o'r un amledd **yn gydwedd** os ydynt ar yr un pwynt yn eu cylchredau ar yr un pryd.

Y **donfedd**, λ, yw'r pellter rhwng gronynnau dilynol sy'n osgiliadu'n gydwedd. UNED: m

2.4.5 Ciplun o don

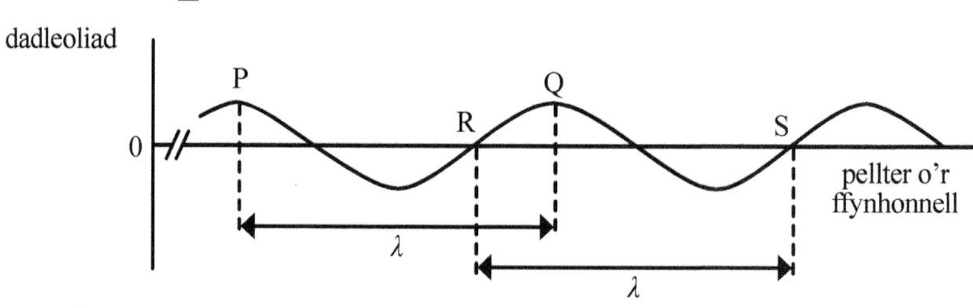

Ffig. 2.4.8 Dadleoliad – pellter o'r ffynhonnell ar amser penodol

Mae'r graff uchod (Ffig. 2.4.8) yn edrych fel Ffig. 2.4.7 ond sylwch fod y *pellter o'r ffynhonnell* ar un amser penodol ar hyd yr echelin lorweddol! Rydym yn galw'r math hwn o graff yn *giplun* (*snapshot*). Ar gyfer ton mewn rhaff estynedig, gallai hwn fod yn ffotograff fflach o'r rhaff, gyda'r echelinau wedi'u hychwanegu.

[Ar gyfer tonnau sy'n lledaenu wrth iddynt deithio'n bellach o'r ffynhonnell, bydd y gronynnau pellach yn osgiliadu gydag osgledau llai, gan fod yr egni wedi'i wasgaru'n fwy tenau. Ni fydd ein graffiau'n dangos hyn fel arfer.]

Mae gronyn Q yn osgiliadu yn *gydwedd* â gronyn P. Enghraifft arall o bâr cydwedd yw R ac S. Gwnewch yn siŵr eich bod yn gwybod y diffiniadau ar gyfer *yn gydwedd* a *tonfedd* o'r blwch **Termau a diffiniadau**.

2.4.5 Hunan-brawf

Mae myfyriwr yn galw Ffig. 2.4.7 yn 'graff o don'; mae'n galw'r pellter o un brig i'r nesaf yn Ffig. 2.4.7 yn 'donfedd' ac A yn 'osgled mwyaf'. Eglurwch iddo'n gryno, a heb fod yn rhy ddirmygus, pam mae'n rhaid ei fod yn anghywir bob tro, a beth y dylai fod wedi ei ddweud.

2.4.6 Buanedd ton

Mae'r patrwm cyfan o ddadleoliadau yn y cyfrwng yn symud i'r dde, i ffwrdd oddi wrth y ffynhonnell. Dyna yw ystyr ton yn *teithio*! Yn Ffig. 2.4.9, mae'r llinell gyfan yn giplun o'r don ar amser $t = 0$, ac mae'r llinell doredig yn giplun o'r don ar amser $\frac{T}{4}$.

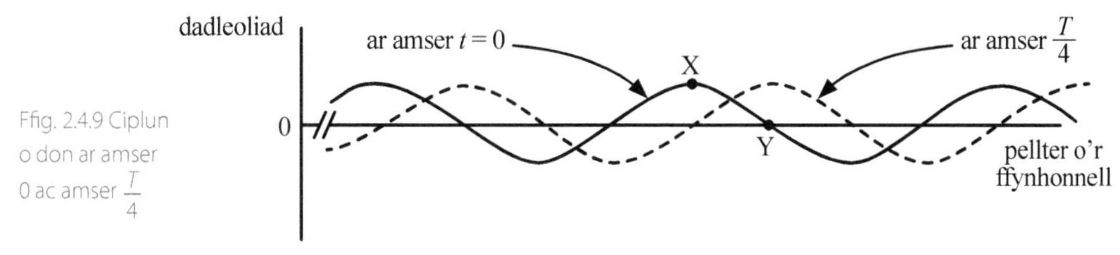

Ffig. 2.4.9 Ciplun o don ar amser 0 ac amser $\frac{T}{4}$

Gadewch i ni dybio bod cyfnod cyfan, T, yn mynd heibio rhwng un ciplun a'r nesaf. Bydd pob gronyn yn osgiliadu trwy un cylchred ychwanegol, gan ddod ag ef yn ôl i'w fan cychwyn. Felly ni fydd y ciplun yn newid. Ond bydd y patrwm wedi symud – i ffwrdd o'r ffynhonnell. Felly, mae'n rhaid ei fod wedi symud ymlaen un donfedd, λ, gyfan.

Felly mae: *buanedd* ton, $v = \frac{\text{pellter a symudir}}{\text{amser a gymerwyd}} = \frac{\lambda}{T} = \frac{1}{T}\lambda = f\lambda$

Mae gennym, felly, yr hafaliad cyfarwydd $v = f\lambda$.

Enghraifft

Brasluniwch graffiau dadleoliad–amser, gan gychwyn ar $t = 0$, ar gyfer gronynnau X ac Y yn Ffig. 2.4.9, a rhowch sylwadau ar y gwahaniaeth gwedd.

Gan allosod o safleoedd X ac Y ar amser t ac amser t ac amser $\frac{T}{4}$ mae gennym

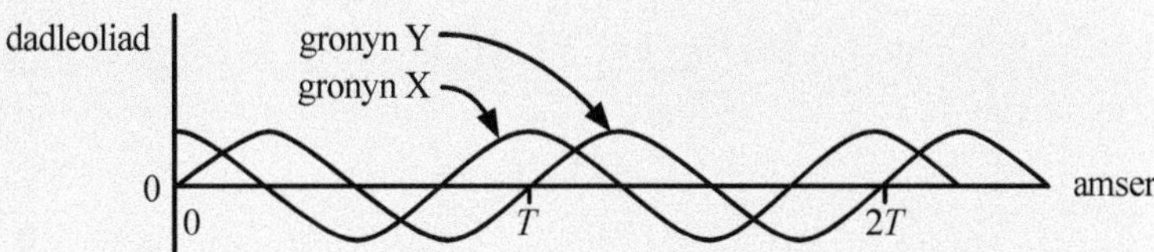

Ffig. 2.4.10 Dadleoliad–amser ar gyfer gronynnau X ac Y yn Ffig. 2.4.9

[Nodwch fod pob brig (neu unrhyw nodwedd arall) ar graff Y yn digwydd amser $\frac{T}{4}$ yn hwyrach na'r nodwedd gyfatebol ar graff X. Dywedwn fod gan Y oediad gwedd o chwarter cylchred y tu ôl i X. Mae'r oediad gwedd hwn yn union fel y byddem yn ei ddisgwyl: mae'r don yn cyrraedd Y *ar ôl* iddi gyrraedd X!]

2.4.7 Diagramau blaendonnau

Mae'r brigau a'r cafnau symudol a welwn wrth i donnau dŵr deithio yn enghraifft o *flaendonnau*. Mae tonnau dŵr, fel tonnau ar groen drwm, yn teithio mewn 2 ddimensiwn, ac mae eu blaendonnau, yn eu hanfod, yn llinellau, ac yn llinellau crwm fel arfer. Yn y **Termau a diffiniadau**, rydym wedi cyfeirio at flaendonnau fel 'arwynebau', gan ein bod yn meddwl yn arbennig am donnau fel sain a golau, sy'n teithio allan o'r ffynhonnell i bob cyfeiriad, h.y. mewn 3 dimensiwn.

- Rydym fel arfer yn tynnu llun blaendonnau ar gyfyngau o un donfedd, fel brigau ton ddŵr.
- Mae cyfeiriad teithio blaendon, ar unrhyw bwynt, ar ongl sgwâr i'r flaendon trwy'r pwynt hwnnw. (Gweler Ffig. 2.4.11).
- Mae blaendonnau o ffynhonnell fach yn sfferig. Felly, ymhell i ffwrdd o'r ffynhonnell, maen nhw bron yn blân (gwastad) dros unrhyw ardal fach. Er enghraifft, bydd blaendonnau golau sy'n cyrraedd y Ddaear o seren, i bob pwrpas, yn blân.

Hunan-brawf 2.4.6

Mae tonnau dŵr o ffynhonnell, amledd 3.0 Hz, yn teithio ar draws llyn ar fuanedd o 3.6 m s^{-1}. Cyfrifwch y pellter byrraf rhwng gronynnau dŵr sy'n osgiliadu yn wrthwedd (union hanner cylchred yn anghydwedd â'i gilydd).

Nid yw tonnau dŵr yn ardraws nac yn arhydol. Mae'r gronynnau'n symud mewn cylchoedd fertigol, gydag un diamedr yn baralel i gyfeiriad y lledaeniad. Mae'r cylchoedd yn mynd yn llai wrth i'r dyfnder gynyddu.

Hunan-brawf 2.4.7

Mae ffonau symudol yn trawsyrru ac yn derbyn tonnau e-m gydag amledd o tua 900 MHz, gan ddefnyddio erial integredig – rhoden fetel. Yn ddelfrydol, dylai hon fod o leiaf chwarter tonfedd o hyd. Ymchwiliwch i weld a allai erial o'r fath ffitio mewn ffôn symudol.

Termau a diffiniadau

Mae **blaendon** yn arwyneb lle mae'r osgiliadau yn gydwedd ar bob pwynt.

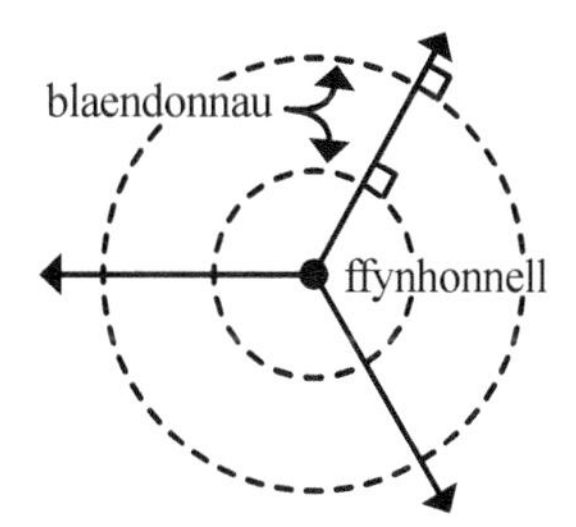

Ffig. 2.4.11 Blaendonnau o ffynhonnell bwynt

Pwynt astudio

(Mae'r Pwynt astudio hwn yn ymwneud ag Adran 2.4.8 ar dudalen 128.)

Mae ton e-m yn rhyngweithio â mater trwy'r maes trydanol yn bennaf, felly rydym yn cymryd bod hyn fel arfer yn diffinio plân y polareiddiad.

Pwynt astudio

Mae effeithiolrwydd yr hidlydd polareiddio fel arfer yn amrywio ar draws y sbectrwm gweladwy. Os yw'r hidlyddion yn fwyaf effeithiol yng nghanol yr amrediad (melyn), bydd yr hidlyddion yn trawsyrru magenta (coch + glas) arddwysedd isel hyd yn oed pan fyddant wedi croesi.

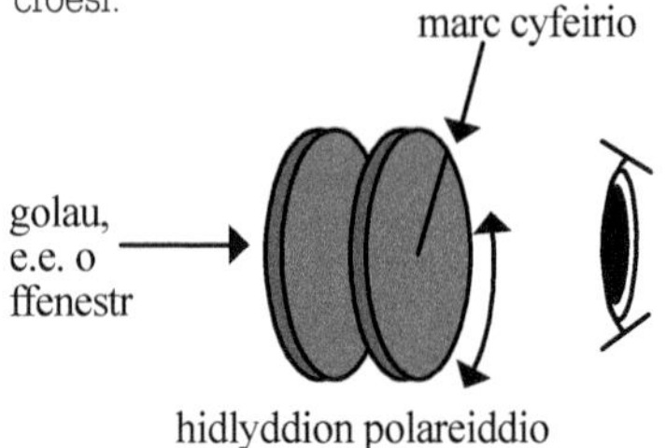

Ffig. 2.4.12 Ymchwilio i bolareiddio

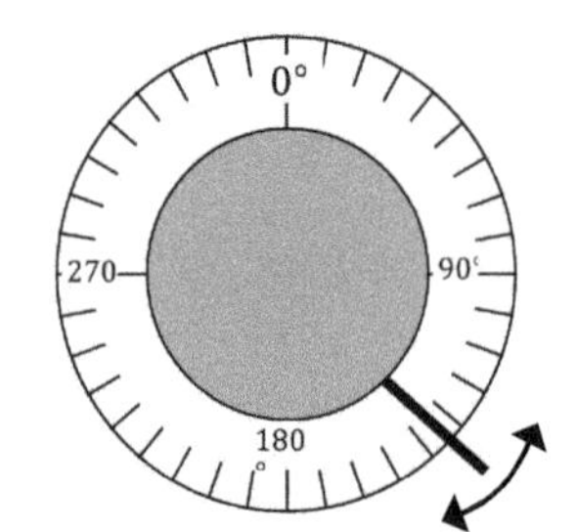

Ffig. 2.4.14 Hidlydd polareiddio cylchdroadwy

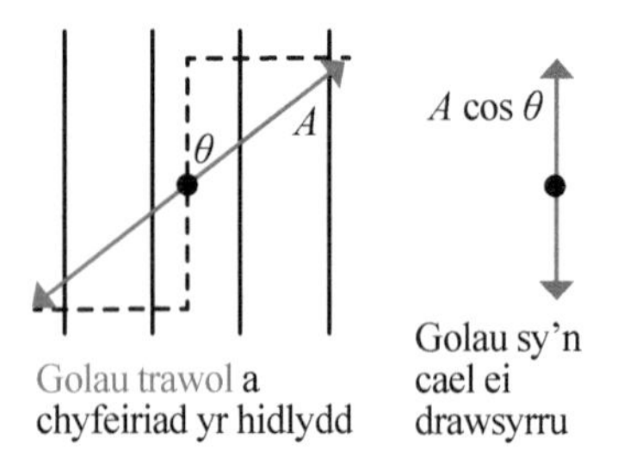

Ffig. 2.4.15 Effaith ail hidlydd polareiddio

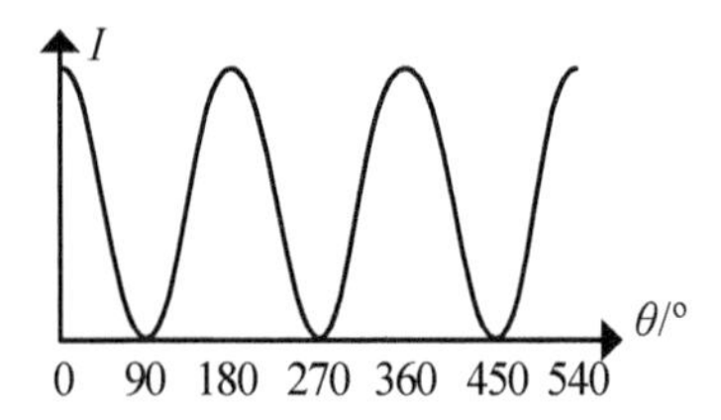

Ffig. 2.4.16 Amrywiad yr arddwysedd gydag ongl

2.4.8 Ymchwilio i amrywiadau'r arddwysedd ar gyfer polareiddiad

Er mwyn gwneud ymchwiliad ansoddol i effaith hidlydd polareiddio ar baladr o olau polar, nid oes angen mwy na dau hidlydd a ffynhonnell golau, a allai fod yn un o oleuadau'r labordy neu'n olau trwy ffenestr.

Mae'r golau sy'n dod allan o'r hidlydd cyntaf yn olau plân polar, h.y. mae osgiliadau'r maes trydanol i gyd yn yr un plân, sydd ar ongl sgwâr i gyfeiriad y lledaeniad.

Mae'n ddefnyddiol gosod marc cyfeirio ar un o'r hidlyddion er mwyn cadw golwg ar yr ongl y mae'n cylchdroi trwyddi.

Wrth i ni gylchdroi'r ail hidlydd, mae arddwysedd y golau sy'n cael ei drawsyrru yn amrywio'n llyfn; gwelwn ddau uchafswm a dau isafswm fesul cylchdro. Mae'r rhain yn gytbell, h.y. mae 90° rhwng pob uchafswm ac isafswm cyfagos.

Gallwn hefyd ymchwilio i'r effaith yn feintiol trwy ddefnyddio'r cyfarpar a ddangosir yn Ffigurau 2.4.13 a 2.4.14.

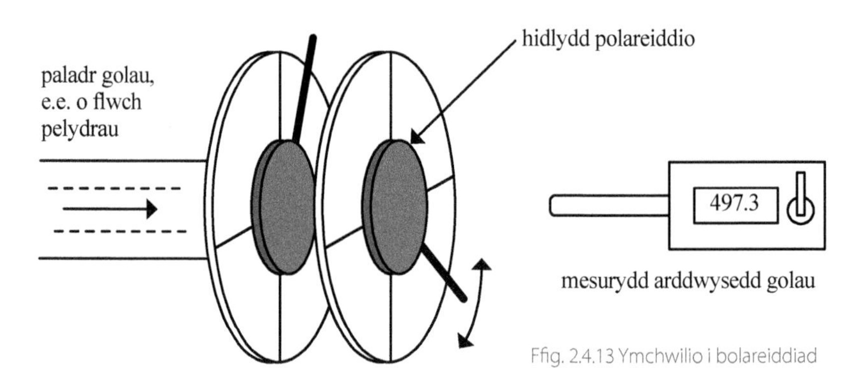

Ffig. 2.4.13 Ymchwilio i bolareiddiad

Caiff yr holl olau sy'n cael ei drawsyrru trwy hidlydd polareiddio 100% ei bolareiddio gyda phob un o'i osgiliadau yn yr un plân, sef y plân polar (gweler y Pwynt astudio ar dudalen 127). Os caiff ail hidlydd o'r fath ei osod yn llwybr y golau, mae unrhyw olau sy'n dod allan o'r hidlydd cyntaf nawr yn cael ei bolareiddio 100% yn y cyfeiriad a ddiffiniwyd gan yr hidlydd hwn. **Ni chaiff** plân polar y golau ei gylchdroi gan yr ail hidlydd: dim ond cydran y fector osgiliadu sy'n baralel i blân trawsyrru'r ail hidlydd a gaiff ei drawsyrru; caiff y gydran sydd ar ongl sgwâr ei hamsugno. Yn Ffig. 2.4.15, mae golau sydd ag osgled A (saeth goch) yn osgiliadu ar ongl θ i blân trawsyrru hidlydd polareiddio (llinellau fertigol). Mae gan y golau sy'n cael ei drawsyrru (saeth las) osgled llai, a chaiff ei bolareiddio yn y cyfeiriad a ddiffinnir gan y plân trawsyrru.

Gan ddefnyddio trigonometreg syml, os yw'r ongl rhwng cyfeiriadau polareiddio y ddau hidlydd yn θ, yna mae osgled y golau sy'n cael ei drawsyrru trwy'r ail hidlydd yn $A \cos \theta$, lle A yw osgled y golau rhwng yr hidlyddion. Fel gyda phob mudiant tonnau, mae'r egni sy'n cael ei gludo gan y golau mewn cyfrannedd â sgwâr yr osgled, felly mae arddwysedd, I, y golau sy'n cael ei drawsyrru yn amrywio yn ôl: $I \propto \cos^2 \theta$, gan dybio bod yr hidlydd yn 100% effeithiol. Dangosir y berthynas hon yn Ffig. 2.4.16.

Ymarfer 2.4

1. Mae'r diagram yn dangos dau giplun o'r un don ardraws, yn teithio yn y cyfeiriad x positif, gyda'r ciplun coch 0.25 ms yn hwyrach na'r un du.

   (a) Rhowch donfedd ac osgled y don.

   (b) Eglurwch pam nad yw hi'n bosibl cyfrifo buanedd y don o'r wybodaeth a roddir yn unig.

(c) Cyfrifwch fuanedd lleiaf posibl y don sy'n gyson â'r wybodaeth hon.

(ch) Cyfrifwch gyfnod ac amledd y don sy'n cyfateb i'r buanedd yn (c).

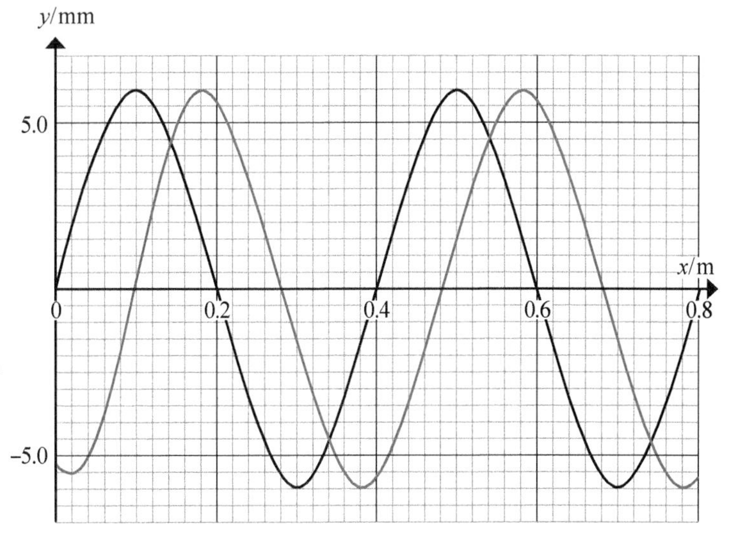

2. Ystyriwch y don yn C1 ar ennyd y diagram du.

(a) Nodwch ar ba werthoedd x y mae cyflymder fertigol y gronynnau yn y cyfrwng yn (i) sero, (ii) positif mwyaf a (iii) negatif mwyaf.

(b) [Anodd] Defnyddiwch y buanedd a gafodd ei gyfrifo yn 1(c) a'r graff i amcangyfrif cyflymder fertigol mwyaf y gronynnau.

3. Ar gyfer y don yn C1, rhowch gyfesurynnau x pob pwynt rhwng $x = 0$ ac $x = 2.0$ m sy'n osgiliadu (i) yn gydwedd a (ii) yn wrthwedd â'r gronyn yn $x = 0.15$ m.

4. Mae diagram (a) yn lluniad **maint cywir** o don arhydol yn symud o'r chwith i'r dde ar 5.0 m s^{-1}.

Mae'r llinellau fertigol yn cynrychioli planau o'r defnydd sy'n gytbell yn absenoldeb ton.

Mae diagram (b) yn dangos tonfedd wedi'i mwyhau o'r un don.

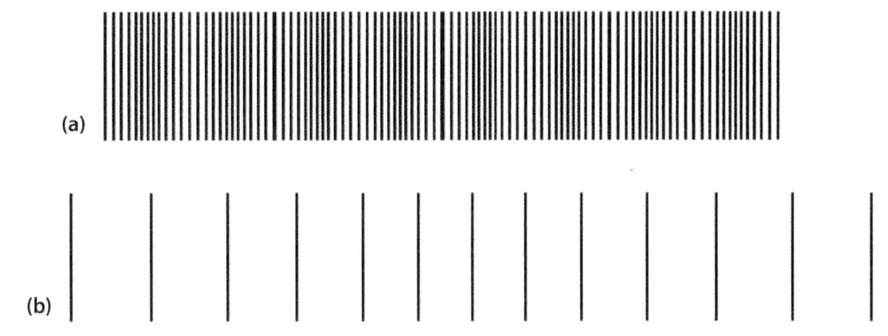

Defnyddiwch riwl mesur i wneud mesuriadau addas o'r diagramau, a thrwy hynny darganfyddwch: (a) tonfedd, (b) amledd, (c) cyfnod, ac [anodd] (ch) osgled y don.

5. Mae'r diagram yn dangos ciplun o don ar amser $t = 0$. Mae'r don yn symud i'r dde ar fuanedd o 5.00 m s^{-1}.

(a) Cyfrifwch amledd, f, a chyfnod, T, y don.

(b) Darganfyddwch raddiant y don ar $x = 2.0$ m, a defnyddiwch hyn i ddarganfod buanedd fertigol mwyaf gronynnau'r don.

(c) Brasluniwch graff i ddangos symudiad fertigol y pwynt sydd ag $x = 2.0$ m rhwng $t = 0$ a $t = 1.00$ s.

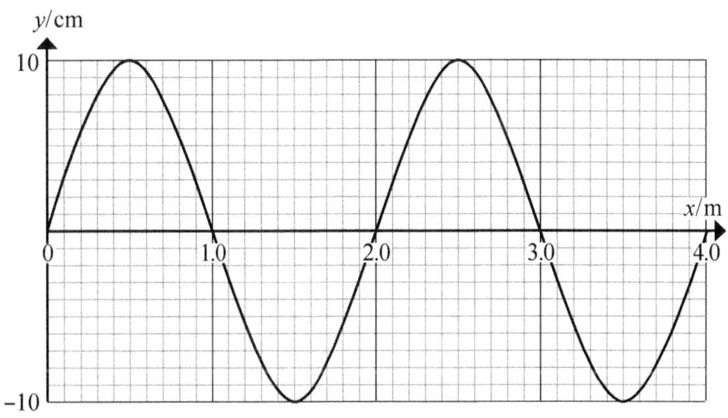

6. Mae paladr yn cynnwys cyfuniad o 70% o olau polar a 30% o olau amholar. Caiff hidlydd polareiddio perffaith (h.y. mae'n trawsyrru 100% o'r golau sy'n dirgrynu mewn un plân polar a 0% o'r golau sy'n dirgrynu ar ongl sgwâr) ei roi yn y paladr a'i gylchdroi o gwmpas ei echelin. Brasluniwch graff i ddangos sut mae arddwysedd y pelydriad sy'n cael ei drawsyrru yn amrywio gydag ongl yr hidlydd.

7. Mae'r diagram yn dangos blaendon mewn tanc crychdonni yn agosáu (o'r chwith) at rwystr tanddwr ac yn ei groesi. Mae'r rhwystr yn arafu'r don ac yn anffurfio'i blaendon.

Copïwch y diagram. Ychwanegwch saethau at yr ail flaendon i ddangos cyfeiriad(au) y lledaeniad a dangoswch safle(oedd) y flaendon ar ddau ennyd olynol – dylai'r cyfyngau amser rhwng y pedair blaendon fod fwy neu lai yn hafal.

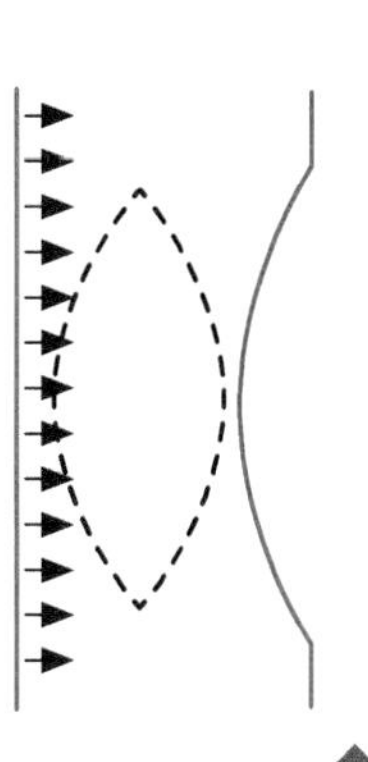

8. [Ar gyfer myfyrwyr Safon Uwch.] Mae'r hafaliad $y = 10 \cos 6.28x$ (gydag y mewn cm ac x mewn m) yn cynrychioli ton ar amser $t = 0$. Mae'r don yn lledaenu ar fuanedd o 800 m s^{-1}. Mae myfyriwr yn awgrymu bod hafaliad mudiant gronyn ar $x = 2.5$ m yn cael ei roi gan $y = A \cos(\omega t + \phi)$. Darganfyddwch werthoedd A, ω a ϕ sy'n achosi i'r gosodiad hwn fod yn gywir.

2.5 Priodweddau tonnau

2.5.1 Diffreithiant

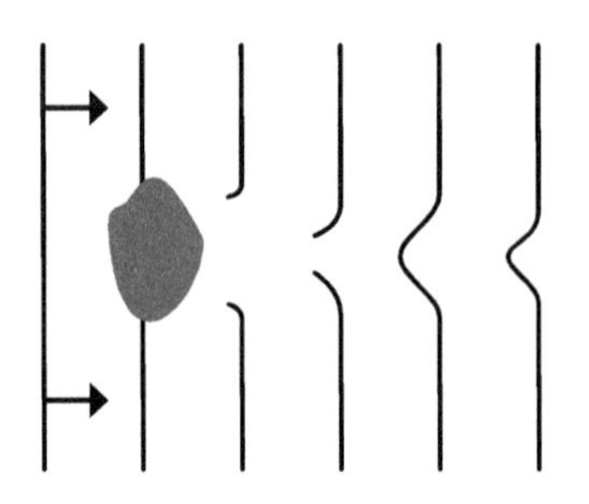

Ffig. 2.5.1 Tonnau dŵr yn diffreithio o amgylch carreg

Diffreithiant yw gwasgariad tonnau o amgylch rhwystrau. Er enghraifft, pan fydd craig yn llwybr tonnau ar y môr, mae'r blaendonnau, wedi iddynt basio bob ochr iddi, yn gwasgaru'n ôl i 'gysgod' y graig, fel y brasluniwyd yn Ffig. 2.5.1.

Rydym am ganolbwyntio ar ddiffreithiant o amgylch ymylon hollt. Mae Ffig. 2.5.2 yn dangos blaendonnau syth mewn 'tanc crychdonni' yn agosáu at hollt ac, ar ôl mynd trwyddi, yn gwasgaru allan y tu hwnt i ymylon yr hollt.

Pan fydd lled yr hollt yn hafal i neu'n llai na'r donfedd, mae'r blaendonnau sydd wedi'u diffreithio ac sydd ychydig bellter o'r hollt fwy neu lai yn hanner crwn, fel y gwelir yn Ffig. 2.5.3 (a), er bod yr osgled yn fwy yn y canol nag ydyw ar yr ymylon.

Pan fydd lled yr hollt sawl gwaith yn fwy na'r donfedd, fel yn Ffig. 2.5.3 (b), mae yna brif baladr neu baladr canolog o donnau sydd wedi'u diffreithio yn gwasgaru trwy ongl fach yn unig, bob ochr i'r cyfeiriad 'syth drwodd'. Mae yna hefyd baladrau 'ochr', sydd ag osgled lawer llai na'r prif baladr. Mae'n bosibl gweld y paladrau ochr hyn hefyd yn y ddelwedd o'r tanc crychdonni. Yn nes ymlaen byddwn yn gweld beth, mewn egwyddor, sy'n achosi'r ymddygiad cymhleth hwn.

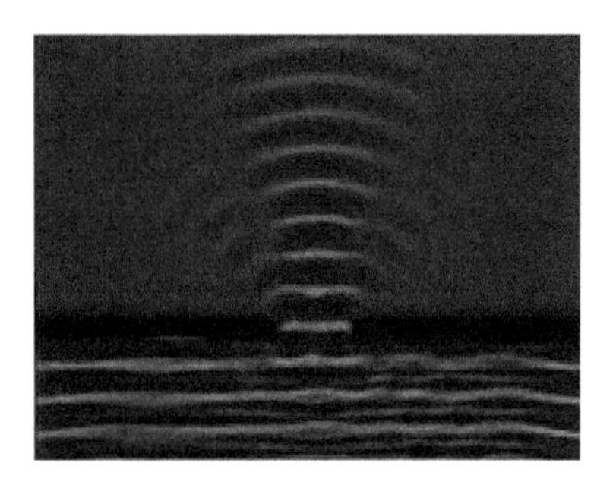

Ffig. 2.5.2 Diffreithiant un hollt

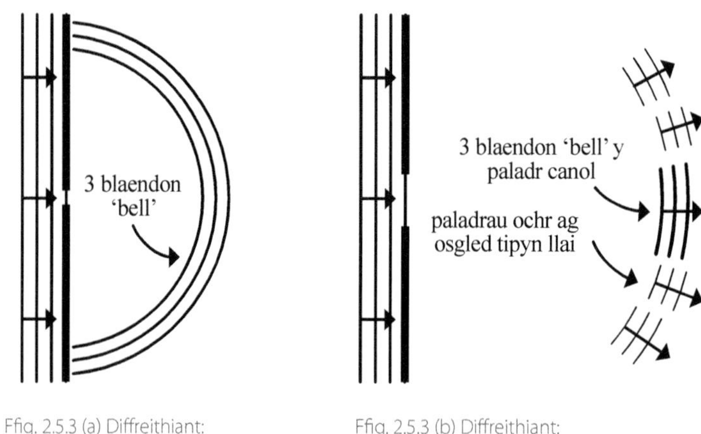

Ffig. 2.5.3 (a) Diffreithiant: lled yr hollt ≤ tonfedd

Ffig. 2.5.3 (b) Diffreithiant: lled yr hollt >> tonfedd

2.5.1 Hunan-brawf

Gan ddefnyddio gwybodaeth o Ffig. 2.5.2, cyfrifwch werth bras ar gyfer ongl gwasgariad y prif baladr bob ochr i'r cyfeiriad syth drwodd.

2.5.2 Hunan-brawf

Gallwch glywed y newyddion ar radio cymydog yn cadw sŵn pan fydd y ffenestri ar agor, ond ni allwch ddeall y geiriau bob tro. Eglurwch hyn.

Awgrym: mae cytseiniaid yn cynnwys sain ar amleddau uwch (> 3000 Hz).

Mae buanedd sain = 330 ms^{-1}.

Ni fyddwn fel arfer yn gweld *golau* yn diffreithio o amgylch rhwystrau, er enghraifft ochrau tyllau neu holltau. Yn wir, mae camera twll pìn yn dibynnu ar y ffaith nad yw golau'n ymledu llawer wrth basio trwy'r twll pìn, gan beidio, felly, â newid ei gyfeiriad yn amlwg. Trwy archwilio'r llun yn ofalus, efallai y bydd hi'n bosibl gweld ychydig o bylu o ganlyniad i ddiffreithiant, ond mae'r cyfarpar yn Ffig. 2.5.4 yn dangos diffreithiant golau yn glir.

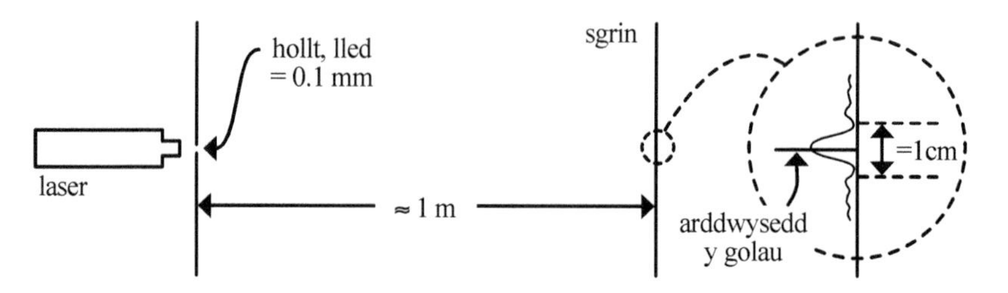

Ffig. 2.5.4 Dangos diffreithiant golau wrth hollt

Mae gwasgariad onglaidd bach iawn y prif baladr trwy'r hollt gul hon, o gymharu â Ffig. 2.5.2, yn awgrymu bod tonfedd golau yn fach iawn. Cyn hir byddwn yn disgrifio sut i gadarnhau hyn.

2.5.2 Ymyriant

Ymyriant, mae'n siŵr, yw effaith fwyaf nodweddiadol tonnau: os gallwch ddangos ei fod yn digwydd gyda 'phelydriad' anhysbys, rydych yn gwybod bod tonnau'n gysylltiedig!

Ymyriant yw'r hyn sy'n digwydd wrth i donnau o fwy nag un ffynhonnell, neu donnau sy'n teithio ar hyd llwybrau gwahanol o'r un ffynhonnell, arosod neu 'orgyffwrdd' yn yr un ardal. Rheolir yr ymddygiad hwn gan **egwyddor arosodiad**, fel y nodir yn y **Termau a diffiniadau**.

Fel enghraifft o hyn, tybiwch fod dau guriad unfath ond gwrthdro yn teithio ar 1.0 m s^{-1} i gyfeiriadau dirgroes ar hyd llinyn tynn, fel y dangosir ar amser $t = 0$. Dangosir hyn yn Ffig. 2.5.5 (a).

Sut olwg fydd ar y llinyn ar amserau $t = 1.0$ s a $t = 2.0$ s?

Gan gymhwyso egwyddor arosodiad, cawn y sefyllfaoedd a ddangosir yn Ffig. 2.5.5(b)

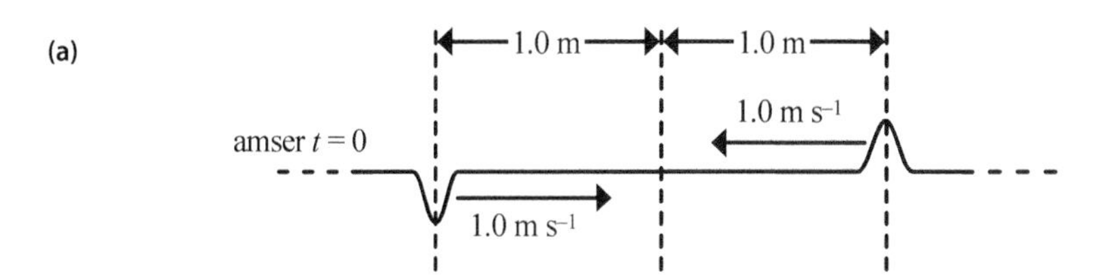

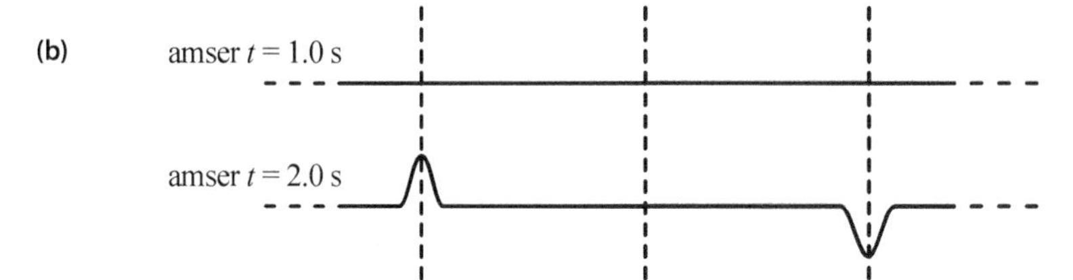

Ffig. 2.5.5 Arosodiad ar gynnydd

(a) Patrwm ymyriant dwy ffynhonnell

Mae Ffig. 2.5.6 yn giplun o danc crychdonni pan fydd dwy roden fach, S_1 ac S_2, sy'n dirgrynu yn gydwedd, yn symud i fyny ac i lawr mewn cysylltiad ag arwyneb y dŵr. Dyma ffynonellau'r tonnau. Sylwch ar y 'paladrau' o donnau (blotiau tywyll: cafnau; blotiau golau: brigau) wedi'u gwahanu gan 'sianeli' gydag osgled isel iawn.

Mae'r croesau P ac R yn enghreifftiau o bwyntiau lle mae osgled y don ar ei uchaf (yn lleol), oherwydd bod tonnau o S1 ac S2 yn cyrraedd yno yn **gydwedd**, ac yn ymyrryd yn **adeiladol**. Dangosir hyn fel graff yn Ffig. 2.5.7. [Nodwch nad yw'r *dadleoliad* o reidrwydd ar ei fwyaf yn P ac R ar ennyd y ciplun.]

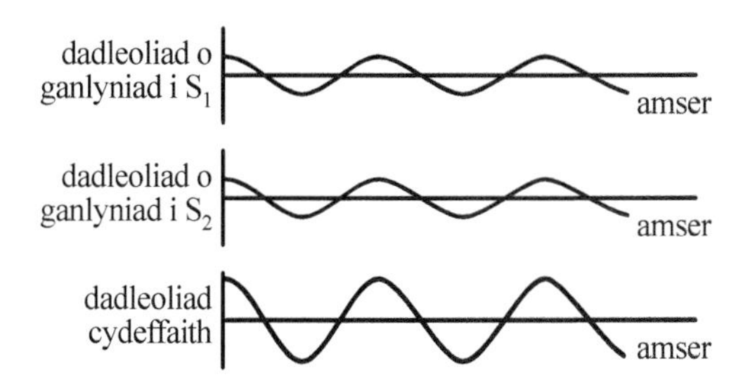

Ffig. 2.5.7 Ymyriant adeiladol

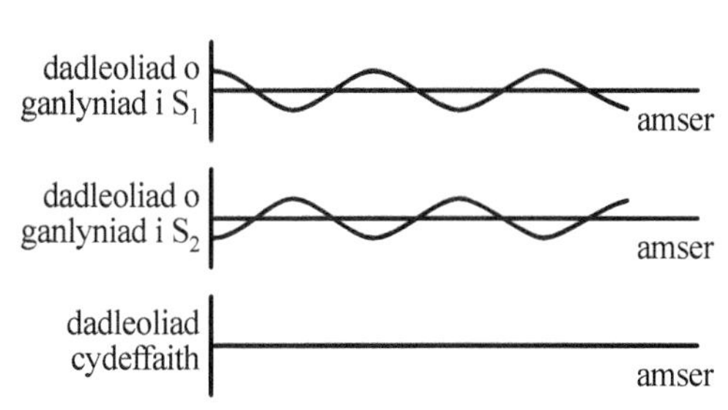

Ffig. 2.5.8 Ymyriant distrywiol

Termau a diffiniadau

Egwyddor arosodiad: Y dadleoliad cydeffaith ar bob pwynt yw swm fector y dadleoliadau y byddai pob ton, wrth basio trwy'r pwynt, yn ei gynhyrchu ar ei phen ei hun.

Hunan-brawf 2.5.3

Yn yr enghraifft, mae'n ymddangos bod pob awgrym o'r curiadau wedi diflannu ar $t = 1.0$ s. Sut gallant ailymddangos? I ble'r aeth yr egni?

Awgrym: y *dadleoliad* sy'n sero ar $t = 1.0$ s.

Hunan-brawf 2.5.4

Tybiwch fod dau baladr o olau yn croesi: sut byddant yn effeithio ar ei gilydd, os o gwbl, *y tu hwnt* i ardal y gorgyffwrdd?

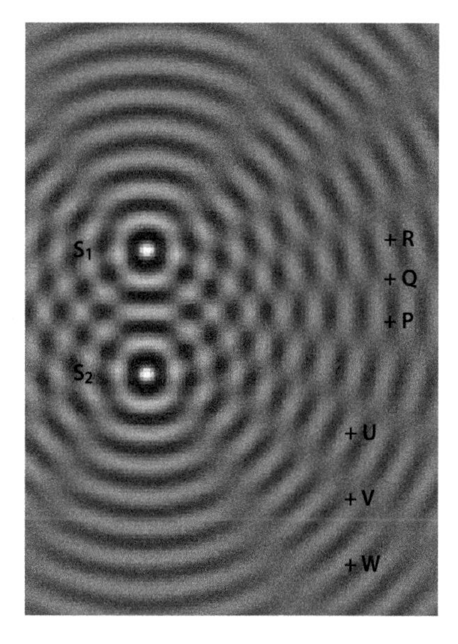

Ffig. 2.5.6 Ymyriant dwy ffynhonnell

Pwynt astudio

Mae tonnau o ffynonellau gwahanol yn pasio trwy ei gilydd heb gael eu newid eu hunain. Mae hyn yn caniatáu iddynt gyfuno trwy arosodiad ar unrhyw bwynt.

Pan mae'r *osgled* ar ei leiaf yn y patrwm dwy ffynhonnell, er enghraifft yn Q, mae'r tonnau o S1 ac S2 yn cyrraedd yn wrthwedd (hanner cylchred yn anghydwedd) ac yn ymyrryd yn *ddistrywiol*: Ffig. 2.5.8.

Nodwch na all canslo ddigwydd os yw'r tonnau cydrannol yn dirgrynu ar ongl sgwâr i'w gilydd. Er mwyn cynhyrchu patrwm ymyriant, ni ellir polareiddio tonnau ardraws ar onglau sgwâr i'w gilydd.

2.5.5 Hunan-brawf

Yn Ffig. 2.5.6 darganfyddwch λ trwy fesur y pellter ar hyd paladr rhwng canolau blotiau tywyll a wahanwyd gan sawl tonfedd, ac yna rannu â'r rhif hwnnw. Mesurwch S_1R ac S_2R a gwnewch sylwadau ar p'un a yw eich canlyniadau yn cytuno â'r rheolau gwahaniaeth llwybr.

(b) Gwahaniaeth llwybr

Hyd yn oed heb weld y patrwm, gallwn ragweld lle y bydd ymyriant adeiladol neu ymyriant distrywiol yn digwydd mewn perthynas â'r ffynonellau, S_1 ac S_2. Er enghraifft, rydym yn gwybod bod rhaid i'r ymyriant fod yn adeiladol ar bwyntiau fel P yn Ffig. 2.5.6, sydd gytbell o S_1 ac S_2. Mae hyn oherwydd bod S_1 ac S_2 yn osgiliadu'n gydwedd, felly bydd y tonnau o'r ddwy ffynhonnell, ar ôl teithio ar hyd *llwybrau*, S_1P ac S_2P, yn *cyrraedd* P yn gydwedd. Mae'r un peth yn wir am bob pwynt ar yr echelin ganolog (y llinell ganol trwy'r pwynt sydd hanner ffordd rhwng S_1 ac S_2 ac yn berpendicwlar i S_1S_2).

Ar gyfer pwynt R, y llwybrau yw S_1R ac S_2R. Mae'r *gwahaniaeth llwybr*, $S_2R - S_1R$, yn 1 donfedd, felly mae tonnau o S_2 yn cyrraedd R cylchred gyfan yn hwyrach na thonnau o S_1. Mae hyn yn golygu eu bod yn cyrraedd R *yn gydwedd* â'r tonnau o S_1, felly bydd yna ymyriant adeiladol yn R.

2.5.6 Hunan-brawf

Yn Ffig. 2.5.6 darganfyddwch y gwahaniaethau llwybr ar gyfer pwyntiau U a V yn nhermau tonfedd.

Ar gyfer pwynt Q, mae'r gwahaniaeth llwybr $S_1Q - S_2Q$ yn hanner tonfedd, felly mae tonnau'n cyrraedd Q yn wrthwedd a byddant yn ymyrryd yn ddistrywiol.

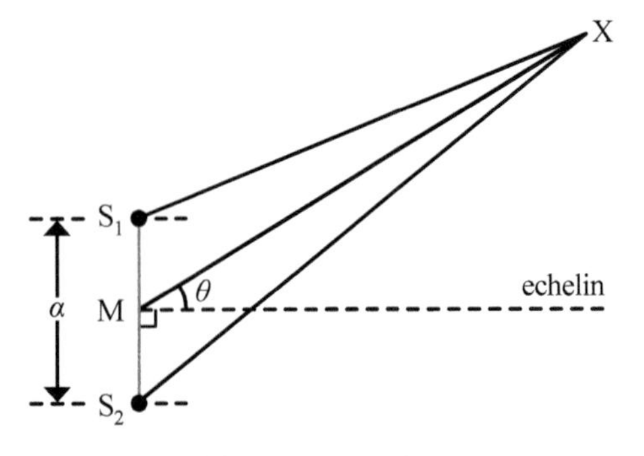

Ffig. 2.5.9 Cyfrifo'r gwahaniaeth llwybr

Mae'r rheolau cyffredinol ar gyfer tonnau o ffynonellau cydwedd fel a ganlyn:

Ar gyfer ymyriant adeiladol ar bwynt X,

mae'r gwahaniaeth llwybr, $|S_1X - S_2X| = 0, \lambda, 2\lambda, 3\lambda \ldots$

Hynny yw: mae'r gwahaniaeth llwybr, $|S_1X - S_2X| = n\lambda$, lle mae $n = 0, 1, 2, 3 \ldots$

Ar gyfer ymyriant distrywiol ar bwynt X,

mae'r gwahaniaeth llwybr, $|S_1X - S_2X| = \frac{\lambda}{2}, \frac{3\lambda}{2}, \frac{5\lambda}{2} \ldots$

Hynny yw: mae'r gwahaniaeth llwybr, $|S_1X - S_2X| = (n + \frac{1}{2})\lambda$, lle mae $n = 0, 1, 2, 3 \ldots$

2.5.7 Hunan-brawf

Mae dau drawsyrrydd, 120 m ar wahân, yn anfon allan donnau radio, tonfedd 24 m, yn gydwedd ac wedi'u polareiddio'n fertigol. Mae un wedi'i leoli 60 m i'r Gogledd o bwynt M, ac mae'r llall 60 m i'r De ohono. Darganfyddwch pa fath o ymyriant a fydd ar bwynt pell, P, sydd 60° i'r Dwyrain o'r Gogledd o M.

Enghraifft

Gan gyfeirio at bwynt W yn Ffig. 2.5.6, darganfyddwch y gwahaniaeth llwybr, $|S_1W - S_2W|$ yn nhermau λ.

Mae W ar linell ganol paladr o donnau, felly mae ymyriant adeiladol yma. Felly mae $|S_1W - S_2W| = 0, \lambda, 2\lambda$ neu 3λ …. Mae pwynt P ar hanerydd perpendicwlar S_1S_2, felly mae W yn gytbell o'r ddau bwynt, h.y. mae'r gwahaniaeth llwybr yn P yn sero. Felly, trwy gyfrif y paladr canol fel 'y paladr sero', byddwn yn dod o hyd i W ar y trydydd paladr 'allan', felly mae $|S_1W - S_2W| = 3\lambda$.

Mae yna **hafaliad** syml ar gyfer *cyfrifo'r* gwahaniaeth llwybr, yn nhermau lle mae X wedi'i leoli (os yw'n ddigon pell i ffwrdd) mewn perthynas ag S_1 ac S_2. Mae

$$S_2X - S_1X \approx a \sin\theta$$

lle dangosir a a θ yn Ffig. 2.5.9. M yw'r pwynt sydd hanner ffordd rhwng S_1 ac S_2. Yr *echelin* yw'r llinell trwy M yn berpendicwlar i'r llinell S_1S_2.

Mae'r hafaliad yn frasamcan, ond mae'r cyfeiliornad yn llai nag 1% os yw MX yn fwy na $4a$. Mae'r hafaliad yn union pan fydd X mor bell i ffwrdd fel y gallwn gymryd bod S_2X ac S_1X yn baralel. Ar gyfer yr 'achos delfrydol' hwn byddwn yn deillio'r hafaliad – mewn un llinell – pan fyddwn yn ymdrin â *gratin diffreithiant*.

2.5.3. Arbrawf eddïau Young

Yn gynnar yn y bedwaredd ganrif ar bymtheg, ymchwiliodd Thomas Young i olau yn pasio trwy ddwy hollt baralel (neu, weithiau, ddau dwll pìn) yn agos i'w gilydd. Sylwodd ar batrwm o *eddïau* (stribedi) golau a thywyll ar sgrin a osodwyd beth pellter o'r holltau. Roedd yn adnabod y patrwm hwn fel toriad trwy batrwm ymyriant, a chasglodd fod golau yn ymddwyn fel tonnau. Cynhaliodd amryw o brofion, er enghraifft symud y sgrin yn nes at yr holltau a darganfod bod yr eddïau yn nesáu at ei gilydd. [Cymharwch doriadau llorweddol trwy Ffig. 2.5.6, ar bellterau gwahanol o'r ffynonellau.] Llwyddodd Young hefyd i ddarganfod tonfeddi golau o liwiau gwahanol.

Dyma fersiwn modern o arbrawf Young.

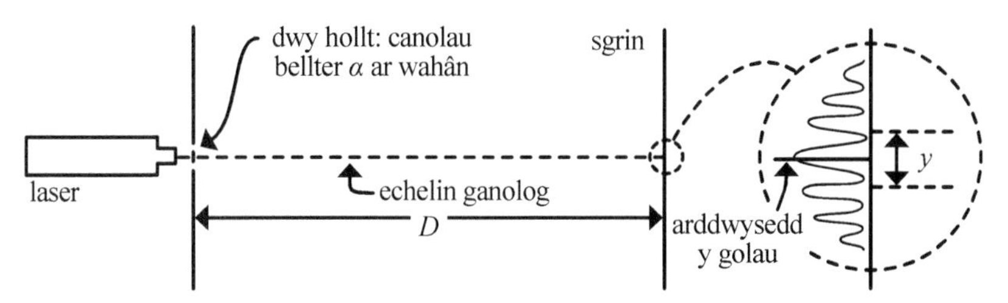

Ffig. 2.5.10 Fersiwn modern o arbrawf *eddïau* Young

Gydag $a = 0.5$ mm a $D = 1.5$ m, a gan ddefnyddio golau coch, gwelwn fod y gwahaniad eddïau, y (rhwng canolau eddïau llachar cyfagos neu eddïau tywyll cyfagos), tua 2 mm.

Sut mae hyn yn gweithio? Mae'r holltau yn gweithredu fel ffynonellau. Mae'r golau sy'n pasio trwyddynt yn gwasgaru ychydig trwy *ddiffreithiant*, felly os yw'r holltau tua 0.1 mm o led, bydd yna ychydig filimetrau ar y sgrin, 'uwchben' ac 'o dan' yr echelin, lle mae golau o'r ddwy hollt yn gorgyffwrdd ac yn ymyrryd. [Byddai hyn yn digwydd heb y sgrin hefyd!]

Gallwn ddarganfod tonfedd golau o'r hafaliad

$$\lambda = \frac{ay}{D}$$

Mae hwn yn frasamcan yn seiliedig ar y rheolau *gwahaniaeth llwybr*. Ar yr amod $a \ll D$ ac $y \ll D$, fel sydd yn yr arbrawf a ddisgrifiwyd, mae'r hafaliad bron yn union. Ewch i Ymestyn a Herio i weld o le y daw'r hafaliad.

Cydlyniad

Os ydym yn goleuo pob hollt â golau o ffynhonnell wahanol, gwelwn nad yw hi'n bosibl cynhyrchu eddïau. Hyd yn oed wrth ddefnyddio un ffynhonnell, er enghraifft LED, dim ond trwy gymryd rhagofalon arbennig (er enghraifft trwy osod hollt gul unigol rhwng yr LED a'r holltau dwbl) y gallwn gynhyrchu eddïau. Fodd bynnag, wrth ddefnyddio laser, mae'r trefniant syml a ddangosir uchod yn cynhyrchu eddïau hardd. Mae hyn yn digwydd oherwydd bod laser yn cynhyrchu *golau cydlynol*: gweler y **Termau a diffiniadau**.

Pe byddai'n bosibl goleuo'r ddwy hollt â phaladr laser yn fanwl gywir normal i blân yr holltau, byddai'r rhain yn ymddwyn fel ffynonellau cydwedd oherwydd byddai pob blaendon yn y paladr yn taro'r ddwy hollt ar yr un pryd. Nid yw hyn yn digwydd fel arfer, ond bydd yr holltau'n dal i weithredu fel *ffynonellau cydlynol*, sy'n golygu y bydd *perthynas gwedd gyson* rhyngddynt.

Tybiwch fod yr holltau yn gweithredu fel ffynonellau cydwedd. Yna bydd eddi llachar yn O (gweler y diagram). Tybiwn fod yr eddi llachar cyntaf oddi ar yr echelin yn P.

Yna mae $S_2P - S_1P = \lambda$. Gan fod P yn bell oddi wrth yr holltau, gallwn ysgrifennu hyn fel $a \sin\theta = \lambda$. Defnyddiwch frasamcan yr ongl fach i ddangos bod

$$\lambda = \frac{ay}{D}$$

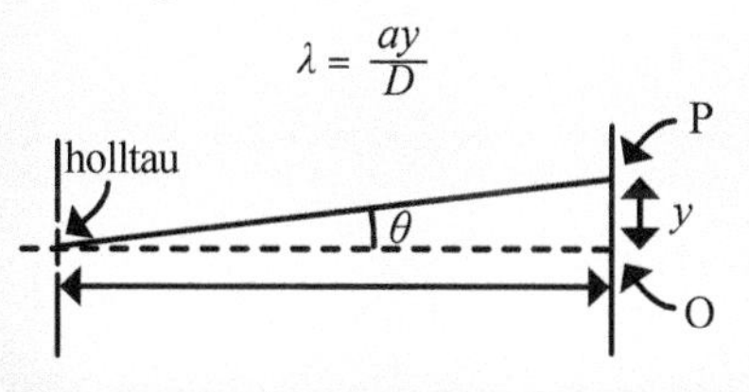

Hunan-brawf 2.5.8

Pam mae arddwysedd yr eddïau yn gostwng gyda phellter o'r echelin ganolog?

Awgrym: yn bellach fyth o'r echelin, mae eddïau'n ailymddangos, ond yn wan.

Hunan-brawf 2.5.9

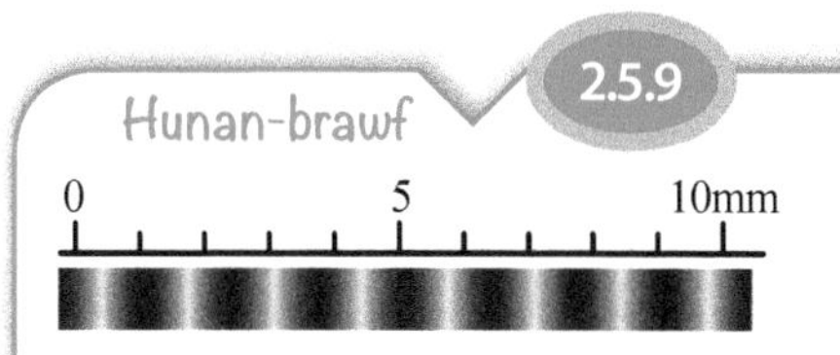

Darganfyddwch y gwahaniad eddïau o'r llun mwy hwn o'r eddïau gyda graddfa milimetrau, a thrwy hynny darganfyddwch donfedd y golau, os yw $a = 0.40$ mm a $D = 0.80$ m.

Termau a diffiniadau

Mae paladr o **olau cydlynol**

- bron yn **fonocromatig**, hynny yw, mae'n llif di-dor o osgiliadau ar un amledd,
- yn cynnwys blaendonnau sy'n ymestyn ar draws ei led, fel pe bai wedi dod o ffynhonnell bwynt.

Dywedir bod dwy ffynhonnell neu fwy yn **gydlynol** os oes *perthynas gwedd gyson* rhwng eu hosgiliadau.

Bydd patrwm yr eddïau i'w weld o hyd gyda'r un gwahaniad eddïau ond, yn ôl pob tebyg, ni fydd eddi llachar ar yr echelin ganolog.

Mae'r golau o ffynhonnell 'gyffredin', er enghraifft LED, ymhell o fod yn gydlynol. Mae hyd yn oed y golau a ddaw o LED 'lliw' yn cynnwys amrediad o amleddau. Ni fyddai hyn ynddo'i hun yn ein hatal rhag gweld patrwm eddïau (nifer o batrymau wedi'u harosod, a dweud y gwir), ond nid oes perthynas gwedd sefydlog rhwng golau sy'n cael ei allyrru o bwyntiau dros ardal allyrru gyfan o tua $1\ \text{mm}^2$, felly nid yw'r LED yn cwrdd â'r amod *ffynhonnell bwynt* ar gyfer cynhyrchu golau cydlynol (o leiaf nid heb yr hollt gul unigol a nodwyd uchod).

Pwynt astudio

Mewn gratin diffreithiant go iawn, sy'n cael ei wneud yn aml trwy broses ffotograffig, nid yw'r trawsnewidiad rhwng di-draidd a chlir yn amlwg bob tro.

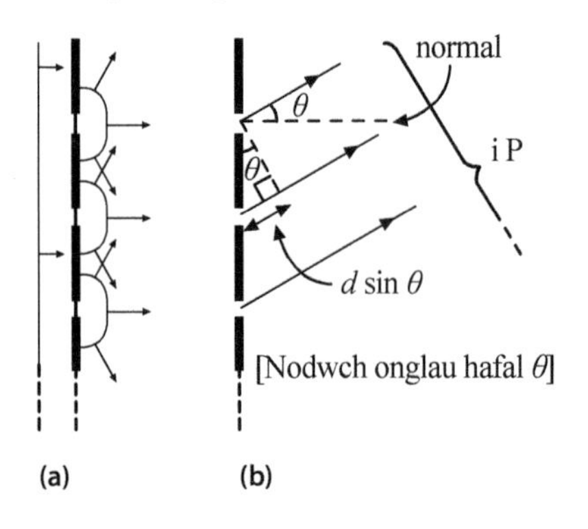

Ffig. 2.5.11 Gratin diffreithiant

2.5.4 Mesur tonfeddi yn fanwl gywir

Mae angen gwneud hyn mewn sawl maes gwyddonol. Er enghraifft, mae seryddwyr yn mesur tonfeddi golau sy'n cael ei allyrru a'i amsugno gan seren bell, ac o'r tonfeddi hyn gallant enwi'r elfennau sy'n bresennol yn haenau allanol y seren, darganfod cyflymder y seren, ac efallai awgrymu bodolaeth planedau mewn orbit.

Nid yw'r drefn dwy hollt yn addas ar gyfer hyn. Mae'n amhosibl mesur y gwahaniad eddïau yn ddigon manwl gywir, oherwydd:

- Nid yw'r eddïau'n glir: mae eddïau llachar yn pylu'n raddol i dywyllwch (Ffig. 2.5.10).
- Nid yw rhannau mwyaf llachar y patrwm mor llachar â phe bai'r golau wedi'i ganolbwyntio arnynt. Mae hyn o bwys os yw'r ffynhonnell golau yn wan.
- Mae'r gwahaniad eddïau yn fach.

Mae'r gratin diffreithiant yn mynd i'r afael yn llwyddiannus â phob un o'r materion hyn.

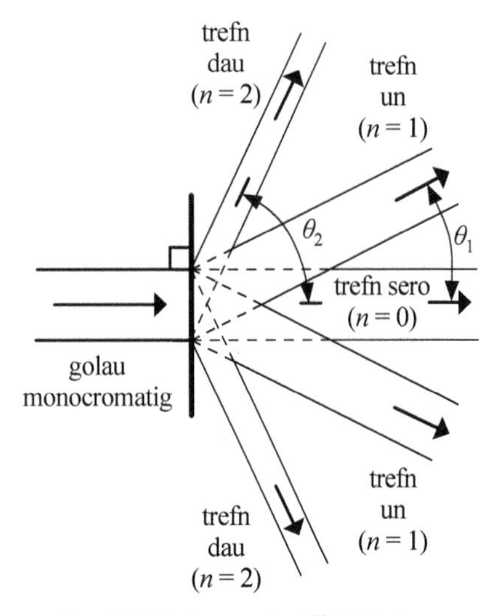

Ffig. 2.5.12 *Trefnau* gratin diffreithiant

(a) Y gratin diffreithiant

Ar ei symlaf, mae gratin diffreithiant yn blât gwastad sy'n ddi-draidd, ar wahân i filoedd o holltau syth, paralel, cytbell.

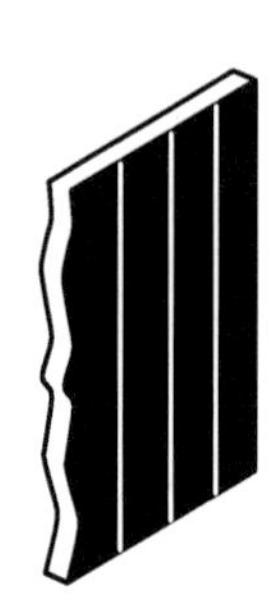

Er mwyn defnyddio gratin gyda golau gweladwy, mae'r pellter, d, rhwng canolau holltau cyfagos gan amlaf tua 2 neu $3\ \mu\text{m}$. Mae'r gwneuthurwyr yn darparu gwerth d.

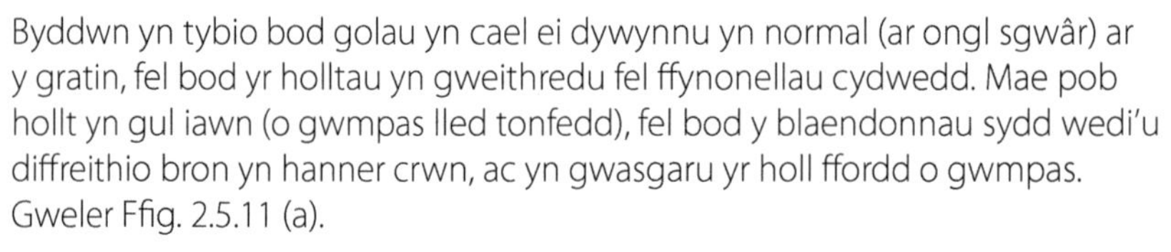

Byddwn yn tybio bod golau yn cael ei dywynnu yn normal (ar ongl sgwâr) ar y gratin, fel bod yr holltau yn gweithredu fel ffynonellau cydwedd. Mae pob hollt yn gul iawn (o gwmpas lled tonfedd), fel bod y blaendonnau sydd wedi'u diffreithio bron yn hanner crwn, ac yn gwasgaru yr holl ffordd o gwmpas. Gweler Ffig. 2.5.11 (a).

Ystyriwch y golau sy'n cyrraedd pwynt pell, P, o bob hollt. Bydd llwybrau'r golau o'r holltau i P bron yn baralel, felly bydd y *gwahaniaeth llwybr* rhwng golau o holltau cyfagos yn $d \sin \theta$, fel y gwelwn o'r triongl ongl sgwâr bach sydd wedi'i luniadu yn Ffig. 2.5.11 (b). Felly, mae'r amod ar gyfer ymyriant adeiladol yn P yn

$$d \sin \theta_n = n\lambda \text{ ar gyfer } n = 0, 1, 2 \ldots$$

Gallwn weld paladrau yn dod allan o'r gratin ar yr onglau θ_n hyn trwy daflu llwch yn yr aer o gwmpas y gratin, neu drwy adael i'r paladrau led-gyffwrdd â darn o bapur. Nodwch sut caiff y paladrau eu henwi'n *drefn sero, trefn un, trefn dau* ac yn y blaen, yn ôl gwerth n.

Enghraifft

Caiff paladr laser ei dywynnu'n normal ar ratin sydd â 5.00×10^5 hollt y metr. Mae ongl y normal i'r paladrau trefn dau yn $35.1°$.

(a) Cyfrifwch donfedd y golau.

(b) Cyfrifwch nifer y paladrau sy'n dod allan o'r gratin.

(a) Gan fod yna 5.00×10^5 hollt y metr, rhaid bod y pellter, d, rhwng canolau'r holltau yn

$$d = \frac{1.00\text{ m}}{5.00 \times 10^5} = 2.00 \times 10^{-6}\text{ m}$$

Felly mae $\lambda = \frac{d \sin \theta_2}{2} = \frac{2.00 \times 10^{-6}\text{m} \sin 35.1°}{2} = 532 \times 10^{-9}\text{ m} = 532\text{ nm}.$

(b) Pan mae $\theta = 90°$, mae $\sin \theta = 1$, felly mae'r gwahaniaeth llwybr rhwng y golau sy'n mynd i bwynt pell o holltau cyfagos, yn syml iawn, yn d, sef ei werth mwyaf posibl – dylai hyn fod yn glir heb ddefnyddio trigonometreg! Mae nifer y tonfeddi sydd wedi'u cynnwys yn y pellter d, yn syml iawn, yn

$$\frac{d}{\lambda} = \frac{2.00 \times 10^{-6}\text{m}}{532 \times 10^{-9}\text{m}} = 3.76.$$

Ar rai gwerthoedd θ is, rhaid bod $d \sin \theta$ yn hafal i 3λ, 2λ, λ a 0.

Felly mae 7 paladr yn dod allan: y drefn sero a 3 trefn bob ochr.

2.5.10 Hunan-brawf

Mae gratin diffreithiant wedi colli ei label. Darganfyddir y gwahaniad holltau d, trwy dywynnu paladr o olau, tonfedd 650 nm, yn normal ato, a nodi bod y paladr trefn dau yn dod allan ar ongl o $48°$. Cyfrifwch y donfedd sy'n rhoi paladr trefn tri ar ongl o $54°$ gyda'r gratin hwn.

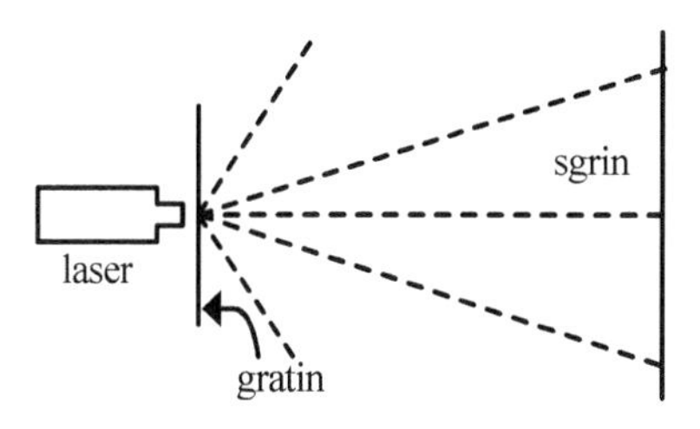

Ffig. 2.5.13 Cynhyrchu smotyn llachar

Os yw'r paladrau o'r gratin yn glanio ar sgrin, fel y dangosir yn Ffig. 2.5.13, maen nhw'n cynhyrchu smotiau llachar ar y sgrin. Mae'n bosibl dangos hyn yn rhwydd trwy ddefnyddio laser wedi'i dywynnu'n normal ar y gratin. Gweler **Ymestyn a Herio**.

Mae'r smotiau hyn yn cyfateb i'r eddïau llachar yn arbrawf Young, ond maen nhw lawer iawn ymhellach oddi wrth ei gilydd, oherwydd bod yr holltau lawer iawn yn nes at ei gilydd yn y gratin nag yn arbrawf holltau dwbl Young (mae $d \ll a$).

Mae yna wahaniaeth mawr arall rhwng gweithrediad y gratin a'r holltau dwbl. Yn y gratin, os yw $d \sin \theta = n\lambda$, bydd golau o bob hollt yn cyrraedd y pwynt pell yn gydwedd â golau o hollt gyfagos. Felly bydd golau o *bob* hollt yn cyrraedd yno yn gydwedd. Felly mae'r un amod ar gyfer ymyriant *adeiladol* yn berthnasol, dim ots faint o holltau sydd yno. Ystyriwch ongl, θ, sydd fymryn bach yn fwy na θ_1, e.e. fel bod $d \sin \theta = 1.1\lambda$. Yn achos yr holltau dwbl, mae'r tonnau o'r ddwy hollt yn cyrraedd bron yn gydwedd, felly byddai'r eddi llachar yn dal i fod bron mor llachar ar y dadleoliad onglaidd hwn. Ond yn achos y gratin, byddai yna wahaniaeth llwybr o 5.5λ rhwng golau o'r hollt 1af a'r 6ed hollt, yr 2il hollt a'r 7fed hollt ... y 5ed a'r 10fed, yr 11eg a'r 16eg, ac yn y blaen. Felly, bydd golau o *bob* hollt, ac eithrio, efallai, un neu ddwy sydd ar ôl, yn ymyrryd yn ddistrywiol ar yr ongl hon. Felly *ni fydd* yr eddi llachar yn ymestyn mor bell â hyn. Mae hyn yn egluro'r pwynt hanfodol bod yr eddïau neu'r *llinellau* yn fwy clir ar gyfer y gratin na'r hollt ddwbl, oherwydd bod mwy o holltau yn rhoi mwy o bosibiliadau ar gyfer ymyriant distrywiol (ond dim mwy o bosibiliadau ar gyfer ymyriant adeiladol).

Mewn gwaith uwch, hollt wedi'i goleuo yw ffynhonnell golau ar gyfer gratin diffreithiant, a defnyddir lens i ffurfio paladr paralel sy'n taro'r gratin yn normal. Caiff y paladrau o'r gratin eu ffocysu gan lens arall i ffurfio delweddau o'r hollt – llinellau llachar os yw'r hollt wedi'i goleuo â golau monocromatig. Dyma'r rheswm pam rydym yn aml yn galw tonfeddi unigol yn llinellau sbectrol.

2.5.5 Gwneud synnwyr o ddiffreithiant

Cyflwynwyd *diffreithiant* yn 2.4.8 fel *ffenomen*: rhywbeth sy'n digwydd! Gan ein bod erbyn hyn wedi trafod *ymyriant*, gallwn ddechrau deall pam mae diffreithiant yn digwydd yn y modd y mae'n digwydd.

Dechreuwn gydag awgrym, a wnaed gan Christiaan Huygens yn yr 1670au, am y modd y mae blaendonnau'n symud ymlaen. Mae pob pwynt ar flaendon yn ymddwyn fel ffynhonnell

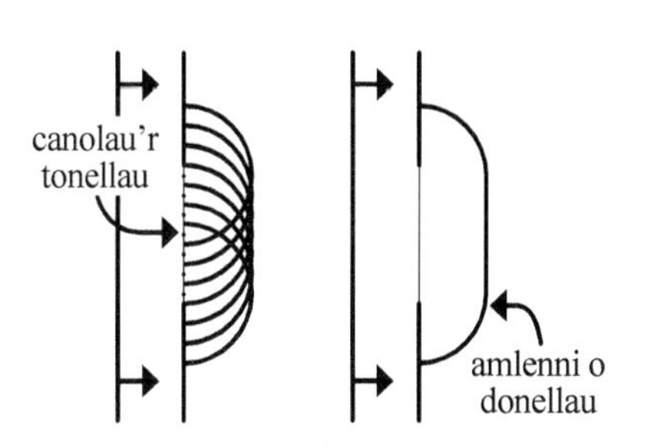

Ffig. 2.5.14 Tonellau ac amlen

bwynt, gan anfon allan 'donellau' (*wavelets*) osgled isel i bob cyfeiriad 'ymlaen', fel bod toriad eu blaendonnau yn hanner crwn. Dangosir hyn yn Ffig. 2.5.14 ar gyfer tonnau sy'n diffreithio trwy hollt (llai na λ o led). Gallwn ddarganfod safle hwyrach y flaendon *dan sylw* trwy luniadu *amlen* y tonellau. Mae'r canlyniad, a welir ar ffurf toriad, yn rhyw fath o hanner cylch gyda blaen gwastad. Mae'r darn gwastad yn peidio â dangos wrth i'r flaendon symud ymlaen ac ehangu. Dyma'n union a welir mewn tanc crychdonni.

Mae angen addasu lluniad Huygens er mwyn ystyried yr hyn sy'n digwydd pan nad yw lled yr hollt yn fach o gymharu â λ. Mae angen i ni feddwl am bob pwynt yn yr hollt fel ffynhonnell osgiliadol o donellau, tonfedd λ. Rydym yn darganfod y dadleoliad ar unrhyw bwynt, P, 'o flaen' yr hollt trwy gymhwyso egwyddor arosodiad i'r tonellau sy'n cyrraedd yno.

2.5.11 Hunan-brawf

Crynhowch, mewn dau air, beth sy'n cyfyngu ar wasgariad y prif baladr sydd wedi'i ddiffreithio ar gyfer hollt sy'n fwy llydan na λ.

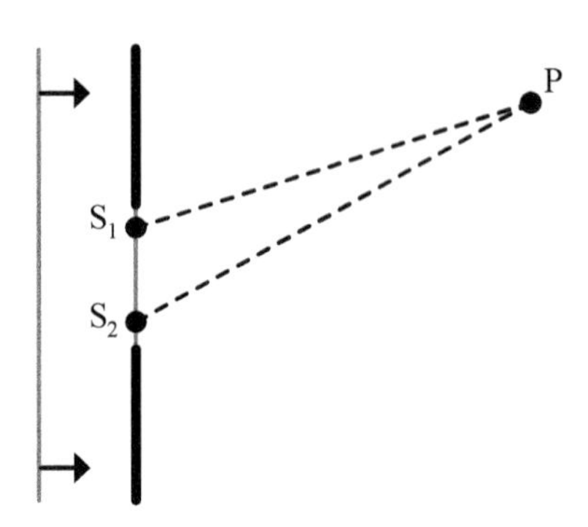

Ffig. 2.5.15 Gwahaniaeth llwybr

Ar gyfer hollt sydd â lled dipyn yn llai na λ, nid oes unrhyw bwynt, P, lle mae'r gwahaniaeth llwybr, $S_2P - S_1P$ yn dod yn $\frac{\lambda}{2}$, ar gyfer *unrhyw* ddau bwynt, S_1 ac S_2, yn y bwlch (Ffig. 2.5.15). Dyma pam mae'r don yn gwasgaru'r holl ffordd o gwmpas. Mae'n debyg, hyd yn oed ar gyfer hollt mor llydan â λ, mai dim ond ar gyfer P ar 90° i'r cyfeiriad 'syth drwodd' y mae yna ymyriant distrywiol ar gyfer tonellau o bob pwynt yn y bwlch wedi'u hadio at ei gilydd. Felly mae'r don yn llwyddo i wasgaru'r holl ffordd o gwmpas yn union.

Ar gyfer holltau sydd â lled rhwng λ a 2λ, mae gwahaniaethau llwybr mwy yn bosibl, ac mae ymyriant distrywiol cyffredinol yn digwydd ar ongl sy'n llai na 90° i'r cyfeiriad syth drwodd (Ffig. 2.5.12). Ar onglau mwy, mae rhywfaint o ymyriant adeiladol, ond mae'r osgled cydeffaith yn fach. Ar gyfer holltau sydd â lled mwy a mwy (o gymharu â λ), mae ymyriant distrywiol yn digwydd am y tro 'cyntaf' ar onglau llai a llai, ac felly mae'r prif baladr yn gwasgaru llai a llai. Ar ben hyn, mae yna fwy a mwy o 'baladrau ochr' gwan: ymyriant adeiladol wedi'i wahanu gan 'sianeli' o ymyriant distrywiol.

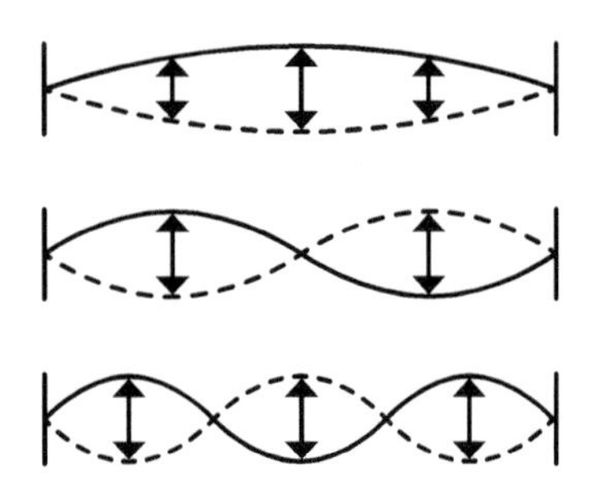

Ffig. 2.5.16 Tonnau unfan ar linyn neu wifren

2.5.6 Tonnau unfan

(a) Natur tonnau unfan

Mae'r tonnau rydym wedi bod yn eu hystyried hyd yma yn **donnau cynyddol**: maen nhw'n teithio trwy'r gofod (neu drwy gyfrwng), gan drosglwyddo egni ar yr un pryd. O fewn gofod cyfyng gall ail fath o osgiliad fodoli, sef **ton unfan**. Mae Ffig. 2.5.16 yn dangos tri dull posibl o ddirgryniadau ardraws ar gyfer llinyn neu wifren estynedig, fel llinyn feiolín neu dant telyn. Ym mhob achos, mae'r llinyn yn dirgrynu i fyny ac i lawr: mae'r llinell solet yn dangos un safle eithaf ar gyfer y llinyn ac mae'r llinell doredig yn dangos y safle hanner cylchred yn ddiweddarach. Mae Ffig. 2.5.17 yn dangos y mudiant yn fwy manwl.

Termau a diffiniadau

Mewn ton unfan, mae **nod** yn bwynt osgled lleiaf ac mae **antinod** yn bwynt osgled mwyaf.

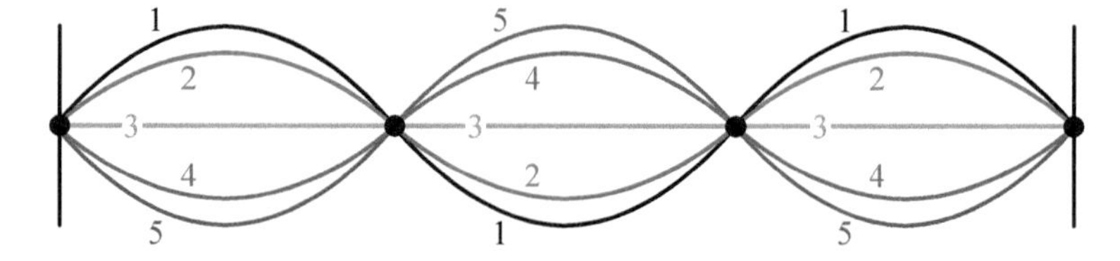

Ffig. 2.5.17 Hanner cylchred ton unfan

2.5.12 Hunan-brawf

Lluniadwch y don unfan nesaf yn y dilyniant a ddangosir yn Ffig. 2.5.16, h.y. un sydd â phum nod.

Mae'n dangos ½ cylchred osgiliad, gan ddechrau gyda'r llinyn mewn un safle eithaf (1), ac yna'n symud trwy gamau sydd fwy neu lai yn hafal i 1/8 o gylchred (2, 3, 4 a 5). Yn dilyn yr hanner cylchred hon, mae'r llinyn yn tracio'n ôl: 4→3→2→1 ac yn y blaen. Yr enw ar y pwyntiau sydd bob amser yn ddisymud, (y smotiau du), yw **nodau**. Yr enw ar y pwyntiau sydd wedi symud fwyaf, hanner ffordd rhwng y nodau, yw **antinodau**. Sylwch ar y gwahaniaethau canlynol rhwng tonnau unfan a thonnau cynyddol:

Termau a diffiniadau

Y **pellter rhyngnodol** yw'r pellter rhwng y nodau mewn ton unfan. Mae'n $\frac{1}{2}\lambda$.

1. Mewn ton unfan, mae pob pwynt rhwng pâr o nodau cyfagos yn osgiliadu'n gydwedd; mae pwyntiau bob ochr i nod yn osgiliadu'n wrthwedd. Mewn ton gynyddol, mae'r wedd yn newid yn raddol ar hyd y don.
2. Mewn ton gynyddol, mae pob pwynt yn osgiliadu gyda'r un osgled (heblaw am leihad llyfn yn yr osgled wrth i'r pellter o'r ffynhonnell gynyddu). Mewn ton unfan, mae osgled y dirgryniad yn amrywio'n llyfn o sero, ar y nodau, i uchafswm, ar yr antinodau.

(b) Y berthynas rhwng tonnau cynyddol a thonnau unfan

O ble y daw'r enw tonnau unfan? Er bod delwedd giplun yn edrych yr un peth â thon, mae ton unfan yn edrych yn debycach i osgiliad nag i don. Mae'r don (neu'r osgiliad) yn codi pan fydd dwy don gyda'r un amledd yn teithio i gyfeiriadau dirgroes. Mae arosodiad y ddwy don yn cynhyrchu patrwm y don unfan. Mae'r cliw yn Ffig. 2.5.5, yn enwedig y ciplun 1.0 s.

Fel y byddwch yn ei ddarganfod o Hunan-brawf 2.5.13, mae'r **pellter rhyngnodol** yn $\frac{1}{2}\lambda$, lle λ yw tonfedd y tonnau cynyddol sy'n cyfuno i gynhyrchu'n don unfan.

Felly sut mae tonnau unfan yn ffurfio ar linynnau offerynnau cerdd?

1. Caiff egni ei roi i'r llinyn trwy ei blycio (gitâr), tynnu bwa drosto (feiolín) neu ei daro (piano).
2. Mae tonnau cynyddol yn cael eu cynhyrchu ac yn teithio i gyfeiriadau dirgroes ar hyd y llinyn.
3. Mae'r tonnau'n adlewyrchu ar y ddau ben.
4. Mae'r rhan fwyaf o'r tonnau yn diflannu'n gyflym, gan adael y rhai hynny sydd â nod ar y ddau ben, h.y. y rhai hynny gyda hyd y llinyn yn lluoswm cyfanrifol o $\frac{1}{2}\lambda$.

Hunan-brawf 2.5.13

Mae'r diagram yn dangos ciplun o ddwy don gynyddol, gyda'r un donfedd a buanedd (ac felly'r un amledd), yn teithio i gyfeiriadau dirgroes.

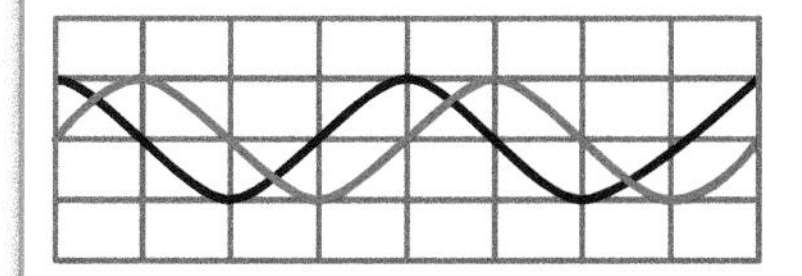

Lluniadwch gyfres o ddiagramau i ddangos swm y tonnau (trwy arosodiad) wrth i'r tonnau symud mewn camau 1/8 o'r donfedd. Nodwch safleoedd y nodau a'r antinodau.

(c) Harmonigau

Yr enw ar y moddau dirgrynu gwahanol a ddangosir yn Ffig. 2.5.16 yw **harmonigau**. Mae'r graff uchaf yn dangos yr harmonig cyntaf (neu'r amledd sylfaenol); dangosir yr ail harmonig a'r trydydd hefyd. Yn achos tonnau unfan ar linyn, mae yna berthynas fathemategol syml rhwng amleddau'r harmonigau, fel y dangosir yn yr enghraifft.

Enghraifft

Mae rhan ddirgrynol llinyn A ar feiolín yn 33 cm o hyd. Ei hamledd sylfaenol yw 440 Hz. Cyfrifwch:

(a) Buanedd tonnau ardraws ar y llinyn.
(b) Amleddau'r ail a'r trydydd harmonig.

(a) Mae hyd y llinyn $= \frac{1}{2}\lambda$, $\therefore$ mae $\lambda = 66$ cm.
Mae buanedd y don, $v = \lambda f = 0.66 \text{ m} \times 440 \text{ Hz} = 290 \text{ m s}^{-1}$

(b) Ar gyfer yr ail harmonig, mae'r nodau yn 16.5 cm ar wahân, felly mae λ yn 33 cm. Mae hyn yn hanner tonfedd yr harmonig cyntaf, felly mae'r amledd, f_2, yn ddwbl, h.y. 880 Hz.

Yn yr un modd mae f_3, $= 3 \times 440 \text{ Hz} = 1320 \text{ Hz}$.

Ymestyn a Herio

Caiff sain offerynnau ei gynhyrchu gan donnau unfan yn eu llinynnau neu yn eu colofnau aer. Mae offerynnau gwahanol yn cynhyrchu seiniau gyda chyfuniadau nodweddiadol o harmonigau. Dyma un ffordd o ddweud y gwahaniaeth rhwng sain feiolín, dyweder, a sain utgorn.

Mae gan yr osgiliad hwn y ffwythiant, $2 \sin \omega t + \sin 2\omega t$

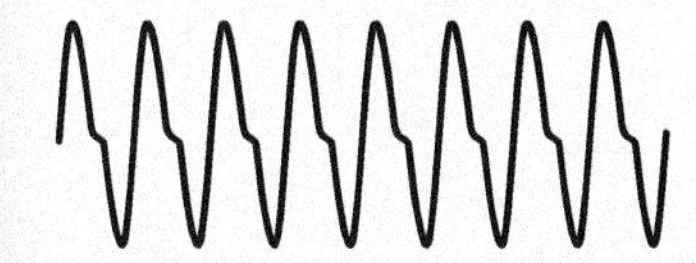

Defnyddiwch raglen daenlen i ymchwilio i'r cyfuniadau gwahanol o harmonigau.

(ch) Ymchwilio i donnau unfan

Isod, dangosir ffordd gyffredin o ymchwilio i donnau unfan ardraws ar linynnau, ynghyd â'u harmonigau.

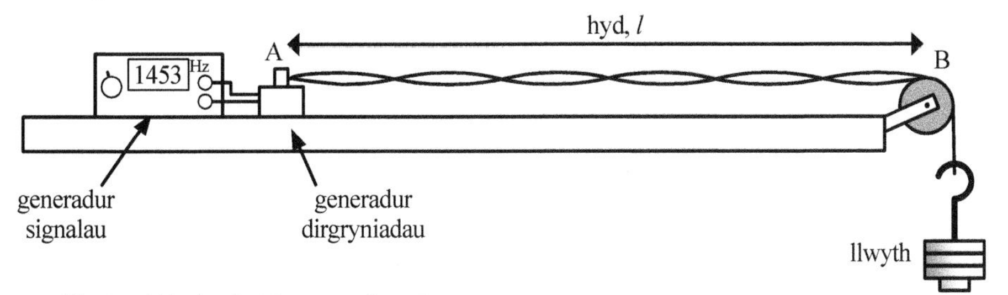

Ffig. 2.5.18 Ymchwilio i donnau unfan ar linyn

Pwynt astudio

Ni all pwynt A, yn y cyfarpar a ddangosir yn Ffig. 2.5.18, fod yn nod, oherwydd bod y peg yn A yn dirgrynu i fyny ac i lawr. Fodd bynnag, mae osgled yr osgiliad yn A lawer iawn yn llai na'r osgled ar yr antinodau, felly gallwn ei ystyried yn rhywbeth sy'n agos iawn at fod yn nod.

Mae damcaniaeth yn awgrymu bod buanedd, v, tonnau ardraws ar linyn yn cael ei roi gan

$$v = \sqrt{\frac{T}{\mu}},$$

lle T yw'r tyniant a μ yw'r màs fesul uned hyd. Sut gallech chi wirio hyn gan ddefnyddio'r cyfarpar yn Ffig. 2.5.18?

2.5.14 Hunan-brawf

Mae 'tiwbiau canu' yn agored ar y ddau ben. Mae'r diagram hwn yn dangos yr harmonig cyntaf.

(a) Lluniadwch yr ail a'r trydydd harmonig.

(b) Ysgrifennwch amledd yr n^fed^ harmonig, f_n, yn nhermau f_1.

2.5.15 Hunan-brawf

Mae pibell organ, hyd 50 cm, wedi'i chau ar un pen.

(a) Cyfrifwch amleddau, f_1 ac f_2, y ddau harmonig cyntaf. Anwybyddwch y cywiriad pen.

(b) Beth fyddai effaith cau pen agored y bibell?

[Mae buanedd sain = 340 m s^{-1}]

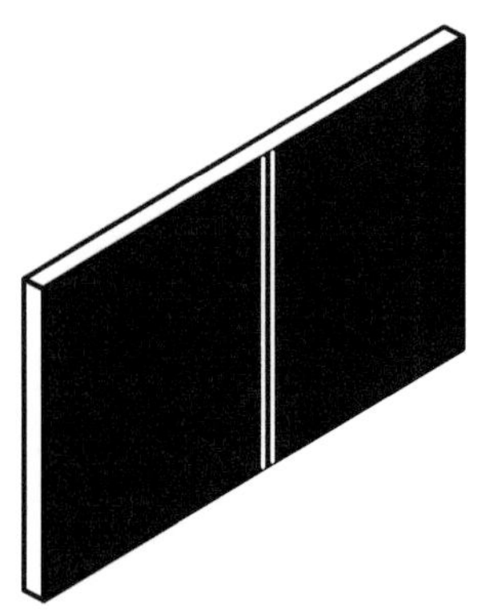

Ffig. 2.5.20 Holltau Young gan ddefnyddio sleid microsgop wedi ei haraenu

Mae'r generadur signalau yn cynhyrchu cerrynt eiledol sydd ag amledd amrywiol. Mae'r generadur dirgryniadau yn trawsnewid y rhain yn ddirgryniadau osgled isel (yn nodweddiadol ~1 mm) yn y peg bach yn **A**. Mae'r llwyth yn darparu'r tyniant angenrheidiol yn y llinyn. Ar gyfer llwyth a hyd penodol, caiff yr amledd, f, ei gynyddu o werth isel, a nodir gwerthoedd f sy'n cynhyrchu harmonigau sefydlog. Mae'n bosibl defnyddio'r cyfarpar hyn i wirio bod gan amleddau'r harmonigau y berthynas fathemategol a ddangosir uchod.

(d) Tonnau unfan mewn colofnau aer

Gall tonnau unfan fod yn arhydol hefyd. Wrth chwythu ar draws pen agored tiwb neu bibell, er enghraifft caead pen ysgrifennu, caiff tonnau arhydol eu cynhyrchu yn y golofn aer. Yn wahanol i donnau ar linyn, sydd wedi'i glymu yn y ddau ben, mae gan y don unfan antinod yn y pen agored. Mae'n anodd lluniadu ton arhydol, felly caiff diagramau eu lluniadu fel arfer fel pe bai'r don yn don ardraws.

Mae Ffig. 2.5.19 yn dangos y tri harmonig cyntaf ar gyfer pibell sy'n agored ar un pen. Sylwch nad yw'r antinodau'n digwydd yn union ar y pen agored, ond ychydig y tu hwnt iddo. Gallwn anwybyddu'r 'cywiriad pen' hwn fel arfer, ond dylid ei ystyried mewn gwaith manwl gywir (gweler Adran 2.5.8).

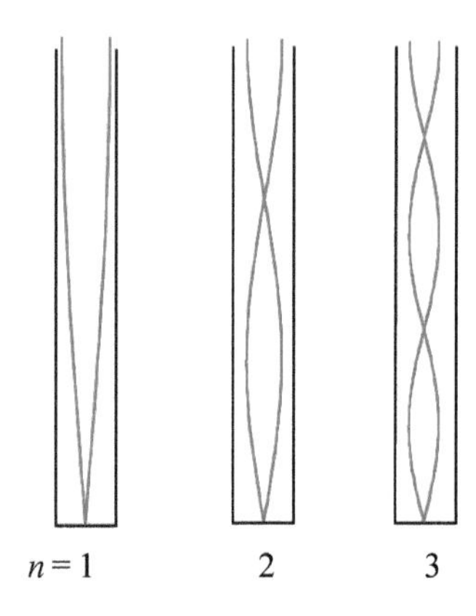

Ffig. 2.5.19 Harmonigau mewn pibell sydd ag un pen agored

Mae chwythu ar draws y geg (mewn ffliwt) neu i mewn i'r geg (mewn utgorn) yn cynhyrchu amrediad eang o amleddau, ond dim ond y rhai sy'n cynhyrchu'r tonnau unfan hyn y mae'r offeryn yn eu dewis a'u mwyhau. Mae hwn yn enghraifft o gyseiniant, a byddwch yn dod ar draws hyn yn eich cwrs ym mlwyddyn 13.

Enghraifft

Mae buanedd sain mewn aer mewn cyfrannedd ag ail isradd y tymheredd kelvin. Mae ffliwt yn cynhyrchu nodyn, amledd 440.0 Hz ar 20°C. Pa amledd y byddai'n ei gynhyrchu pe bai'n cael ei chwarae y tu allan ar dymheredd o 0°C?

Mae buanedd sain ar 0°C, sef $v_0 = v_{20}\sqrt{\frac{273}{293}} = 0.965v_{20}$

Gan dybio nad yw'r newid yn hyd y ffliwt o bwys, bydd tonfedd y tonnau sain yn ddigyfnewid.

Ond mae $f = \frac{v}{\lambda}$, ∴ mae $f_0 = 0.965f_{20} = 0.965 \times 440 = 425$ Hz.

Mae'r amledd hwn fwy na hanner y ffordd i lawr o A i G# (415 Hz), felly mae'r ffliwt allan o diwn yn ddifrifol!

2.5.7 Darganfod tonfedd golau

(a) Defnyddio holltau Young

Caiff sleid microsgop ei pharatoi trwy ei haraenu gyda graffit, a'i gadael i sychu. Defnyddir sgrifell i grafu dwy hollt baralel yn y graffit. Yn nodweddiadol, mae'r holltau hyn yn 0.2–0.3 mm o led ac yn 0.4–0.5 mm ar wahân.

Er mwyn mesur tonfedd laser, sydd yn ffynhonnell golau monocromatig, gosodir yr holltau mewn ystafell dywyll, gyda'r paladr laser yn taro'r holltau ar ongl sgwâr i blân yr holltau. Mae'r patrwm dilynol i'w weld ar sgrin sydd ~2 m i ffwrdd. Nid yw'r pellter yn allweddol, ond y pellaf yw'r sgrin o'r holltau, y mwyaf gwasgar y bydd yr eddïau.

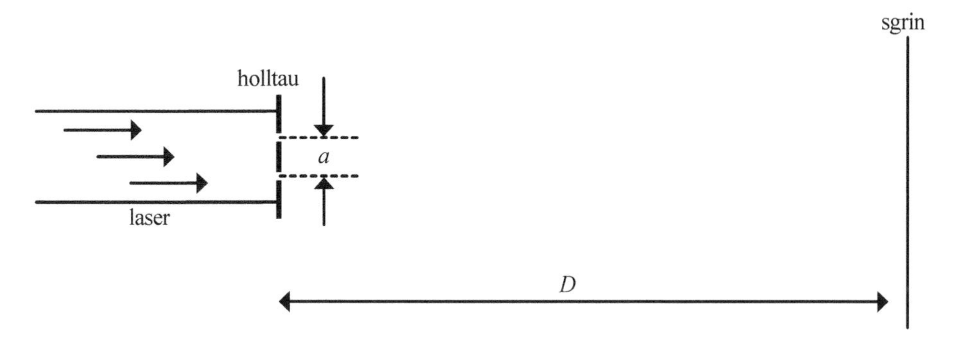

Ffig. 2.5.22 Trefniant arbrawf eddïau Young

Ffig. 2.5.21 Ymddangosiad nodweddiadol eddïau

Caiff tonfedd, λ, y golau hwn ei roi gan $\lambda = \frac{ay}{D}$, felly mae angen mesur a, D ac y.

- Defnyddir tâp mesur neu riwl metr, sydd ag ansicrwydd canrannol o ~ 0.5 % (1 cm mewn 2 m) neu lai, i fesur D.
- Defnyddir microsgop teithiol (gweler Ffig. 2.6.16), sydd ag ansicrwydd o ~0.01 mm, h.y. ~2%, i fesur a.
- Defnyddir graddfa mm i fesur y, y gwahaniad eddïau. Caiff gwasgariad 10 eddi (dyweder) ei fesur, a'i rannu â nifer yr eddïau. Mae'r gwasgariad yn nodweddiadol yn ~1.5 cm, gydag ansicrwydd o ~1 mm.

Sylwch, hyd yn oed gyda mesur eithaf bras ar gyfer D, ei fod yn dal i wneud y cyfraniad lleiaf i'r ansicrwydd cyffredinol yn λ.

Sylwch

Yn y mynegiad ar gyfer λ, $\frac{ay}{D}$, mae'r mesurau bach iawn, a ac y ar y top, ac mae'r mesur mawr, D, ar y gwaelod. Mae gwerthoedd a ac y < 1 mm ac mae D > 1 m, gan roi λ < 1 μm, yn ôl y disgwyl.

Hunan-brawf 2.5.16

O wybod yr ansicrwydd yn D, a ac y amcangyfrifwch:

(a) Yr ansicrwydd canrannol yn λ.

(b) Yr ansicrwydd absoliwt os yw λ ~590 nm.

(b) Defnyddio gratin diffreithiant

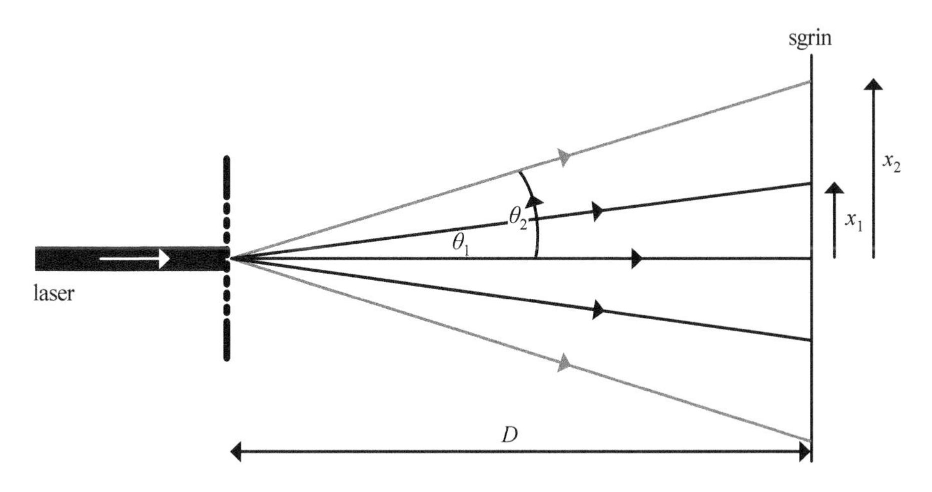

Ffig. 2.5.23 Mesur tonfedd gan ddefnyddio gratin diffreithiant

Termau a diffiniadau

Cysonyn gratin diffreithiant yw nifer y llinellau (neu holltau) y metr. Cilydd hwn yw gwahaniad, d, yr holltau.

Hunan-brawf 2.5.17

Mae gratin diffreithiant wedi'i labelu '2 000 llinell cm^{-1}'. Cyfrifwch wahaniad, d, yr holltau.

Caiff yr arbrawf ei osod yn yr un modd ag arbrawf holltau Young, ond defnyddir gratin diffreithiant yn lle'r holltau. Wrth ddefnyddio laser, nid oes angen ystafell dywyll, gan fod y gratin yn trawsyrru llawer mwy o olau na'r holltau, ac mae'r llinellau sbectrol wedi'u diffinio'n fwy clir o lawer.

Pwynt astudio

Mae'n bosibl darganfod gwahaniad holltau, d, gratin diffreithiant trwy fesur ongl, θ, llinell sbectrol sydd â thonfedd hysbys, a chymhwyso fformiwla'r gratin diffreithiant.

2.5.18 Hunan-brawf

Gan ddefnyddio gratin diffreithiant, darganfyddwyd bod θ ar gyfer llinell D trefn un sodiwm, (tonfedd 589 nm) yn 12.36°. Cyfrifwch: (a) y gwahaniad holltau a (b) cysonyn y gratin diffreithiant.

Mae fformiwla'r gratin diffreithiant fel a ganlyn:

$$d \sin \theta_n = n\lambda$$

lle θ_n yw ongl y sbectrwm trefn n, a d yw gwahaniad holltau'r gratin diffreithiant. Er mwyn cyfrifo'r donfedd, rhaid darganfod d a θ_n. Caiff gwerth d ei gyfrifo fel arfer o gysonyn y gratin diffreithiant, a ddarperir gan y gwneuthurwr (ond gweler y Pwynt astudio). Os yw'r sbectrwm yn cael ei daflunio ar sgrin, mae'n gyfleus darganfod gwerthoedd θ_n trwy fesur D (fel yn arbrawf holltau Young) ac x_n gan ddefnyddio riwl metr, ac yna ddefnyddio

$$\theta = \tan^{-1}\left(\frac{x}{D}\right).$$

Yn nodweddiadol, mae $D \sim 2$ m ac mae'r dadleoliadau, x, o gwmpas 50 cm. Er mwyn lleihau'r ansicrwydd yng ngwerthoedd x, mae'n synhwyrol mesur y pellter rhwng y ddau sbectrwm trefn un a rhannu â 2.

(c) Defnyddio sbectromedr

Gallwn gael gwerthoedd mwy cywir ar gyfer λ, gan ddefnyddio holltau Young neu ratin diffreithiant, trwy ddefnyddio sbectromedr yn lle taflunio'r sbectra ar sgrin bell. Mae cydraniad onglaidd sbectromedr nodweddiadol mewn ysgol yn 0.5' o arc, h.y. 1/120°, sy'n rhoi ansicrwydd canrannol yn θ o ~ 0.06%, ar gyfer ongl o 15°.

Ni roddir disgrifiad manwl yma, ond, yn gryno, mae ffynhonnell golau, L, yn goleuo hollt, S, ar y ffocws mewn cyflinydd, C, gan gynhyrchu paladr golau paralel sy'n taro'r gratin, G (neu'r holltau). Caiff y sbectra (eddïau) a ddaw allan eu harchwilio yn y telesgop, a mesurir yr ongl wyriad ar y raddfa onglau. Mae manteision y sbectromedr fel a ganlyn:

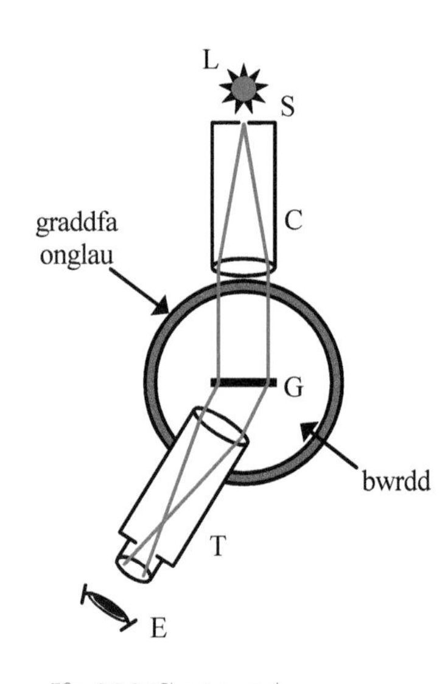

Ffig. 2.5.24 Sbectromedr

- Cydraniad onglaidd uchel.
- Mae'n bosibl defnyddio golau anghydlynol, e.e. tiwbiau dadwefru nwy.
- Mae'r llinellau sbectrol yn gul iawn (maen nhw'n ddelweddau o hollt gul y cyflinydd).

2.5.8 Darganfod buanedd sain mewn aer gan ddefnyddio tonnau unfan

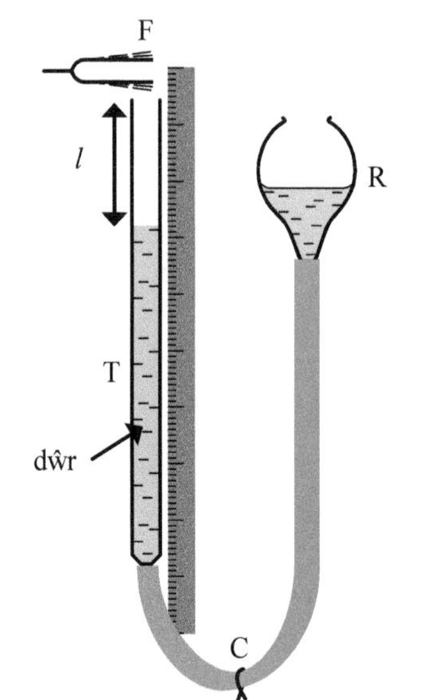

Ffig. 2.5.25 Tiwb cyseinio

Defnyddir trawfforch ddirgrynol (*vibrating tuning fork*), F, i gychwyn tonnau unfan yn y golofn aer uwchben arwyneb y dŵr mewn tiwb gwydr penagored (tiwb cyseinio). Caiff lefel y dŵr yn y tiwb ei haddasu trwy godi a gostwng y gronfa ddŵr (R), nes bod arddwysedd y sain a glywir ar ei fwyaf. Mae'r gronfa a'r tiwb cyseinio wedi'u cysylltu gan diwb rwber hyblyg, sy'n caniatáu i ddŵr lifo rhwng y ddau. Caiff y clip, C, ei ddefnyddio i gyfyngu ar lif y dŵr rhwng y gronfa a'r tiwb cyseinio, neu i'w atal.

Mae'r pellter lleiaf, l, ar gyfer ton unfan yn golygu bod nod, N, ar arwyneb y dŵr ac antinod, A, yn agos at (ond ychydig uwchlaw) pen agored y tiwb, fel y dangosir yn Ffig. 2.5.26.

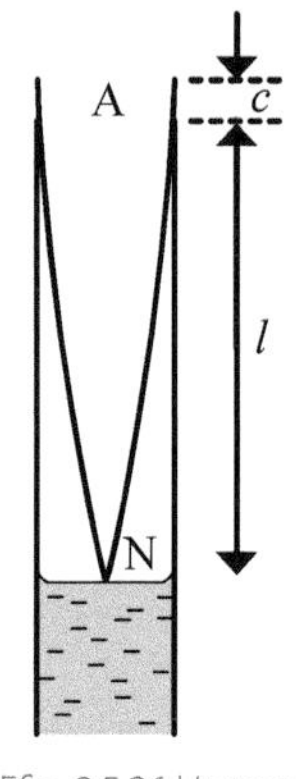

Ffig. 2.5.26 Harmonig 1af

Y pellter, l, yw pellter penodol arwyneb y dŵr islaw pen agored y tiwb, a'r *cywiriad pen* yw'r enw ar y pellter anhysbys, c. Mae'r pellter rhwng unrhyw nod a'r antinod cyfagos yn $\lambda/4$, felly gallwn ysgrifennu bod

$$\frac{\lambda}{4} = l + c.$$

Mae'r dull symlaf o gyfrifo buanedd sain fel a ganlyn:

- Gan ddechrau gyda lefel y dŵr yn agos i ben agored y tiwb, gostyngwch lefel y dŵr (trwy ostwng y gronfa) nes i chi ganfod y cyseiniant cyntaf gyda thrawfforch ddirgrynol sydd ag amledd hysbys, e.e. $256\ \text{Hz}$ (C ganol).
- Trwy godi a gostwng lefel y dŵr drosodd a thro, lleolwch safle'r cyseiniant yn fanwl gywir.
- Mesurwch yr hyd cyseinio, l.
- Ailadroddwch yr arbrawf gyda chyfres o drawffyrch hyd at, e.e. $512\ \text{Hz}$ (C uchaf).

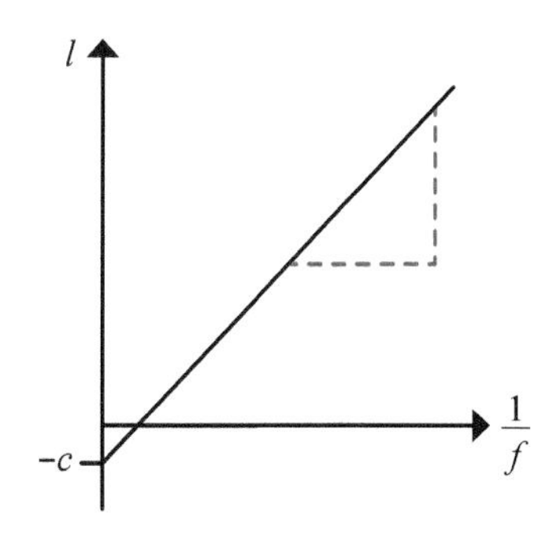

Ffig. 2.5.27 Graff o l yn erbyn $\frac{1}{f}$

Y dadansoddiad

Ar gyfer pob amledd, f, mae $\lambda = \frac{v}{f}$, lle v yw buanedd sain.

Gan amnewid ar gyfer λ ac ad-drefnu, mae $l = \frac{v}{4f} - c$. Felly mae graff o l yn erbyn $\frac{1}{f}$ yn llinell syth, graddiant $\frac{v}{4}$ a rhyngdoriad o $-c$ ar yr echelin l.

Amrywiadau

1. Gallwn ddefnyddio seinydd bach, wedi'i gysylltu â generadur signalau wedi'i raddnodi, yn lle'r set o drawffyrch.
2. Gallwn leoli'r ail (a'r trydydd) harmonig ar gyfer un amledd. Mae Ffig. 2.5.28 yn dangos hyn. Os yw hyd yr aer ar gyfer yr n^{fed} harmonig yn l_n, yna mae $l_2 - l_1 = \frac{\lambda}{2}$, ac mae $l_3 - l_2 = \frac{3\lambda}{4}$. Os yw'r amledd yn hysbys, gallwn gyfrifo buanedd y don.
3. Gallwn ddefnyddio piston pren a thiwb gwydr sydd â diamedr mwy fel y tiwb cyseinio, gyda'r generadur signalau a'r seinydd. Caiff yr hyd cyseinio ei fesur trwy dynnu'r piston yn ei ôl.

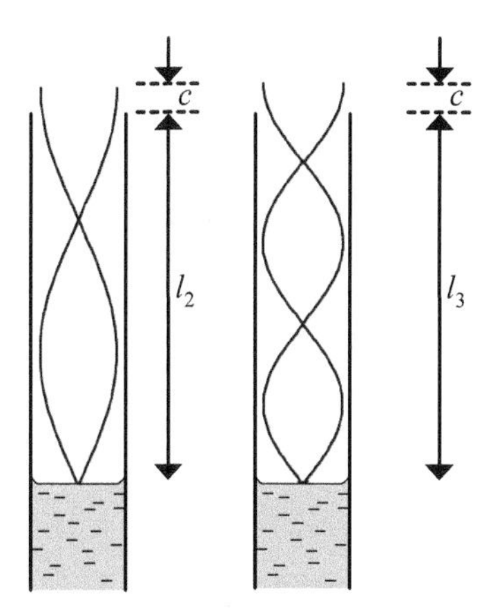

Ffig. 2.5.28 Yr 2il a'r 3ydd harmonigau

Ymarfer 2.5

1. Mae'r diagram yn dangos set o ficrodonnau plân yn agosáu at bâr o holltau, a wnaed gan ddefnyddio tri phlât alwminiwm. Mae canolau'r holltau yn $8.0\ \text{cm}$ ar wahân. Caiff chwiliedydd, P, ei symud ar hyd y llinell doredig, sydd $50\ \text{cm}$ i ffwrdd o blân yr holltau.

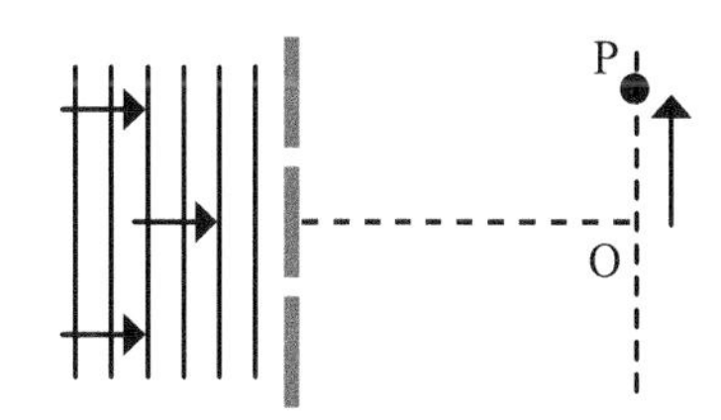

(a) Pan gaiff un o'r holltau ei chau, derbynnir signal yn O. Enwch yr effaith sy'n gyfrifol am hyn.

(b) Pan nad yw'r naill hollt na'r llall wedi'i chuddio, mae'r signal a dderbynnir lawer yn gryfach. Eglurwch hyn.

(c) Wrth symud y chwiliedydd o O yn y cyfeiriad a ddangosir gan y saeth, mae'r signal, i gychwyn, yn lleihau i sero (bron) ac yna'n codi i uchafswm. Eglurwch yr arsylw hwn, ac enwch yr effaith yr arsylwyd arno.

(ch) Darganfyddir bod y pellter rhwng yr uchafsymiau cyntaf bob ochr i'r llinell ganol yn $36.8\ \text{cm}$.

  (i) Defnyddiwch fformiwla holltau Young i gyfrifo gwerth ar gyfer tonfedd y microdonnau.

  (ii) Cyfrifwch werth ar gyfer λ gan ddefnyddio theorem Pythagoras. Gwnewch sylwadau ar eich atebion.

2. Gofynnwyd i fyfyrwraig ffiseg adnabod llinell ddirgel yn sbectrwm tiwb dadwefru sodiwm. Defnyddiodd sbectromedr a gratin diffreithiant fel a ganlyn:

I. Mesurodd yr onglau, ϕ, rhwng y ddau sbectrwm trefn dau ar gyfer y llinellau yn y sbectrwm hydrogen.
II. Mesurodd yr onglau rhwng y ddau sbectrwm trefn dau ar gyfer y llinell ddirgel yn y sbectrwm sodiwm.

Mae ei chanlyniadau yn y tabl.

	Llinellau hydrogen				Sodiwm	
λ / nm	410.2	434.0	486.1	656.3	589.3	dirgelwch
ϕ / °	47.92	50.90	57.54	80.71	71.39	65.46

A yw gwerth ϕ yn gyson â llinell werdd mercwri, sydd â thonfedd o 546.1 nm?

3. Mae myfyriwr yn goleuo hollt sengl â golau laser, tonfedd 650 nm, ac yn arsylwi ar y patrwm hwn ar sgrin a osodir 3.0 m o'r hollt.

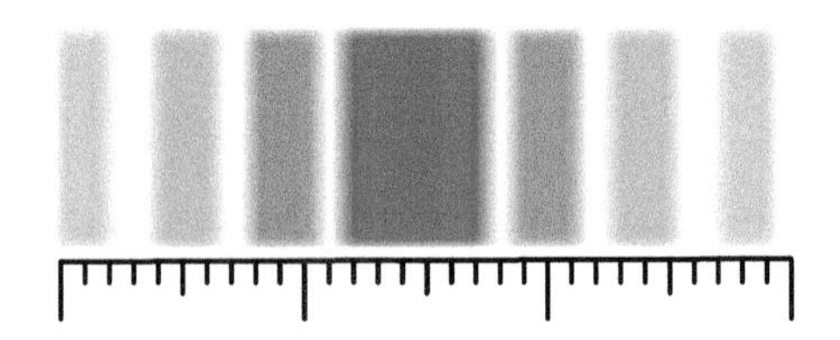

(a) Brasluniwch graff o arddwysedd yn erbyn safle ar gyfer y golau hwn.

(b) Mae'r myfyriwr yn amnewid y laser am un arall, tonfedd 450 nm. Brasluniwch graff o arddwysedd yn erbyn safle ar gyfer y golau hwn.

(c) Mae safle onglaidd, mewn radianau, yr eddïau tywyll o'r canol yn $\frac{n\lambda}{d}$, lle d d yw lled yr hollt, ac mae gan n y gwerthoedd 1, 2, 3… Trwy gymryd darlleniadau oddi ar y raddfa cm/mm, darganfyddwch led yr hollt.

4. Mewn arbrawf i fesur buanedd sain, defnyddiodd myfyriwr drawfforch, amledd 440.0 Hz. Daliodd y drawfforch ddirgrynol dros ben tiwb cyseinio a chaniataodd i lefel y dŵr ddisgyn tan glywed cyseiniant uchel. Roedd hyn o ganlyniad i donnau sain unfan yn ffurfio, gyda nod ar arwyneb y dŵr ac antinod ar ben agored y tiwb, felly roedd yr hyd, l, yn cynrychioli ¼ tonfedd.

Trwy ailadrodd yr arbrawf sawl gwaith, cafodd y gwerthoedd canlynol ar gyfer l, gan ddefnyddio graddfa mm: 185 mm, 189 mm, 190 mm, 187 mm, 189 mm.

Defnyddiwch y darlleniadau i ddarganfod gwerth ar gyfer buanedd sain, v, ynghyd â'i ansicrwydd, Δv.

5. Darllenodd y myfyriwr yn C4 Adran 2.5.8, a darganfyddodd nad yw'r antinod yn union ar ben y tiwb, ond yn hytrach bellter bach (sef y cywiriad pen), ε, uwch ei ben.

Felly mae $l = \frac{\lambda}{4} - \varepsilon$. Ailadroddodd yr arbrawf, a darganfyddodd ail gyseiniant gydag $l = \frac{3\lambda}{4} - \varepsilon$.

Dyma ei darlleniadau: 579 mm, 576 mm, 577 mm, 573 mm, 575 mm.

Defnyddiwch ganlyniadau'r ddau arbrawf i ddarganfod gwerthoedd ar gyfer v ac ε, ynghyd â'u hansicrwydd.

6. Rhoddir buanedd, v, ton ardraws ar wifren gan $v = \sqrt{\frac{T}{\mu}}$, lle T yw'r tyniant a μ yw'r màs fesul uned hyd. Rhoddir gwifren fertigol, màs M a hyd l, dan dyniant trwy hongian cyfres o fasau, m, arni. Caiff y wifren ei phlycio nes iddi ddirgrynu. Gan anwybyddu unrhyw gynnydd yn hyd y wifren o ganlyniad i'r tyniant amrywiol, deilliwch fformiwla i gysylltu amledd y dirgryniad, f, â'r màs crog, m.

7. Caiff hollt gul ei goleuo gan laser coch ($\lambda = 640$ nm), a gwelir y golau sy'n dod ohoni ar wal sydd 2.00 m i ffwrdd. Mesurir uchafswm canol y patrwm diffreithiant yn 2.0 cm o led. Caiff yr hollt ei hamnewid am bâr o holltau paralel, sydd â'r un lled â'r gyntaf. Mae'r eddïau ymyriant yn 2.0 mm ar wahân.

(a) Cyfrifwch y gwahaniad holltau.
(b) Amcangyfrifwch nifer yr eddïau ymyriant y byddech yn disgwyl eu gweld. Eglurwch eich ateb.
(c) Disgrifiwch ac eglurwch yr hyn y byddech yn disgwyl ei weld pe bai:
  (i) Laser gwyrdd ($\lambda = 500$ nm) yn cael ei ddefnyddio yn lle'r laser coch.
  (ii) Yr holltau nawr yn cael eu goleuo gan y ddau laser, ond bod hidlydd sy'n gadael golau coch trwodd yn unig yn gorchuddio un hollt, a hidlydd gwyrdd yn gorchuddio'r llall.
  (iii) Yr holltau'n cael eu gorchuddio â hidlyddion polaroid, gyda chyfeiriad y ddau bolaroid yn baralel.
  (iv) Yr holltau'n cael eu gorchuddio â hidlyddion polaroid, gyda chyfeiriad y ddau bolaroid ar ongl sgwâr i'w gilydd.

1. Mae fan symud tŷ yn bacio'n ôl o'r dde, ac mae corn niwl yn anfon sain, amledd 150 Hz, o'r chwith fel y dangosir yn y diagram.

Mae'r myfyriwr yn sylwi bod cyfuniad sain y corn niwl a'r adlewyrchiad oddi ar gefn y fan yn mynd yn uwch ac yn dawelach gyda chyfnod o 2.0 s.

Amcangyfrifwch fuanedd y fan. [Tybiwch fod buanedd sain ~300 m s^{-1}.]

2. Mae gan yr Haul a'r Lleuad, fel ei gilydd, effeithiau llanw. Mae'r effeithiau hyn i'w gweld ar eu gorau ar y cefnforoedd.

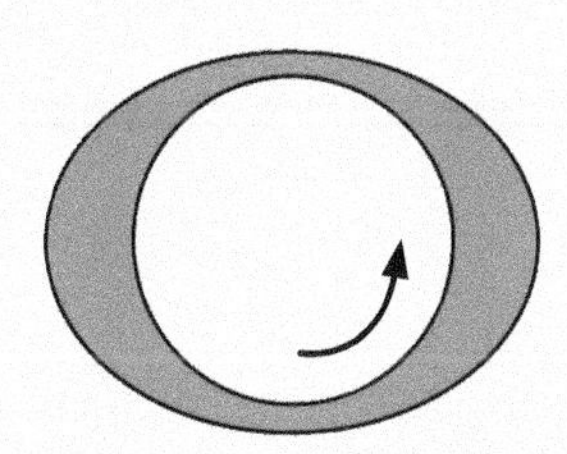

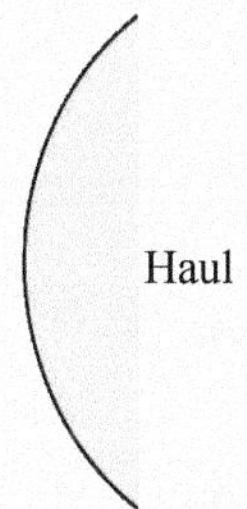

Mae'r diagram yn dangos effaith llanw'r Haul ar gefnforoedd y Ddaear, wedi'i gorliwio'n fawr. Mae effaith yr eangdiroedd yn cael ei anwybyddu. Wrth i'r Ddaear gylchdroi, caiff dau lanw solar eu profi bob dydd. Gan hynny, cyfnod y llanwau solar yw 12.00 awr.

Er bod y Lleuad dipyn yn llai masfawr na'r Haul, mae'n tynnu llanwau sydd tua 2.2 gwaith yn fwy na rhai'r Haul, oherwydd ei bod cymaint yn nes. Oherwydd orbit y Lleuad (29.3 diwrnod mewn perthynas â'r Haul), mae cyfnod llanwau lleuad ychydig yn hirach, sef 12.42 awr.

Mae'r llanw sy'n cael ei brofi ar unrhyw ddiwrnod yn arosodiad y ddwy don llanw, felly mae'r osgled yn amrywio. Weithiau mae'r llanwau yn gydwedd, gan achosi llanwau mawr (*spring tides*), ac weithiau maen nhw'n union anghydwedd, gan achosi llanw bach.

Ar ddydd Iau 4 Mehefin 2015, roedd y llanw solar a'r llanw lleuad yn gydwedd (llanw mawr), ac roedd osgled y llanw yn Aberystwyth ar ei fwyaf, sef 4.8 m.

Pa bryd y bydd y llanwau sydd â'r osgled lleiaf (llanwau bach) yn digwydd, a beth fydd eu hosgled?

2.6 Plygiant golau

Termau a diffiniadau

Plygiant yw'r newid yng nghyfeiriad teithio golau (neu don arall) pan fydd ei fuanedd teithio yn newid, e.e. wrth iddo basio o un defnydd i un arall.

Mae pob ton – er enghraifft sain, golau, tonnau'r môr a thonnau seismig – yn newid cyfeiriad pan fydd yn symud o un defnydd i ddefnydd arall lle mae buanedd y don yn wahanol (oni bai bod cyfeiriad y don ar ongl sgwâr i'r ffin). Yr enw ar yr effaith hon yw **plygiant**. Mae'r hyn sy'n achosi'r newid buanedd yn dibynnu ar y math o donnau. Dyma rai enghreifftiau:

- Mae buanedd tonnau seismig yn dibynnu ar anhyblygedd a dwysedd creigiau.
- Mae crynodiad electronau rhydd yn effeithio ar fuanedd tonnau radio trwy'r ïonosffer (yr uwchatmosffer).
- Mae amledd a dyfnder dŵr yn effeithio ar fuanedd tonnau arwyneb dŵr – mae'r tonnau yn y tanc crychdonni yn Ffig. 2.6.1 yn teithio o'r chwith i'r dde mewn dŵr dwfn yn B; maen nhw'n arafu ar y ffin â'r dŵr mwy bas yn A, ac mae hyn yn achosi iddynt wasgu at ei gilydd a newid cyfeiriad.
- Mae buanedd tonnau sain trwy'r atmosffer yn dibynnu ar y tymheredd.

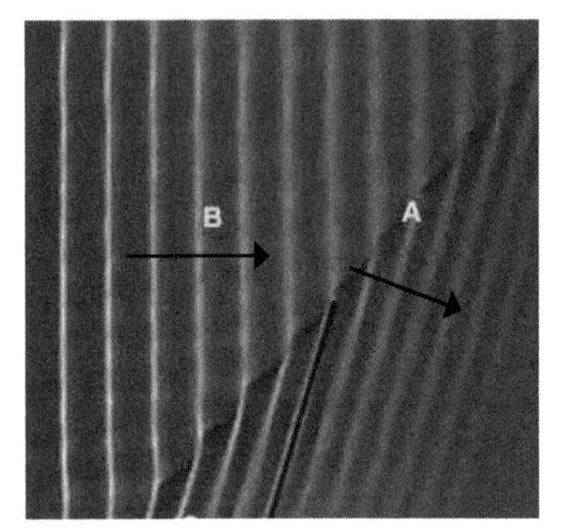

Ffig. 2.6.1 Plygiant tonnau dŵr mewn tanc crychdonni

Yn achos golau, rydym yn defnyddio'r effaith hon i reoli golau mewn ffyrdd defnyddiol, er enghraifft gwneud lensiau i wella namau ar y golwg neu i adeiladu telesgopau a microsgopau, neu mewn ffibrau optegol i drawsyrru gwybodaeth. Mae geoffisegwyr yn defnyddio plygiant tonnau seismig naturiol i archwilio adeiledd y Ddaear, neu blygiant tonnau a gynhyrchir yn artiffisial i ddarganfod cronfeydd olew a nwy.

2.6.1 Plygiant a phriodweddau tonnau

buanedd uchel
buanedd isel
X
Y

Ffig. 2.6.2 Plygiant tonnau

Mae'r tonnau yn Ffig. 2.6.2 (mae'r llinellau du yn dangos y brigau) yn croesi ffin (llinell doredig) ar letraws o'r chwith i'r dde i ranbarth lle maen nhw'n teithio'n arafach. Mae'r saethau coch a gwyrdd yn dangos cyfeiriad teithio'r tonnau. Mae'r rhain ar ongl sgwâr i linell brigau'r tonnau ac, yn achos golau, byddai'r llinellau coch a gwyrdd yn belydrau golau.

Wrth i bob ton groesi'r ffin, mae'n arafu: mae pen isaf y don yn arafu gyntaf, felly mae llinell y don yn dod yn fwy fertigol (yn nes at fod yn baralel i'r ffin). Gan hynny, mae cyfeiriad teithio'r tonnau yn dod yn nes at fod yn llorweddol, h.y. yn nes at ongl sgwâr i'r ffin.

Gan fod y llinellau hyn yn cynrychioli brigau'r tonnau, gwahaniad y brigau ar hyd y llinellau cyfeiriad (lliw) yw'r donfedd, sydd yn lleihau yn amlwg wrth groesi'r ffin. Beth am yr amledd? Mae pob ton sy'n pasio **X** hefyd yn pasio **Y**. Felly, mae'n rhaid bod amledd y tonnau heb newid, er bod y buanedd yn newid.

Mae Ffig. 2.6.3(a) yn dangos pelydryn golau yn cael ei blygu ar ffin. Caiff rhai termau sy'n ymwneud â phlygiant eu cyflwyno yn y diagram, ac mae rhan (b) yn dangos y berthynas rhwng y pelydrau golau a'r model tonnau ar gyfer golau. Mae Ffig. 2.6.3(b) yn ddarn wedi'i chwyddo o ran ganol Ffig. 2.6.2. Gallwn ddefnyddio'r diagramau hyn i ddeillio'r berthynas rhwng yr onglau, θ_1 a θ_2, a buaneddau'r tonnau, v_1 a v_2.

Pwynt astudio

Rydym fel arfer yn defnyddio'r cysyniad o **belydrau** i egluro plygiant golau. Mae golau yn ffenomen tonnau, ond pan fydd y blaendonnau sawl trefn maint yn fwy na'r donfedd, gallwn ystyried ei fod yn symud mewn paladrau llinell syth, cul ar ongl sgwâr i'r blaendonnau: pelydrau golau yw'r rhain.

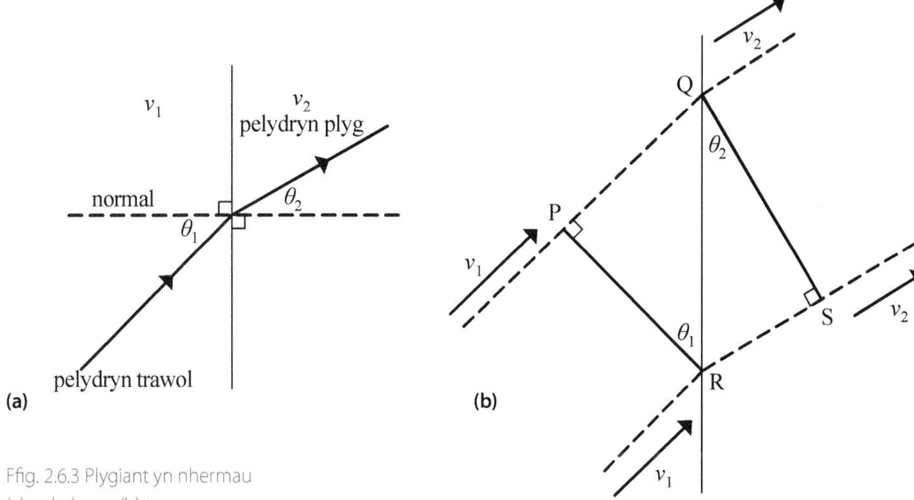

Ffig. 2.6.3 Plygiant yn nhermau
(a) pelydrau a (b) tonnau

Mae PR yn cynrychioli blaendon sy'n cyrraedd y ffin ar ongl drawol o θ_1. Mae QS yn cynrychioli safle'r un flaendon, ar amser Δt yn ddiweddarach, ar yr ennyd y mae pwynt P ar y flaendon drawol yn cyrraedd y ffin.

Yn ΔPQR mae: $QR = \frac{\text{PQ}}{\sin \theta_1}$. Yn ΔSRQ: $QR = \frac{\text{RS}}{\sin \theta_2}$.

$\therefore$ Gan hafalu'r mynegiadau ar gyfer QR mae: $\frac{\text{PQ}}{\sin \theta_1} = \frac{\text{RS}}{\sin \theta_2}$

Ond mae PQ = $v_1 \Delta t$ ac mae RS = $v_2 \Delta t$, $\therefore$ mae $\frac{v_1 \Delta t}{\sin \theta_1} = \frac{v_2 \Delta t}{\sin \theta_2}$

Trwy ad-drefnu cawn fod: $\frac{\sin \theta_1}{v_1} = \frac{\sin \theta_2}{v_2}$ [1]

Ar y llaw arall: mae'r gymhareb $\frac{\sin \theta_1}{\sin \theta_2}$, $= \frac{v_1}{v_2}$, sydd yn gysonyn. Mae hyn yn ffurf ar ddeddf Snell, sy'n cael sylw yn Adran 2.6.2.

2.6.2 Indecs plygiant

Mae hafaliad 1 yn Adran 2.6.1 yn berthynas gyffredinol ar gyfer pob math o fudiant tonnau. Yn yr adran hon rydym yn trafod golau yn unig. Mae'r drafodaeth hefyd yn berthnasol, mewn egwyddor, i ffurfiau eraill ar belydriad electromagnetig.

Am resymau hanesyddol, mae ffisegwyr optegol yn trafod gallu defnydd i blygu tonnau golau (pelydrau) yn nhermau ei **indecs plygiant**, n, a ddiffinnir gan $n = \frac{c}{v}$ (gweler y Termau a diffiniadau). Gan fod tonnau golau yn teithio'n arafach trwy ddefnyddiau na thrwy wactod, mae gan n werth lleiaf o 1 yn union ar gyfer gwactod (trwy ddiffiniad), h.y. mae $n \geq 1$. Mae Tabl 2.6.1 yn dangos indecsau plygiant amrywiaeth o ddefnyddiau cyffredin.

Sylwch

Os yw buanedd tonnau'n **lleihau**, nid yw'r amledd yn newid, ac felly mae'r donfedd yn **lleihau**.

Mae hyn yn perthyn i $v = f\lambda$: mae'r donfedd mewn cyfrannedd â'r buanedd oherwydd bod f yn gyson.

Hunan-brawf 2.6.1

Mae set o donnau dŵr, amledd 4.0 Hz, yn teithio mewn dŵr ar fuanedd o 10 cm s^{-1}. Mae'n taro ffin â dŵr bas, lle mae ei buanedd yn 6.0 cm s^{-1}, ar ongl o 40°. Cyfrifwch:

(a) Tonfeddi'r tonnau yn y dŵr dwfn a'r dŵr bas.

(b) Yr ongl rhwng y tonnau plyg a'r ffin.

Pwynt astudio

Os yw buanedd y tonnau'n amrywio'n raddol gyda'r safle, mae cyfeiriad teithio'r tonnau yn newid yn raddol, a gallwn ddefnyddio'r hafaliad rhwng θ a v ar y ffurf $\frac{\sin \theta}{v}$ = cysonyn.
Enghraifft: cyfeiriad tonnau seismig trwy fantell y Ddaear.

Termau a diffiniadau

Caiff **indecs plygiant**, n, defnydd ei ddiffinio gan $n = \frac{c}{v}$, lle v yw buanedd golau yn y defnydd ac c yw buanedd golau mewn gwactod.

Pwynt astudio

Mae indecs plygiant defnydd yn dibynnu ar amledd y pelydriad. Dyma beth sy'n achosi enfys.

Tabl 2.6.1 Indecsau plygiant

Defnydd	n
gwactod	1 (yn union)
aer (ar 0 °C)	1.000292
dŵr	1.333*
dŵr môr	1.343*
iâ	1.31
gwydr	1.50 – 1.75
diemwnt	2.417
glyserin	1.473*
olew olewydd	1.48*

* ar 293 K

2.6.2 Hunan-brawf

Cyfrifwch fuanedd golau mewn: (a) dŵr a (b) diemwnt.

Tybiwch fod $c = 3.00 \times 10^8$ m s^{-1}.

Pwynt astudio

Sylwch ar y ddau bwynt canlynol o enghraifft y tanc pysgod, sydd yn codi dim ond oherwydd bod yr arwynebau gwydr yn baralel:

1. Mae'r pelydryn golau yn y gwydr ar yr un ongl, α, ar ddwy ochr y gwydr i'r normal.
2. Yn y cyfrifiad, gallwn anwybyddu'r ongl α yn y gwydr.

2.6.3 Hunan-brawf

Cyfrifwch yr ongl yn y gwydr, α, yn enghraifft y tanc pysgod.

(a) Deddf Snell

Byddwn nawr yn ysgrifennu hafaliad 1 yn nhermau indecs plygiant. Mae indecsau plygiant y ddau ddefnydd yn Ffig. 2.6.3 yn $n_1 = \frac{c}{v_1}$ ac $n_2 = \frac{c}{v_2}$.

Felly daw hafaliad 1 yn: $\frac{n_1 \sin\theta_1}{c} = \frac{n_2 \sin\theta_2}{c}$, $\therefore$ mae $n_1 \sin\theta_1 = n_2 \sin\theta_2$ [2]

Dyma **ddeddf Snell**. Gallwn hefyd ysgrifennu hafaliad 2 ar y ffurf $n \sin\theta$ = cysonyn, a gallwn hefyd ei gymhwyso i blygiant trwy ddefnydd sydd ag indecs plygiant sy'n amrywio'n barhaus, e.e. yr atmosffer, hydoddiant sydd â chyfansoddiad amrywiol.

(b) Dwysedd optegol

Mae llawer yn defnyddio'r term ansoddol *dwysedd optegol* i ddisgrifio priodwedd plygiant defnydd. Dywedir bod 'dwysedd optegol uchel' gan ddiemwnt a bod 'dwysedd optegol isel' gan aer. Ni ddylid drysu rhwng y term hwn a dwysedd ffisegol. **Mae** yna gydberthyniad bras rhwng dwysedd ffisegol ac indecs plygiant, e.e. gwydr crwm ($n \sim 1.5, \rho = 2.6$ g cm^{-3}) a gwydr fflint ($n \sim 1.7, \rho = 4.2$ g cm^{-3}). Fodd bynnag,

- mae dwysedd diemwnt (3.5 g cm^{-3}) yn is na dwysedd gwydr fflint, ond mae ei indecs plygiant dipyn yn uwch
- mae indecs plygiant persbecs (1.495) fwy neu lai yn hafal i indecs plygiant gwydr crwm (*crown glass*), ond mae ei ddwysedd dipyn yn is (1.19 g cm^{-3}).

Enghraifft

Mae'r diagram yn dangos pelydryn golau yn mynd i mewn i danc pysgod. Defnyddiwch werthoedd yr indecsau plygiant i gyfrifo ongl θ_d.

O ddeddf Snell:

Mae $n_a \sin 50° = n_g \sin\alpha = n_w \sin\theta_d$

(gweler y Pwynt astudio)

$\therefore$ Mae $1.00 \sin 50° = 1.33 \sin\theta_d$

$\therefore$ Mae $\theta_d = \sin^{-1}\left(\frac{\sin 50°}{1.33}\right) = 35°$ (2 ff.y.)

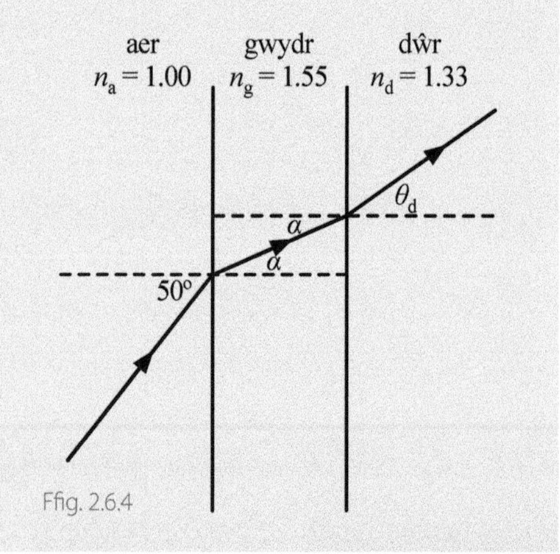

Ffig. 2.6.4

2.6.3 Adlewyrchiad

Pan fydd pelydryn golau yn taro ffin lyfn (wedi'i llathru) rhwng dau gyfrwng, fel yn Ffig. 2.6.5, caiff ei adlewyrchu'n rhannol a'i blygu'n rhannol fel arfer. Mae'r diagram hwn wedi'i luniadu ar gyfer $n_1 > n_2$, ond mae'r un peth yn wir ar gyfer $n_1 < n_2$; fodd bynnag, yn yr achos hwnnw, byddai'r ongl plygiant, β, yn llai na'r ongl drawiad, α. Nodwch fod yr ongl adlewyrchiad (h.y. yr ongl rhwng y pelydryn adlewyrchol a'r normal) yn hafal i'r ongl drawiad.

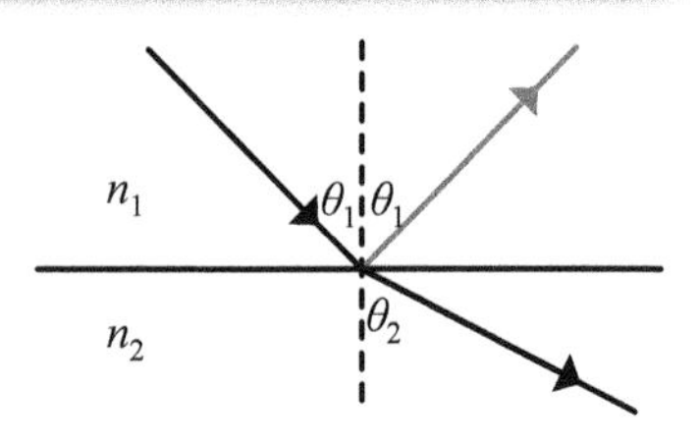

Ffig. 2.6.5 Adlewyrchiad rhannol

Sylwch

Yn Ffig. 2.6.5, mae $n_1 \sin\theta_1 = n_2 \sin\theta_2$, fel sy'n arferol.

Mae ffracsiwn y pŵer trawol sy'n cael ei adlewyrchu yn dibynnu ar yr ongl drawiad ac ar indecsau plygiant y ddau ddefnydd, fel ei gilydd:

- Y mwyaf yw'r ongl drawiad, y mwyaf yw'r pŵer sy'n cael ei adlewyrchu.
- Y mwyaf yw'r gwahaniaeth yn yr indecsau plygiant, y mwyaf yw'r pŵer sy'n cael ei adlewyrchu.

(a) Adlewyrchiad mewnol cyflawn

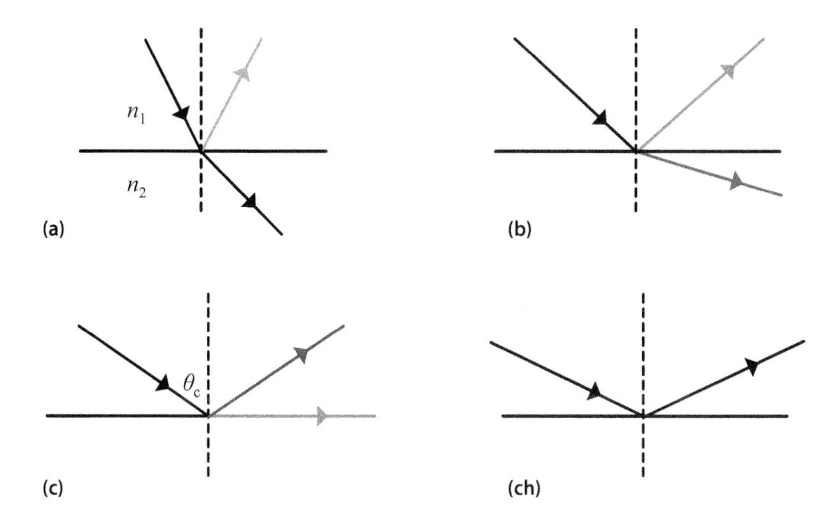

Ffig. 2.6.6 Adlewyrchiad mewnol cyflawn

> **Sylwch**
>
> Mae'r amodau ar gyfer AMC fel a ganlyn:
>
> 1. Mae'r pelydryn golau yn taro ffin â defnydd sydd ag indecs plygiant is.
> 2. Mae'r ongl drawiad yn fwy na'r ongl gritigol.

Mae'r gyfres o ddiagramau yn Ffig. 2.6.6(a)–(ch) yn egluro'n ansoddol sut mae ffracsiwn y pŵer sy'n cael ei adlewyrchu yn amrywio gyda'r ongl drawiad ar gyfer pelydryn golau sy'n taro defnydd **sydd ag indecs plygiant is**.

- Ar gyfer ongl drawiad fach – yn (a) – mae'r ffracsiwn sy'n cael ei adlewyrchu yn fach.
- Wrth i'r ongl drawiad gynyddu – y dilyniant (a), (b), (c) – mae'r ffracsiwn sy'n cael ei adlewyrchu yn cynyddu (ac mae'r ffracswin sy'n cael ei drawsyrru yn lleihau).
- Ar ongl drawiad benodol, θ_c, sef yr **ongl gritigol**, mae'r ongl plygiant yn 90°, ac mae'r pŵer plyg yn isel iawn.
- Ar gyfer onglau trawiad sy'n fwy na'r ongl gritigol – yn (ch) – caiff yr holl bŵer trawol ei adlewyrchu. Rydym yn galw'r ffenomen hon yn **adlewyrchiad mewnol cyflawn (AMC)**.

> **Pwynt astudio**
>
> Rhoddir yr ongl gritigol ar gyfer ffin rhwng defnydd sydd ag indecs plygiant n ac aer (indecs plygiant = 1.000) gan
>
> $\sin\theta_c = \frac{1}{n}$.

Gallwn ddarganfod y berthynas rhwng yr ongl gritigol, θ_c, a'r indecsau plygiant trwy ystyried yr achos terfannol yn niagram (c).

Gan gymhwyso $n_1 \sin\theta_1 = n_2 \sin\theta_2$ gyda $\theta_1 = \theta_c$ a $\theta_2 = 90°$

cawn fod $n_1 \sin\theta_c = n_2 \sin 90°$

Ond mae $\sin 90° = 1$, $\therefore n_1 \sin\theta_c = n_2$ neu $\theta_c = \sin^{-1}\left(\frac{n_2}{n_1}\right)$

> **Hunan-brawf 2.6.4**
>
> Mae pelydryn golau, sy'n teithio mewn persbecs sydd ag indecs plygiant o 1.495, yn taro ffin ag aer. Disgrifiwch yr hyn sy'n digwydd pan mae'r ongl drawiad yn (a) 25°, (b) 35° ac (c) 45°.

(b) Enghreifftiau o AMC

Mae Adran 2.6.4 yn trafod ffibrau optegol, sy'n dibynnu ar adlewyrchiad mewnol cyflawn i weithio. Dyma ddwy enghraifft gyffredin arall.

(i) Prismau sy'n adlewyrchu'n gyflawn

Mae llawer o offer optegol, e.e. ysbienddrychau (*binoculars*), microsgopau a pherisgopau, yn defnyddio prismau i adlewyrchu golau ac i blygu llwybr golau. Caiff manteision prismau dros ddrychau eu hegluro yn Ffig. 2.6.7. Byddai sawl adlewyrchiad mewn drych yn achosi sawl delwedd yn yr offeryn. Yn achos prismau, byddai'r adlewyrchiadau rhannol gwan, wrth i'r golau fynd i mewn i'r prism neu ei adael ar ongl sgwâr, yn anfon golau allan o'r offeryn ar hyd yr un ffordd ag y daeth i mewn, ac ni fyddai'n effeithio ar y ddelwedd derfynol. Mae gan y gwydr a ddefnyddir i wneud prismau indecs plygiant yn yr amrediad 1.5–1.7. Dylech fod yn gallu dangos bod yr ongl gritigol yn llai na 45°.

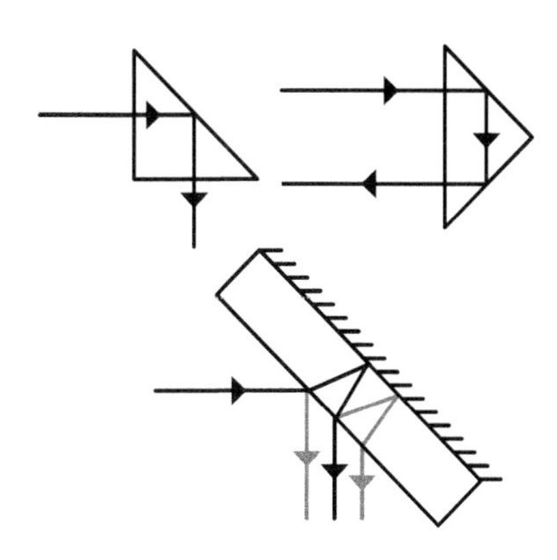

Ffig. 2.6.7 Prismau sy'n adlewyrchu'n gyflawn a drych gwydr

Ffig. 2.6.8 Rhithluniau yn y diffeithdir ac ar briffordd

Os yw golau yn taro ffin rhwng dau ddefnydd, indecsau plygiant n_1 ac n_2, ar ongl sgwâr (h.y. $\theta = 0$), rhoddir ffracsiwn, R, y pŵer sy'n cael ei adlewyrchu gan:

$$R = \left(\frac{n_2 - n_1}{n_2 + n_1}\right)^2$$

Cyfrifwch ffracsiwn y golau sy'n cael ei drawsyrru trwy ffenestr ($n = 1.55$) mewn aer. Cofiwch fod gan y ffenestr ddau arwyneb.

Hunan-brawf

Mae pelydryn golau yn taro prism gwydr hafalochrog ($n = 1.50$) gydag ongl drawiad o $50°$. Cyfrifwch ar ba ongl mae'n gadael y prism.

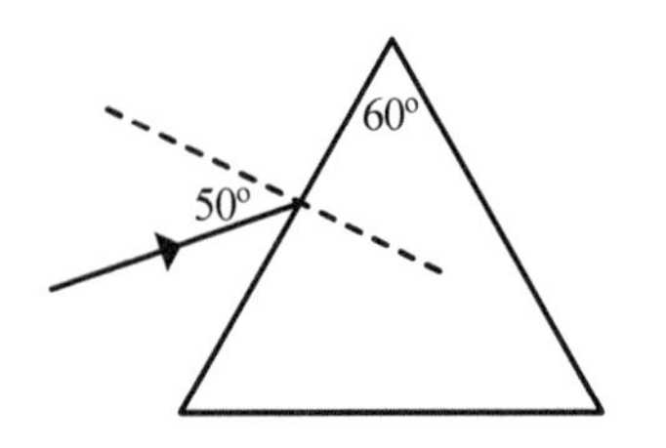

Pwynt astudio

Mae gan ffibrau optegol amlgyfrwng ddiamedr craidd nodweddiadol o ~$50\ \mu m$. Mae craidd nodweddiadol ffibrau unmodd yn $8–10\ \mu m$.

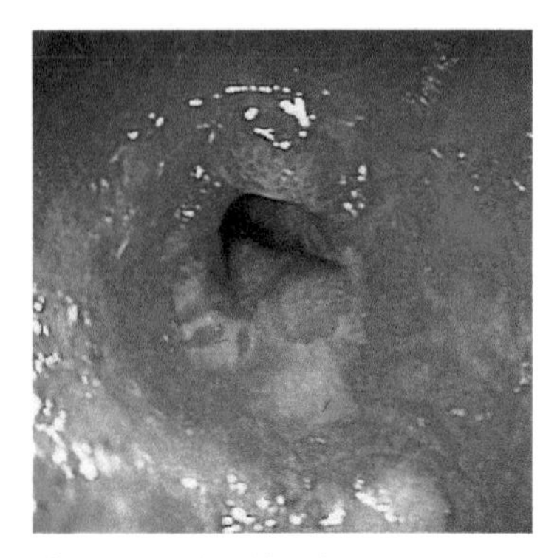

Ffig. 2.6.10 Delwedd endosgopig o'r oesoffagws yn dangos niwed adlifol (oesoffagws Barrett)

(ii) Rhithluniau

Caiff adlewyrchiad golau, yn ôl pob golwg oddi ar arwyneb dŵr ar heol boeth yn yr haf, neu oddi ar lyn nad yw'n bodoli mewn diffeithdir crasboeth, ei adnabod fel rhithlun (*rhithlun israddol* a bod yn fanwl gywir). Mae Ffig. 2.6.8 yn dangos dwy enghraifft o hyn.

Mae hyn yn digwydd oherwydd bod arwyneb yr heol (neu'r diffeithdir) yn amsugno pelydriad o'r Haul, ac yn cynhesu. Mae hyn yn cynhesu'r aer sydd mewn cysylltiad â'r arwyneb, fel bod yna wrthdroad tymheredd – mae tymheredd yr aer yn disgyn gydag uchder. Mae'r indecs plygiant yn lleihau wrth i belydryn golau (e.e. o gar, camel neu bolyn telegraff) agosáu at yr arwyneb ac, os yw'r pelydryn yn teithio ar ongl letraws, mae'r gwahaniaeth yn ddigon i achosi AMC.

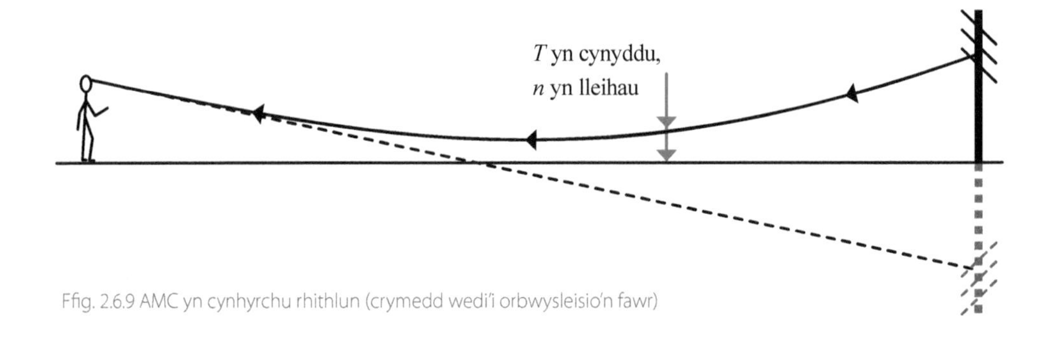

Ffig. 2.6.9 AMC yn cynhyrchu rhithlun (crymedd wedi'i orbwysleisio'n fawr)

2.6.4 Ffibrau optegol

Ers yr 1980au, mae ffibrau optegol ym mhobman. Maen nhw'n cael eu defnyddio i drawsyrru data mewn rhwydweithiau ardal leol (RhAL/*LAN: local area networks*), mewn rhwydweithiau rhanbarthol ac mewn rhwydweithiau pell (rhyng-gyfandirol). Cânt eu defnyddio hefyd mewn systemau delweddu pell, er enghraifft i wneud archwiliadau meddygol mewnol (endosgopeg), ac i archwilio lleoliadau anhygyrch, er enghraifft draeniau ac adeiladau sydd wedi dymchwel (wrth chwilio am unigolion sydd wedi goroesi).

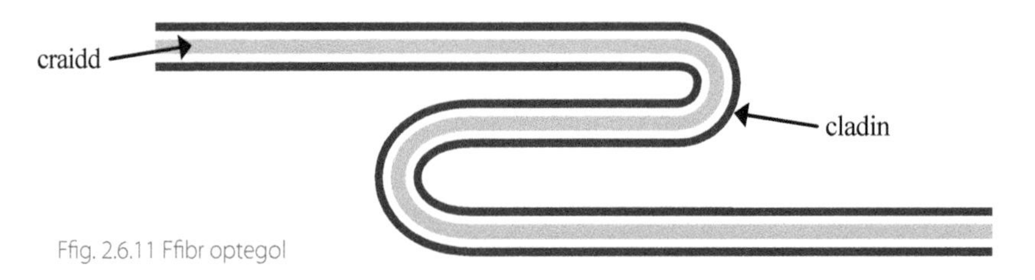

Ffig. 2.6.11 Ffibr optegol

Mae'r adran hon yn trafod priodweddau optegol ffibrau optegol indecs grisiog. Mae ffibr optegol nodweddiadol yn cynnwys un edau o wydr, gyda'r rhan ganol (y craidd) yn cludo'r signal golau, a'r rhan allanol (y cladin) yn cadw'r signal yn y craidd. O amgylch hwn, mae yna haen ddiogelu o blastig (nad yw'n cael ei dangos yn Ffig. 2.6.11) sef gorchudd. Yn nodweddiadol, mae gan y gorchudd ddiamedr allanol o ~ $250\ \mu m$, h.y. 0.25 mm. Gall cebl ffibr optegol gynnwys cannoedd o'r ffibrau hyn.

(a) Ffibrau amlfodd ac AMC

Er mwyn iddo weithio, mae ffibr optegol yn dibynnu ar adlewyrchiad mewnol cyflawn pelydrau golau ar y ffin rhwng y craidd a'r cladin (sydd ag indecs plygiant is).

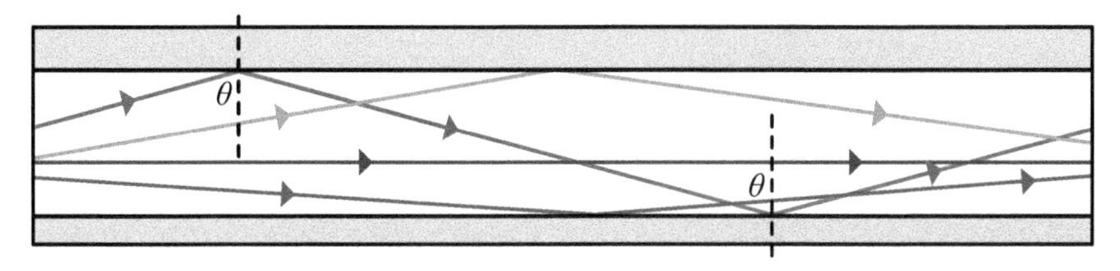

Ffig. 2.6.12 Pelydryn golau wedi'i adlewyrchu'n fewnol yn gyflawn mewn ffibr optegol amlfodd

Mae pob pelydryn golau sy'n taro'r ffin rhwng y craidd a'r cladin, ar onglau sy'n fwy na'r ongl gritigol, yn cael ei adlewyrchu'n fewnol yn gyflawn yn ôl i mewn i'r craidd. Yna maen nhw'n taro, dro ar ôl tro, ochrau cyferbyn y craidd ar yr un ongl, ac yn cael eu hadlewyrchu bob tro, nes iddynt ddod allan o ben arall y ffibr (oni bai bod amhureddau yn y gwydr yn eu hamsugno neu'n eu gwasgaru). Nid yw'r ffibr optegol o reidrwydd yn berffaith syth ond, o wybod bod diamedr y craidd ~50 μm, prin y bydd unrhyw grymedd rhesymol yn y cebl yn effeithio ar onglau'r adlewyrchiadau amryfal.

Mae'r math hwn o ffibr optegol yn iawn ar gyfer cyfathrebu ar draws pellterau byr, neu ar gyfer cymwysiadau delweddu (endosgopeg), ond mae problemau'n codi ar gyfer cyfathrebu digidol dros bellterau mawr gyda chyfraddau switsio cyflym. Er mwyn gweld pam, ystyriwch yr amser y mae signal yn ei gymryd i deithio 10 km.

Enghraifft

Mae gan ffibr optegol amlfodd indecs plygiant craidd o 1.6. Cyfrifwch y gwahaniaeth yn yr amser y mae signal yn ei gymryd i deithio trwy 10 km o ffibr optegol, ar gyfer pelydrau golau sy'n teithio yn baralel ac ar ongl o 20° i echelin y ffibr.

Mae buanedd golau yn y craidd $= \dfrac{c}{n} = \dfrac{3.00 \times 10^8}{1.6} = 1.875 \times 10^8\ \text{m s}^{-1}$

$\therefore$ Mae'r amser a gymerwyd gan y pelydryn paralel $= \dfrac{10 \times 10^3}{1.875 \times 10^8} = 53.3\ \mu\text{s}$

Mae'r pellter a deithiwyd gan y signal ar 20° $= \dfrac{10 \times 10^3}{\cos 20^\circ} = 10642\ \text{m}$

$\therefore$ Mae'r amser a gymerwyd $= \dfrac{10642}{1.875 \times 10^8} = 56.8\ \mu\text{s}$

$\therefore$ Mae'r gwahaniaeth amser = 3.5 μs.

Mae'r gwahaniaeth amser hwn mewn cyfrannedd â'r pellter trawsyrru. Felly, ar gyfer ffibr 1 km, byddai'r gwahaniaeth amser ~0.4 μs, ac ar gyfer ffibr 100 m byddai Δt yn 40 ns, etc. Caiff data digidol eu trawsyrru fel cyfres o bylsiau sy'n osgiliadu'n gyflym. Os yw'r gyfradd drawsyrru yn fwy na 10^5 did (*bit*) yr eiliad [100 kbps], bydd yr amser rhwng curiadau yn llai na ~10 μs. Felly bydd y gwahaniaeth amser rhwng y syth drwodd yn cyrraedd a'r 20° yn achosi i'r pylsiau 1s a 0s orgyffwrdd, ac ni fydd hi'n bosibl darllen y signal. Gan fod systemau data modern yn gweithredu ar gyfraddau Gbps [10^9 did yr eiliad], mae'r math hwn o ffibr optegol wedi'i gyfyngu i ychydig fetrau yn unig, e.e. mewn RhAL. Gall ffibrau unmodd oresgyn y cyfyngiad hwn.

Pwynt astudio

Mae indecsau plygiant y craidd a'r cladin yn dibynnu ar y dyluniad, ond mae gwerthoedd o 1.62 ac 1.52 yn ôl eu trefn yn nodweddiadol.

Hunan-brawf 2.6.6

Dangoswch fod yr ongl gritigol ar gyfer y craidd a'r cladin tua 70° ar gyfer y gwerthoedd n a roddir yn y Pwynt astudio.

Sylwch

Nodwch nad c ond $\dfrac{c}{n}$ yw buanedd golau mewn ffibr optegol. Mae hyn yn $2 \times 10^8\ \text{m s}^{-1}$, fwy neu lai.

Mae'r cyfrifiadau yn yr enghraifft yn defnyddio mwy o ffigurau ystyrlon nag y mae'r data yn eu cyfiawnhau. Nid yw hyn o bwys, fel y mae'r dull gwahanol hwn yn ei ddangos:

$$t_1 = \frac{d}{v};\ t_2 = \frac{d}{v\cos\theta}$$

$$\Delta t = \frac{d}{v}\left(\frac{1}{\cos\theta} - 1\right)$$

Defnyddiwch y brasamcan fod $v = 2 \times 10^8\ \text{m s}^{-1}$ a'r hafaliad hwn i amcangyfrif Δt.

Lefel rhesymeg

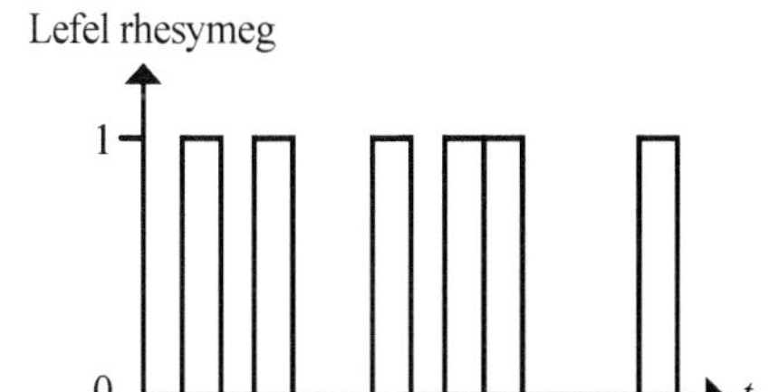

Ffig. 2.6.13 Signal digidol

Termau a diffiniadau

Yr enw ar ddiraddiad data o ganlyniad i'r llwybrau gwahanol y gall y pelydrau golau eu cymryd yw **gwasgariad amlfodd**.

2.6.7 Hunan-brawf

Mae sgwrs ffôn yn digwydd dros system ffibr unmodd 3000 km o hyd. Amcangyfrifwch yr oediad amser y mae'r siaradwyr yn ei gael. Nodwch unrhyw dybiaeth rydych yn ei gwneud.

Mae colled pŵer signal mewn ffibrau optegol yn cael ei fynegi mewn desibelau y km (dB/km).

Mae'r tabl canlynol yn cysylltu'r golled ganrannol yn y signal i'r raddfa dB:

dB/km	colled ffracsiynol y km
3	0.5
1	0.2
0.3	0.07
0.2	0.045
0.1	0.02
0.03	0.01

Gellir defnyddio'r fformiwla ganlynol i gysylltu'r pŵer allbwn, P_{allan} ar ôl 1 km, i'r pŵer mewnbwn, P_{mewn}:

$P_{allan} = P_{mewn} \times 10^{-0.1 \times \text{colled dB}}$

Caiff signal 10 mW ei fewnbynnu i ffibr 100 km gyda cholled o 0.3 dB/km. Cyfrifwch y pŵer allbwn.

(b) Ffibrau unmodd

Yn adran 2.5, gwelsom fod golau yn gwasgaru'n sylweddol trwy ddiffreithiant wrth iddo basio trwy agorfeydd sydd yn debyg i'r donfedd o ran maint. Yn yr amgylchiadau hyn, ni allwn ddefnyddio'r model pelydrau golau, a rhaid i ni ddefnyddio dadansoddiad tonnau cyflawn (sydd y tu hwnt i gwmpas Ffiseg Safon Uwch). Am resymau a drafodir yn fyr isod, mae systemau cyfathrebu ffibr optegol yn defnyddio pelydriad isgoch sydd â thonfedd (mewn aer) o ~1.5 μm. Canlyniad y dadansoddiad tonnau cyflawn, ar gyfer creiddiau sydd â diamedrau llai na 10 μm, yw na all y tonnau ddilyn llwybrau amryfal ac maen nhw, i bob pwrpas, wedi'u cyfyngu i deithio'n baralel i echelin y ffibr. Rydym yn galw y ffibrau hyn yn **ffibrau unmodd**.

Y brif broblem i'w goresgyn mewn systemau unmodd, wrth gyfnerthu cyfraddau trawsyrru a chynyddu pellterau, yw colli'r signal yn raddol o ganlyniad i wanhad. Ar gyfer tonfeddi isgoch agos, gwasgariad oherwydd amhureddau yng ngwydr y ffibr sy'n bennaf cyfrifol am hyn. Rydym yn galw'r broses hon yn wasgariad Rayleigh, ac mae'n mynd yn fwyfwy difrifol wrth i'r donfedd fynd yn fyrrach. Yr un effaith sy'n gyfrifol am liw glas yr awyr – mae'r atmosffer yn gwasgaru'r tonfeddi byr (glas) yn fwy na'r tonfeddi hir (coch). Mae rhai moleciwlau ac ïonau yn y gwydr (OH yn bennaf) hefyd yn ddetholus wrth amsugno tonfeddi penodol.

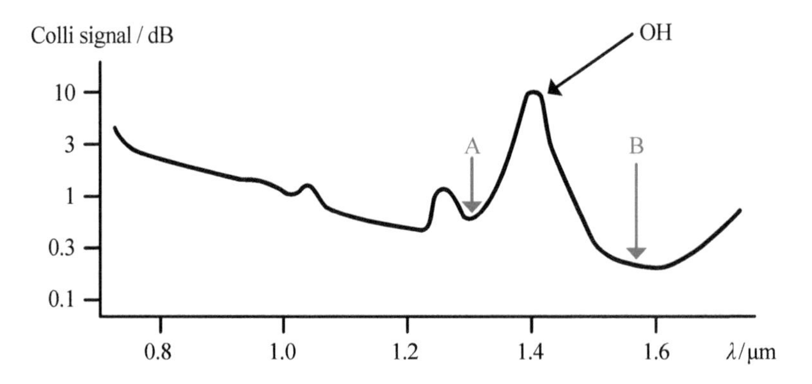

Ffig. 2.6.14 Cromlin colli signal ar gyfer ffibr optegol

Mae'r gromlin colli signal – Ffig. 2.6.14 – yn rhoi graff nodweddiadol ar gyfer ffibr optegol unmodd traddodiadol. Mae'r saethau, A a B, yn dangos tonfeddi (gwactod) a ddefnyddir ar gyfer rhwydweithiau rhanbarthol a rhwydweithiau pell yn ôl eu trefn. Mae ZBLAN, sef set o ddefnyddiau a ddatblygwyd yn ddiweddar, yn dangos colledion mor isel â 0.01 dB y cilometr.

2.6.5 Darganfod indecs plygiant defnydd

Caiff pob dull o ddarganfod yr indecs plygiant a ddefnyddir mewn labordai ysgol eu gweithredu mewn aer. Maen nhw'n cynhyrchu canlyniadau sydd, ar y gorau, ag ansicrwydd amcangyfrifol o ±0.01. Felly gallwn anwybyddu'r gwahaniaeth rhwng indecsau plygiant aer (n_a = 1.0003) a gwactod (n = 1 yn union trwy ddiffiniad).

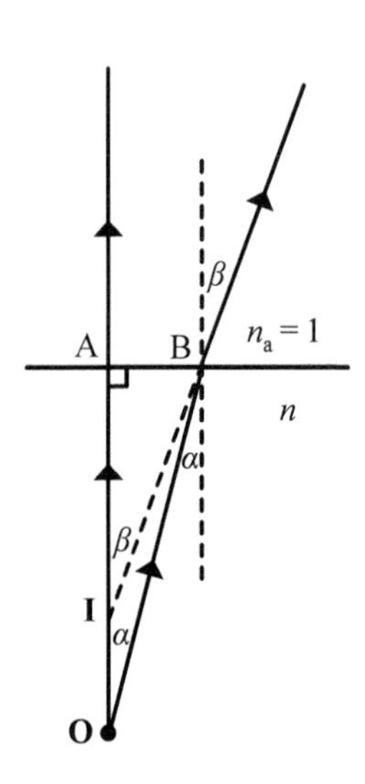

Ffig. 2.6.15 Gwir ddyfnder a dyfnder ymddangosol

(a) Dull 1 – defnyddio gwir ddyfnder a dyfnder ymddangosol

Y dull hwn yw'r dull mwyaf cywir o'r dulliau a ddefnyddir mewn labordai ffiseg Safon Uwch. Mae'n dibynnu ar y ffaith fod y gymhareb rhwng gwir ddyfnder a dyfnder ymddangosol gwrthrych o dan arwyneb defnydd sy'n plygu golau (e.e. dŵr) yn hafal i indecs plygiant y defnydd.

Gallwn ddeillio hyn trwy ddefnyddio Ffig. 2.6.15, sy'n dangos dau belydryn golau o wrthrych **O**, sydd o dan ddŵr ac yn dod allan i'r aer yn A a B. Rydym yn tybio bod yr onglau α a β yn ddigon bach fel bod y **brasamcan onglau bach** yn ddilys. Pan edrychwn arno oddi uchod, mae'n ymddangos bod y gwrthrych yn **I**, sydd ar ryngdoriad llinellau'r pelydrau golau sy'n dod allan.

GWIRIO'R FATHEMATEG

Gweler Adran 4.2.4 ar gyfer **brasamcan onglau bach**:

$\sin\theta \approx \theta \approx \tan\theta$

Deddf Snell, mae: $n \sin\alpha = \sin\beta$ oherwydd bod $n_a = 1$

Ond mae α a β yn fach, felly mae $\sin\alpha \approx \tan\alpha = \dfrac{AB}{AO}$ ac mae $\sin\beta \approx \tan\beta = \dfrac{AB}{AI}$

Yn yr achos hwn, bydd gwerthoedd nodweddiadol α a β yn 0.01 rad neu'n llai, felly bydd y gwahaniaeth rhwng gwerthoedd **tan** a **sin** yn ddim mwy na 0.005%.

$\therefore$ Gan amnewid ar gyfer $\sin\alpha$ a $\sin\beta$, mae $n\dfrac{AB}{AO} = \dfrac{AB}{AI}$.

$\therefore$ mae $n = \dfrac{AO}{AI} = \dfrac{\text{gwir ddyfnder}}{\text{dyfnder ymddangosol}}$

Hunan-brawf 2.6.8

Mae $\theta = 0.01$ rad. Darganfyddwch $\sin\theta$ and $\tan\theta$, a dangoswch fod y gwahaniaeth fwy neu lai yn 0.005%.

Er mwyn mesur indecs plygiant hylif (e.e. dŵr):

1. Glynwch geiniog ar waelod bicer a rhowch y bicer ar lwyfan microsgop teithiol.
2. Ffocyswch y microsgop teithiol ar y geiniog a darllenwch y raddfa fertigol, h_1.
3. Heb ddadleoli'r bicer a'r geiniog, ychwanegwch yr hylif i ddyfnder o ~5 cm. Ailffocyswch y microsgop a darllenwch y raddfa, h_2.
4. Taflwch bowdr lycopodiwm yn ysgafn dros wyneb yr hylif, ffocyswch arno a darllenwch y raddfa, h_3.
5. Cyfrifwch n gan ddefnyddio $n = \dfrac{h_3 - h_1}{h_3 - h_2}$

Ffig. 2.6.16 Microsgop teithiol

Dull gwell fyddai parhau i ychwanegu'r hylif, a chael cyfres o werthoedd ar gyfer y gwir ddyfnder a'r dyfnder ymddangosol. Yna plotiwch graff o wir ddyfnder yn erbyn dyfnder ymddangosol, a mesurwch y graddiant. Gwerth y graddiant yw'r indecs plygiant.

Hunan-brawf 2.6.9

Mae ansicrwydd nodweddiadol yng ngwerthoedd h_{1-3} yn ± 0.03 cm. Gan dybio gwir ddyfnder o 6.00 cm, amcangyfrifwch yr ansicrwydd yng ngwerth n a gafwyd ar gyfer dŵr ($n = 1.33$).

(b) Dull 2 – olrhain pelydrau

Ar gyfer y dull hwn, mae'n ofynnol bod y defnydd ar ffurf bloc rheolaidd, e.e. bloc gwydr neu bersbecs hanner crwn neu betryal. Mantais bloc hanner crwn yw bod pelydryn sy'n teithio ar hyd radiws ar ongl sgwâr i'r arwyneb crwm, felly ni chaiff ei blygu ar y ffin (gweler Ffig. 2.6.17).

1. Gosod bloc hanner crwn ar ddarn o bapur plân ar fwrdd arlunio, sydd â chyfres o linellau wedi'u tynnu (yn ysgafn) arno, a hynny ar onglau rheolaidd i wyneb syth y bloc, e.e. 5° i 40° fesul camau o 5°.
2. Rhoi dau bìn, P_1 a P_2, ar un o'r llinellau, fel sydd i'w weld yn y diagram. Gan edrych ar y pinnau hyn trwy'r bloc, gosodir dau bìn arall fel y bydd y pedwar pìn mewn llinell syth, **wrth edrych arnynt trwy'r bloc**. Caiff y pelydryn sy'n dod allan (y llinell doredig) ei luniadu'n hwyrach.
3. Ailadrodd cam 2 ar gyfer pob un o'r llinellau yng ngham 1.
4. Symud y bloc, lluniadu llinellau'r pelydrau gan ddefnyddio'r marciau pìn, a defnyddio onglydd i fesur yr ongl drawiad, θ_1, a'r ongl plygiant, θ_2, ar yr arwyneb plân.
5. Lluniadu graff o $\sin\theta_2$ yn erbyn $\sin\theta_1$, a mesur y graddiant. Dyma'r indecs plygiant.

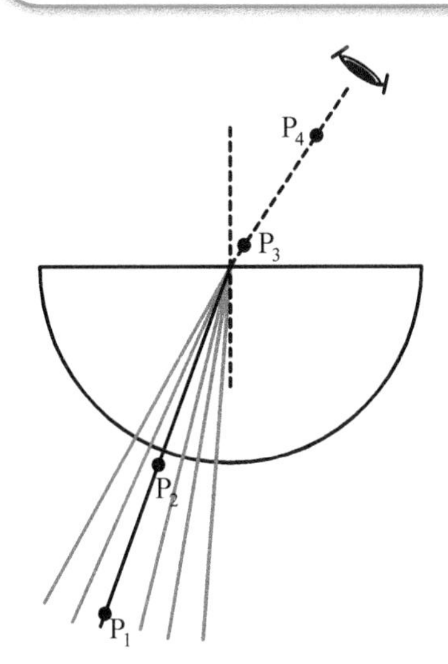

Ffig. 2.6.17 Indecs plygiant trwy olrhain pelydrau

Ymarfer 2.6

1. Mae gan set o donnau sy'n teithio $6\ \mathrm{m\ s^{-1}}$ mewn dŵr o ddyfnder $40\ \mathrm{m}$ donfedd o $10\ \mathrm{m}$. Mae'n agosáu at draeth mewn cyfeiriad ar $50°$ i'r normal.

   (a) Cyfrifwch amledd y tonnau.
   (b) Gan dybio bod buanedd y tonnau mewn cyfrannedd union ag ail isradd y dyfnder, cyfrifwch fuanedd a thonfedd y tonnau pan mae'r dŵr yn $10\ \mathrm{m}$ o ddyfnder.
   (c) Cyfrifwch gyfeiriad teithio'r tonnau ar y pwynt $10\ \mathrm{m}$ o ddyfnder.
   (ch) I ba gyfeiriad y mae'r tonnau'n teithio pan maen nhw mewn dŵr sydd yn $2.5\ \mathrm{m}$ o ddyfnder?

2. Mae pelydryn golau yn taro canol bloc gwydr, dimensiynau $8.0\ \mathrm{cm} \times 15\ \mathrm{cm}$ ac indecs plygiant 1.50, ar ongl o $45°$. Darganfyddwch ble mae'r pelydryn golau yn dod allan o'r bloc, ac i ba gyfeiriad.

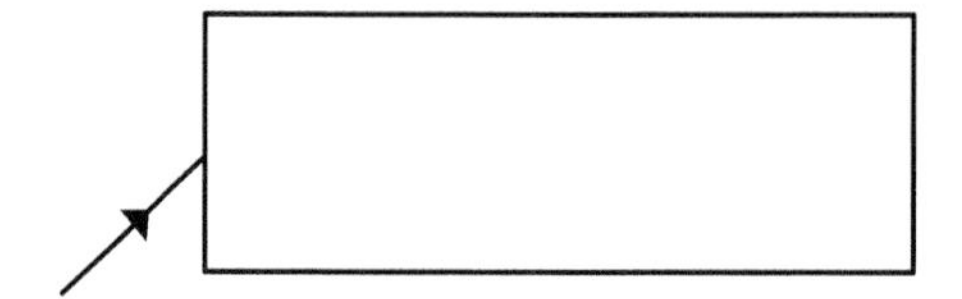

3. Mae pelydryn golau yn mynd i mewn i bentwr o flociau sydd ag indecsau plygiant fel y dangosir yn y diagram. Trwy gyfrifo'r onglau priodol ym mhob haen, penderfynwch ble mae adlewyrchiad mewnol cyflawn yn digwydd. Cewch gymryd bod y blociau'n ddigon hir i ganiatáu i hyn ddigwydd.

4. Mae myfyriwr yn mesur indecs plygiant bloc gwydr gan ddefnyddio'r dull gwir ddyfnder a dyfnder ymddangosol.

   Mae'n tynnu llun croes ar ddarn o bapur, yn rhoi'r papur ar lwyfan microsgop teithiol, yn ffocysu'r microsgop, ac yn darganfod bod y darlleniad ar y raddfa yn $12.52 \pm 0.01\ \mathrm{cm}$. Mae'n rhoi bloc gwydr ar ben y papur, yn ailffocysu, ac yn mesur y safle, sy'n $13.64 \pm 0.01\ \mathrm{cm}$. Yn olaf, mae'n defnyddio marciwr dros dro i farcio wyneb uchaf y bloc gwydr, ac yn mesur ei safle, sy'n $15.54 \pm 0.01\ \mathrm{cm}$. Cyfrifwch yr indecs plygiant, gan roi'r ansicrwydd amcangyfrifol, a mynegwch eich gwerthoedd i nifer priodol o ffigurau ystyrlon.

5. Mae cydraniad graddfa'r microsgop teithiol yn C4 yn $\pm 0.005\ \mathrm{cm}$. Awgrymwch pam mae'r ansicrwydd yn y safle yn $\pm 0.01\ \mathrm{cm}$.

6. Mae myfyrwraig yn defnyddio dull 2 i fesur indecs plygiant bloc persbecs hanner crwn.

   Mae'r tabl yn dangos ei chanlyniadau. θ_g yw'r ongl yn y gwydr, a θ_a yw'r ongl yn yr aer. Mae pob ongl yn cael ei mesur i $\pm 0.5°$.

$\theta_g / °$	5.0	10.0	15.0	20.0	25.0	30.0	35.0
$\theta_a / °$	7.0	15.0	23.0	31.0	39.0	48.0	59.0

   Defnyddiwch y canlyniadau i luniadu graff o sin θ_g yn erbyn sin θ_a. Defnyddiwch yr ansicrwydd $\pm 0.5°$ i gyfrifo gwerthoedd mwyaf/lleiaf $\sin \theta_g$ a $\sin \theta_a$, plotiwch farrau cyfeiliornad a darganfyddwch indecs plygiant y bloc, ynghyd â'i ansicrwydd.

7. Mae pelydryn o olau gwyn, sy'n cynnwys pob tonfedd rhwng 400 nm a 700 nm, yn taro prism trionglog hafalochrog ar ongl o 60°. Mae indecs plygiant y prism yn amrywio gyda thonfedd y golau. Ar gyfer golau coch sydd â thonfedd (mewn gwactod) o 700 nm, mae'r indecs plygiant yn 1.51; ar gyfer golau fioled sydd â $\lambda_{\text{gwactod}} = 400$ nm, mae'r indecs plygiant yn 1.53.

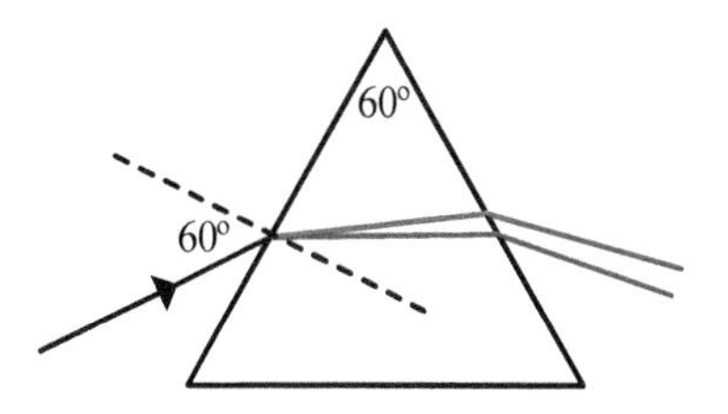

(a) Cyfrifwch donfeddi golau coch a fioled yn y gwydr.
(b) Trwy ddarganfod llwybrau golau coch a golau fioled trwy'r prism, cyfrifwch yr ongl rhwng y pelydrau o olau coch a golau fioled sy'n dod allan.

8. Mae indecsau plygiant craidd a chladin ffibr optegol amlfodd yn 1.62 ac 1.55 yn ôl eu trefn.

(a) Cyfrifwch yr ongl gritigol rhwng y craidd a'r cladin.
(b) Mae darn o'r ffibr optegol mewn RhAL yn 10 m o hyd. Amcangyfrifwch y gwahaniaeth rhwng yr amser teithio ar gyfer y golau sy'n pasio ar hyd echelin y ffibr a'r golau sy'n teithio ar yr ongl gritigol.
(c) Amcangyfrifwch beth yw'r gyfradd ddidol fwyaf y gellir defnyddio'r ffibr i drawsyrru data trwyddo, gan gyfiawnhau eich ffigur.

Os yw pelydryn golau yn pasio trwy brism heb unrhyw adlewyrchiad, caiff ei allwyro trwy ongl sy'n cael ei galw yn ongl allwyriad, δ. Mae maint yr ongl hon yn dibynnu ar indecs plygiant, n, defnydd y prism, ongl y prism, A, a chyfeiriad y prism.

Yn arbrofol, os caiff y prism ei gylchdroi, bydd yna un isafbwynt ar y graff o δ yn erbyn cyfeiriad y prism. Rydym yn diddwytho bod yr ongl allwyriad leiaf hon, D, yn gorfod digwydd pan fydd y pelydryn golau yn pasio'n gymesur trwy'r prism.

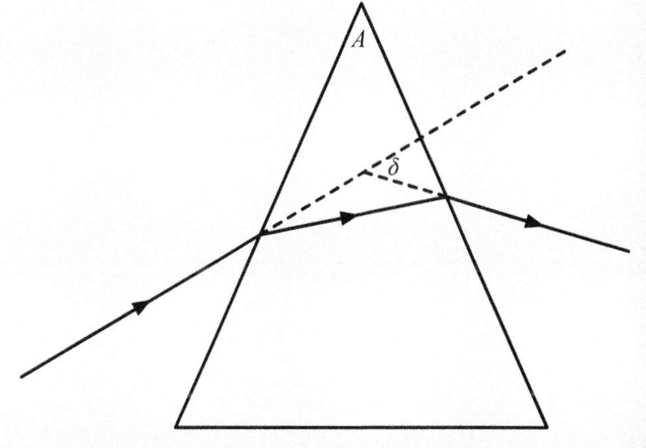

(a) Eglurwch y diddwythiad yn y paragraff olaf.

(b) Deilliwch yr hafaliad: $n = \dfrac{\sin\left(\dfrac{A+D}{2}\right)}{\sin\left(\dfrac{A}{2}\right)}$

(c) Cyfrifwch yr allwyriad lleiaf ar gyfer pelydryn golau sy'n taro prism sydd ag $A = 45°$ ac $n = 1.7$.

2.7 Ffotonau

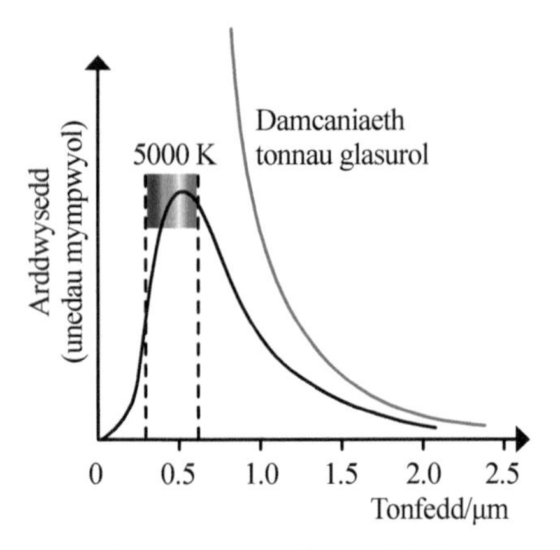

Ffig. 2.7.1 Y catastroffe uwchfioled

Erbyn diwedd y bedwaredd ganrif ar bymtheg, roedd y model tonnau ar gyfer golau wedi'i hen sefydlu. Roedd yn egluro cyfres gyfan o ffenomenau (gweler Adrannau 2.5 a 2.6), ac roedd hi'n bosibl mesur y donfedd gan ddefnyddio holltau Young. Fodd bynnag, ni allai'r ddamcaniaeth hon egluro'r ffordd yr oedd golau yn rhyngweithio gyda mater. Yn ôl y ddamcaniaeth tonnau glasurol, dylai'r pŵer sy'n cael ei belydru gan belydrydd cyflawn gynyddu mwyfwy ar donfeddi byrrach (mewn gwirionedd $\propto \lambda^{-4}$), gan arwain at y casgliad y dylai cyfanswm y pŵer sy'n cael ei belydru i ffwrdd ar draws pob tonfedd fod yn anfeidraidd! Cyfeiriwyd at y 'rhagfynegiad' hwn fel *catastroffe uwchfioled*. Llwyddodd Planck i egluro siâp y sbectrwm pelydrydd cyflawn trwy dybio bod pelydriad yn cael ei amsugno a'i allyrru mewn pecynnau arwahanol o egni, yn hytrach nag yn ddi-dor ar ffurf ton. Roedd gan y pecynnau hyn egni $E = hf$, lle mae h yn gysonyn o'r enw **cysonyn Planck**. Roedd Einstein yn cymryd y syniad o becynnau egni yn llythrennol, a hawliodd fod golau'n lledaenu fel llif o ronynnau (o'r enw **ffotonau** erbyn hyn) gydag egni hf, ac eglurodd ffenomen arall yn llwyddiannus – yr effaith ffotodrydanol.

Termau a diffiniadau

Mae gan **gysonyn Planck**, h, faint o 6.63×10^{-34} J s.

2.7.1 Yr effaith ffotodrydanol

Os bydd pelydriad uwchfioled yn taro plât sinc wedi'i wefru'n negatif, mae'r plât yn colli ei wefr. Mae'n hawdd arddangos hyn trwy ddefnyddio electrosgop, fel y dangosir yn Ffig. 2.7.2. Mae'r ddeilen aur yn disgyn yn gyflym. Ni welir unrhyw effaith gyda phlât wedi'i wefru'n bositif, sy'n awgrymu bod yr uwchfioled yn achosi i electronau gael eu hallyrru o'r plât sinc. Gallwn egluro'r diffyg ymateb o blât positif oherwydd bydd unrhyw electronau sy'n cael eu hallyrru yn cael eu hatynnu'n ôl gan y sinc positif. Nid yw'r effaith ffotodrydanol yn neilltuol i sinc.

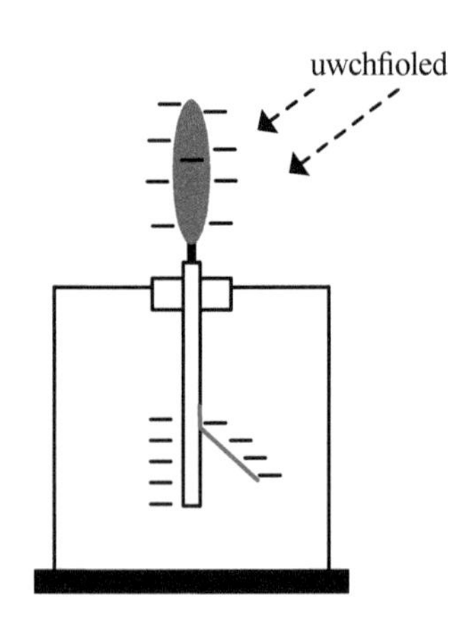

Ffig. 2.7.2 Arddangosiad o'r effaith ffotodrydanol

Mae'r ffotogell wactod yn darparu ffordd syml o ymchwilio i'r effaith ffotodrydanol. Cafodd hon ei defnyddio'n wreiddiol mewn mesuryddion golau ar gamerâu, ac i ddarllen y trac sain optegol mewn taflunyddion sinema. Mae'n cynnwys catod silindrog (K) sy'n cael ei wneud o fetel ffotoallyrrol, ac anod (A) wedi'i osod o'i flaen. Mae'r cyfan mewn gwactod y tu fewn i fwlb gwydr. Mae pelydriad e-m sy'n dod i mewn yn taro arwyneb y catod, gan ryddhau electronau. Pan gâi ei ddefnyddio'n wreiddiol, roedd wedi'i gysylltu mewn cylched, gyda'r anod yn bositif fel bod yr electronau a ryddhawyd yn cael eu tynnu ar draws ac allan i'r gylched. Mae'r cerrynt mewn cyfrannedd ag arddwysedd y golau, felly mae'n bosibl ei ddefnyddio fel mesurydd golau. Nodwch, wrth drafod yr effaith ffotodrydanol, y dylech gymryd bod y gair *golau* yn cwmpasu pelydriad electromagnetig uwchfioled ac isgoch agos.

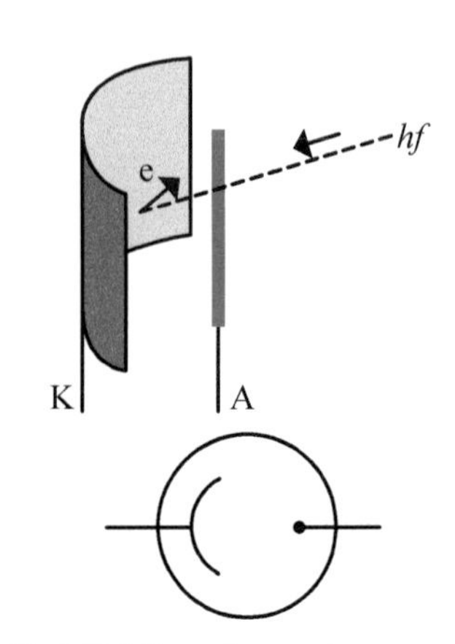

Ffig. 2.7.3 Y ffotogell wactod

(a) Arbrofion ar yr effaith ffotodrydanol

Os mesurwn nodweddion I–V ffotogell, fel y gwelir yn Ffig. 2.7.4, sylwn ar y canlynol:

- Ar gyfer gp positif uwchlaw rhyw lefel isaf, mae'r cerrynt yn gyson – mae'r anod yn casglu pob electron sy'n cael ei allyrru.
- Mae'r 'cerrynt llwyfandir' hwn mewn cyfrannedd ag arddwysedd y golau.
- Mae yna gerrynt positif ar gyfer gwerthoedd negatif bach o V, i lawr at 'foltedd stopio', V_S, (mae'r gwerth yr un peth ar gyfer pob arddwysedd golau).

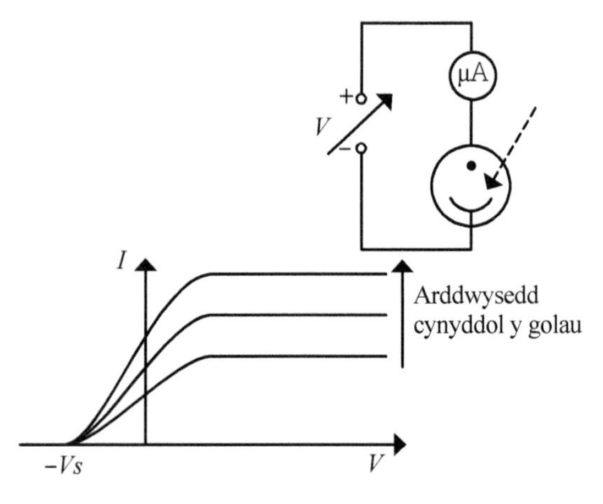

Ffig. 2.7.4 Nodweddion ffotogell

Os ydym yn tybio bod y **ffotoelectronau** yn cael eu hallyrru gydag amrediad o egnïon cinetig, mae gwerth V_S yn caniatáu i ni fesur gwerth mwyaf yr egni cinetig, $E_{k\ mwyaf}$. Os yw V_S ddim ond prin yn stopio electron sydd ag $E_{k\ mwyaf}$, yna, o'r diffiniad ar gyfer gwahaniaeth potensial, mae:

$$E_{k\ mwyaf} = eV_S.$$

Roedd yr arbrofion a ddangosai nad oedd y pelydriad yn ymddwyn fel tonnau yn ymwneud ag amrywiad $E_{k\ mwyaf}$ gydag amledd, f, y pelydriad. Mae Ffig. 2.7.5 yn dangos cylched addas. Sylwch ar bolaredd y cyflenwad foltedd. Mae'r ffotogell wedi'i goleuo â phelydriad monocromatig (h.y. mae'n cynnwys un amledd yn unig). Caiff y gp a roddir ar draws y ffotogell ei addasu, gan ddefnyddio'r potensiomedr, nes bod y cerrynt ddim ond prin yn sero, a mesurir y gwerth, V_S. Ailadroddir hyn ar gyfer amrediad o amleddau, f, ac ar gyfer arwynebau metel gwahanol (fel y catod yn y ffotogell).

Mae canlyniadau arbrofion o'r fath, a'r arbrawf yn Ffig. 2.7.4, fel a ganlyn:

a. Os caiff electronau eu hallyrru, nid oes oediad amser mesuradwy.
b. Ar gyfer unrhyw fetel, mae yna **amledd trothwy** nodweddiadol, f_t, ac ni chaiff unrhyw electronau eu hallyrru islaw yr amledd hwn, dim ots beth yw arddwysedd y pelydriad.
c. Mae yna berthynas linol rhwng $E_{k\ mwyaf}$ a'r amledd, ac mae'r graddiant yr un peth ar gyfer pob metel (gweler Ffig. 2.7.6).
ch. Os caiff electronau eu hallyrru, mae $E_{k\ mwyaf}$ yn annibynnol ar arddwysedd y pelydriad.
d. Os caiff electronau eu hallyrru, mae nifer yr electronau sy'n cael eu hallyrru yr eiliad mewn cyfrannedd ag arddwysedd y pelydriad.

Termau a diffiniadau

Rydym yn cyfeirio'n aml at yr electronau sy'n cael eu hallyrru gan yr effaith ffotodrydanol fel **ffotoelectronau**.

Hunan-brawf 2.7.1

Os yw V_s = 0.6 V, darganfyddwch werth $E_{k\ mwyaf}$ (a) mewn J a (b) mewn eV.

[$e = 1.60 \times 10^{-19}$ C.]

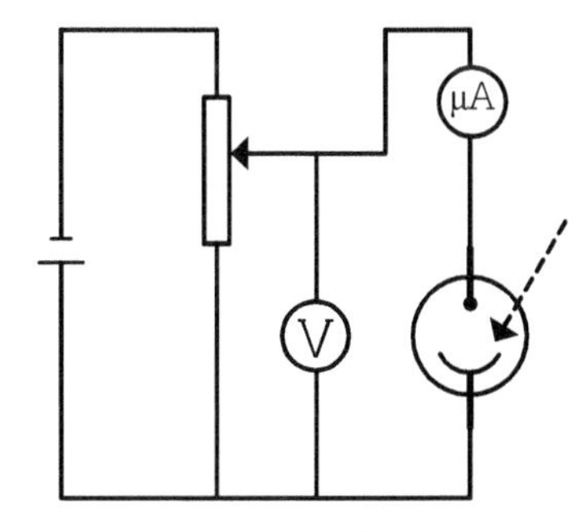

Ffig. 2.7.5 Cylched ar gyfer yr effaith ffotodrydanol

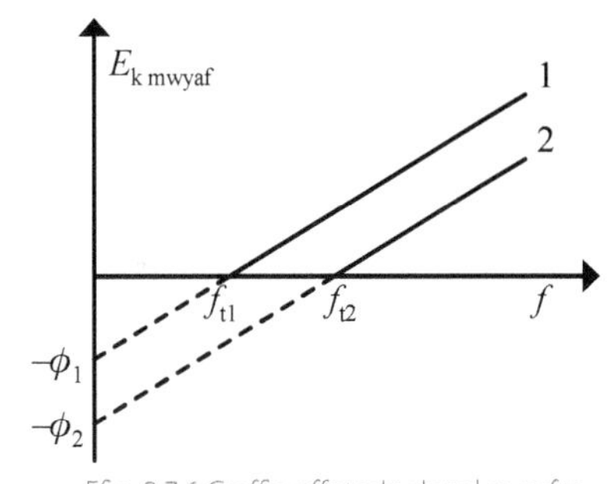

Ffig. 2.7.6 Graffiau ffotodrydanol ar gyfer dau fetel

(b) Eglurhad Einstein o'r canlyniadau arbrofol

Mae'r canlyniadau yn anghydnaws â'r syniad bod egni pelydriad yn cael ei amsugno'n ddi-dor, fel y byddai pe bai golau yn ymddwyn fel ton. Ni ddylai fod yna unrhyw amledd trothwy. Gallai pelydriad amledd isel, arddwysedd isel drosglwyddo egni yn raddol i electronau a fyddai, yn y pen draw, yn cynyddu eu hegni ddigon i ddianc o arwyneb y metel, ar ôl oediad amser. Byddai disgwyl i belydriad arddwysedd uchel drosglwyddo egni yn gyflymach na phelydriad arddwysedd isel, a dylai rhai electronau ennill mwy o egni, gan achosi i $E_{k\ mwyaf}$ fod yn uwch.

Cynigiodd Einstein y model canlynol i egluro'r canlyniadau arbrofol:

1. Mae pelydriad electromagnetig yn cynnwys pecynnau arwahanol o egni, sef ffotonau, a rhoddir egni'r ffoton gan $E = hf$, lle mae h yn gysonyn o'r enw cysonyn Planck.
2. Pan fydd ffoton yn rhyngweithio gydag electron yn yr arwyneb metel, caiff ei holl egni ei drosglwyddo.
3. Mae electron yn rhyngweithio gydag un ffoton yn unig – mae'r tebygolrwydd y byddai dau ffoton yn rhyngweithio gydag un electron bron yn ddibwys.
4. Mae yna egni isaf nodweddiadol, sef ffwythiant gwaith, ϕ, y mae ei angen i symud electron o arwyneb metel.

Gyda'i gilydd, mae'r cynosodiadau hyn yn egluro pob un o'r canlyniadau o a. i d. uchod. Rhoddir egni mwyaf y ffotoelectronau gan **hafaliad ffotodrydanol Einstein**

$$E_{k\ mwyaf} = hf - \phi,$$

sydd yn ganlyniad i gynosodiadau 1, 2 a 4. Mae 3 yn gysylltiedig hefyd oherwydd, pe byddai dau neu fwy o ffotonau yn rhoi eu hegni i un electron, gallai'r electron, yn raddol, gronni digon o egni i ddianc, ac ni ddylai fod unrhyw amledd trothwy.

Tabl 2.7.1 Gwerthoedd amrywiol y ffwythiant gwaith

Metel	ϕ/eV	Metel	ϕ/eV
Al	4.1	K	2.3
Cd	4.1	Na	2.3
Cs	2.1	Ni	5.0
Ca	2.9	Ag	4.5
Mg	3.7	Au	5.1
Cu	4.7	Hg	4.5

Hunan-brawf 2.7.2

Sut mae model ffotonau Einstein yn egluro canlyniad ch?

Termau a diffiniadau

Y **ffwythiant gwaith** yw'r egni lleiaf sydd ei angen i ryddhau electron o arwyneb metel. Caiff ei fynegi fel arfer mewn *electron foltiau* (eV). 1 eV = 1.60×10^{-19} J.

Pa batrymau gallwch chi eu gweld yng ngwerthoedd ϕ yn Nhabl 2.7.1, a pha eglurhadau gallwch chi eu hawgrymu? [Awgrym: y Tabl Cyfnodol a'r gyfres adweithedd.]

Enghraifft

Cyfrifwch amledd trothwy allyriad ffotodrydanol ar gyfer seleniwm, sydd â ffwythiant gwaith o 5.11 eV.

Ar yr amledd trothwy, mae $E_{\text{k mwyaf}} = 0$, $\therefore hf_t = \phi$.

Mae $\phi = 5.11 \text{ eV} = 5.11 \times 1.60 \times 10^{-19} \text{ J} = 8.18 \times 10^{-19} \text{J}$

$\therefore$ Mae $f_t = \dfrac{8.18 \times 10^{-19} \text{ J}}{6.63 \times 10^{-34} \text{ J s}} = 1.23 \times 10^{15} \text{ Hz}$

2.7.3 Hunan-brawf

Caiff arwyneb seleniwm ei oleuo gan belydriad e-m. Cyfrifwch uchafswm EC unrhyw ffotoelectronau os oes gan y pelydriad:

(a) amledd o 2.5×10^{15} Hz
(b) amledd o 1.0×10^{15} Hz
(c) cyfuniad o'r ddau amledd hyn.

(c) Arddwysedd pelydriad

Gallwn gysylltu arddwysedd paladr pelydriad â nifer y ffotonau sy'n croesi arwynebedd bob eiliad.

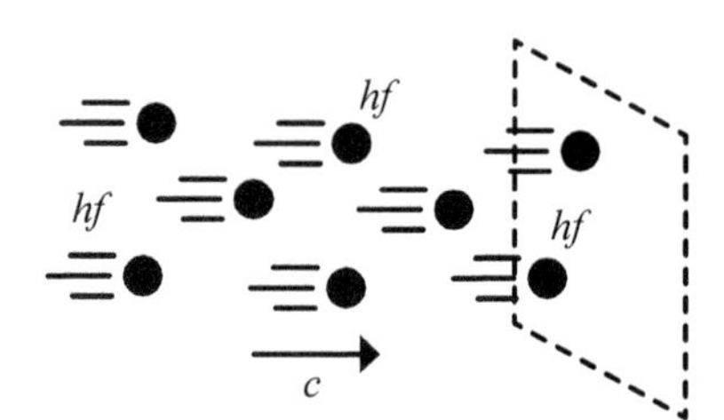

Ffig. 2.7.7 Ffotonau ac arddwysedd

Ystyriwch baladr monocromatig o belydriad, amledd f, yn croesi arwyneb. Gadewch i N fod yn nifer y ffotonau sy'n croesi'r arwyneb bob eiliad.

Yna bydd y pŵer yn y pelydriad, $P = NE_{\text{ffot}}$, lle E_{ffot} yw egni ffoton unigol.

Gallwn ysgrifennu hyn hefyd fel $P = Nhf = N\dfrac{hc}{\lambda}$

Gallwn bellach gysylltu hyn â'r ddeddf sgwâr gwrthdro trwy ystyried ffynhonnell bwynt (neu sfferig) o belydriad monocromatig, pŵer P. Mae'r diagram yn Adran 1.6.2 yn dangos bod y pelydriad hwn, ar bellter r, yn croesi arwynebedd o $4\pi r^2$. Felly, rhoddir arddwysedd, I, y pelydriad [h.y. y pŵer fesul uned arwynebedd] gan:

$$I = \frac{Nhf}{4\pi r^2}$$

Mae'r rhan fwyaf o ffynonellau pelydriad ymhell o fod yn fonocromatig, ond os yw'r arddwysedd, ar bob amledd unigol, yn disgyn mewn cyfrannedd ag r^{-2}, mae'n rhaid bod y ddeddf sgwâr gwrthdro yn berthnasol i bob pelydriad, dim ots beth yw'r dosbarthiad sbectrol. Gweler Adran 1.6.2 (a).

2.7.4 Hunan-brawf

Ar gyfer yr Haul mae $L = 6 \times 10^{24}$ W. Gan gymryd bod 500 nm yn cynrychioli'r holl belydriad o'r Haul, amcangyfrifwch (a) nifer y ffotonau sy'n cael eu hallyrru bob eiliad a (b) nifer y ffotonau sy'n croesi uned arwynebedd bob eiliad ar bellter y Ddaear (150 miliwn km).

(ch) Ai ton ynteu ronyn yw golau?

Mae hwn yn gwestiwn da iawn. Mae golau yn arddangos diffreithiant ac ymyriant, sy'n briodweddau tonnau. Pan gaiff buanedd golau ei fesur mewn defnyddiau, mae'n cyfateb i eglurhad y model tonnau ar gyfer diffreithiant, a drafodwyd yn Adran 2.6. Mae golau yn rhan o'r sbectrwm electromagnetig. Mae tonnau ar y pen amledd isel o'r sbectrwm electromagnetig yn cael eu cynhyrchu gan feysydd trydanol a magnetig osgiliadol, fel yr oedd damcaniaeth electromagnetedd lwyddiannus iawn Maxwell wedi'i ragfynegi. Ar y llaw arall, mae allyriad ac amsugniad golau yn gofyn am fodel gronynnau. Ond caiff priodweddau gronynnau, sef egni a momentwm (gweler Adran 2.7.4), eu cyfrifo gan ddefnyddio gwerthoedd priodweddau tonnau, sef amledd a thonfedd.

Felly, yn ôl ein darlun, mae gan olau briodweddau tonnau a gronynnau. Rydym yn cyfeirio at hyn fel y **ddeuoliaeth ton-gronyn**. Byddwn yn gweld yn Adran 2.7.4 bod gwrthrychau yr ydym fel arfer yn eu hystyried yn ronynnau, hefyd yn arddangos priodweddau tonnau. Mae'r testun cyfan hwn yn destun mecaneg cwantwm.

Pwynt astudio

Ar gyfer tonfeddi hir iawn (tonnau radio), mae priodweddau tonnau yn goruchafu hyd yn oed pan rydym yn ystyried allyriad ac amsugniad. Yr uchaf yw'r amledd, y mwyaf y gwelir priodweddau gronynnau, er bod diffreithiant pelydr X yn cael ei ddefnyddio i ymchwilio i grisialau.

Sylwch

Dysgwch egnïon ffoton a thonfeddi nodweddiadol pelydriad e-m, ac amrediad tonfedd y sbectrwm gweladwy.

2.7.2 Y sbectrwm electromagnetig

Mae Ffig. 2.7.8 yn dangos diagram sgematig o'r sbectrwm e-m.

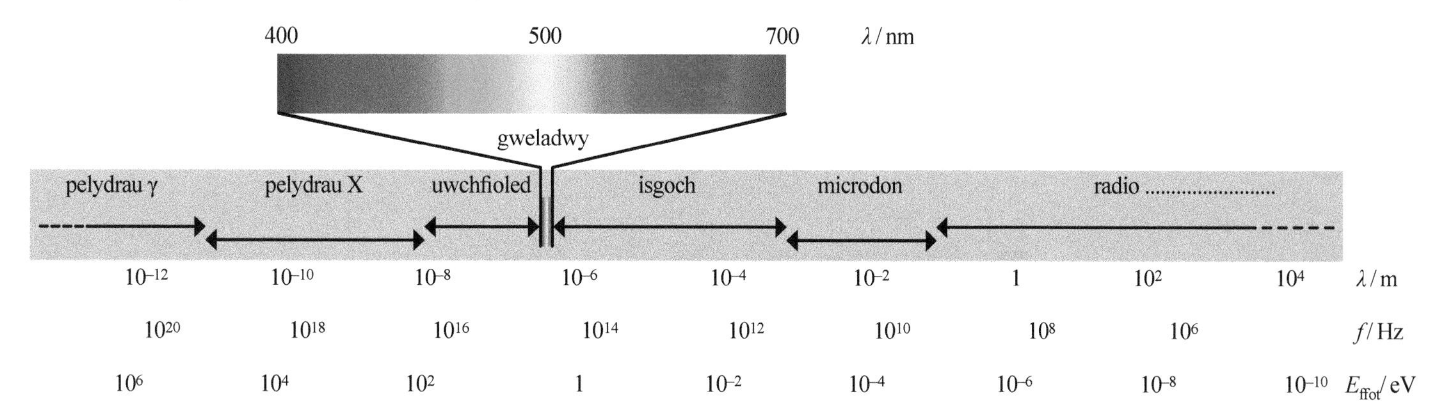

Ffig. 2.7.8 Y sbectrwm electromagnetig

Enghraifft

Dangoswch fod $(\lambda/\text{m})(E_{\text{ffot}}/\text{eV}) \sim 10^{-6}$.

Mae $E_{\text{ffot}} = \frac{hc}{\lambda}$ ∴ mae $\lambda E_{\text{ffot}} = hc$. ∴ mae $(\lambda / \text{m})(E_{\text{ffot}} / \text{J}) = 6.63 \times 10^{-34} \times 3.00 \times 10^{8}$

∴ mae $(\lambda/\text{m})(E_{\text{ffot}}/\text{eV}) = \frac{6.63 \times 10^{-34} \times 3.00 \times 10^{8}}{1.60 \times 10^{-18}} = 1.24 \times 10^{-6} \sim 10^{-6}$.

Caiff sawl agwedd ar y sbectrwm e-m eu cynnwys yn Adran 1.6, Defnyddio pelydriad i ymchwilio i sêr, ac Adran 2.5, Priodweddau tonnau. Nid yw'r rhanbarthau a nodir yn Ffig. 2.7.8 yn gyflawn. Er enghraifft, mae'r rhanbarth isgoch wedi'i rannu'n *isgoch agos, isgoch canol* ac *isgoch pell*; pelydriad *terahertz* yw'r enw ar y ffin rhwng y rhanbarthau isgoch pell a'r rhai microdon (mae seryddwyr radio yn cyfeirio at y rhain fel tonnau *is-filimetr*).

Tabl 2.7.2 Tonfeddi ac egnïon ffoton nodweddiadol

Pelydriad	λ nodweddiadol / m	E_{ffot} nodweddiadol /eV
γ	10^{-12}	10^{6}
X	10^{-10}	10^{4}
uwchfioled	10^{-7}	10^{1}
gweladwy	5×10^{-7}	2.5
isgoch	10^{-5}	10^{-1}
μ-don	10^{-2}	10^{-4}
radio	10^{2}	10^{-8}

Hunan-brawf 2.7.5

Eglurwch y cysylltiad rhwng yr enwau pelydriad terahertz a thonnau is-filimetr.

2.7.3 Sbectra atomig

Gwelsom yn Adran 1.6.4 fod gan atomau arunig sbectra sy'n cynnwys cyfres o donfeddi. Rydym yn cyfeirio at sbectra o'r fath fel sbectra llinell (neu arwahanol). Mae nwyon atomig yn allyrru ac yn amsugno pelydriad ar donfeddi nodweddiadol. Mae rhan (ch) o'r adran hon yn ymwneud â chynhyrchu sbectra allyrru ac amsugno gan ddefnyddio gratin diffreithiant, ac mae enghreifftiau yn Ffig. 1.6.10, Ffig. 1.6.12, Ffig. 1.6.13 a Ffig. 1.6.14.

(a) Lefelau egni atomig

Mae'r rheswm pam mae gan nwyon atomig sbectra llinell yn ymwneud â'r ffordd y gall atomau feddu ar egni. Rydym yn gyfarwydd â chredu y gall systemau feddu ar unrhyw lefel o egni. Gallai egni cinetig car fod yn 13500 J, 13510 J, 13511 J, 13511.1 J, etc. Nid yw'r byd microsgopig yn ymddwyn yn y modd hwn. Yn union fel y mae golau yn dod mewn talpau (sef ffotonau), gall systemau atomig feddu ar lefelau penodol yn unig o egni. Yr atom hydrogen ${}^{1}_{1}\text{H}$ yw'r atom symlaf, gan ei fod yn cynnwys dau ronyn yn unig (gan anwybyddu adeiledd cwarc y proton). Mae ganddo'r lefelau egni (mewn eV) a ddangosir yn Ffig. 2.7.9. Mae'r egni a ddangosir yn cynnwys swm egnïon cinetig a photensial yr electron sy'n symud o amgylch y niwclews. Mae atom yn **gynhyrfol** os ydyw mewn cyflwr egni uwchlaw'r cyflwr isaf. Yn Ffig. 2.7.9, **cyflwr cynhyrfol cyntaf** yw'r enw ar y cyflwr sydd ag $n = 2$.

∞ ---------- 0
$n = 4$ —— −0.9
$n = 3$ —— −1.5
$n = 2$ —— −3.4
$n = 1$ —— −13.6

Ffig. 2.7.9 Lefelau egni hydrogen atomig

2.7.6 Hunan-brawf

Mynegwch egni ïoneiddiad hydrogen atomig mewn aJ.

Yn gonfensiynol, mae egni sero (0) gan electron rhydd disymud, sydd y tu allan i'r atom: er mwyn iddo ddianc, rhaid rhoi egni i electron sydd wedi ei ddal y tu mewn i'r atom, felly rhaid bod cyfanswm yr egni sydd ganddo yn yr atom yn negatif. Mae gan y lefel egni isaf, sef y cyflwr isaf, −13.6 eV o egni, felly rhaid rhoi 13.6 eV o egni i electron, er mwyn ei alluogi i ddianc o atom hydrogen. **Egni ïoneiddiad** hydrogen yw'r enw ar hwn.

Defnyddir y symbol n ar gyfer *prif rif cwantwm* y cyflwr egni, ac mae'n cyfateb i'r *plisg electronau*. Ar dymereddau isel, mae'r electron mewn atom hydrogen yn fwyaf tebygol o fod yn y plisgyn isaf (h.y. $n = 1$) ond, mewn egwyddor, gallai fod yn unrhyw un o'r plisg.

Pwynt astudio

Mewn atomau sydd â mwy nag un electron, mae'r electronau, fel arfer, yn llenwi'r lefelau egni o'r gwaelod. Gall y plisgyn sydd ag $n = 1$ ddal hyd at 2 electron, gall $n = 2$ ddal 8 electron, gall $n = 3$ ddal 18 electron, etc. Trefniant yr electronau rhwng y lefelau egni hyn sy'n gyfrifol am briodweddau cemegol yr atomau.

(b) Sbectra amsugno atomig

Mewn cwmwl o hydrogen atomig yn y gofod, bydd y mwyafrif o'r atomau yn y cyflwr isaf, ond bydd rhai yn y cyflwr cynhyrfol cyntaf (h.y. $n = 2$). Bydd ffotonau sydd ag amrediad eang o egnïon, a ddaw o sêr cyfagos, yn symud trwy'r cwmwl. Rhoddir y gwahaniaeth mewn egni, ΔE, rhwng yr 2il gyflwr cynhyrfol a'r 1af gan:

$$\Delta E = -1.5 \text{ eV} - (-3.4 \text{ eV}) = 1.9 \text{ eV}$$

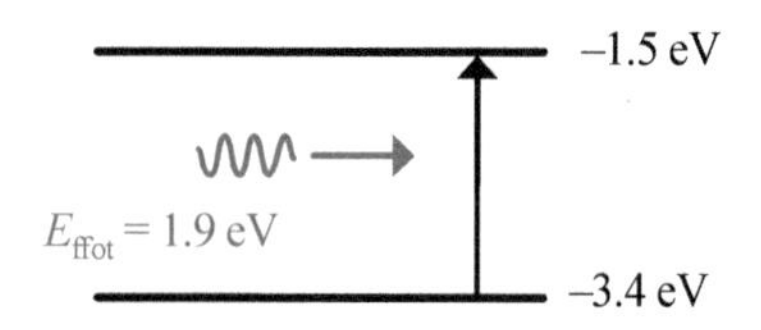

Ffig. 2.7.10 Trosiad amsugno

Os yw ffoton 1.9 eV yn taro atom sydd yn y cyflwr $n = 2$, efallai y caiff ei amsugno, gan roi ei egni i'r electron a'i roi yn y cyflwr egni uwch, fel y dangosir yn Ffig. 2.7.10. Ni fydd ffotonau sydd ag egnïon ychydig yn uwch neu ychydig yn is (1.8 eV neu 2.0 eV) yn cael eu hamsugno; felly, bydd pelydriad sy'n pasio trwy'r cwmwl yn brin o ffotonau gyda'r egni hwn, gan arwain at un o'r llinellau tywyll yn y sbectrwm yn Ffig. 1.6.12. Gan ddefnyddio syniadau o Adran 2.7.1, dylech allu darganfod tonfedd ffotonau 1.9 eV, ac adnabod y llinell amsugno sy'n cyfateb iddi yn y sbectrwm gweladwy ar gyfer hydrogen atomig (yn Ffig. 1.6.13).

Ar gyfer atomau neu ïonau sy'n meddu ar un electron yn unig, e.e. H, He+, Li^{2+}, Be^{3+} etc. (sydd yn aml yn atmosffer sêr), gallwn gyfrifo'r lefelau egni (mewn eV) o'r fformiwla syml:

$$(E_n / \text{eV}) = -13.6 \frac{Z^2}{n^2},$$

lle Z yw rhif y proton (rhif atomig). Mae'r fformiwla hon hefyd yn rhoi, yn fras, lefel egni'r electronau mewnol, mewn atomau sydd â mwy nag un electron.

2.7.7 Hunan-brawf

Defnyddiwch y fformiwla i ddangos bod y llinell Hδ yn sbectrwm hydrogen atomig (Ffig. 1.6.13) yn cyfateb i drosiad o $n = 2$ i $n = 6$.

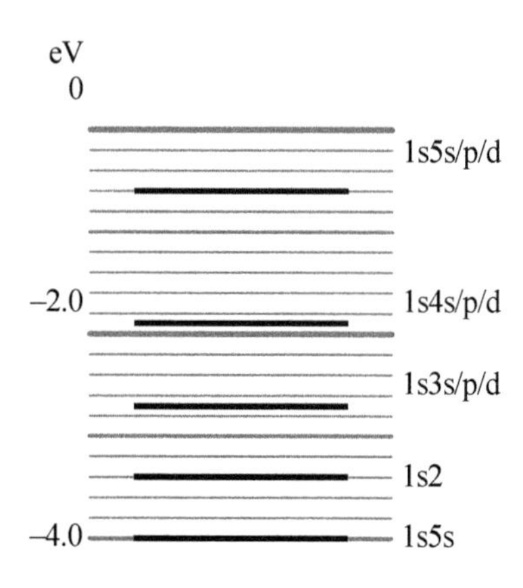

Ffig. 2.7.11 Lefelau egni cynhyrfol ail electron heliwm

Enghraifft

Defnyddiwch y diagram egni ar gyfer hydrogen atomig (Ffig. 2.7.9) i ddangos mai trosiadau rhwng y cyflwr cynhyrfol cyntaf ($n = 2$) a chyflyrau uwch yn unig sy'n cyfateb i belydriad e-m yn rhan weladwy y sbectrwm.

Mae ΔE, rhwng $n = 1$ a lefelau egni uwch, rhwng 10.3 eV ac 13.6 eV. Mae hyn yn gorwedd yn rhan uwchfioled y sbectrwm. Mae ΔE, rhwng $n = 3$ a lefelau egni uwch, rhwng 0.6 eV ac 1.5 eV. Mae hyn yn rhan isgoch agos y sbectrwm. Rydym wedi gweld (yn y prif destun ac yn Hunan-brawf 2.7.7) bod rhai trosiadau rhwng $n = 2$ a lefelau uwch yn gorwedd yn rhan weladwy y sbectrwm.

(c) Sbectra allyrru atomig

Mewn cwmwl poeth o hydrogen atomig, e.e. yr un yn Adran 2.7.3 (b), sy'n cael ei wresogi trwy amsugno pelydriad o seren gyfagos, bydd rhai o'r atomau wedi cynhyrfu, h.y. byddant mewn lefelau egni sy'n uwch na'r lefel isaf. Gall hyn ddigwydd hefyd o ganlyniad i wrthdrawiadau rhyngatomig, pan fydd peth o egni cinetig yr atomau sy'n gwrthdaro yn cael ei golli. Os yw'r electron mewn atom o'r fath yn disgyn i gyflwr egni is, mae'n allyrru ffoton o belydriad e-m, sydd ag egni sy'n hafal i'r gwahaniaeth egni rhwng y ddau gyflwr. Er enghraifft, bydd yr electron a ddyrchafwyd yn Ffig. 2.7.10 yn dychwelyd wedyn i'r lefel egni is, gan allyrru ffoton **1.9 eV** yn y broses.

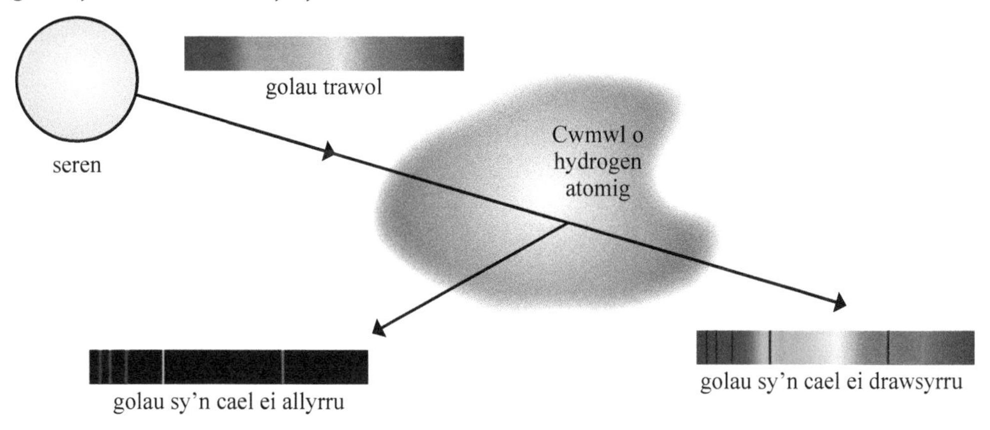

Ffig. 2.7.12 Allyriad ac amsugniad gan atomau hydrogen

Gallai arsylwyr gwahanol weld sbectrwm allyrru a sbectrwm amsugno o'r un gwrthrych, fel y gwelir yn Ffig. 2.7.12. Mewn egwyddor, mae'r ddau sbectrwm yr un peth ond, yn ymarferol, ni fydd pob llinell yn ymddangos, fel y trafodwyd yn Adran 1.6.4.

Pan fydd atom heliwm wedi cynhyrfu, mae un electron yn aros yn ei gyflwr isaf bob tro: **−54.4 eV**. Mae gan yr ail electron gyflwr isaf o **−24.6 eV**, a dangosir ei lefelau egni cynhyrfol yn Ffig. 2.7.11.

(a) Dangoswch fod y wybodaeth hon yn gyson â'r hafaliad

$$(E_n / \text{eV}) = -13.6\frac{Z^2}{n^2},$$

(b) Ymchwiliwch i weld a yw'r wybodaeth uchod yn gyson â'r tonfeddi canlynol yn sbectrwm heliwm atomig: **388.8 nm 587.4 nm; 667.5 nm; 706.2 nm**.

Hunan-brawf 2.7.8

Mynegwch yr egnïon ffoton nodweddiadol, sydd yn Nhabl 2.7.2 ar dudalen 157, mewn jouleau, i 1 ff.y.

(ch) Ymchwilio i sbectra atomig a'u harddangos

Y ffordd symlaf o weld sbectrwm allyrru nwy yw trwy ddefnyddio tiwb dadwefru nwy. Mae hwn yn diwb gwydr wedi'i selio, sy'n cynnwys nwy gwasgedd isel a dwy derfynell drydanol foltedd uchel. Pan gaiff foltedd uchel ei roi ar draws y terfynellau, mae'r nwy yn ïoneiddio'n rhannol, gan ganiatáu i electronau basio trwyddo. Mae'r rhain yn taro yn erbyn yr atomau nwy, gan eu codi i amrywiaeth o gyflyrau egni cynhyrfol: yna maen nhw'n disgyn i'r cyflyrau egni is, gan allyrru ffotonau wrth wneud hynny. Mae'r tiwb allyrru yn Ffig. 2.7.13 yn cynnwys nwy argon gwasgedd isel.

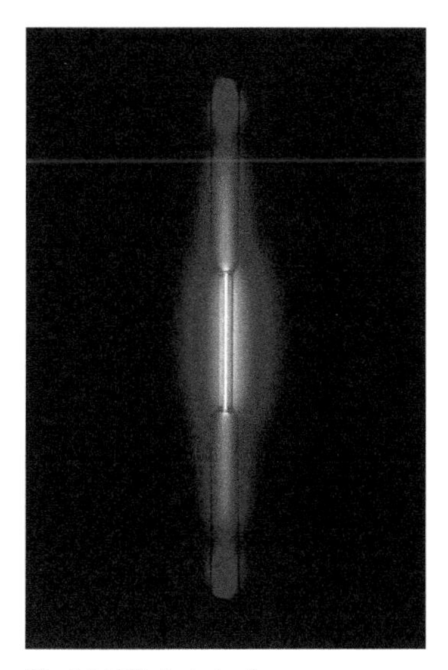

Ffig. 2.7.13 Tiwb dadwefru argon

Mae'n bosibl archwilio'r lamp trwy ratin diffreithiant, ac mae'r canlyniadau yn Ffig. 2.7.14: y ddelwedd ganol yw'r sbectrwm trefn sero (gyda phob tonfedd yn yr un man); y rhai ar y naill ochr a'r llall yw'r sbectra trefn un. Ar y llaw arall, mae'n bosibl taflunio delwedd o'r tiwb dadwefru ar sgrin trwy ddefnyddio lens a gratin diffreithiant rhyngddynt. (Ffig. 2.7.16)

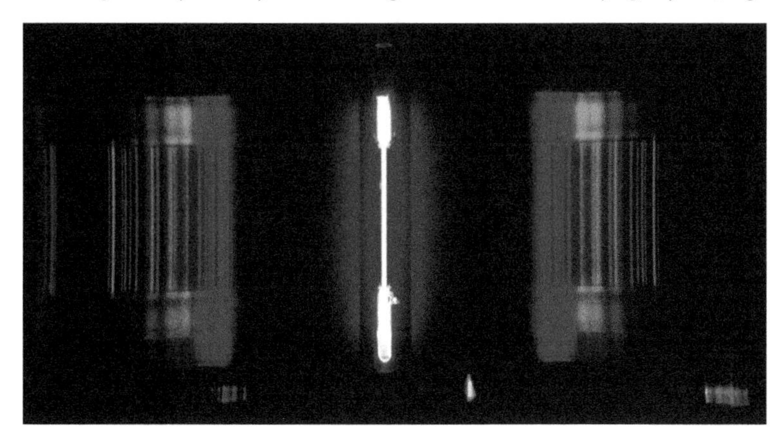

Ffig. 2.7.14 Sbectra o diwb dadwefru argon

Pwynt astudio

Wrth daflunio sbectra, fel y gwelir yn Ffig. 2.7.16, gallwn gyfrifo tonfedd llinell sbectrol o wahaniad llinellau'r gratin, y pellter o'r gratin i'r sgrin, a'r pellter o'r llinell i'r sbectrwm trefn sero. Gweler Adran 2.5.4 a Hunan-brawf 2.7.9.

Yr un mecanwaith sy'n achosi allyriadau lliw Golau'r Gogledd. Mae gronynnau wedi'u gwefru yn y gwyntoedd solar yn troelli ar hyd llinellau maes magnetig y Ddaear ac yn treiddio i'r atmosffer ar ledredau uchel. Maen nhw'n taro yn erbyn atomau'r uwchatmosffer (ocsigen a nitrogen atomig yn bennaf) gan eu hïoneiddio. Caiff y pelydriad ei allyrru wrth i'r electronau ailgyfuno â'r ïonau a disgyn trwy'r lefelau egni atomig.

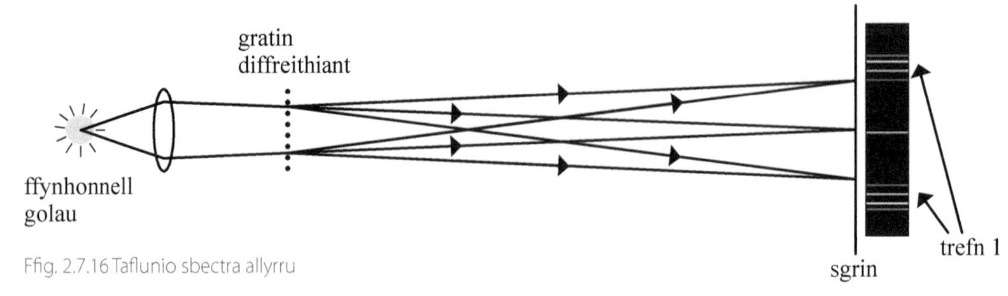

Ffig. 2.7.16 Taflunio sbectra allyrru

Ffig. 2.7.15 Golau'r Gogledd: allyriad ocsigen atomig

Er mwyn arddangos **sbectrwm amsugno** unrhyw nwy, defnyddir ffynhonnell golau gwyn llachar, wedi'i chysgodi'n briodol, sydd â sbectrwm allyrru di-dor (e.e. lamp ffilament). Mae tiwb o'r nwy yn cael ei osod rhwng y ffynhonnell golau a'r sgrin (fel arfer rhwng y ffynhonnell a'r lens). Gyda gofal, gallwn ddefnyddio'r dull hwn hefyd i arddangos sbectra amsugno metelau trwy ganiatáu i'r golau gwyn basio trwy fflam Bunsen sydd â sampl o'r halwyn metel wedi'i anweddu ynddo (mewn prawf fflam).

2.7.4 Deuoliaeth ton-gronyn

(a) Mae electronau yn donnau hefyd

Yn union fel y gall pelydriad electromagnetig ymddwyn fel tonnau ac fel gronynnau, mae gan wrthrychau yr ydym fel arfer yn eu hystyried yn ronynnau, er enghraifft electronau, protonau a hyd yn oed atomau cyfan, briodweddau fel ton. Mewn geiriau eraill, mae gronynnau yn arddangos diffreithiant ac ymyriant. Mae'n anodd gwneud arbrofion hollt sengl a hollt ddwbl ar gyfer electronau, ac er i rywrai ragweld yr effaith yn yr 1920au, ni chafodd ei chyflawni tan 1961. Mae Ffig. 2.7.17 yn dangos yr arbrawf yn sgematig. Caiff llif o electronau (y peli coch) ei danio trwy hollt gul, ac mae'n taro sgrin fflworoleuol: mae pob trawiad yn cynhyrchu smotyn llachar.

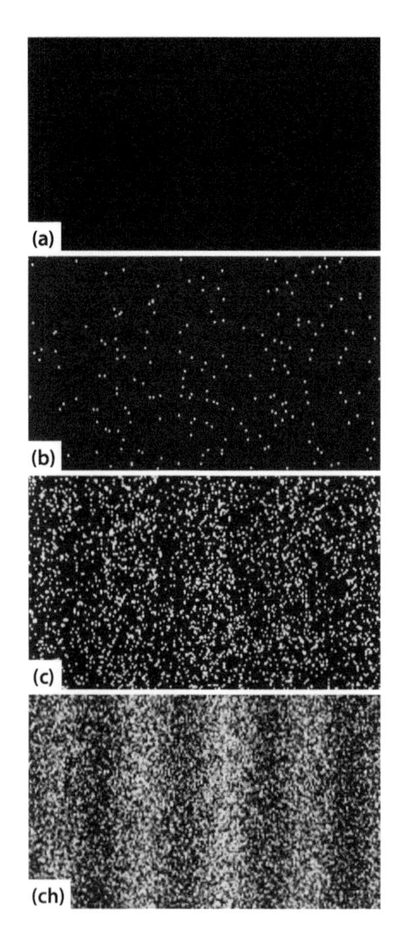

Ffig. 2.7.1 Adeiladu patrwm ymyriant electronau

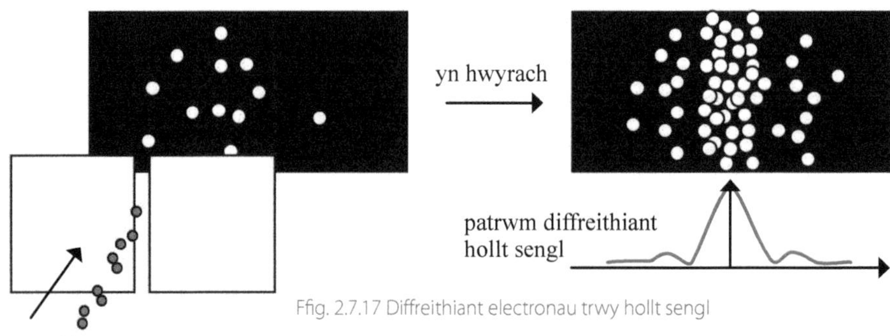

Ffig. 2.7.17 Diffreithiant electronau trwy hollt sengl

I gychwyn, mae'n ymddangos bod y smotiau wedi'u gwasgaru ar hap, ond, yn raddol, mae patrwm yn dod i'r golwg sydd yn amlwg yn debyg i batrwm diffreithiant hollt sengl (gweler Adran 2.5).

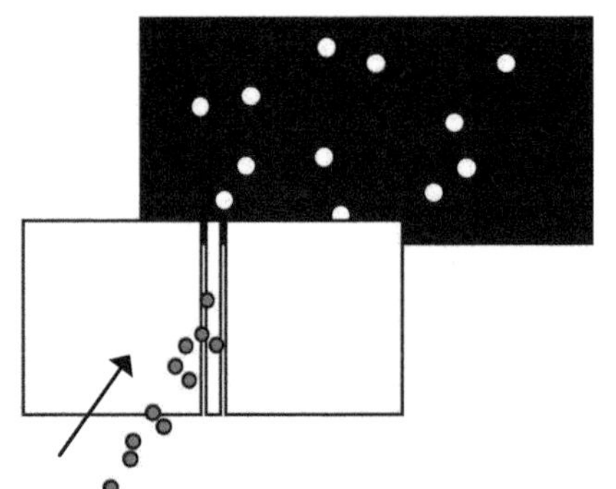

Ffig. 2.7.18 Ymyriant electronau trwy hollt ddwbl

Er mwyn cael y patrwm hollt ddwbl, rhaid gwneud yr holltau unigol yn fwy cul (i wasgaru'r electronau a gaiff eu diffreithio), fel yn Ffig. 2.7.18. Mewn fersiwn o'r arbrawf yn 2008, roedd yr holltau unigol yn ddim ond **62 nm** o led a **272 nm** ar wahân! Dewiswyd y gwerthoedd hyn i gyd-fynd â thonfedd yr electronau – gweler Adran 2.7.4 (c). Mae'r dilyniant o ddelweddau yn Ffig. 2.7.19 yn dangos sut mae gwasgariad yr electronau, sydd yn ôl pob golwg ar hap, yn dod i drefn yn y diwedd.

(b) Y tiwb diffreithiant electronau

Yn labordy'r ysgol, rydym fel arfer yn arddangos natur ton electronau gan ddefnyddio'r tiwb diffreithiant electronau, Ffig. 2.7.20. Mae hwn yn cynnwys tiwb gwactod â gwn electronau ar un pen, targed graffit (T) a sgrin ffosffor (P).

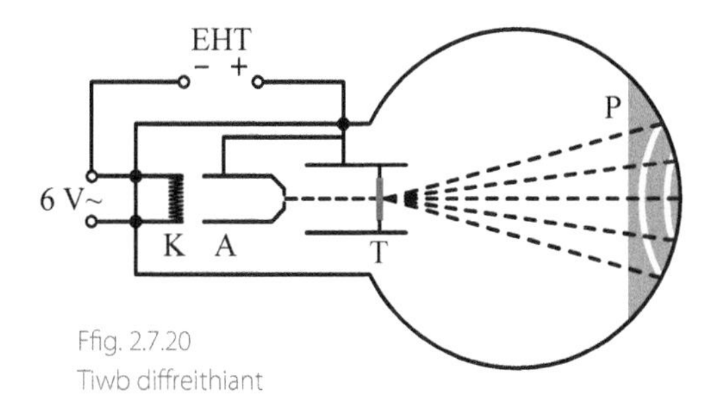

Ffig. 2.7.20 Tiwb diffreithiant

- Caiff catod coil metel (K) ei gysylltu â chyflenwad CU foltedd isel, sy'n ei wresogi. Mae hyn yn achosi iddo allyrru electronau trwy **allyriad thermionig**.
- Caiff yr electronau eu cyflymu at yr anod (A) gan gyflenwad foltedd uchel, 1 – 6 kV yn nodweddiadol.
- Mae paladr o electronau yn dod allan o'r twll yn yr anod ac yn taro'r targed graffit (a ddangosir fel llinell goch).
- Caiff y paladr ei ddiffreithio gan y graffit, mewn modd tebyg i olau gan ratin diffreithiant, ac mae'n dod allan ar gyfres o onglau i'r cyfeiriad ymlaen. Mae paladrau'r electronau yn taro'r ffosffor, gan gynhyrchu cylchoedd llachar.
- Os yw'r foltedd yn cael ei gynyddu, mae radiws y cylchoedd yn lleihau.

Mae'r patrwm diffreithiant yn digwydd oherwydd bod graffit yn cynnwys planau rheolaidd o atomau carbon wedi'u trefnu'n hecsagonol, gyda bylchiad rhyngatomig o 0.142 nm. Mae'r planau 0.335 nm ar wahân. Gan fod y grisialau yn y graffit wedi'u cyfeiriadu ar hap, mae'r paladrau sydd wedi'u diffreithio ar unrhyw ongl benodol yn cynhyrchu cylchoedd yn hytrach na smotyn unigol.

Hunan-brawf 2.7.9

Defnyddir gratin diffreithiant sydd ag 850 llinell y cm i arddangos sbectrwm nwy. Dewisir un o'r llinellau, a chaiff y bylchiad rhwng dau sbectrwm trefn un y llinell hon ei fesur yn 20.0 cm. Os yw'r sgrin 2.00 m o'r gratin, cyfrifwch donfedd y llinell.

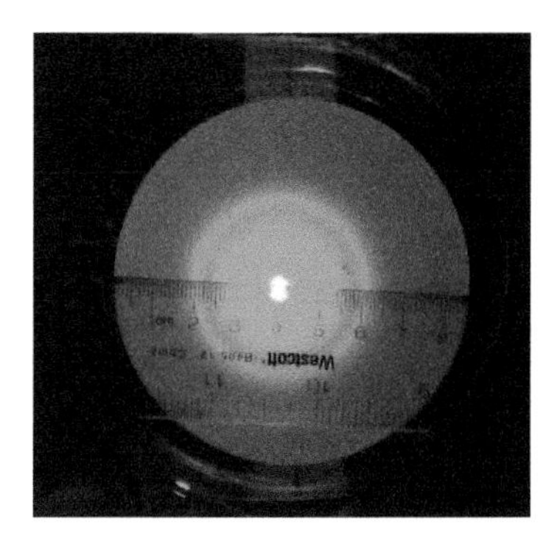
Ffig. 2.7.21 Patrwm diffreithiant electronau

(c) Tonfedd gronynnau

Gallwn ddefnyddio'r tiwb diffreithiant i fesur tonfedd yr electronau. Yr unig beth y mae angen ei wneud yw mesur yr onglau rhwng y paladrau sydd wedi'u diffreithio a'r cyfeiriad ymlaen. Yn Ffig. 2.7.21 mae myfyriwr Ffiseg yn gwneud hyn trwy fesur eu radiysau; mae angen mesur y pellter o'r targed i'r sgrin hefyd.

Yn 1924, cynigiodd y ffisegydd Louis de Broglie fod tonfedd (λ) gronyn, er enghraifft electron, yn perthyn i'w fomentwm (p) yn ôl yr hafaliad:

$$\lambda = \frac{h}{p},$$

lle h yw cysonyn Planck. Mae'r berthynas hon bellach wedi ei chadarnhau – mae'n gyson â damcaniaeth cwantwm a damcaniaeth perthnasedd. Mae'r enghraifft ganlynol yn dangos sut gallwn ddefnyddio'r foltedd cyflymu i gyfrifo'r donfedd.

Sylwch

Mae'r berthynas $E_k = \frac{p^2}{2m}$ yn ddefnyddiol wrth gyfrifo momentwm gronynnau wedi'u cyflymu.

Hunan-brawf 2.7.10

Defnyddiwch hafaliad de Broglie i gyfrifo tonfedd protonau sydd wedi'u cyflymu trwy 5 kV.

[$m_p = 1.67 \times 10^{-27}$ kg]

Enghraifft

Cyfrifwch donfedd electronau 5 keV. ($m_e = 9.1 \times 10^{-31}$ kg)

$5\text{ keV} = 5.0 \times 10^3 \times 1.6 \times 10^{-19}\text{ J} = 8.0 \times 10^{-16}\text{ J}$.

$E_k = \frac{p^2}{2m}$ ∴ mae $p^2 = 2 \times 9.1 \times 10^{-31} \times 8.0 \times 10^{-16} = 1.46 \times 10^{-45} \rightarrow p = 3.82 \times 10^{-23}$ N s.

∴ Mae'r donfedd, $\lambda = \frac{h}{p} = \frac{6.63 \times 10^{-34}}{3.82 \times 10^{-23}} = 1.7 \times 10^{-11}$ m [17 pm]

Sylwch fod y donfedd a gyfrifwyd yn yr enghraifft o'r un drefn maint â'r bylchiad rhyngatomig mewn solidau a hylifau (tua 10% o'r bylchiad rhyngatomig mewn graffit). Mae hyn yn golygu y gellir defnyddio diffreithiant electronau i ymchwilio i adeiledd mater. Mewn gwirionedd, caiff pelydrau X, sydd â thonfedd debyg, eu defnyddio'n fwy aml oherwydd anawsterau trin gronynnau wedi'u gwefru, a phŵer treiddio isel electronau.

Pwynt astudio

Nid yw patrymau diffreithiant ac ymyriant electronau yn ganlyniad i electronau yn ymyrryd **â'i gilydd**. Mae'r un patrwm i'w weld hyd yn oed pan fydd arddwysedd y paladr electronau mor isel fel mai dim ond un electron ar y tro sydd yn y cyfarpar. Mae pob electron yn ymddwyn fel ei don ei hun ac yn ymyrryd **â'i hunan**!

(ch) Momentwm ffotonau

2.7.11 Hunan-brawf

Cyfrifwch fomentwm ffoton optegol sydd ag amledd o 600 THz.

Mae hafaliad de Broglie hefyd yn berthnasol i ffotonau – agwedd arall ar ddeuoliaeth y disgrifiadau tonnau a gronynnau. Mae hyn yn golygu, os yw gwrthrych yn amsugno neu'n adlewyrchu ffotonau, fod eu momentwm yn newid. Felly, trwy gadwraeth momentwm, mae newid hafal a dirgroes i fomentwm y gwrthrych. Mae'n aml yn fwy cyfleus mynegi momentwm ffoton yn nhermau'r amledd (f) yn hytrach na thonfedd y pelydriad:

$$\therefore \text{ Mae } p = \frac{h}{\lambda} = \frac{hf}{c}$$

Bellach, hf yw egni'r ffoton, felly mae momentwm y ffoton yn $\frac{E_{\text{ffot}}}{c}$. Un o ganlyniadau momentwm ffoton yw bod paladr o belydriad yn rhoi gwasgedd ar unrhyw arwyneb y mae'n ei daro. Mae gan y paladr o ffotonau sy'n taro'r arwyneb ag arwynebedd A, yn Ffig. 2.7.22, arddwysedd o I. Felly mae cyfanswm yr egni sy'n cael ei anfon mewn amser Δt yn $IA\Delta t$.

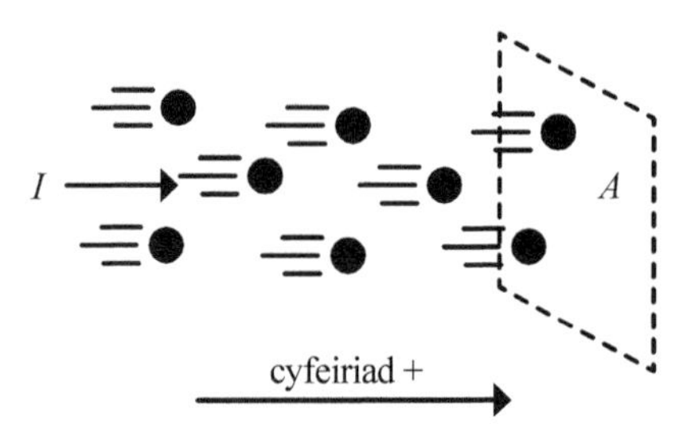

Ffig. 2.7.22 Gwasgedd pelydriad

$\therefore$ Mae momentwm y ffotonau trawol yn $\Delta t = \frac{IA\Delta t}{c}$

Dangosodd Einstein fod cyfanswm egni a momentwm gronyn perthnaseddol yn perthyn yn ôl:

$E^2 = p^2 c^2 + m^2 c^4$

Dangoswch fod hyn yn gyson â $p = \frac{E}{c}$ ar gyfer ffoton.

Os yw'r arwyneb yn hollol ddu, fel bod y momentwm i gyd yn cael ei amsugno, mae cyfradd newid momentwm y ffotonau yn $-\frac{IA\Delta t}{c\Delta t} = -\frac{IA}{c}$. Felly, yn ôl egwyddor cadwraeth momentwm, mae cyfradd newid momentwm yr arwyneb, a achosir trwy amsugno'r ffotonau, yn $+\frac{IA}{c}$. Mewn geiriau eraill, yn ôl 2il ddeddf Newton (N2), mae'r pelydriad yn rhoi grym o $\frac{IA}{c}$ ar yr arwyneb, h.y. mae'r gwasgedd $= \frac{I}{c}$.

2.7.12 Hunan-brawf

(a) Dangoswch fod y gwasgedd sy'n cael ei roi gan y paladr yn Ffig. 2.7.21 yn $2\frac{I}{c}$ os yw'r arwyneb yn adlewyrchu'n berffaith.

(b) Cyfrifwch y gwasgedd os yw'r arwynebedd sy'n adlewyrchu'n berffaith ar oledd o 45°.

Mae Ffig. 2.7.23 yn dangos argraff arlunydd o'r hwyl solar yn nhaith arfaethedig *sunjammer* NASA. Mae enw'r daith yn cyfeirio at y stori o'r un enw a luniwyd yn 1964 gan yr awdur ffuglen wyddonol, Arthur C. Clarke. Roedd y stori yn sôn am ras ryngblanedol a ddefnyddiai wasgedd golau'r Haul fel dull symud.

Ffig. 2.7.23 *Sunjammer* NASA

2.7.5 Deuodau allyrru golau

Mae deuod allyrru golau (LED – *light-emitting diode*) yn ddyfais electronig sydd wedi'i gwneud o risial bach o ddefnydd lled-ddargludol, er enghraifft galiwm arsenid ($GaAs$). Mae'n dargludo trydan i un cyfeiriad (cyfeiriad pen saeth prif ran y symbol) ac, wrth wneud hynny, mae'n allyrru pelydriad e-m. Mae nifer o LEDau wedi'u cynllunio i allyrru pelydriad sydd fwy neu lai yn fonocromatig, ond mae rhai (e.e. LEDau 'gwyn' neu LEDau 'llachar') yn allyrru sbectrwm llydan.

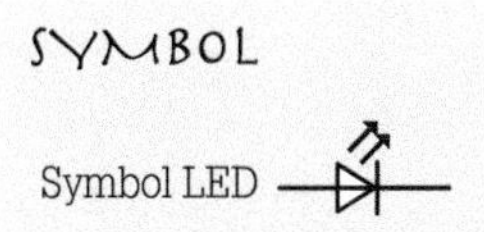

Mae gan $GaAs$ pur wrthedd uchel iawn o tua $10^6\ \Omega\ m$ ar dymheredd ystafell, sydd $\sim 10^{13}$ gwaith yn uwch na'r rhan fwyaf o fetelau. Fodd bynnag, gall ychwanegu symiau bach iawn (yn nodweddiadol 1 atom mewn 10^6) o atomau amhuredd penodol, mewn proses o'r enw amhureddu, ostwng y gwrthedd trwy sawl trefn maint. Yn benodol:

- Mae amhureddu gydag Si neu Ge (metelau grŵp IV, sydd â phedwar electron yn y plisgyn allanol) yn arwain at electronau symudol yn y ddellten $GaAs$; mae'r grisial sy'n cael ei ffurfio yn cael ei alw yn lled-ddargludydd math n (n am negatif).
- Mae amhureddu gyda Be neu Mg (metelau grŵp II, sydd â dau electron allanol yn unig) yn arwain at barthau symudol (o'r enw 'tyllau') sydd â gwefr net bositif – lled-ddargludydd math p.

Caiff grisial unigol ei dyfu gydag amhureddu math p ar un pen a math n ar y llall. Mae'r mymryn lleiaf o'r electronau symudol a'r tyllau yn tryledu i'r canol, ac yn cyfuno i ffurfio'r parth disbydd, sef rhanbarth heb unrhyw gludyddion gwefr symudol. Ond os oes gp digon uchel ar draws yr LED, gyda'r math p yn bositif a'r math n yn negatif, caiff y cludyddion gwefr eu gwthio at ei gilydd, ac mae'r grisial cyfan yn dod yn ddargludydd; mae electronau symudol yn 'disgyn' i'r tyllau, gan allyrru ffotonau o olau. Ni fyddwn yn archwilio hyn.

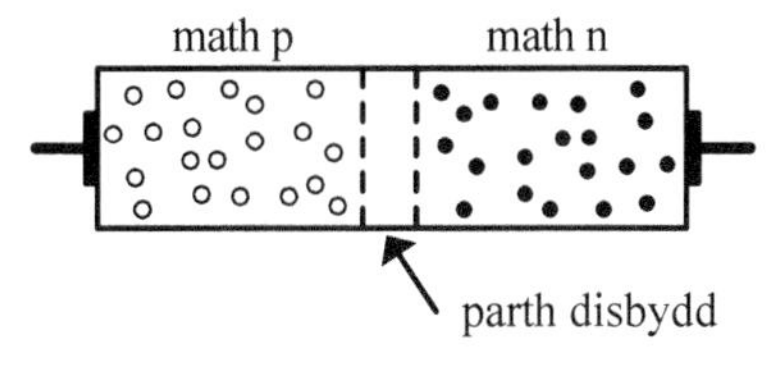

Ffig. 2.7.24 Adeiledd LED

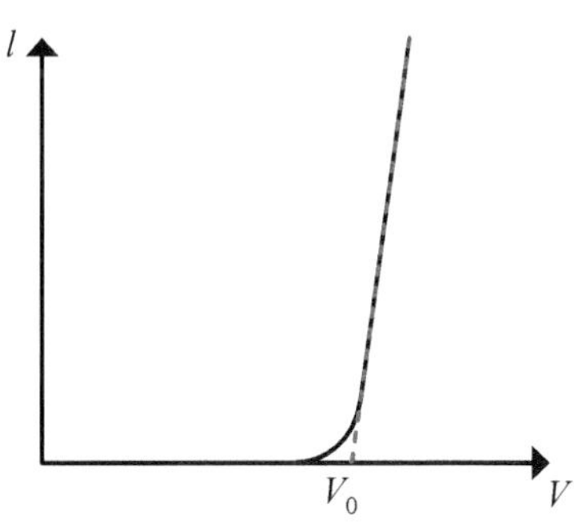

Ffig. 2.7.25 Graff I–V ar gyfer LED

(a) Darganfod h gan ddefnyddio LED

Darganfyddir egni ffoton y golau sy'n cael ei allyrru o'r gp, V_0. Mae hyn yn achosi i'r LED ddechrau dargludo (gweler Ffig. 2.7.25) ac allyrru golau. Rhoddir yr egni ffoton hefyd gan hf

$\therefore$ Mae $hf = eV_0$, neu, yn nhermau'r donfedd, mae: $\frac{hc}{\lambda} = eV_0$

Felly, os oes dewis o LEDau monocromatig ar gael, sydd â lliwiau gwahanol, mae graff o V_0 yn erbyn $\frac{1}{\lambda}$ yn llinell syth, graddiant $\frac{hc}{e}$, trwy'r tarddbwynt.

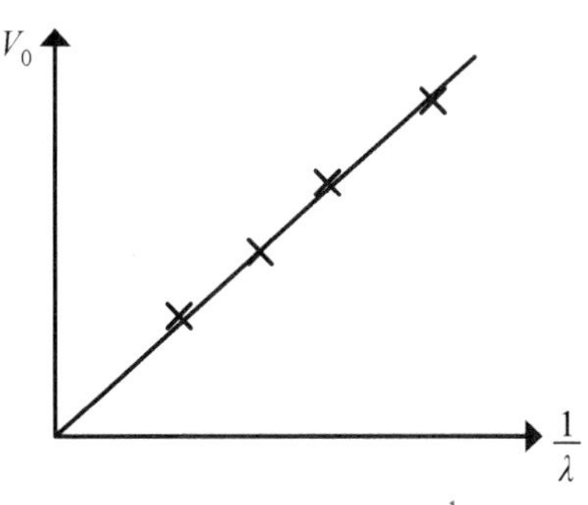

Ffig. 2.7.26 Graff o V_0 yn erbyn $\frac{1}{\lambda}$

Manylion yr arbrawf

1. Casglwch ddewis o LEDau pŵer isel, sydd ag amrediad mor eang â phosibl o donfeddi; darganfyddwch y tonfeddi gan ddefnyddio gratin diffreithiant, fel y gwelir yn Ffig. 2.7.16. Os nad yw hyn yn bosibl, nodwch werthoedd y tonfeddi a roddir gan y gwneuthurwr.
2. Adeiladwch gylched (gweler y Pwynt astudio) i ddarganfod parau o (V, I), a phlotiwch y graff I–V ar gyfer pob LED.
3. Defnyddiwch y graffiau i ddarganfod gwerth V_0, fel y gwelir yn Ffig. 2.7.25, ar gyfer pob tonfedd, trwy dynnu'r llinell syth ffit orau ar gyfer rhan serth y graff.
4. Plotiwch graff o V_0 yn erbyn $\frac{1}{\lambda}$ a darganfyddwch y graddiant, m.
5. Cyfrifwch werth ar gyfer h o $m = \frac{hc}{e}$.

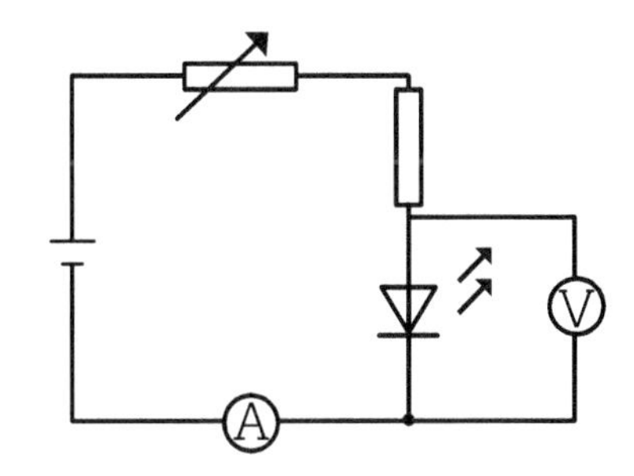

Fig. 2.7.27 Cylched I–V

Pwynt astudio

Mae Adran 2.2.8 yn dangos cylchedau posibl ar gyfer plotio'r graff I–V. Mae Ffig. 2.7.27 yn ddewis arall. Mae addasu'r gwrthydd newidiol yn newid I a V yr LED. Mae'r gwrthydd sefydlog yn amddiffyn yr LED rhag cerrynt rhy fawr.

Estyniad i LEDau isgoch ac uwchfioled

Mae LEDau ar gael sydd ag allyriadau yn yr isgoch agos (tonfeddi 700–900 nm) ac yn yr uwchfioled (tonfedd ~ 390 nm). Mae'n bosibl defnyddio'r rhain i ymestyn amrediad y donfedd. Os ydych yn defnyddio'r rhain, nid yw'n bosibl mesur y donfedd yn rhwydd mewn labordy ysgol, felly rhaid dibynnu ar y donfedd a nodir gan y gwneuthurwr.

Ymarfer 2.7

1. Mae gan dortsh LED gp o $3.0\ \text{V}$ ac mae'n cymryd cerrynt o $50\ \text{mA}$.

   Os yw'r effeithlonrwydd yn 25%, amcangyfrifwch nifer y ffotonau gweladwy y mae'n eu hallyrru fesul eiliad. (Cymerwch fod y donfedd gymedrig yn $550\ \text{nm}$.)

2. Mae gan y seren α Centauri oleuedd o $L_\odot$ lle $L_\odot$ yw goleuedd yr Haul. Mae ei phellter yn 4.37 blwyddyn golau. Gan dybio bod 70% o allyriadau'r seren yn y parth gweladwy, amcangyfrifwch nifer y ffotonau gweladwy yr eiliad sy'n mynd i mewn i lygad gwyliwr ar y Ddaear.

   Cymerwch fod gan gannwyll llygad (*pupil*), sydd wedi'i haddasu i'r tywyllwch, ddiamedr o $7\ \text{mm}$. Mae $L_\odot = 6.0 \times 10^{24}\ \text{W}$.

3. Mae gan fetel ffwythiant gwaith o $2.4 \times 10^{-19}\ \text{J}$.

   (a) Mynegwch y ffwythiant gwaith mewn eV.

   (b) Caiff y metel ei oleuo gan belydriad e-m monocromatig, egni ffoton $2.5\ \text{eV}$. Nodwch egni mwyaf yr electronau sy'n cael eu hallyrru.

   (c) Caiff y metel ei oleuo'n **ychwanegol** gan belydriad e-m, amledd $3.0 \times 10^{14}\ \text{Hz}$. Eglurwch pam mae egni mwyaf yr electronau sy'n cael eu hallyrru yr un peth ag yn (b).

   (ch) Caiff y metel ei gynnwys mewn ffotogell, a chaiff ei nodwedd I,V ei phlotio fel yn Ffig. 2.7.4. Pa werth fyddech chi'n ei ddisgwyl ar gyfer y foltedd stopio gyda'r ffotonau $2.5\ \text{eV}$? Eglurwch eich ateb.

4. Cyfrifwch amrediad yr egnïon ffoton yn y sbectrwm gweladwy. Mynegwch eich ateb mewn J ac eV.

5. Caiff cwmwl nwy tywynnol, sy'n cynnwys heliwm, ei wresogi i dymheredd uchel gan seren gyfagos, fel bod rhai o'r atomau yn y cyflwr cynhyrfol 1s2s (gweler Ffig. 2.7.11). Mae golau gwyn gweladwy o sêr eraill yn pasio trwy'r cwmwl. Eglurwch, gan roi manylion y tonfeddi, pa effaith y mae'r cwmwl yn ei chael ar sbectrwm gweladwy y golau.

6. Caiff electronau eu hallyrru gan wifren a wresogwyd, eu cyflymu trwy gp o $500\ \text{V}$, a'u cyfeirio mewn paladr cul at ymyl grisial graffit. Mae planau'r grisial (gwahaniad $0.335\ \text{nm}$) yn gweithredu fel holltau gratin diffreithiant. Gwelir patrwm ymyriant ar sgrin fflworoleuol sydd wedi'i lleoli $30\ \text{cm}$ i ffwrdd o'r holltau.

   (a) Eglurwch pam mae patrwm ymyriant i'w weld ar y sgrin.

   (b) Cyfrifwch donfedd yr electronau.

   (c) Defnyddiwch fformiwla'r gratin diffreithiant i gyfrifo safle onglaidd yr eddïau trefn un a threfn dau, a, thrwy hynny, safle'r eddïau hyn ar y sgrin.

   Màs electronig, $m_e = 9.1 \times 10^{-31}\ \text{kg}$

7. Mae cyflymydd foltedd isel yn cynhyrchu paladrau o electronau a phrotonau trwy eu cyflymu trwy'r un gp. Cyfrifwch gymhareb tonfeddi'r electronau a'r protonau.

   [$m_e = 9.1 \times 10^{-31}\ \text{kg}$; $m_p = 1.67 \times 10^{-27}\ \text{kg}$].

8. Mae electron sydd mewn atom hydrogen disymud yn yr ail blisgyn (gweler Ffig. 2.7.9, $n = 2$). Mae'r electron yn disgyn i'r plisgyn cyntaf ac, wrth wneud hynny, yn allyrru ffoton. Trwy gyfrifo momentwm y ffoton hwn, cyfrifwch fuanedd adlamu yr atom hydrogen.
   [Mae màs atom hydrogen = $1.67 \times 10^{-27}\ \text{kg}$]

9. Mae cysonyn yr haul, sef arddwysedd pelydriad yr Haul, yn $1.4\ \mathrm{kW\ m^{-2}}$ ar orbit y Ddaear. Cyfrifwch arwynebedd yr hwyl solar y byddai ei hangen i gynhyrchu gwthiad o $1\ \mathrm{N}$ yng nghyffiniau'r blaned Mawrth, o wybod bod radiws orbit y blaned Mawrth 1.5 gwaith radiws orbit y Ddaear. Tybiwch fod yr hwyl yn amsugno pob ffoton sy'n ei tharo.

10. Mae dosbarth o fyfyrwyr Safon Uwch yn gwneud yr arbrawf LED i ddarganfod gwerth cysonyn Planck.

Maen nhw'n defnyddio gwerthoedd y gwneuthurwr ar gyfer tonfeddi allyriadau'r LEDau. Mae eu canlyniadau i'w gweld yn y tabl. Mae'r ansicrwydd amcangyfrifol yn y canlyniadau ar gyfer V_0 yn $\pm 0.05\ \mathrm{V}$.

λ / nm	420	460	540	640	660
V_0 / V	2.95	2.74	2.25	1.98	1.85

Trwy blotio graff addas, darganfyddwch werth ar gyfer h, ynghyd â'i ansicrwydd amcangyfrifol.

Mewn uned gaeedig wedi'i llenwi â phelydriad cyflawn, tymheredd T, mae'r dwysedd egni yn $\frac{4\sigma}{c}T^4$, lle σ yw cysonyn Stefan.

(a) Gan ddechrau â deddf pelydriad Stefan, dangoswch fod hyn yn ddimensiynol gywir.

(b) Cyfrifwch ddwysedd yr egni yn y pelydriad cefndir microdonnau cosmig (*CMBR*), sydd â thymheredd o $2.73\ \mathrm{K}$.

(c) Amcangyfrifwch sawl ffoton *CMBR* sydd mewn cyfaint $1\ \mathrm{km^3}$ o'r gofod.

(ch) Amcangyfrifwch egni-màs y ffotonau *CMBR* yn y bydysawd gweladwy.

2.8 Laserau

Pwynt astudio

Yn 1962, defnyddiodd gwyddonwyr o UDA ac o'r Undeb Sofietaidd yr oediad amser mewn curiadau laser i amcangyfrif y pellter i'r Lleuad. Gadawodd Apollo 11, 14 a 15, a Lunokhod 1 a 2, i gyd adlewyrchydd laser ar y Lleuad; cânt eu defnyddio hyd heddiw i fonitro o bell.

Mae laser yn anfon 10^{17} ffoton i'r Lleuad bob eiliad. Mae paladr laser yn gwasgaru'n gylch, diamedr 6.5 km, ar y Lleuad. Mae diamedr yr adlewyrchydd yn 3 m. Gan dybio bod y paladr adlewyrchol hefyd yn gwasgaru i 6.5 km ar y Ddaear, amcangyfrifwch gyfradd cyrraedd ffotonau mewn telesgop sydd â diamedr o 3 m.

Ers cynhyrchu'r model gweithredol cyntaf yn 1960, mae laserau i'w cael ym mhobman erbyn hyn. Mae gan y mwyafrif o gartrefi nifer ohonynt: mewn chwaraewyr DVD a CD, ac mewn gyrwyr disgiau optegol, heb sôn am bwyntyddion laser. Y defnydd ymarferol cyhoeddus cyntaf a wnaed ohonynt oedd y darllenydd cod bar yn 1974, ac ers hynny mae sawl defnydd gwahanol ohonynt, gan gynnwys:

- Llawfeddygaeth – torri a serio (*cauterising*) er mwyn lleihau faint o waed sy'n cael ei golli; a hefyd 'weldio' retinâu sydd wedi datgysylltu
- Mesur pellterau, e.e. gan werthwyr tai (gweler y Pwynt astudio)
- Trawsyrru data mewn ffibrau optegol ac mewn gofod rhydd
- Argraffyddion laser
- Ymchwil, e.e. ymasiad niwclear sy'n cael ei gychwyn gan laser.

Mae laserau yn ddefnyddiol oherwydd eu bod yn cynhyrchu golau cydlynol. Dywedwn fod dwy ffynhonnell golau yn gydlynol os oes ganddynt wahaniaeth gwedd cyson, e.e. holltau Young, ond beth rydym yn ei olygu pan ddywedwn fod ffynhonnell golau unigol yn gydlynol (â'i hunan)? A dweud y gwir, mae'r golau o laser yn gydlynol mewn dwy ffordd. Mae ganddo:

1. **Cydlyniad gofodol**: mae pob pwynt ar draws lled y paladr laser yn gydwedd â'i gilydd;
2. **Cydlyniad amserol**: nid oes newidiadau gwedd sydyn.

Mae'r priodweddau hyn yn caniatáu iddo gael ei ffocysu yn bwyntiau bach iawn (~1 mm), ac i gynhyrchu curiadau byr iawn (~1 fs). Mae'r ffynonellau golau cydlynol hyn yn bosibl o ganlyniad i'r ffenomen allyriad ysgogol.

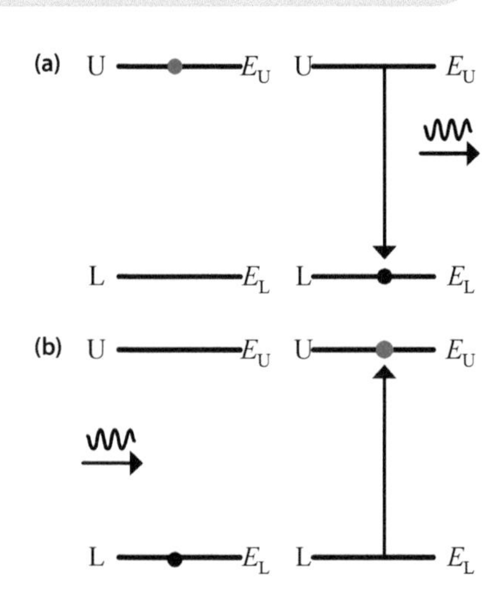

Ffig. 2.8.1 (a) Allyriad digymell a (b) amsugniad

2.8.1 Allyriad ysgogol

Gwelsom yn Adran 2.7 fod systemau atomig a moleciwlaidd yn bodoli mewn cyfres o gyflyrau egni arwahanol. Am y tro, rydym am ystyried dau gyflwr yn unig, U ac L (uwch ac is), mewn system sydd ag egnïon E_U ac E_L. Gall atom neu foleciwl newid ei gyflwr:

- o U i L, trwy allyrru'n ddigymell ffoton gydag amledd f lle mae:

$$hf = E_U - E_L$$

- o L i U, trwy amsugno egni ffoton o'r un amledd, f, ag uchod.

Mae Ffig. 2.8.1 yn egluro'r ddwy broses hyn, sef allyriad digymell ac amsugniad, ar ffurf diagram. Rydym yn cyfeirio at 'allyriad digymell' yn hytrach nag 'allyriad' yn unig oherwydd bod ail broses allyriad yn digwydd o'r enw **allyriad ysgogol**. Albert Einstein oedd y cyntaf i ragweld hyn.

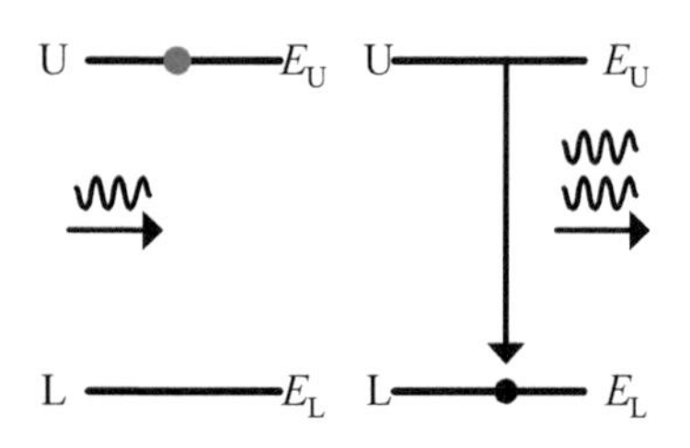

Ffig. 2.8.2 Allyriad ysgogol

Yn y broses hon, caiff atom yn y cyflwr egni uwch (U) ei ysgogi i symud i lawr i'r cyflwr egni is gan ffoton o'r un egni: $hf = E_U - E_L$. Wrth wneud hyn, mae'n allyrru ail ffoton sydd **yn gydwedd** â'r cyntaf, ac yn teithio **i'r un cyfeiriad**. Os yw'r ddau ffoton hyn nawr yn rhyngweithio ag atomau yn y cyflwr uwch, bydd yna bedwar ffoton: caiff y golau ei fwyhau'n gynyddol wrth symud trwy'r cyfrwng, gan arwain at yr enw laser, sef ***L**ight **A**mplification by the **S**timulated **E**mission of **R**adiation*.

Yn amlwg, er mwyn mwyhau'r golau yn barhaus yn y modd hwn, rhaid i'r ffotonau barhau i gyfarfod ag atomau, pob un yn y cyflwr uwch. A yw hyn yn debygol o ddigwydd yn naturiol? Yr ateb yw, 'Na!' Dewch i ni gael gweld pam.

Pwynt astudio

Darganfyddwyd **maserau** (***m**icrowave **a**mplification* ...) naturiol gan seryddwyr. Gweler Adran 2.8.5.

Er hwylustod, rydym am ystyried nwy monatomig. Tybiwch fod gennym nwy ar dymheredd ystafell (300 K), gyda phob un o'r moleciwlau yn y cyflwr isaf (G). Sut gellid rhoi'r moleciwlau mewn cyflwr cynhyrfol (E)? Gallai hyn ddigwydd bob hyn a hyn trwy wrthdrawiad: defnyddir peth o egni cinetig y moleciwlau i roi un ohonynt yn y cyflwr E (h.y. gwrthdrawiad anelastig). A allai hyn ddigwydd dro ar ôl tro nes bod gennym fwy o foleciwlau E na G? Na, oherwydd y tro nesaf y bydd y moleciwl E yn gwrthdaro, mae'n debygol o daro yn erbyn moleciwl G, ac mae hefyd yn debygol o ddisgyn yn ôl eto i'r cyflwr isaf, gyda'r egni yn ailymddangos fel egni cinetig y gronynnau (gallem alw hyn yn wrthdrawiad uwchelastig). Ar ben hyn, mae'r moleciwl, ymhen dim o dro, yn debygol o golli ei egni ychwanegol trwy allyriad digymell. Wrth godi'r tymheredd, i 3000 K dyweder, yr unig beth y byddem yn ei gyflawni fyddai cynyddu ffracsiwn y moleciwlau yn y cyflwr cynhyrfol. Y 'gorau' y gallwn ei ddisgwyl wrth godi'r tymheredd yw y bydd hyd at 50% o'r moleciwlau yn cael eu cynhyrfu oherwydd, ar y pwynt hwn, byddai'r gwrthdrawiadau yr un mor debygol o ostwng neu godi'r lefel egni. Mae **Ymestyn a Herio** isod yn egluro hyn.

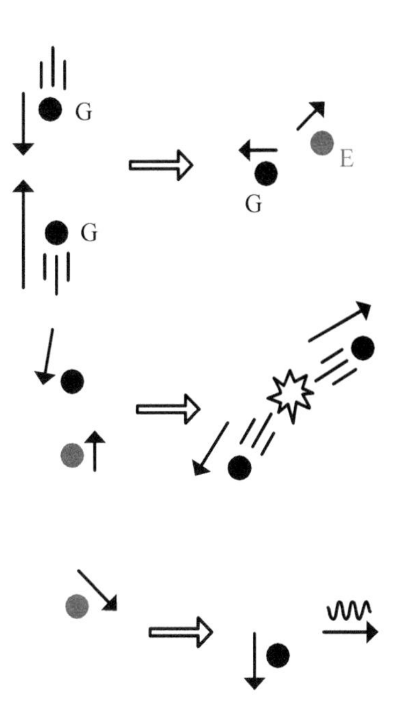

Ffig. 2.8.3 Prosesau cynhyrfu a datgynhyrfu

Yn 1868 dangosodd y ffisegydd o Awstria, Ludwig Boltzmann, sut mae cymhareb nifer y gronynnau mewn dau gyflwr egni gwahanol yn perthyn i'r tymheredd (absoliwt).

Gadewch i N_1 ac N_2 fod yn nifer y gronynnau yng nghyflyrau 1 a 2 yn ôl eu trefn, a gadewch i egni cyflwr 2 fod ΔE yn uwch nag egni cyflwr 1. Yna mae:

$$\frac{N_2}{N_1} = e^{-\frac{\Delta E}{kT}},$$

lle mae $k = 1.38 \times 10^{-23}$ J K^{-1} (cysonyn Boltzmann), a T yw'r tymheredd kelvin.

Mae cyflwr cynhyrfol cyntaf atomau sodiwm 2.0 eV yn uwch na'r cyflwr isaf. Mewn cwmwl nwyol sy'n cynnwys 10^{15} atom sodiwm, amcangyfrifwch nifer yr atomau yn y cyflwr cynhyrfol os yw'r tymheredd yn: (a) 1000 K, (b) 3000 K (c) 300 K (tymheredd ystafell). Rhowch sylwadau ar y gwerthoedd hyn.

Termau a diffiniadau

Pan fyddant yn cyfeirio at **boblogaeth** atomau (neu foleciwlau), mae gwyddonwyr yn golygu'r rhai hynny sy'n meddu ar briodwedd benodol, e.e. poblogaeth yr atomau sodiwm, poblogaeth yr atomau sodiwm yn y cyflwr cynhyrfol cyntaf.

Termau a diffiniadau

Gadewch i boblogaethau atomau yng nghyflyrau 1 a 2 fod yn N_1 ac N_2 yn ôl eu trefn, gydag $E_2 > E_1$. Os yw $N_2 > N_1$ dywedir bod yna **wrthdroad poblogaeth**.

Termau a diffiniadau

Ystyr **pwmpio** yw trosglwyddo gronynnau i gyflwr egni uchel er mwyn cael gwrthdroad poblogaeth.

2.8.2 Cyflawni gwrthdroad poblogaeth

Os ydych wedi gweithio trwy Ymestyn a Herio uchod, byddwch wedi gweld bod **poblogaeth** atomau ar lefelau egni uwch fel arfer dipyn yn llai na'r boblogaeth ar lefelau is. Gyda gwahaniaethau egni yn yr amrediad eV a thymereddau hyd at 1000 K, mae'r boblogaeth egni isel yn fwy niferus o lawer na'r boblogaeth egni uchel. Ni all laser weithio oni bai bod y poblogaethau o chwith i hyn, h.y. gydag $N_2 > N_1$. Yr enw ar y sefyllfa hon yw **gwrthdroad poblogaeth**. Er mwyn gwneud hyn, mae angen dod o hyd i ddulliau anthermol o hybu poblogaeth y cyflwr uwch. Yr enw ar brosesau o'r fath yw **pwmpio**.

Fel arfer, nid yw'n bosibl cyflawni gwrthdroad poblogaeth gyda system dau gyflwr, oherwydd bydd y cyflwr uwch yn gwagio mor gyflym ag y mae'n llenwi. Felly mae gwyddonwyr yn gweithio gyda systemau amlgyflwr sydd â mwy na dwy lefel egni.

(a) Systemau laser tri chyflwr

Mae Ffig. 2.8.4 yn dangos system tri chyflwr. Yr enwau ar y tri chyflwr egni yw'r cyflwr isaf (G), y cyflwr wedi'i bwmpio (P) a'r cyflwr uwch (U).

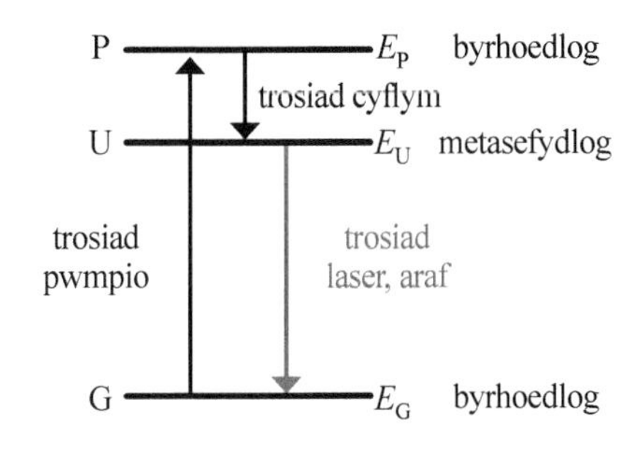

Ffig. 2.8.4 System tri chyflwr

Er mwyn deall sut rydym yn cyflawni gwrthdroad poblogaeth mewn systemau amlgyflwr, mae angen i chi wybod am ddwy nodwedd bwysig o'r trosiadau rhwng cyflyrau egni:

1. Gall trosiadau i lawr ddigwydd ar hyd amrywiaeth o lwybrau, ac nid yw pob un yr un mor debygol. Mae peirianwyr laser yn dewis systemau lle mae cyflwr P lawer yn fwy tebygol o ddadfeilio trwy'r cyflwr rhyngol U, yn hytrach nag yn ôl i G yn uniongyrchol.

Termau a diffiniadau

Ystyr **pwmpio optegol** yw codi'r cyflwr o'r cyflwr isaf i'r cyflwr wedi'i bwmpio, gan ddefnyddio ffotonau ag egni ($E_P - E_G$). Mae technolegau pwmpio eraill yn cynnwys: trydanol, adwaith cemegol ac ymholltiad niwclear.

2.8.1 Hunan-brawf

Os yw $E_G = -10.0$ eV, $E_P = -7.5$ eV ac $E_U = -8.2$ eV, nodwch egnïon:

(a) y ffotonau pwmpio,
(b) y ffotonau sy'n cael eu hallyrru yn ddigymell, ac
(c) y ffotonau sy'n lasio.

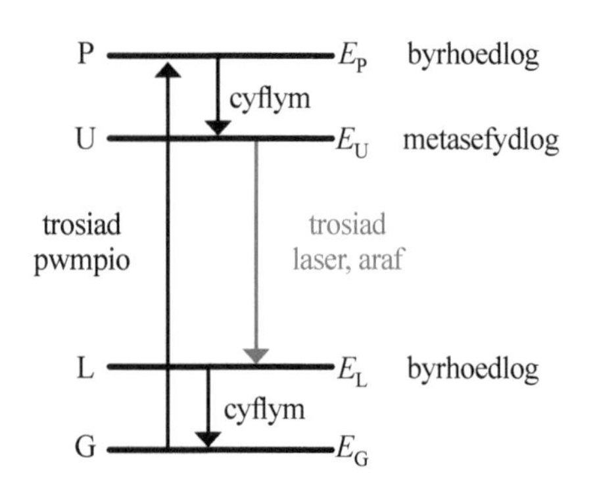

Ffig. 2.8.5 System pedwar cyflwr

2.8.2 Hunan-brawf

Eglurwch pam mae laser tri chyflwr yn bosibl, gyda P yn gyflwr metasefydlog ac U yn gyflwr byrhoedlog.

2.8.3 Hunan-brawf

Cyfrifwch effeithlonrwydd y trawsnewidiad egni ar gyfer digwyddiad pwmpio llwyddiannus yn Hunan-brawf 2.8.1.

2. Mae rhai cyflyrau egni yn fyrhoedlog iawn, h.y. maen nhw wedi'u poblogi am amser byr iawn yn unig, cyn dadfeilio. Mae cyflyrau eraill, o'r enw **cyflyrau metasefydlog**, yn para'n llawer hirach cyn dadfeilio. Mae'r rhesymau am y gwahaniaethau hyn y tu hwnt i'r cwrs Safon Uwch, ond mae peirianwyr yn dewis systemau lle mae P yn fyrhoedlog (e.e. ~ 1 ns), ond lle mae U yn hirhoedlog (mewn termau atomig, e.e. ~ 1 ms).

Os caiff y cyfrwng laser ei bwmpio, e.e. trwy ei foddi â ffotonau egni ($E_P - E_G$), bydd atomau yn y cyflwr isaf yn cael eu codi i'r cyflwr wedi'i bwmpio ac yn dadfeilio'n gyflym i'r cyflwr uwch metasefydlog (yn rhannol trwy allyriad digymell, ond yn bennaf trwy wrthdrawiadau). Os yw'r pwmpio'n ddigon cyflym, bydd poblogaeth U yn mynd yn fwy na phoblogaeth G, h.y. bydd gwrthdroad poblogaeth wedi'i gyflawni: bydd unrhyw drosiad digymell o U i G yn cynhyrchu ffoton a fydd yn ysgogi allyriadau o atomau eraill yn y cyflwr U.

Laser tri chyflwr yn seiliedig ar gyfrwng laser rhuddem oedd y cyntaf i'w adeiladu (gweler Ffig. 2.8.6). Fodd bynnag, gan fod rhaid pwmpio dros hanner yr atomau yn y cyflwr isaf er mwyn i'r laser weithredu, mae angen llawer o egni ar systemau tri chyflwr, ac maen nhw'n aneffeithlon. Yn ymarferol, mae'r mwyafrif o laserau yn defnyddio systemau pedwar cyflwr.

(b) Systemau laser pedwar cyflwr

Mae nodweddion y cyflwr wedi'i bwmpio a'r cyflwr uwch mewn laser pedwar cyflwr yr un peth ag ydynt mewn laser tri chyflwr. Mae'r cyflwr ychwanegol, is (L), rhwng y cyflyrau uwch ac isaf. Mae L yn gyflwr byrhoedlog ac mae'n dadfeilio'n gyflym i G, yn bennaf trwy wrthdrawiadau.

Mantais y system hon dros y laser tri chyflwr yw bod L yn wag i gychwyn, felly mae gwrthdroad poblogaeth rhwng L ac U yn bresennol o'r ychydig electronau cyntaf yn U. Mae natur fyrhoedlog L yn golygu bod pwmpio ar lefel lawer is yn cynnal y gwrthdroad poblogaeth, ac felly mae angen egni mewnbwn llai nag sydd ei angen ar gyfer y laser tri chyflwr. Mae hyn yn golygu bod y laser yn gallu gweithio ar bŵer mewnbwn llawer is.

(c) Aneffeithlonrwydd laserau

Mae'r rhan fwyaf o'r egni sy'n cael ei fewnbynnu i'r laser yn cael ei drawsnewid i egni mewnol (egni cinetig mewn nwy/egni dirgrynol mewn solid) atomau'r cyfrwng mwyhau, yn hytrach nag i godi cyflwr egni'r atomau eu hunain o G i P. Hyd yn oed ar gyfer digwyddiadau pwmpio llwyddiannus, mae'r egni mewnbwn yn ($E_P - E_G$) ond mae allbwn y laser yn llai: ($E_U - E_L$) ar gyfer y laser pedwar cyflwr; ($E_u - E_G$) ar gyfer y laser tri chyflwr.

2.8.3 Adeiledd laser

Y laser rhuddem a ddangosir yn Ffig. 2.8.6 oedd y cyntaf i gael ei gynhyrchu. Rydym yn ei gyflwyno yma i egluro agweddau generig ar laserau. Fel y mae'r diagram yn ei ddangos, y 'tiwb fflachio' cwarts, sydd wedi'i lapio o amgylch y rhuddem (y cyfrwng mwyhau), oedd yn ei bwmpio'n optegol. Swyddogaeth y silindr alwminiwm oedd adlewyrchu golau pwmpio crwydr yn ôl i mewn i'r rhuddem i gynyddu'r effaith.

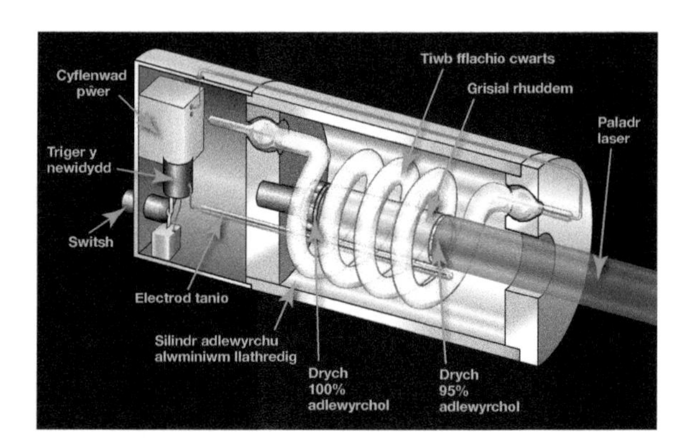

Ffig. 2.8.6 Y laser rhuddem gwreiddiol

Mae Ffig. 2.8.7 yn amlygu nodweddion o bwys y dylech eu hastudio.

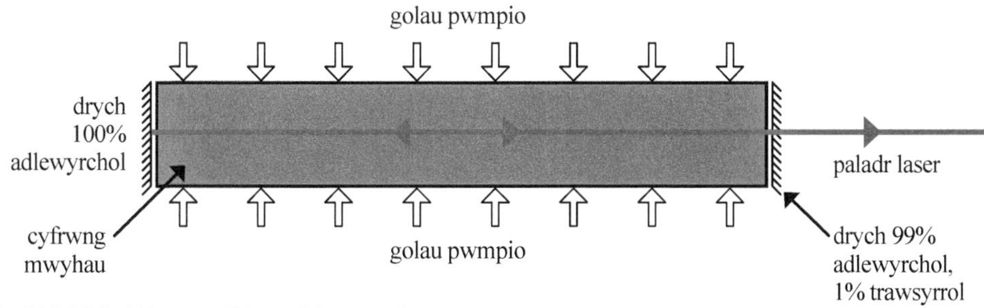

Ffig. 2.8.7 Adeiledd laser wedi'i bwmpio'n optegol

Mae'r laser yn gweithredu fel a ganlyn:

- Mae'r pelydriad pwmpio yn creu gwrthdroad poblogaeth yn y cyfrwng mwyhau.
- Caiff ffotonau ag egni $E_U - E_L$ (fel y gwelir yn Ffig. 2.8.5), neu $E_U - E_G$ (Ffig. 2.8.4), eu cynhyrchu trwy allyriad digymell yn y **cyfrwng mwyhau**.
- Mae'r ffotonau hyn yn pasio trwy'r cyfrwng mwyhau ac yn cynhyrchu ffotonau cydlynol sy'n teithio i'r un cyfeiriad trwy allyriad ysgogol. Mae pob ffoton yn datblygu yn ddau, pedwar, wyth, etc., mewn cynnydd esbonyddol.
- Caiff y ffotonau sy'n teithio'n baralel i echelin y cyfrwng (gweler y **Pwynt astudio**) eu hadlewyrchu'n ôl ac ymlaen, gan ysgogi mwy o ffotonau. Yn y pen draw, byddant yn dianc yn y paladr laser trwy'r drych sy'n trawsyrru yn rhannol.
- Mae ecwilibriwm dynamig yn cael ei sefydlu yn fuan iawn pan fydd cyfradd dianc y ffotonau yn hafal i'r gyfradd y cânt eu cynhyrchu trwy allyriad ysgogol (a gaiff ei reoli gan y gyfradd bwmpio).

Termau a diffiniadau

Y **cyfrwng mwyhau** yw'r defnydd yn y laser lle mae gwrthdroad poblogaeth yn bodoli.

Pwynt astudio

Mae'r drychau, M_1 ac M_2, yn union baralel. Oherwydd yr adlewyrchiadau amryfal (ar gyfer drych sy'n trawsyrru 1%, bydd ffotonau yn taro drych M_2 140 gwaith ar gyfartaledd, cyn cael eu hallyrru), dim ond y ffotonau sy'n teithio'n union baralel i'r echelin fydd yn ffurfio'r paladr. Bydd rhai eraill yn dianc trwy ochrau'r cyfrwng.

Hunan-brawf 2.8.4

Defnyddiwch y wybodaeth yn y **Pwynt astudio** i amcangyfrif, ar gyfer laser 50 cm o hyd, y pellter cymedrig mae ffoton yn ei deithio trwy'r cyfrwng mwyhau, cyn iddo ysgogi un arall. Eglurwch eich rhesymu.

2.8.4 Laserau deuod lled-ddargludydd

Mae bron pob laser a ddefnyddir yn y cartref yn laser deuod lled-ddargludydd. Mae'r rhain wedi'u hadeiladu o sglodion bach o ddefnydd lled-ddargludol, galiwm arsenid (GaAs) yn aml. Mae iddynt nifer o fanteision:

- Cânt eu pwmpio'n drydanol, ac maen nhw'n gweithredu ar foltedd isel – rhai yn llai na 2 V.
- Mae'r sglodyn laser yn fach iawn (yn nodweddiadol ~ 1mm) ac mae'n bosibl ei gynnwys mewn pecynnau trydanol bach, i'w gwifro mewn cylchedau, e.e. y pwyntydd laser yn Ffig. 2.8.8.
- Maen nhw'n effeithlon iawn – hyd at 70% ar gyfer laserau isgoch.
- Mae'n bosibl eu masgynhyrchu'n rhad.

Ffig. 2.8.8 Pwyntydd laser

Fel arfer, cânt eu defnyddio yn y cartref i ddarllen ac ysgrifennu DVDau a CDau, i ddarllen disgiau blu-ray, i drosglwyddo data trwy ffibrau optegol, ac mewn argraffyddion a sganwyr cyfrifiaduron. Mae Ffig. 2.8.9 yn dangos adeiledd laser deuod lled-ddargludydd nodweddiadol.

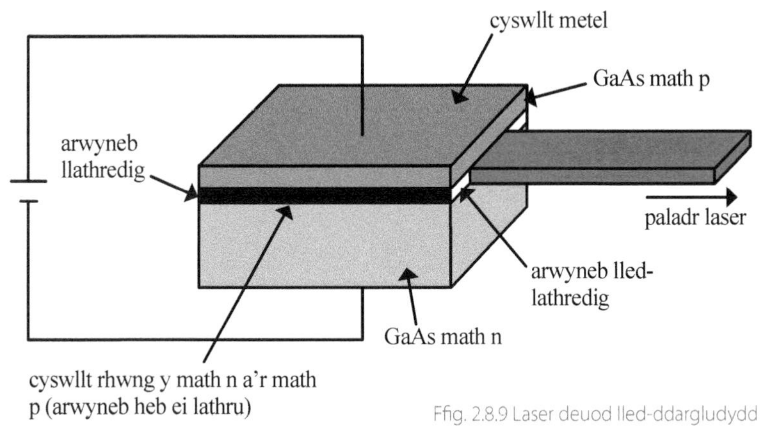

Ffig. 2.8.9 Laser deuod lled-ddargludydd

Pwynt astudio

Oherwydd y graddau mwyhau uchel, gall y llathru ar yr arwynebau pen fod o safon eithaf isel, heb atal gweithrediad y laser. Mae laserau deuod yn gweithio'n effeithiol gyda chyfernodau adlewyrchu mor isel â 40%.

2.8.5 Hunan-brawf

Mae gan laserau lled-ddargludydd effeithlonrwydd uchel. Mae laser 940 nm yn gweithredu ar effeithlonrwydd o 70%. Mae gan laser o'r fath gerrynt pwmpio o 20 mA. Amcangyfrifwch:

(a) Y foltedd pwmpio ar gyfer y donfedd hon.
(b) Nifer y ffotonau sy'n cael eu cynhyrchu fesul eiliad.

Mae'r manylion ynglŷn â sut mae'r deuod yn gweithio ymhell y tu hwnt i gwmpas y llyfr hwn, ond mae disgrifiad byr i'w weld ar ddiwedd Adran 2.7. Mae'r cyflenwad pŵer yn rhoi electronau newydd yn y rhanbarthau math n ac yn creu tyllau newydd yn y rhanbarthau math p. Mae'r rhain yn mudo i'r cyswllt, gan gynhyrchu gwrthdroad poblogaeth lle mae'r electronau'n 'disgyn i mewn' i'r tyllau, gan allyrru ffotonau. Fel sy'n digwydd gyda laserau sydd wedi'u pwmpio'n optegol, mae rhyddhau un ffoton yn arwain at nifer mawr iawn o ffotonau. Mae nifer yr electronau a'r tyllau lawer yn uwch na gwrthdroadau poblogaeth mewn laserau confensiynol, felly mae'n bosibl cynhyrchu mwyhad uchel iawn mewn pellter byr (cymharwch â Hunan-brawf 2.8.4). Nid oes angen yr 'arwynebau llathredig' sy'n adlewyrchu yn agos i 100%, o ystyried y mwyhad a gyflawnir.

Mae mantais deuodau laser lled-ddargludydd ar gyfer ffibrau optegol yn ymwneud â phurdeb sbectrol yr allbwn (un amledd yn unig, fwy neu lai), a chydlyniad yr allbwn, sy'n caniatáu switsio cyflym. Cyrhaeddir amleddau switsio o ddegau o GHz yn rheolaidd, gan ganiatáu cyfraddau trosglwyddo data mawr iawn.

2.8.5 Nifyliwm a *mysterium*

Cafodd heliwm ei adnabod gyntaf trwy ei linellau allyriad yn sbectrwm corona'r Haul. Yn 1864, astudiodd y seryddwr, William Huggins, sbectrwm yr allyriadau o nifwl Llygad y Gath. Darganfyddodd grŵp o linellau sbectrol gwyrddlas nad oeddent wedi'u canfod erioed o'r blaen mewn unrhyw brawf fflam mewn labordy cemeg. Daeth i'r casgliad fod hon yn elfen na wyddai neb amdani, a rhoddodd iddi'r enw 'nifyliwm'. Dangosodd ymchwiliadau yn ystod yr ugeinfed ganrif fod y llinellau, mewn gwirionedd, yn dod o ïonau O^{2+} (y llinellau gwyrdd yn Ffig. 2.8.11). Ni welir y rhain fel arfer oherwydd bod lefelau uchaf y trosiadau yn fetasefydlog, ac mae'r ïonau fel rheol yn colli egni o ganlyniad i wrthdrawiadau, cyn cael cyfle i allyrru ffotonau. Fodd bynnag, dan amodau gwactod eithaf (bron) – mwy eithafol na'r gwactod gorau a gynhyrchir ar y Ddaear – mae amlder y gwrthdrawiadau mor isel fel bydd gan yr atomau amser i allyrru ffotonau gyda'r tonfeddi hyn.

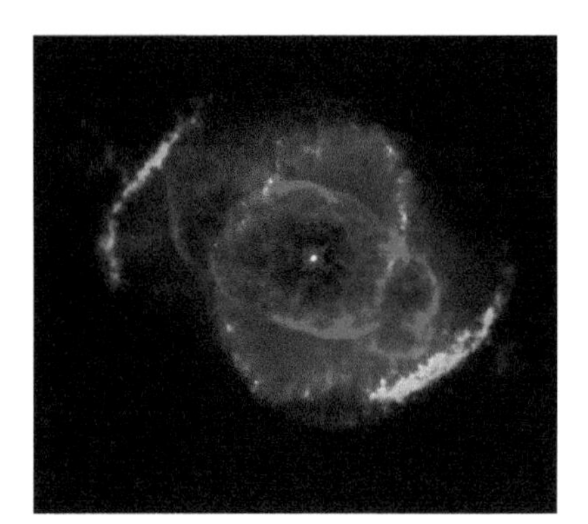

Ffig. 2.8.10 Nifwl Llygad y Gath

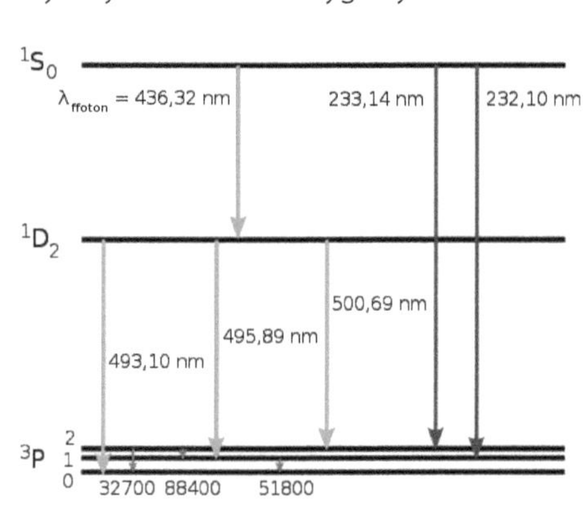

Ffig. 2.8.11 Allyriadau 'nifyliwm'

2.8.6 Hunan-brawf

Cyfrifwch y gwahaniaethau egni rhwng y lefelau egni $^1S_0$ a $^3P_0$ yn nifyliwm.

Yn yr un modd, darganfyddwyd y moleciwl 'mysterium' gan y radio-seryddwyr Howard Weaver a'i gydweithwyr yn 1963. Roeddent yn edrych ar allyriadau o foleciwlau hydrocsyl (OH) yn nifwl Orïon, a daethant ar draws rhai llinellau a oedd yn llawer iawn cryfach na'r disgwyl (nid oeddent yn cyfateb i batrwm hysbys cryfderau llinellau OH). Roeddent yn tybio eu bod wedi dod o hyd i foleciwl anhysbys, a rhoddwyd iddo'r enw *'mysterium'.*

Mewn gwirionedd, roeddent wedi darganfod y maser naturiol cyntaf – mae hwn yn debyg i laser, ond mae'n allyrru microdonnau. Roedd yr allyriadau yn dod o OH a oedd yn cael ei bwmpio i gyflyrau metasefydlog gan belydriad isgoch o sêr cyfagos. Mae allyriadau digymell yn arwain at allyriadau ysgogol o foleciwlau OH eraill. Ni allai hyn ddigwydd ar y Ddaear oherwydd, fel y gwelsom yn Hunan-brawf 2.8.4, mae'n rhaid i ffoton deithio'n eithaf pell cyn iddo ysgogi allyriad; dan amodau gwactod eithaf (bron) y gofod, mae'r pellter hwn yn hirach fyth. Ond, fel y dywedodd Douglas Adams, 'Mae'r gofod yn fawr'. Mae cwmwl hydrocsid yn biliynau o km ar ei draws, felly mae'n bosibl bod yna ddigon o bellter i ganiatáu lasio.

Ffig. 2.8.12 Nifwl Orïon

Ers hynny, darganfyddwyd bod llawer o foleciwlau gofodol yn arddangos gweithgaredd maser, e.e. dŵr, amonia a hydrogen cyanid, ac, yn 1995, gwelwyd y laser hydrogen atomig cyntaf yn y ddisg chwyrlïog sy'n amgylchynu'r seren las lachar, MCW 349. Mae'r allyriadau laser yn yr ardal isgoch ar donfeddi sy'n cyfateb i drosiadau rhwng cyflyrau cynhyrfol iawn atomau hydrogen (gweler Ymestyn a Herio).

Mae'r un ddisg yn arddangos allyriadau maser hefyd, fel y dangosir yn Ffig. 2.8.13. Mae'r allyriadau laser yn cael eu pwmpio'n optegol o'r pelydriad uwchfioled o'r seren, ac mae'r maserau'n cael eu cynhyrfu gan belydriad isgoch, sy'n treiddio'n bellach i'r ddisg.

Gwelwyd yr allyriadau hyn oherwydd bod y pelydriad yn ddwys iawn a hefyd yn amrywiol iawn.

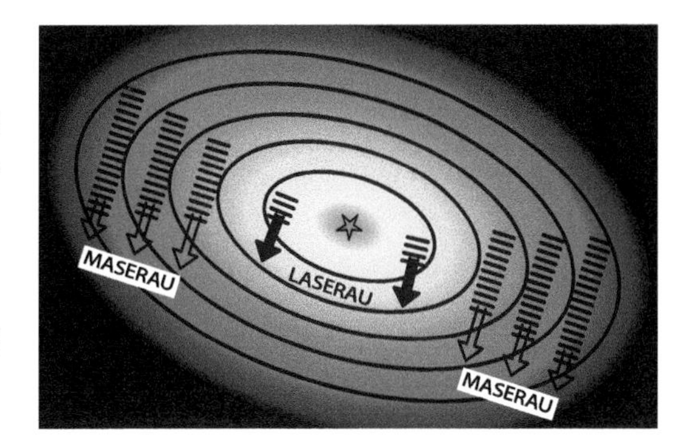

Ffig. 2.8.13 Laserau a maserau wedi'u pwmpio gan seren

Mae'r pelydriad lawer yn fwy dwys nag y byddem yn ei ddisgwyl gan allyriad thermol pur. Mae arddwysedd y maserau yn cyfateb i dymereddau pelydrydd cyflawn o hyd at 10^{15} K; ni fyddai'r moleciwlau'n bodoli ar y tymereddau hyn. Mae'r amrywioldeb yn ganlyniad i'r ffaith bod y cynnydd yn y laser/maser yn dibynnu cymaint (yn esbonyddol) ar hyd y llwybr yn y cwmwl nwy, ynghyd ag amodau priodol – felly mae unrhyw amrywiad bach yn yr hyd hwn yn achosi newidiadau enfawr yn yr allbwn. Mae'r ddwy briodwedd hyn yn caniatáu i seryddwyr wneud mesuriadau manwl o'r amodau yn y cymylau nwy.

Mae trosiadau o lefel $n + 1$ i'r lefel egni n mewn hydrogen yn achosi tonnau sy'n cael eu labelu yn alffa Hn. Roedd y laserau hydrogen o gwmpas MCW 349 ar 169 mm ac 89 mm. Defnyddiwch yr hafaliad

$(E_n / \text{eV}) = -13.6 \frac{Z^2}{n^2}$,

o Adran 2.7.3 (b) i ddangos bod y rhain yn gyson ag alffa H15 ac alffa H12.

Canfuwyd laserau alffa H10 hefyd. Cyfrifwch donfedd y pelydriad.

Ymarfer 2.8

Mae'r cwestiynau yn yr adran hon wedi'u seilio ar ddiagram egni ar gyfer laser heliwm-neon, a'r darn byr isod sy'n disgrifio'r laser.

Y laser heliwm-neon

Mae gan laserau go iawn lefelau egni sydd lawer yn fwy cymhleth na'r hyn a welir yn y nodiadau mewn gwerslyfrau. Mewn laser He-Ne, mae'r cyfrwng mwyhau yn gymysgedd o'r ddau nwy, heliwm a neon. Mae'r ddau nwy, ar wasgedd isel, yn cael eu selio mewn tiwb gwydr, a chaiff cerrynt trydanol ei basio trwyddynt. Mae electronau sy'n taro yn erbyn yr atomau heliwm yn eu cynhyrfu i'r cyflyrau egni 2 ^{1}s a 2 ^{3}s (peidiwch â phoeni am enwau'r cyflyrau egni hyn). Mae'r ddwy lefel egni hyn yn digwydd bod bron yr un peth â'r lefelau egni 4s a 5s mewn neon, felly mae egni yn cael ei drosglwyddo'n hawdd o atomau heliwm i atomau neon trwy wrthdrawiadau rhyngatomig anelastig.

Mae cyflyrau 4s a 5s neon yn rhai *metasefydlog*, ac mae hyn yn arwain at allyriadau laser i lawr i'r cyflyrau 4p a 3p. Mae tonfeddi'r allyriadau laser yn 633 nm, 1.15 μm a 3.39 μm (a ddangosir fel saethau coch).

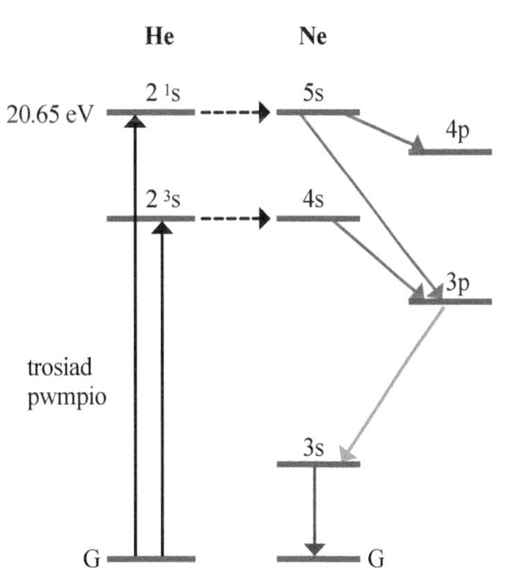

Mae'r cyflyrau 3p a 4p yn fyrhoedlog iawn. Mae atom yn y cyflwr 3p yn dadfeilio'n gyflym iawn, trwy allyriad digymell tonfedd 600 nm (saeth wyrdd) i'r cyflwr 3s. Mae'r atom 3s yn colli ei egni o ganlyniad i wrthdrawiadau (fel arfer ag atomau yn waliau'r cynhwysydd) ac yn disgyn i'r cyflwr isaf. Mae'r cyflwr 4p hefyd yn dadfeilio'n gyflym trwy allyriad digymell (heb ei ddangos) i 3s.

Yn ôl un llyfr data, mae egni cyflwr 2 ^{1}s heliwm yn 20.65 eV uwchlaw y cyflwr isaf.

1. Eglurwch ystyr: (a) gwrthdrawiad anelastig a (b) cyflwr metasefydlog.

2. Mae atom neon yn y cyflwr 5s yn dadfeilio i'r cyflwr 3p trwy allyrru ffoton. Mae'r ffoton hwn yn achosi allyriad ysgogol mewn atom neon arall.

   (a) Lluniadwch ddiagram i egluro sut y digwyddodd yr allyriad ysgogol.
   (b) Sut mae priodweddau'r ail ffoton yn cymharu â'r cyntaf?

3. Pam mae hi'n bwysig bod y cyflwr 3p mewn neon lawer yn fwy byrhoedlog na'r 5s ar gyfer sefydlu gwrthdroad poblogaeth?

4. Nodwch pa rai o'r trosiadau laser sy'n cynhyrchu'r allyriadau 633 nm, 1.15 μm a 3.39 μm. Cewch dybio bod gwahaniadau'r cyflyrau egni uwchlaw'r cyflwr 3s wedi'u lluniadu fwy neu lai wrth raddfa.

5. Nodwch ym mha ran o'r sbectrwm e-m y mae pob un o'r allyriadau hyn yn gorwedd.

6. Defnyddiwch eich atebion i C4, a thonfedd y trosiad 3p→3s , i gyfrifo egnïon cyflyrau cynhyrfol neon uwchlaw'r cyflwr isaf. Rhowch eich atebion mewn J ac eV.

7. Cyfrifwch donfedd y trosiad 4p→3s digymell. Ym mha ran o'r sbectrwm e-m y mae hi'n gorwedd?

8. Disgrifiwch, yn eich geiriau eich hun, y broses o drosglwyddo egni rhwng cyflwr 2 ^{1}s He a chyflwr 5s neon.

9. Mae'r diagram yn dangos electron, egni cinetig 5.3×10^{-18} J, yn agosáu at atom heliwm (mewn laser He-Ne) yn y cyflwr isaf. Mae'n taro yn erbyn un o'r electronau yn yr atom heliwm ac yn ei ddyrchafu i'r cyflwr egni 2 ^{1}s (a ddangosir fel llinell doredig).

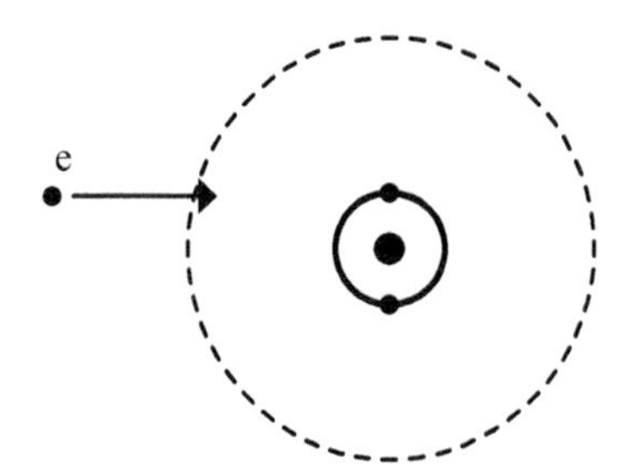

   (a) Cyfrifwch y gp y mae'r electron trawol wedi ei gyflymu trwyddo.
   (b) Mynegwch egni'r electron trawol mewn eV.
   (c) Brasluniwch ddiagram yn dangos yr atom a'r electron, gyda'u hegnïon, ar ôl y gwrthdrawiad.
   (ch) Nodwch y foltedd cyflymu lleiaf y mae ei angen i alluogi electron i gynhyrfu atom heliwm i 2 ^{1}s.

10. Mae laser He-Ne yn gweithredu ar 1.2 kV. Cyfrifwch nifer yr atomau heliwm y gall electron eu cynhyrfu i'r cyflwr 2 ^{1}s.

Cwestiynau arholiad enghreifftiol

1. (a) Defnyddiwch eich gwybodaeth o'r broses o ddargludo trydan mewn metelau i egluro pam mae metelau yn meddu ar wrthiant, a pham mae'r gwrthiant yn cynyddu gyda'r tymheredd. **[3]**

(b) Mae pâr o fyfyrwyr yn ymchwilio i amrywiad gwrthiant, R (mewn ohm), gyda thymheredd, θ, gwifren gopr, gan ddefnyddio'r cyfarpar a ddangosir. Maen nhw'n gwresogi'r baddon dŵr â llosgydd Bunsen, ac yn cymryd darlleniadau gwrthiant wrth i'r tymheredd godi ac wrth iddo ddisgyn. Dangosir y canlyniadau, gyda barrau cyfeiliornad, yn y graff.

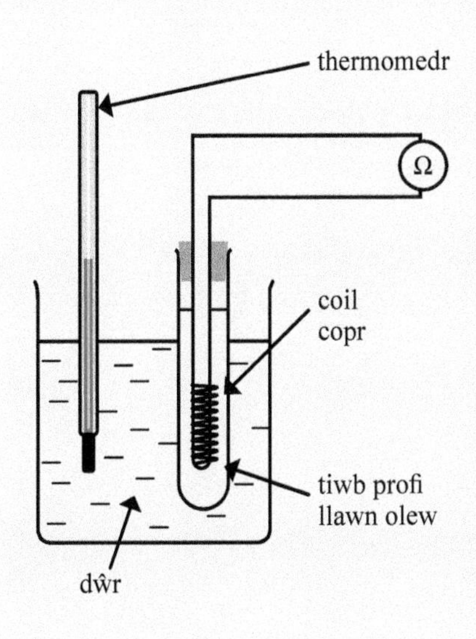

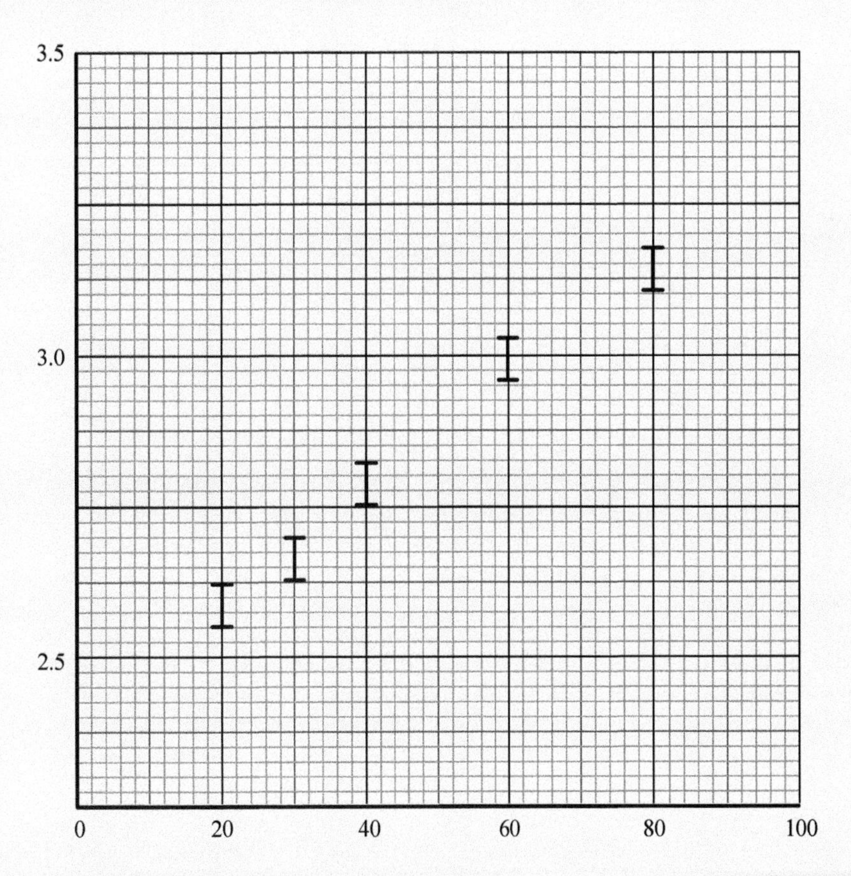

(i) Yn nhermau'r cyfarpar a ddefnyddir, trafodwch pam mae'n arfer gwell cymryd darlleniadau gwrthiant wrth wresogi ac wrth oeri, yn hytrach na gwresogi mwy nag unwaith. **[3]**

(ii) Awgrymwch welliant i ddyluniad yr arbrawf a fyddai'n lleihau'r angen i gymryd darlleniadau wrth oeri yn ogystal ag wrth wresogi. Rhowch reswm. **[1]**

(iii) Labelwch echelinau'r graff. **[2]**

(iv) Mae'r myfyrwyr yn disgwyl y bydd amrywiad y gwrthiant gyda'r tymheredd ar y ffurf:

$$R = R_0 (1 + \alpha\theta),$$

lle R_0 yw'r gwrthiant ar 0°C ac mae α yn gysonyn.

Defnyddiwch y graff i ddangos bod y data yn gyson â'r berthynas hon, a darganfyddwch werthoedd ar gyfer R_0 ac α, ynghyd â'u hansicrwydd absoliwt. **[6]**

(c) Mae rhai dargludyddion yn dod yn uwchddargludol ar dymereddau isel.

(i) Disgrifiwch y ffenomen hon gyda chymorth graff addas. **[2]**

(ii) Rhowch enghraifft o sut caiff uwchddargludyddion eu defnyddio, ac eglurwch pam mae uwchddargludydd yn well na dargludydd confensiynol yn yr achos hwn. **[2]**

2. **(a)** Eglurwch ystyr egwyddor arosodiad. **[2]**

(b) Mae myfyriwr yn trefnu bod paladr o olau coch monocromatig, tonfedd 650 nm, o laser yn taro hollt ddwbl, ac mae'n archwilio'r patrwm dilynol ar sgrin sydd 2.00 m i ffwrdd.

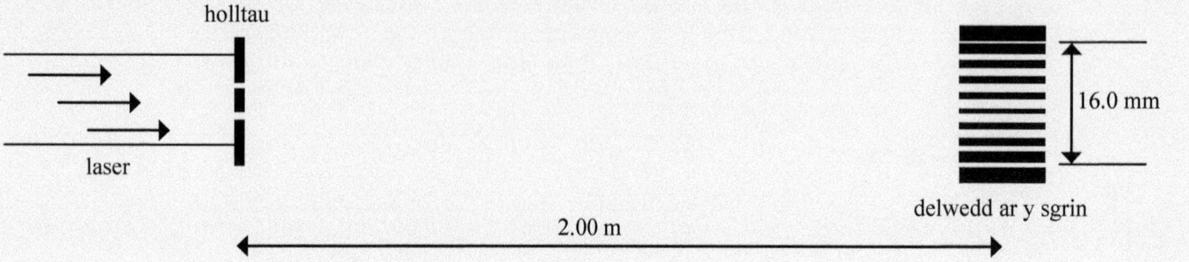

(i) Cyfrifwch wahaniad yr holltau. **[2]**

(ii) Eglurwch pam, er mwyn gweld y patrwm, mae angen i'r holltau fod yn gul iawn ac yn agos i'w gilydd, a pham mae angen i'r sgrin fod ymhell o'r holltau. **[4]**

(iii) Eglurwch ym mha ffordd y byddai'r patrwm yn wahanol pe bai golau gwyrdd, tonfedd 500 nm, yn cael ei ddefnyddio yn lle golau coch. **[2]**

(c) Mae'r grisial tryloyw, mica, indecs plygiant 1.5, ar gael ar ffurf haenau tenau o drwch 0.10 mm.

(i) Mae paladr o olau, tonfedd 650 nm, mewn gwactod, yn pasio ar ongl sgwâr trwy haen fica o'r fath. Cyfrifwch sawl tonfedd o'r golau sydd yn y trwch hwn o fica. **[2]**

(ii) Eglurwch pam byddai safle'r llinellau yn newid pe câi haen fica ei gosod dros un o'r holltau yn rhan (b). **[2]**

3. **(a)** Dangosir diagram lefelau egni syml ar gyfer system laser 4 lefel:

(i) Ar y diagram uchod, defnyddiwch saethau wedi'u labelu i ddangos (I) y trosiad pwmpio a (II) y trosiad laser. **[1]**

(ii) Mae'r laser hwn wedi'i *bwmpio'n optegol*. Nodwch egni ffoton y pelydriad pwmpio, a chyfiawnhewch eich ateb. **[2]**

(iii) Cyfrifwch donfedd y golau laser sy'n cael ei gynhyrchu. **[2]**

(iv) Yn y system laser hon, mae'r electronau yn llenwi lefelau P ac L am gyfnod byr iawn ($\sim 10^{-9}$ s) yn unig, cyn disgyn i'r lefel is, ac mae hyd oes lefel U dipyn yn hirach ($\sim 10^{-3}$ s). Eglurwch yn fanwl sut mae'r system yn gallu mwyhau golau, gan gynnwys arwyddocâd yr hydoedd oes hyn wrth sefydlu gwrthdroad poblogaeth. **[6 AYE]**

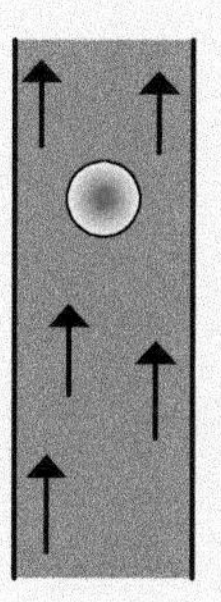

(b) Mae system yn cael ei dylunio lle bydd sfferau adlewyrchol bach, diamedr $0.1\ \text{mm}$ a dwysedd $1.5 \times 10^{-3}\ \text{kg m}^{-3}$, yn cael eu dal yn eu lle yn erbyn maes disgyrchiant y Ddaear gan baladr laser.

(i) Gwnewch gyfrifiad i amcangyfrif yr arddwysedd sydd ei angen yn y paladr laser (h.y. y pŵer fesul uned arwynebedd). Cewch ystyried y sfferau fel disgiau llorweddol ar gyfer y cyfrifiad hwn. **[3]**

(ii) Cymharwch eich amcangyfrif o arddwysedd y laser ag arddwysedd yr Haul ar ei arwyneb. [$T_{\text{Haul}} \sim 6000\ \text{K}$]. **[1]**

(iii) Nid yw'n bosibl gwneud i'r sfferau adlewyrchu 100%. Awgrymwch un broblem y mae hyn yn debygol o'i hachosi. **[2]**

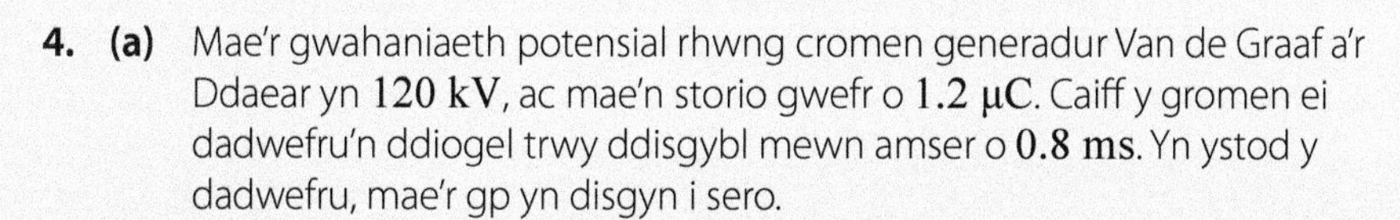

4. (a) Mae'r gwahaniaeth potensial rhwng cromen generadur Van de Graaf a'r Ddaear yn $120\ \text{kV}$, ac mae'n storio gwefr o $1.2\ \mu\text{C}$. Caiff y gromen ei dadwefru'n ddiogel trwy ddisgybl mewn amser o $0.8\ \text{ms}$. Yn ystod y dadwefru, mae'r gp yn disgyn i sero.

(i) Diffiniwch y term gwahaniaeth potensial. **[2]**

(ii) Cyfrifwch y cerrynt cymedrig. **[1]**

(iii) Trwy ystyried y gp cymedrig, amcangyfrifwch gyfanswm yr egni a drosglwyddir yn ystod y dadwefru. **[2]**

(b) Caiff cerrynt ei yrru trwy rwydwaith o wrthyddion gan fatri.

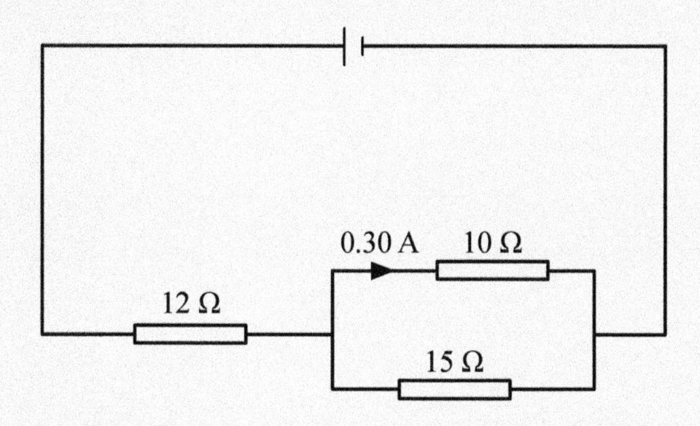

(i) Dangoswch yn glir fod y gp ar draws y batri yn $9.0\ \text{V}$.  **[3]**

(ii) Mae gwrthiant mewnol y batri yn $2.0\ \Omega$. Dadansoddwch yn feintiol y trosglwyddiadau egni yn y gylched. **[4]**

(iii) Caiff y gwrthydd $15\ \Omega$ ei ddatgysylltu. Heb wneud cyfrifiadau pellach, eglurwch yn ansoddol sut mae'r gp ar draws y gwrthydd $10\ \Omega$, y gwrthydd $12\ \Omega$, a'r batri yn newid. **[2]**

Trosolwg: Sgiliau ymarferol

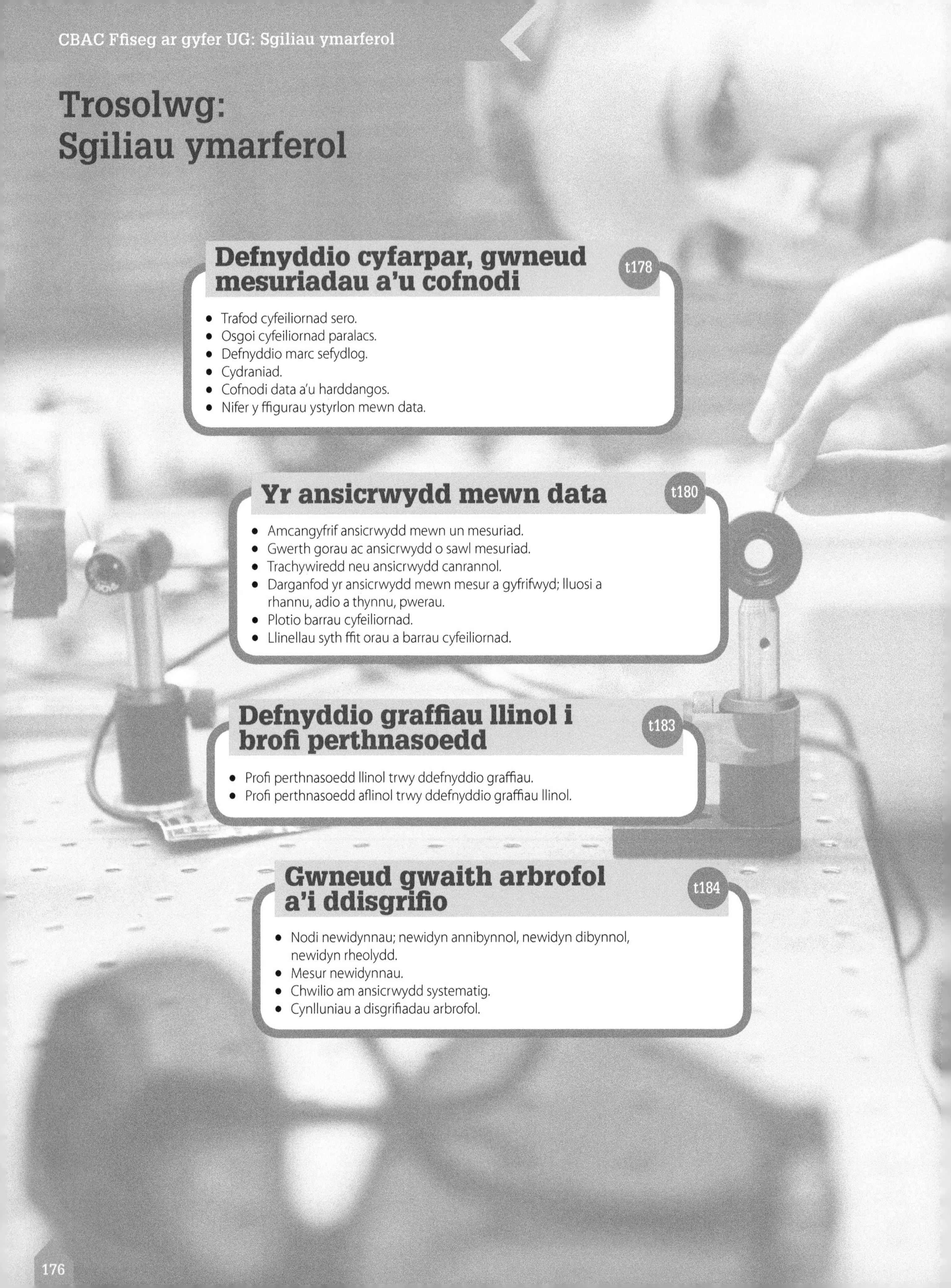

Defnyddio cyfarpar, gwneud mesuriadau a'u cofnodi

t178

- Trafod cyfeiliornad sero.
- Osgoi cyfeiliornad paralacs.
- Defnyddio marc sefydlog.
- Cydraniad.
- Cofnodi data a'u harddangos.
- Nifer y ffigurau ystyrlon mewn data.

Yr ansicrwydd mewn data

t180

- Amcangyfrif ansicrwydd mewn un mesuriad.
- Gwerth gorau ac ansicrwydd o sawl mesuriad.
- Trachywiredd neu ansicrwydd canrannol.
- Darganfod yr ansicrwydd mewn mesur a gyfrifwyd; lluosi a rhannu, adio a thynnu, pwerau.
- Plotio barrau cyfeiliornad.
- Llinellau syth ffit orau a barrau cyfeiliornad.

Defnyddio graffiau llinol i brofi perthnasoedd

t183

- Profi perthnasoedd llinol trwy ddefnyddio graffiau.
- Profi perthnasoedd aflinol trwy ddefnyddio graffiau llinol.

Gwneud gwaith arbrofol a'i ddisgrifio

t184

- Nodi newidynnau; newidyn annibynnol, newidyn dibynnol, newidyn rheolydd.
- Mesur newidynnau.
- Chwilio am ansicrwydd systematig.
- Cynlluniau a disgrifiadau arbrofol.

Sgiliau ymarferol

Mae sawl diben i waith ymarferol ar gyfer myfyrwyr UG/Safon Uwch:

- Mae athrawon yn ei ddefnyddio i egluro'r theori.
- Mae'n galluogi myfyrwyr i werthfawrogi seiliau arbrofol ffiseg.
- Mae'n paratoi myfyrwyr ar gyfer papurau arholiad UG/Safon Uwch.
- Mae'n cyfrannu at yr ardystiad ymarferol (Safon Uwch yn unig).

Rhoddir llawer o fanylion am dechnegau ymarferol unigol ochr yn ochr â'r gwaith ymarferol penodol yn Unedau 1 a 2.

Nod y bennod fer hon yw darparu cyfeiriad parod i'r technegau cyffredinol y bydd angen i chi eu defnyddio yn eich gwaith ymarferol. Wrth drafod rhai agweddau ar wneud mesuriadau, mae'n canolbwyntio ar agweddau rhifiadol mwy datblygedig mewn Ffiseg UG/Safon Uwch, er enghraifft amcangyfrif a chyfuno ansicrwydd, a defnyddio graffiau i ymchwilio i berthnasoedd llinol ac aflinol, gan gynnwys defnyddio barrau cyfeiliornad.

Noder: Rydym yn trafod rhai agweddau ar graffiau ym Mhennod 4, Sgiliau mathemategol.

Cynnwys

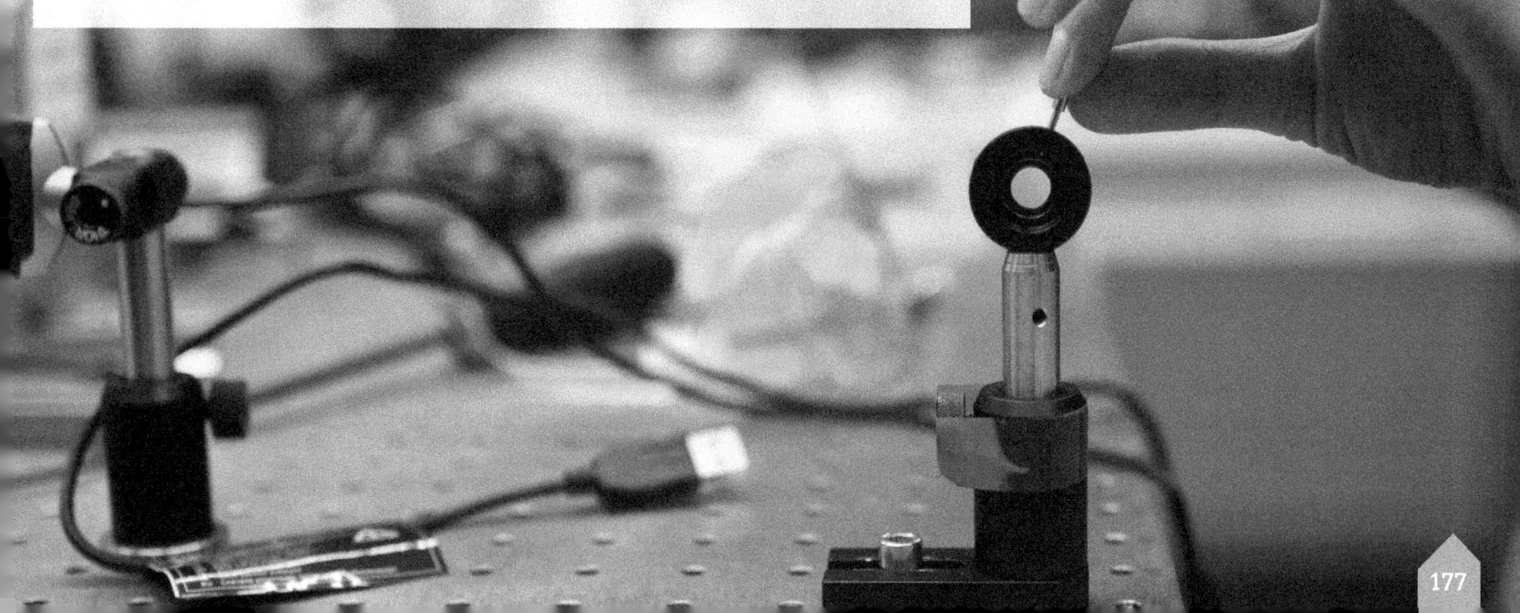

3 Sgiliau ymarferol

Sylwch

Mae'r fanyleb yn cynnwys teitlau ymchwiliadau arbrofol yn unig. Bydd manylion yr union arbrofion yn dibynnu ar ddewisiadau'r athrawon yn eich canolfan arholi (h.y. ysgol neu goleg), a'r cyfarpar sydd ar gael.

Sylwch

Mae pennau prennau metr yn aml wedi'u difrodi. Dylech gymryd darlleniadau o bwynt cyfleus, e.e. 100 mm o'r pen.

Sylwch

Er mwyn darganfod diamedr gwifren, mae'n arfer da mesur y diamedr ar sawl pwynt ar ei hyd, ac ailadrodd pob mesuriad ar ongl sgwâr, rhag ofn nad yw trawstoriad y wifren yn union grwn.

3.1 Cyflwyniad

Fel rhan o'r cwrs UG, mae disgwyl i chi ateb cwestiynau ar nifer mawr o ymchwiliadau arbrofol. Bydd y cwestiynau hyn yn cynnwys dylunio arbrofion, defnyddio cyfarpar a thechnegau, casglu a chyflwyno data, trin ansicrwydd mewn data, gwneud casgliadau, a gwerthuso canlyniadau. Mae teitlau a manylion yr ymchwiliadau i'w gweld ym Mhenodau 1 a 2 yn y testun priodol. Mae'r bennod hon yn trafod y sgiliau cyffredinol y mae angen i chi eu harddangos. Os byddwch yn parhau i'r cwrs Safon Uwch llawn, bydd eich gwaith arbrofol yn cael ei asesu a'i gofnodi yn y *Dystysgrif Cwblhau Gwaith Ymarferol*. Bydd hyn yn cynnwys arddangos yr un sgiliau yn ymarferol. Caiff rhai technegau mathemategol lefel uwch ar gyfer hyn eu cynnwys yn fersiwn Safon Uwch y llyfr hwn.

3.2 Defnyddio cyfarpar, gwneud mesuriadau a'u cofnodi

Nid yw'r rhestr o gyfarpar cyffredinol a ddefnyddir mewn Ffiseg UG yn un hir. Mae'n cynnwys: offer mesur pellter, er enghraifft prennau metr, caliperau digidol, micromedrau a microsgopau teithiol (o bosibl); mesuryddion trydanol – amedrau a foltmedrau yn bennaf; cloriannau digidol; amseryddion, er enghraifft stopwatshis digidol a'r defnydd o adwyon golau; thermomedrau neu chwiliedyddion tymheredd; cyfarpar cyfaint hylif, er enghraifft silindrau mesur. Ar gyfer Safon Uwch, caiff y rhestr hon ei hymestyn i gynnwys generaduron signalau, osgilosgopau, rhifyddion a chanfodyddion pelydriad.

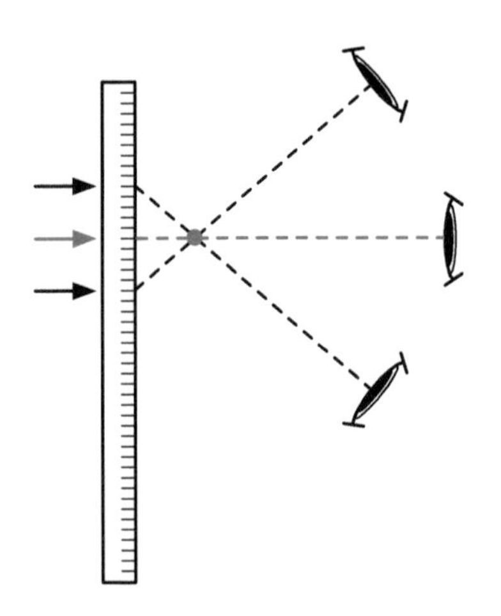

Ffig. 3.1 Cyfeiliornad paralacs

3.2.1 Trafod cyfeiliornad sero

Dylid gwirio cyfarpar i sicrhau ei fod yn dangos sero pan ddylai wneud hynny. Mae'n bosibl gosod rhai offer ar sero, e.e. mesuryddion trydan analog. Os nad yw'n bosibl gosod darn o offer ar sero, dylid tynnu'r darlleniad sero o bob darlleniad, e.e. mae caliper digidol yn dangos 0.02 mm pan fydd ar gau, a 0.34 mm wrth ddarllen diamedr gwifren: dylid cofnodi diamedr y wifren fel $0.34 - 0.02 = 0.32$ mm.

3.2.2 Osgoi cyfeiliornad paralacs

Mae'r rhain yn effeithio ar offer analog sydd â phwyntydd neu raddfa, er enghraifft prennau metr neu fesuryddion trydanol. Yn Ffig. 3.1, mae'n amlwg mai'r darlleniad canol yn unig (mewn coch) sy'n gywir. Dylai'r safle sydd i'w fesur fod mor agos â phosibl i'r raddfa, a dylai'r llygad fod ar ongl sgwâr i'r raddfa. Mewn arbrofion 'bownsio pêl', dylai'r llygad fod ar uchder disgwyliedig y bowns, a gellir darganfod gwerth bras ar gyfer hwn mewn arbrofion prawf.

Sylwch

Wrth fesur cyfnod osgiliadau, dylech ryddhau'r gwrthrych a chaniatáu i'r osgiliadau sefydlogi, cyn amseru o'r amser y mae'r gwrthrych yn pasio'r marc sefydlog.

3.2.3 Defnyddio marc sefydlog

Mewn llawer o arbrofion, mae'n ddefnyddiol cael marc sefydlog y gellir cymryd mesuriadau ohono. Mae hyn yn arbennig o ddefnyddiol mewn arbrofion osgiliadau. Dylid amseru'r osgiliadau pan fydd y gwrthrych yn croesi'r pwynt canol. Dyma lle y mae'n teithio gyflymaf. Yn ogystal â hynny, os yw'r osgiliadau'n mynd yn llai oherwydd gwanychiad, efallai na fydd y gwrthrych, ar ôl ychydig osgiliadau, yn cyrraedd pwyntydd a osodwyd ar y safle eithaf.

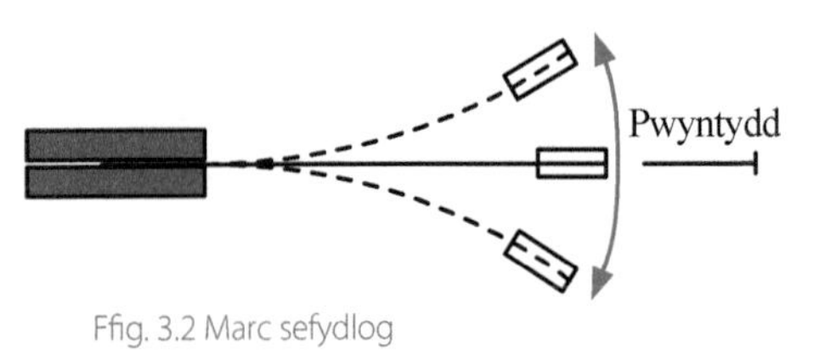

Ffig. 3.2 Marc sefydlog

3.2.4 Cydraniad

Dylech bob tro gofnodi cydraniad unrhyw offeryn rydych yn ei ddefnyddio.

Ar gyfer offeryn digidol, mae'r cydraniad yn 1 yn y ffigur lleiaf ystyrlon ar y dangosydd. Mae cydraniad yr amedr yn Ffig. 3.3 yn 0.1 mA

Ar gyfer offeryn analog, e.e. y foltmedr yn Ffig. 3.3, dylech gymryd y cydraniad fel y cyfwng rhwng y graddfeydd lleiaf. 0.1 V yn yr achos hwn.

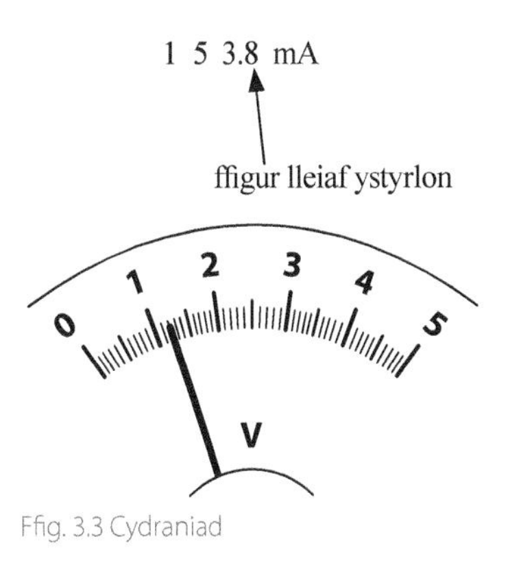

Ffig. 3.3 Cydraniad

Termau a diffiniadau

Cydraniad offeryn yw'r newid mesuradwy lleiaf y gellir ei fesur o'i ddefnyddio.

Pwynt astudio

Nid yw cydraniad yr un peth ag ansicrwydd. Mae cydraniad stopwatsh yn aml yn 0.01 s, ond yr ansicrwydd gorau y gall unigolyn ei sicrhau wrth amseru â llaw yw $\sim\pm\ 0.05$ s.

3.2.5 Cofnodi data a'u harddangos

Y ffordd safonol o arddangos data systematig, h.y. canlyniadau amrywio'r newidyn annibynnol, yw trwy ddefnyddio tabl. Mae'r tabl canlynol yn dangos y pwyntiau y dylech eu hystyried wrth lunio tabl:

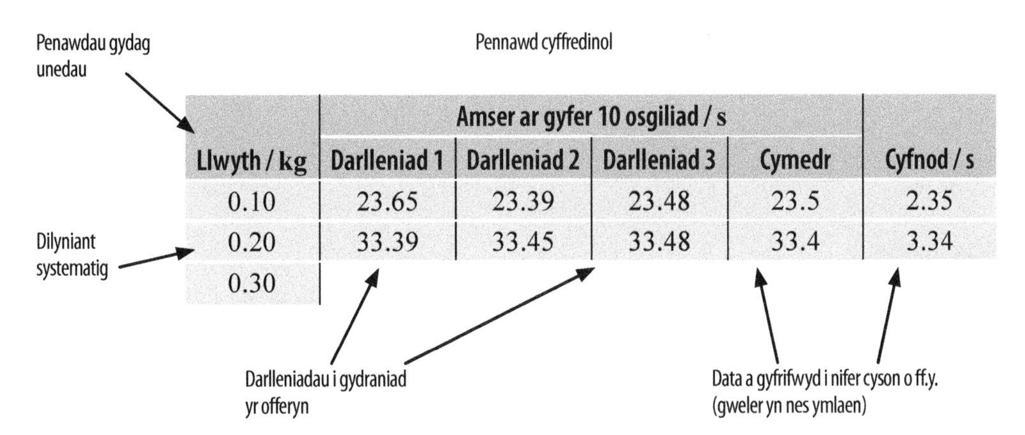

	Amser ar gyfer 10 osgiliad / s				
Llwyth / kg	Darlleniad 1	Darlleniad 2	Darlleniad 3	Cymedr	Cyfnod / s
0.10	23.65	23.39	23.48	23.5	2.35
0.20	33.39	33.45	33.48	33.4	3.34
0.30					

Tabl 3.1 Tablu

Sylwch

Dangoswch unrhyw ddarlleniadau i gydraniad yr offeryn. Yn Nhabl 3.1 mae'r darlleniadau amser i 0.01 s. Dylech fod yn gyson, hyd yn oed os yw'r darlleniad yn (dyweder) 33.00 s.

Pwynt astudio

A ddylem boeni ynghylch nifer y ffigurau ystyrlon ynteu nifer y lleoedd degol mewn ateb? Nodwch fod 53.2 cm a 0.532 m yr un peth. Maen nhw'n honni'r un trachywiredd; mae ganddynt yr un nifer o ffigurau ystyrlon, ond nifer gwahanol o leoedd degol.

3.2.6 Nifer y ffigurau ystyrlon mewn data

Ni allwn wneud defnydd llawn o werth a nodir ar gyfer mesur, os nad oes gennym syniad o'i ansicrwydd, oherwydd ni allwn fod yn siŵr pa mor drachywir ydyw. Er enghraifft, beth mae cerrynt sydd â gwerth a nodir o 53 mA yn ei olygu? Heb unrhyw wybodaeth arall, rydym yn cymryd bod 53 mA yn golygu 'rhywle rhwng $52.5\ldots$ mA a $53.4\ldots$ mA.' Mae hyn yn golygu bod yr amrediad ansicrwydd yn $\pm\ 0.5$ mA, sydd tua 1 rhan mewn 100 (neu 1%).

Os ydym yn cyfrifo gwrthiant trydanol, gan ddefnyddio un pâr o werthoedd ar gyfer cerrynt a gp, mae angen i ni benderfynu pa mor drachywir yw'r ateb, h.y. sawl ffigur i'w rhoi yn yr ateb. Tybiwch fod y gp yn 25.63 V a'r cerrynt yn 53 mA. Caiff gwerth y gwrthiant, R ei gyfrifo fel a ganlyn:

$$R = \frac{V}{I} = \frac{25.52\ \text{V}}{0.053\ \text{A}} = 481.509\ldots\Omega$$

Ond rydym yn gwybod gwerth y cerrynt i 1 rhan mewn 100 yn unig. Pe bai gwir werth y cerrynt yn 0.05270 A, byddai'r gwrthiant a gyfrifir yn $484.250\ldots\Omega$. Mae'r ddau ateb hyn yn wahanol os ydym yn defnyddio mwy na dau ffigur ystyrlon, sef trachywiredd y cerrynt, y datwm llai trachywir.

Os gallwn amcangyfrif yr ansicrwydd yn y data, gallwn roi gwell ateb i'r broblem hon. Rydym yn trafod hyn yn yr adran nesaf.

Hunan-brawf 3.1

Cyfrifwch werth y gwrthiant yn Adran 3.2.6 os yw'r cerrynt yn 53.4 mA.

Rheol

Wrth luosi a rhannu, mynegwch y canlyniad i'r un nifer o ffigurau ystyrlon â'r lleiaf trachywir o'r gwerthoedd data.

3.3 Yr ansicrwydd mewn data

Nid oes gan yr un gwerth arbrofol drachywiredd perffaith. Ni allwn gymryd bod gan wrthydd, sydd â'i werth wedi'i nodi yn $22\ \mathrm{k\Omega}$, wrthiant o $22.00000....\mathrm{k\Omega}$. Caiff canlyniadau arbrofol eu datgan ar y cyd â'r hyn sy'n cael ei alw yn **ansicrwydd absoliwt**. Mae'n bosibl datgan y gwrthiant fel $21.6 \pm 0.5\ \mathrm{k\Omega}$, sy'n awgrymu bod yr amcangyfrif gorau yn gosod y gwrthiant (mewn $\mathrm{k\Omega}$) rhwng 21.1 a 22.1.

Mae'r adran hon yn cyflwyno'r dulliau a ddefnyddir mewn Ffiseg UG/Safon Uwch i amcangyfrif ansicrwydd.

Pwynt astudio

Mewn gwaith gwyddonol proffesiynol, byddai'r ansicrwydd ± yn cael ei nodi gyda thebygolrwydd bod y gwerth yn gorwedd o fewn yr amrediad. I gyfrifo'r fath ansicrwydd, mae angen gwneud gwaith ystadegol manwl, nad yw wedi ei gynnwys mewn Ffiseg Safon Uwch.

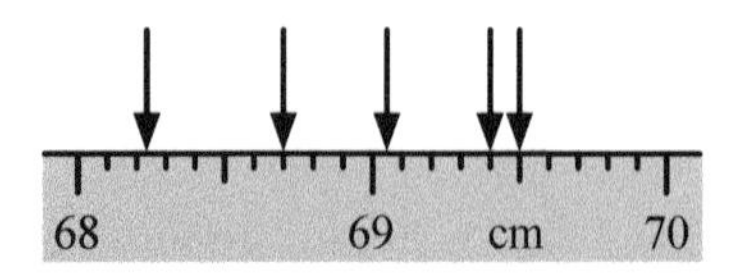

Tabl 3.4 Darlleniadau amryfal

3.3.1 Amcangyfrif y gwerth gorau ac ansicrwydd absoliwt

(a) Ansicrwydd o un mesuriad

Dylid defnyddio cydraniad yr offeryn fel amcangyfrif o'r ansicrwydd. Er enghraifft, wrth ddefnyddio riwl metr, dylid fel arfer nodi'r ansicrwydd fel $\pm 0.001\ \mathrm{m}$ ($\pm 1\ \mathrm{mm}$). Efallai ei bod hi'n bosibl amcangyfrif darlleniadau yn fwy cywir na hyn, e.e. i hanner y cydraniad, ond dylid cofio mai mesuriad pob hyd yw'r gwahaniaeth rhwng y darlleniadau ar y naill ben a'r llall, ac felly mae dau ansicrwydd yn gysylltiedig â'r mesuriad.

Termau a diffiniadau

Mae **allwerth** (*outlier*) yn werth sy'n wahanol iawn i'r lleill, ac sy'n cael ei anwybyddu wrth gyfrifo'r gwerth gorau.

(b) Gwerth gorau ac ansicrwydd o sawl mesuriad

Mae Ffig. 3.4 yn rhoi canlyniadau pum mesuriad hyd, x_1 .....x_5, pob un i'r $0.5\ \mathrm{mm}$. agosaf. Os nad oes gennym reswm dros anwybyddu unrhyw ddarlleniad unigol, e.e. am ein bod yn ystyried ei fod yn **allwerth**, y gwerth gorau yw **cymedr rhifyddol**, $\langle x \rangle$, y darlleniadau.

$$\langle x \rangle = \frac{x_1 + x_2 + \dots x_5}{5} = \frac{68.25 + 68.70 + 69.05 + 69.40 + 69.50}{5} = 68.98\ \mathrm{cm}$$

Caiff Δx, yr ansicrwydd absoliwt yn x, ei gyfrifo trwy rannu gwasgariad y gwerthoedd â 2. Felly, yn yr achos hwn, mae:

$$\Delta x = \frac{x_{\mathrm{mwyaf}} - x_{\mathrm{lleiaf}}}{2} = \frac{69.50 - 68.25}{2} = 0.625\ \mathrm{cm}$$

Termau a diffiniadau

Y **cymedr rhifyddol** yw swm y gwerthoedd wedi'i rannu â nifer y gwerthoedd. Gellir ei ysgrifennu fel $\langle x \rangle$ neu $\bar{x}$.

Gan fod Δx yn amcangyfrif yn unig o'r ansicrwydd, rydym yn ei fynegi i 1 ff.y. yn unig. Yn yr achos hwn, rydym yn mynegi Δx fel $0.6\ \mathrm{cm}$, ac rydym yn datgan gwerth x fel $x = \langle x \rangle \pm \Delta x$, sydd, yn yr achos hwn, yn $69.0 \pm 0.6\ \mathrm{cm}$.

Nodwch ein bod yn mynegi gwerth gorau x i'r un lle degol â'r ansicrwydd. Yn yr achos hwn, mae'r ansicrwydd yn y lle degol cyntaf, felly rydym yn mynegi x i 1 ll.d.

3.2 Hunan-brawf

Caiff cerrynt, I, ei fesur 4 gwaith gyda'r canlyniadau canlynol mewn mA: $36.7, 37.2, 36.6, 37.0$. Nodwch werth I, ynghyd â'i ansicrwydd.

(c) Trachywiredd

Nid yw'r ansicrwydd absoliwt mewn mesur, ynddo'i hun, yn dangos pa mor drachywir y cafodd gwerth ei gyfrifo. Er enghraifft, byddai ansicrwydd o $10\ \mathrm{nm}$ yn y donfedd, $\Delta\lambda$, yn drachywir iawn ar gyfer microdon ($\lambda \sim 1\ \mathrm{cm}$) ond yn ddinod ar gyfer UVB ($\lambda \sim 100\ \mathrm{nm}$) ac yn anfanwl iawn ar gyfer pelydr X ($\lambda \sim 0.1\text{–}10\ \mathrm{nm}$). Caiff y **trachywiredd**, p, ei ddiffinio fel a ganlyn

$$p = \frac{\Delta x}{x} (\times 100\%)$$

Ar gyfer y pelydriad UVB y sonnir amdano uchod, mae $p = \frac{\Delta\lambda}{\lambda} = \frac{10}{100} = 0.1 = 10\%$.

Mater o hoffter personol yw p'un a ydych yn datgan y ffracsiwn (0.1) neu'r canran (10%). Mae'r trachywiredd yn ddefnyddiol wrth gyfuno ansicrwydd, a thrafodir hyn yn yr adran nesaf.

Termau a diffiniadau

Caiff y **trachywiredd**, p, ei ddiffinio fel

$$\frac{\text{ansicrwydd absoliwt}}{\text{gwerth gorau}} (\times 100\%).$$

Rydym hefyd yn cyfeirio ato fel yr **ansicrwydd ffracsiynol** neu'r **ansicrwydd canrannol**.

3.3 Hunan-brawf

Cyfrifwch drachywiredd tonfedd y microdonnau yn Adran 3.3.1(c).

3.3.2 Darganfod yr ansicrwydd mewn mesur a gyfrifwyd

(a) Lluosi a rhannu

Mae llawer o fesurau mewn ffiseg yn cael eu darganfod trwy luosi a rhannu rhai eraill, e.e. mae

buanedd = $\frac{\text{pellter}}{\text{amser}}$; pŵer, $P = IV$; gwrthiant, $R = \frac{\rho l}{A}$

Mae'r ansicrwydd yn y mesur i'w gyfrifo (buanedd, pŵer neu wrthiant) yn cael ei ddarganfod trwy gyfuno'r ansicrwydd yn y mesurau unigol. Wrth luosi a rhannu, mae'r trachywireddau (ansicrwydd ffracsiynol neu ansicrwydd canrannol) yn adio i roi'r trachywiredd yn yr ateb. Felly, yn yr hafaliad ar gyfer gwrthiant, mae:

$$p_R = p_\rho + p_l + p_A$$

I gyfrifo'r ansicrwydd absoliwt yn y gwrthiant, rydym wedyn yn defnyddio:

$$\Delta R = p_R R.$$

Enghraifft

Mae'r gp, V, ar draws cydran yn 5.35 ± 0.02 V; mae'r cerrynt, I, yn 25.3 ± 0.8 mA. Cyfrifwch wrthiant y gydran, ynghyd â'i ansicrwydd absoliwt, a nodwch y gwerth yn gywir.

Cam 1: Cyfrifwch werth gorau R: $R = \frac{V}{I} = \frac{5.35\ \text{V}}{0.0253\ \text{A}} = 211.46\ \Omega$

Cam 2: mae'r trachywiredd yn y foltedd, $p_V = \frac{0.02}{5.35} = 0.0037$ [= 0.37%]

mae'r trachywiredd yn y cerrynt, $p_I = \frac{0.8}{25.3} = 0.0316$ [= 3.16%]

Cam 3: Adiwch y trachywireddau: $p_R = p_V + p_I = 0.00373 + 0.0316 = 0.0353$

Cam 4: Cyfrifwch ΔR: $\Delta R = R p_R = 211.46 \times 0.0353 = 7.46\ \Omega = 7\ \Omega$ (1 ff.y.)

Cam 5: $\therefore$ Nodir bod $R = 211 \pm 7\ \Omega$

Nodwch: Yn yr enghraifft, mae p_V lawer yn llai na p_I felly gallwn, mewn gwirionedd, ei anwybyddu. A dweud y gwir, mae anwybyddu p_V yn parhau i roi $\Delta R = 7\ \Omega$ (1 ff.y.)!

(b) Adio a thynnu

Wrth gyfuno trwy adio neu dynnu, rhaid adio'r lefelau o ansicrwydd absoliwt. Er enghraifft, os yw car yn cyflymu o 12.0 ± 0.2 m s^{-1} i 20.5 ± 0.2 m s^{-1}, mae'r newid yn y cyflymder yn $(20.5 - 12.0) \pm (0.2 + 0.2) = 8.5 \pm 0.4$ m s^{-1}. Sylwch fod tynnu mesurau yn tueddu i roi canlyniad sydd ag ansicrwydd canrannol llawer mwy. Yn yr achos hwn, mae'r trachywireddau yn y cyflymderau yn 1.7% ac 1.0%, ond mae'r trachywiredd yn y newid mewn cyflymder yn 5% (1 ff.y.)!

(c) Pwerau

Yn aml, mae angen i ni sgwario neu ddarganfod ail isradd mesurau mewn cyfrifiadau. Os cofiwn fod $A^2 = A \times A$, yna gallwn gymhwyso'r rheol sydd yn rhan (a). Felly mae:

$$p(A^2) = 2p_A.$$

Gallwn gyffredinoli o hyn: mae $p(A^n) = np_A$ ac mae $p(\sqrt[n]{A}) = \frac{1}{n}p_A$. Fel enghraifft, rhoddir arwynebedd cylch gan πr^2; does dim ansicrwydd gan π; felly, os ydym yn gwybod y radiws i drachywiredd o 1%, mae'r trachywiredd yn yr arwynebedd yn $2 \times 1\% = 2\%$.

Pwynt astudio

Os ydym yn cyfrifo ρ o $R = \frac{\rho l}{A}$, rydym yn trin yr hafaliad i roi: $\rho = \frac{RA}{l}$. Yna mae $p_\rho = p_R + p_A + p_l$. Nodwch nad ad-drefniant o'r hafaliad yn Adran 3.3.2 (a) yw hwn.

Mae ansicrwydd yn adio bob tro!

Sylwch

Mae'n haws gweithio gydag ansicrwydd ffracsiynol, yn hytrach nag ansicrwydd canrannol, wrth i ni eu cyfuno. Yn yr **enghraifft**, mae'r ansicrwydd canrannol yn 0.37 a 3.16, sy'n rhoi cyfanswm o 3.53. Er mwyn newid hwn yn werth o ΔR, mae angen rhannu â 100. Nid oes angen gwneud hyn os defnyddir ansicrwydd ffracsiynol.

Sylwch

Wrth wneud cyfrifiadau ansicrwydd, cadwch 2 neu 3 ffigur ystyrlon yn ystod y gwaith cyfrifo ac yna defnyddiwch 1 ff.y. yn yr ateb yn unig.

Hunan-brawf 3.4

Cyfrifwch y cyflymiad yn Adran 3.3.2 (b) os oedd yr amser a gymerwyd yn 4.0 ± 0.1 s.

Hunan-brawf 3.5

Caiff diamedr sffêr ei fesur yn 2.00 ± 0.01 mm. Cyfrifwch ei gyfaint, $V \pm \Delta V$.

Defnyddiwch y fformiwla $V = \frac{4}{3}\pi r^3$ a chofiwch fod gan $\frac{4}{3}\pi$ ansicrwydd o sero.

3.3.3 Ansicrwydd a graffiau

(a) Barrau cyfeiliornad

Ystyriwch arbrawf ar amrywiad cyflymiad roced fodel yn ôl uchder uwchlaw'r ddaear. Ar uchder o $1.9\ \mathrm{m}$, caiff y cyflymiad ei fesur yn $32 \pm 4\ \mathrm{m\ s^{-2}}$. Rydym yn plotio'r wybodaeth hon fel y gwelir yn y llinell far fertigol goch yn Ffig. 3.5 (a). Mae'r llinell, sef y bar cyfeiliornad, ar $1.9\ \mathrm{m}$, ac mae'n ymestyn o 28 i $36\ \mathrm{m\ s^{-2}}$. Nid oes arwyddocâd arbennig i'r gwerth gorau o $32\ \mathrm{m\ s^{-2}}$, ar wahân i'r ffaith ei fod ar ganol y bar cyfeiliornad. Nid yw'r barrau llorweddol yn arwyddocaol, a'u hunig swyddogaeth yw tynnu sylw at faint y bar cyfeiliornad. Wrth i ni luniadu'r graff ffit orau, rydym yn disgwyl iddo basio trwy'r bar.

GWIRIO'R FATHEMATEG

Hafaliad graff llinell syth rhwng y ac x yw $y = mx + c$, lle m yw'r graddiant ac c yw'r rhyngdoriad ar yr echelin y. Gweler Adran 4.5.4.

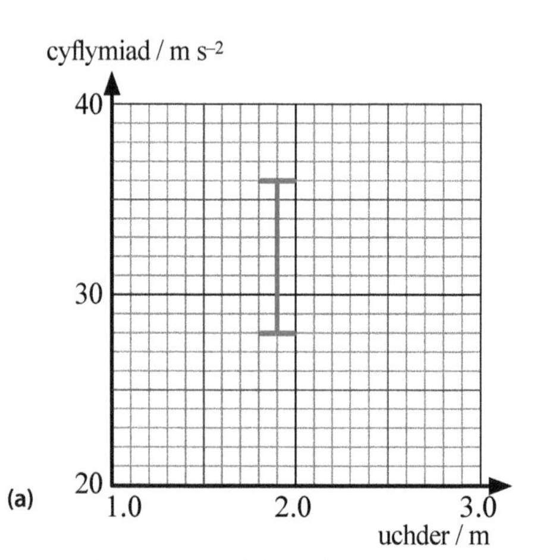

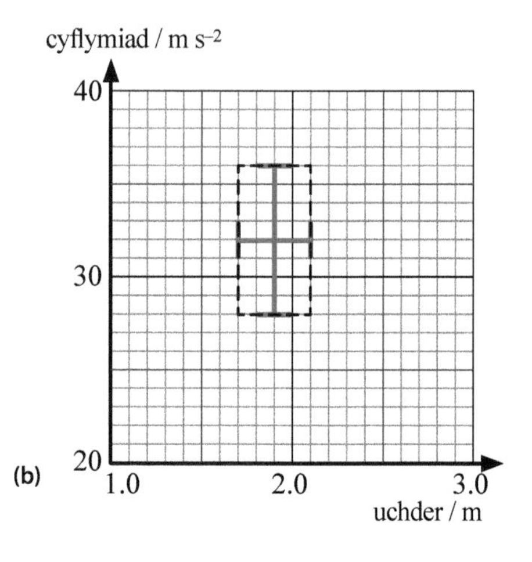

Ffig. 3.5 Barrau cyfeiliornad

Pe byddem yn gwybod uchder y roced o fewn $0.2\ \mathrm{m}$ yn unig, byddem hefyd yn plotio bar cyfeiliornad llorweddol i gynrychioli hyn, fel yn Ffig. 3.5 (b). Pe na bai yna unrhyw farrau fertigol, byddai'r llinell ffit orau yn pasio trwy'r bar cyfeiliornad llorweddol. Pe byddai ansicrwydd yn y cyfeiriad x a'r cyfeiriad y, fel ei gilydd, byddai'r graff ffit orau yn pasio trwy'r blwch toredig, sydd yn amgáu'r ddau far cyfeiliornad. A dweud y gwir, ffordd synhwyrol o blotio'r ansicrwydd yn yr achos hwn fyddai llunio'r 'blwch cyfeiliornad' yn unig: nid yw hyn yn gonfensiynol, ond mae'n hollol dderbyniol.

3.6 Hunan-brawf

Mewn graff o V/V yn erbyn I/A, mae gan y graffiau eithaf y graddiannau a'r rhyngdoriadau canlynol:

Graddiant: –0.165, –0.169

Rhyngdoriad: 9.05, 9.17

Ysgrifennwch yr hafaliad rhwng V ac I, fel sydd i'w weld yn Adran 3.3.3 (b).

(b) Llinellau syth ffit orau a barrau cyfeiliornad

Rydym yn defnyddio'r barrau cyfeiliornad sydd wedi'u plotio i:

- benderfynu a yw'r canlyniadau yn gyson â pherthynas linol
- darganfod y berthynas (gydag amcangyfrif o'r ansicrwydd) rhwng y newidynnau.

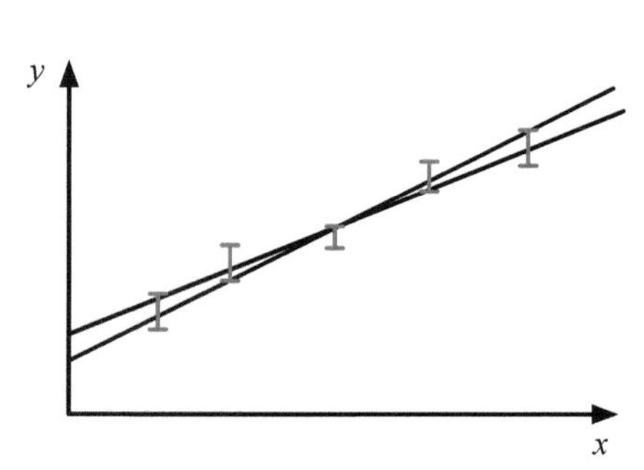

Ffig. 3.6 Graffiau a barrau cyfeiliornad

Ystyriwch y set o ganlyniadau sydd wedi'i phlotio yn Ffig. 3.6. Mae'n bosibl tynnu llinell syth trwy bob bar cyfeiliornad, ac felly mae'r canlyniadau'n gyson â pherthynas linol rhwng y ac x. Yr eithafion yw'r llinellau a dynnwyd – maen nhw'n cynrychioli'r llinellau mwyaf serth a lleiaf serth y mae'n bosibl eu tynnu trwy bob un o'r barrau cyfeiliornad.

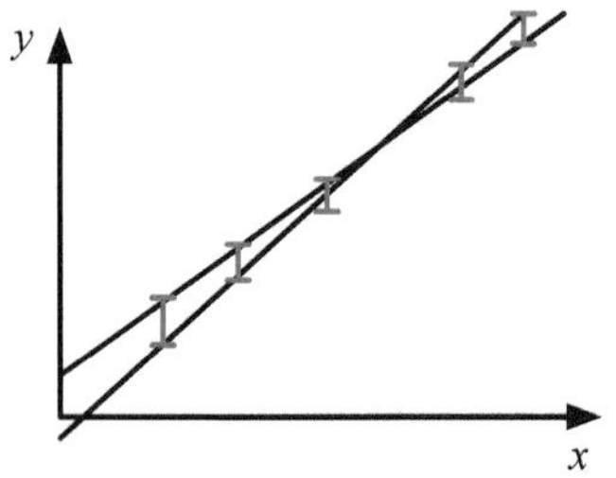

Ffig. 3.7 Cyfranoledd?

Gallwn ddefnyddio'r llinellau eithaf hyn i ddarganfod gwerthoedd gorau y graddiant a'r rhyngdoriad, ynghyd â'u lefelau ansicrwydd. Os yw'r graddiannau a'r rhyngdoriadau eithaf yn m_1, m_2, c_1 ac c_2 (gweler Gwirio'r fathemateg), yna mae:

$$m = \frac{m_1 + m_2}{2} \pm \frac{m_2 - m_1}{2} \text{ ac mae } c = \frac{c_1 + c_2}{2} \pm \frac{c_2 - c_1}{2}$$

h.y. rydym yn cymryd mai cymedrau rhifyddol y graddiannau a'r rhyngdoriadau eithaf yw'r gwerthoedd gorau, gyda'u lefelau ansicrwydd absoliwt yn hanner yr amrediadau. Felly ysgrifennir yr hafaliad rhwng y ac x fel a ganlyn:

$$y = \left(\frac{m_1 + m_2}{2} \pm \frac{m_2 - m_1}{2}\right)x + \left(\frac{c_2 + c_1}{2} \pm \frac{c_2 - c_1}{2}\right)$$

Yn Ffig. 3.7, mae'r berthynas $y \propto x$ yn gyson â'r barrau cyfeiliornad gan ei bod hi'n bosibl tynnu llinell syth trwy'r tarddbwynt a'r barrau cyfeiliornad. Ni ddylid tybio hyn, fodd bynnag; dylid lluniadu'r graffiau eithaf fel uchod, a dylid nodi gwerthoedd gorau m ac c, ynghyd â'u hansicrwydd.

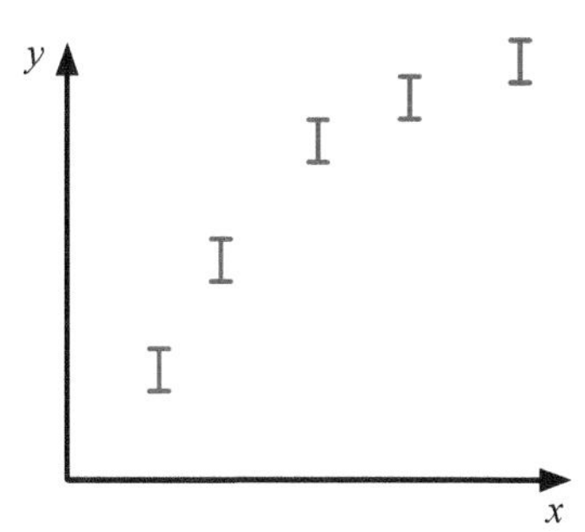

Ffig. 3.8 Data sy'n anghyson â pherthynas linol

3.4 Defnyddio graffiau llinol i brofi perthnasoedd

Mae hyn yn golygu cymharu'r perthnasoedd a ddisgwylir rhwng y newidynnau a'r hafaliad llinell syth, $y = mx + c$, lle mae m ac c yn gysonion: sef y graddiant a'r rhyngdoriad ar yr echelin y, yn ôl eu trefn.

3.4.1 Ar gyfer perthynas linol

Byddwn yn archwilio hyn gan ddefnyddio enghraifft UG nodweddiadol, sef y berthynas rhwng y gp ar draws y terfynellau, V, a cherrynt, I, ar gyfer cyflenwad pŵer: $V = E - Ir$. Byddai'n ddoeth ad-drefnu'r hafaliad er mwyn ei gymharu'n rhwydd ag $y = mx + c$.

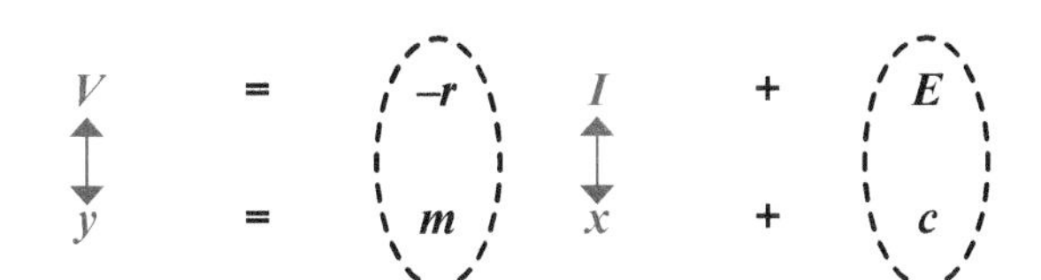

Mae'r newidynnau yn y ddau hafaliad, a'r gyfatebiaeth rhyngddynt, yn cael eu dangos mewn coch. Os yw gwrthiant mewnol, r, a g.e.m., E, y cyflenwad yn gyson, mae graff o V yn erbyn I yn llinell syth ac iddi raddiant o $-r$ a rhyngdoriad o E ar yr echelin V. Gan hynny, rydym wedi ymchwilio i'r berthynas ac (o dybio bod y berthynas yn parhau), rydym wedi darganfod r ac E.

> **Hunan-brawf 3.7**
> Beth yw graddiant a rhyngdoriad graff o v yn erbyn t ar gyfer cyflymiad cyson?

> **Hunan-brawf 3.8**
> Nodwch werthoedd r ac E o Hunan-brawf 3.6.

3.4.2 Ar gyfer perthnasoedd aflinol

Mae'n bosibl plotio llawer o berthnasoedd aflinol i roi graff llinol, trwy ddewis y newidynnau'n ofalus. Mae rhai yn eithaf syml; e.e. $v^2 = u^2 + 2ax$, ar gyfer cyflymiad cyson. Os ydym yn plotio v^2 yn erbyn x (yn hytrach na v yn erbyn x), dylai'r graff fod yn llinell syth ac iddi raddiant o $2a$ a rhyngdoriad o u^2 ar yr echelin v^2.

> **GWIRIO'R FATHEMATEG**
> Dylai'r label ar yr echelin v^2 fod yn $(v / \text{m s}^{-1})^2$.

Mae perthnasoedd eraill yn fwy anodd i'w dangos fel graff llinol. Er enghraifft, nid yw $V = \frac{ER}{R+r}$, lle mae E ac r yn gysonion fel yn 3.4.1, yn hawdd, ond mae'n bosibl ei ad-drefnu i roi $\frac{1}{V} = \frac{r}{ER} + \frac{1}{E}$.

Mae hyn yn awgrymu y dylai graff o $\frac{1}{V}$ yn erbyn $\frac{1}{r}$ fod yn llinell syth ac iddi raddiant o $\frac{r}{E}$ a rhyngdoriad o $\frac{1}{E}$ ar yr echelin $\frac{1}{V}$.

> **Hunan-brawf 3.9**
> Dangoswch ei bod hi'n bosibl ad-drefnu $V = \frac{ER}{R+r}$ i roi $\frac{1}{V} = \frac{r}{ER} + \frac{1}{E}$.

3.5 Gwneud gwaith arbrofol a'i ddisgrifio

Mae dau brif ddiben i waith arbrofol mewn ffiseg:

1. Profi'r cysylltiad rhwng newidynnau
2. Darganfod gwerth mesur ffisegol.

Yn ymarferol, mae'r ddau ddiben hyn yn aml yn gorgyffwrdd. Er enghraifft, os y diben yw darganfod gwerth manwl cyflymiad gwrthrych yr ydym yn tybio ei fod yn gyson, mae'n synhwyrol dangos bod y cyflymiad, mewn gwirionedd, yn gyson. Gallwn wneud hyn, er enghraifft, trwy blotio graff o v^2 yn erbyn x (fel yn Adran 1.3.9), neu v yn erbyn t, gan ddangos bod y canlyniadau yn gyson â chyflymiad cyson, a gan ddefnyddio'r graddiant i ddarganfod ei werth. Mae mantais ychwanegol i'r dull hwn, sef rhoi amcangyfrif mwy cywir o'r ansicrwydd yn y canlyniad.

Mae gan athrawon Ffiseg resymau ychwanegol dros wneud gwaith ymarferol: arddangos ffenomen neu drefnu digwyddiad y gellir ei drafod yn nhermau deddfau ffiseg. Dylid bob amser nodi'n glir beth yw diben darn o waith arbrofol penodol.

3.10 Hunan-brawf

Mae'r amledd cyseinio, f, ar gyfer pibell sydd yn agored ar un pen, yn gysylltiedig â'i hyd, l, yn ôl yr hafaliad $l + \varepsilon = \frac{c}{4f}$, lle c yw buanedd tonnau sain, ac mae ε yn gysonyn (sef y 'cywiriad pen'), sy'n gysylltiedig â diamedr y bibell. Pa graff, sy'n cysylltu f ac l, y dylid ei blotio i wirio'r berthynas, a sut dylid darganfod c ac ε?

3.5.1 Nodi newidynnau

Rydym yn cyfeirio at yr holl fesurau y mae angen eu cofnodi mewn gwaith arbrofol fel newidynnau. Mae hyn yn wir p'un a yw eu gwerthoedd, mewn gwirionedd, yn newid ai peidio yn ystod ymchwiliad – mae ganddynt y potensial i amrywio. Mae ymchwiliad, yn aml, yn golygu edrych ar yr effaith y mae amrywio un neu fwy o'r newidynnau, y **newidynnau annibynnol**, yn ei chael ar newidyn arall, y **newidyn dibynnol**. Mae angen cadw rhai newidynnau, y **newidynnau rheolydd**, yr un peth, er mwyn i effaith newid y newidynnau annibynnol gael ei chadw ar wahân. Wrth gynllunio ymchwiliad, rhaid nodi pob newidyn allweddol.

Yn aml, wrth blotio graffiau, caiff y newidyn dibynnol ei blotio ar yr echelin fertigol (y mesuryn neu'r echelin y), a'r newidyn annibynnol ar yr echelin lorweddol (yr absgisa neu'r echelin x). Nid yw hyn o reidrwydd yn gyfleus. Er enghraifft, wrth ymchwilio i wrthiant gwifren, nid oes gwahaniaeth p'un ai'r cerrynt ynteu'r gp sydd ar yr echelin y: os yw'r cerrynt ar yr echelin x, mae'r graddiant yn rhoi'r gwrthiant; os yw'r cerrynt ar yr echelin y, mae'r gwrthiant yn hafal i gilydd y graddiant.

Yn wahanol i systemau byw, mae'r gwrthrychau dan sylw fel arfer yn ymddwyn mewn ffordd gymharol syml, a gallwn ddisgrifio effaith un newidyn ar y llall yn nhermau ffwythiannau algebraidd neu drigonometregol.

Termau a diffiniadau

Nid yw hi bob tro yn ddefnyddiol gwahaniaethu rhwng newidynnau annibynnol a newidynnau dibynnol. Yn yr hafaliad $v^2 = u^2 + 2ax$, gallem fesur y cyflymder mewn set o ddadleoliadau (sy'n golygu mai v yw'r newidyn dibynnol) neu'r dadleoliadau mewn set o gyflymderau.

Pwynt astudio

Mae rhai newidynnau bron yn eu rheoli eu hunain; e.e. wrth ddefnyddio gwifren oddi ar ril sengl i ymchwilio i effaith hyd gwifren ar wrthiant, mae diamedr a chyfansoddiad y wifren yn aros yr un peth bob tro.

3.5.2 Mesur newidynnau

Wrth ddewis y dechneg mesur a'r offer, dylid sicrhau'r canlynol: (a) eu bod yn gallu mesur y newidynnau perthnasol, (b) bod ganddynt y trachywiredd a'r cywirdeb priodol, (c) eu bod mor gyfleus â phosibl ac (ch) eu bod yn rhoi canlyniadau y gellir eu hailadrodd. Nid oes rhaid i fesuriadau penodol fod yn gywir iawn bob tro – wrth fesur cyfaint darn hir (~ 5 m) o wifren denau (~ 1 mm), nid oes pwynt ceisio sicrhau bod mesuriad yr hyd yn well nag ansicrwydd o 1 cm. Pam? Gweler y Pwynt astudio. Ar y llaw arall, gellir cyfiawnhau gwella trachywiredd mesuriad y diamedr.

Pwynt astudio

Ystyriwch wifren, diamedr bras 1 mm a hyd bras 5 m: Os mesurir y diamedr, $D \pm 0.01$ mm, mae hynny'n drachywiredd o 1%. Mae'r cyfaint yn dibynnu ar D^2, sydd â thrachywiredd o 2%. Mae ansicrwydd o 1 cm yn yr hyd yn golygu trachywiredd o 0.2%, sydd yn ddibwys.

3.5.3 Chwilio am ansicrwydd systematig

Ansicrwydd systematig yw'r enw ar y math o ansicrwydd sy'n achosi bod y mesuriadau bob amser yn rhy fawr neu bob amser yn rhy fach. Weithiau, mae'n hawdd ei adnabod: mae'r pellter perthnasol rhwng y ffynhonnell ymbelydrol orchuddiedig a 'man synhwyro' y tu fewn i'r tiwb G-M yn anhysbys, ond bydd y gwahaniaeth rhyngddo a'r pellter, x, bob tro yr un peth, sef ε.

Mae graffiau a luniwyd yn ofalus yn ddefnyddiol i fesur y math hwn o ansicrwydd.

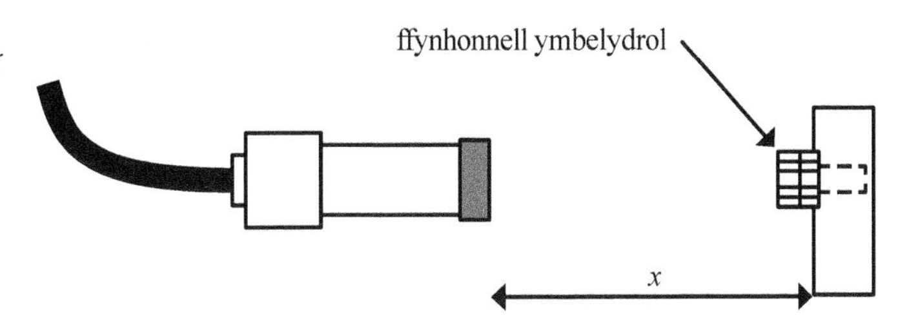

Ffig. 3.9 Ansicrwydd systematig

Os ydym yn ymchwilio i'r ddeddf sgwâr gwrthdro, disgwylir y bydd y gyfradd cyfrif, C, yn cael ei rhoi gan:

$C = \frac{k}{d^2}$, lle mae $d = x + \varepsilon$.

Mae'n bosibl ad-drefnu'r hafaliad i roi $\frac{1}{\sqrt{C}} = \frac{x + \varepsilon}{k}$, felly dylai graff o $\frac{1}{\sqrt{C}}$ yn erbyn x fod yn llinell syth, os bydd y ddeddf sgwâr gwrthdro yn cael ei hufuddhau. (Gweler Hunan-brawf 3.11.) Wrth ddewis pa graff i'w blotio, dylai'r newidyn sydd â'r ansicrwydd systematig fod yn llinol (h.y. yn yr achos hwn rydym yn plotio x ac nid x^2). Mae Hunan-brawf 3.12 yn rhoi enghraifft arall.

Hunan-brawf 3.11

O'r graff o $\frac{1}{\sqrt{C}}$ yn erbyn x yn Adran 3.5.3:

(a) Nodwch werthoedd y graddiant a'r rhyngdoriad.

(b) Eglurwch sut gellir darganfod ε.

3.5.4 Cynlluniau a disgrifiadau arbrofol

Dylai'r adroddiad fod yn gryno ond yn ddigon manwl i ganiatáu i fyfyriwr Safon Uwch arall ei ddilyn. Mater o chwaeth bersonol yw p'un a ydych yn defnyddio rhestr o gamau wedi'u rhifo neu bwyntiau bwled, ond dylai'r adroddiad roi dilyniant clir. Nid oes angen rhoi manylion am eitemau cyfarpar safonol a sut i'w defnyddio, ar wahân i egluro'r rhagofalon i leihau ansicrwydd hap ac ansicrwydd systematig (e.e. mesur diamedr gwifren ar sawl pwynt, ac i gyfeiriadau ar $90°$).

Dylai'r dull dadansoddi fod yn glir. Er enghraifft, nodi pa graff fydd yn cael ei luniadu (er enghraifft cyflymder^2 yn erbyn pellter), beth yw'r cysylltiad rhyngddo ac unrhyw fynegiad algebraidd, a sut bydd nodweddion y graff (llinoledd, graddiant, rhyngdoriad) yn cael eu defnyddio.

Hunan-brawf 3.12

Nid yw'r electromagnet yn yr arbrawf i ddarganfod g yn Adran 1.2.5 yn colli ei fagnetedd ar unwaith, felly mae'n dal ei afael yn y bêl am amser anhysbys, τ.

Cysylltir uchder y cwymp, h, a gwir amser y cwymp, t, gan

$h = \frac{1}{2} g t^2$.

Eglurwch sut i ddarganfod g a τ.

Enghraifft

Wrth ddarganfod modwlws Young, Y, y defnydd sydd mewn gwifren, caiff y diamedr, D, a'r hyd cychwynnol, l_0, eu mesur, a chaiff graff o rym, F, yn erbyn estyniad, Δl, ei blotio.

Mae $F = \frac{\pi D^2 Y}{4 l_0} \Delta l$, felly mae graddiant, m, y graff yn $\frac{\pi D^2 Y}{4 l_0}$.

Caiff graddiant y graff ei fesur, a chaiff Y ei gyfrifo o $Y = \frac{4 l_0 m}{\pi D^2}$.

Trosolwg: Sgiliau mathemategol

Cyfrifiant rhifyddol a rhifol t188

- Rheolau indecsau.
- Indecsau ac unedau.
- Defnyddio'r ffurf safonol.
- Defnyddio lluosyddion SI.
- Ffracsiynau, cymarebau a chanrannau.
- Mynegi onglau mewn radianau; trawsnewid rhwng graddau a radianau.

Algebra t190

- Symbolau algebraidd, $<$, $>$, $\ll$, $\gg$ a Δ.
- Cyfrannedd union a gwrthdro; graffiau.
- Trin hafaliadau algebraidd.
- Enrhifo mynegiadau i ddatrys hafaliadau.
- Hafaliadau cwadratig.

Geometreg a thrigonometreg t192

- Onglau mewn ffigurau geometregol.
- Arwynebedd a chyfaint ffigurau geometregol.
- Trionglau ongl sgwâr.
- Cymarebau trig ar gyfer onglau y tu allan i'r amrediad 0–90°.

Graffiau t194

- Paratoi graffiau a phlotio pwyntiau.
- Darganfod y gyfradd newid o graff.
- Darganfod yr 'arwynebedd' o dan graff.
- Hafaliad graff llinol.
- Darganfod yr hafaliad o graff.

Sgiliau mathemategol

Mathemateg, mewn sawl ffordd, yw iaith ffiseg. Mae ffisegwyr yn datblygu eu modelau a'u damcaniaethau yn nhermau mathemateg; maen nhw'n gwneud rhagdybiaethau meintiol am ymddygiad y byd; maen nhw'n dadansoddi eu harbrofion yn fathemategol; mae ffisegwyr a pheirianwyr hyd yn oed yn mynegi graddau eu hansicrwydd yn fathemategol.

Sylwch nad yw'r bennod hon, sef 'Sgiliau mathemategol', yn cymryd lle cwrs mathemateg manwl. Yn hytrach, mae'n cynnig cyfeiriad parod i'r technegau mathemategol y byddwch yn eu defnyddio mewn Ffiseg UG: defnyddio indecsau a'r ffurf safonol; trin algebra; onglau a chymarebau trig; graffiau.

Mae'r testun Graffiau wedi'i rannu rhwng y bennod hon a Phennod 3, 'Sgiliau ymarferol'. Caiff graffiau eu plotio weithiau yn uniongyrchol o hafaliadau; bryd arall, caiff canlyniadau arbrofol eu plotio, a chaiff llinellau ffit orau neu linellau damcaniaethol eu hychwanegu atynt. Mae adran olaf y bennod hon, sy'n ymdrin â graffiau, yn trafod yn bennaf (ond nid yn unig) agweddau ar graffiau y byddwch yn dod ar eu traws mewn gwaith nad yw'n arbrofol.

Cynnwys

4 Sgiliau mathemategol

Sylwch

Nid yw'r bennod hon yn cymryd lle gwerslyfr mathemateg. Er mwyn ymarfer technegau mathemategol, dylech ddefnyddio gwerslyfr mathemateg, e.e. *Mathematics for A level Physics* (Kelly & Wood)

4.1 Cyflwyniad

Mae Penodau 1 a 2 yn cynnwys triniaeth fathemategol o syniadau ffiseg. Rydym yn tybio eich bod yn deall mathemateg lefel TGAU sylfaenol. Mae dau ddiben i'r bennod hon:

- Mae'n cynnig cyfeiriad cyflym i'r sgiliau angenrheidiol.
- Mae'n cyflwyno peth defnydd newydd, e.e. radianau a'r defnydd o'r symbol 'Δ'. Mae'n fwy cyfleus trafod y rhain ar wahân i'r prif destun.

Sylwch

Cofiwch y rhain:

$a^0 = 1; a^1 = a; a^{-1} = \frac{1}{a}$

$a^{\frac{1}{n}} = \sqrt[n]{a}$

4.2 Cyfrifiant rhifyddol a rhifol

4.2.1 Indecsau

(a) Rheolau sylfaenol

- Mae $a^n = a \times a \times a \ldots$ (n gwaith) – lle mae n yn gyfanrif positif, h.y. 1, 2, 3 … e.e. mae $5^3 = 5 \times 5 \times 5 = 125$.
- Mae $a^{-n} = \frac{1}{a^n}$, e.e. mae $10^{-2} = \frac{1}{10^2} = \frac{1}{10 \times 10} = \frac{1}{100} = 0.01$
- Mae $a^{\frac{1}{n}} = \sqrt[n]{a}$, e.e. mae $16^{\frac{1}{2}} = \sqrt{16} = 4$ ac mae $81^{\frac{1}{4}} = \sqrt[4]{81} = 3$
- Mae $a^x \times a^y = a^{(x+y)}$, e.e. mae $10^2 \times 10^3 = 10^5$
- Mae $\frac{a^x}{a^y} = a^x \times a^{-y} = a^{(x-y)}$, e.e. mae $\frac{4^2}{4^{0.5}} = 4^{1.5}$
- Mae $(a^x)^y = a^{xy}$ e.e. mae $(5^4)^{0.5} = 5^{4\times0.5} = 5^2$

4.1 Hunan-brawf

Beth yw

(a) $y^2 \times y$? (b) $y^{-2} \times y$? (c) $y(y^2 + 2a)$

(b) Indecsau ac unedau

Yn TGAU roeddem yn ysgrifennu unedau cyflymder a chyflymiad fel m/s ac m/s^2, yn ôl eu trefn. Yn Safon Uwch a thu hwnt, yr ydym yn ysgrifennu'r unedau fel m s^{-1} ac m s^{-2}.

Wrth luosi neu rannu dau fesur, caiff yr unedau eu trin yn yr un modd; e.e. mae car yn cyflymu ar 1.5 m s^{-2} am amser o 10 s. Mae'r cynnydd yn y cyflymder yn 15 m s^{-1}. Gweler y Pwynt astudio ar gyfer y gwaith cyfrifo.

Pwynt astudio

Ar gyfer cyflymiad o 1.5 m s^{-2} am 10 s, mae:

Cynnydd mewn cyflymder

= 1.5 m s^{-2} × 10 s

= 1.5 × 10 (m s^{-2} × s)

= 15 m s^{-1}.

(c) Ffurf safonol

Caiff hon ei defnyddio ar gyfer rhifau mawr iawn a rhifau bach iawn. Er enghraifft, mae buanedd golau yn 300 000 000 m s^{-1}, a gallwn ysgrifennu hyn fel 3.00×10^8 m s^{-1}; gallwn ysgrifennu cerrynt o 0.000 015 A fel 1.5×10^{-5} A. Er mwyn trawsnewid i'r ffurf safonol:

Mae rhif mawr, $xyz00 \ldots 0$ [cyfanswm nifer y **digidau** = n] = $x.yz \times 10^{n-1}$. Cymharwch hyn â buanedd golau.

Mae rhif bach, $0.0 \ldots 00xyz$ [cyfanswm nifer y **seroau** = n] = $x.yz \times 10^{-(n+1)}$. Cymharwch hyn â'r cerrynt uchod.

Mae'r enghreifftiau yn y blwch yn dangos trawsnewidiadau **o'r** ffurf safonol.

Enghreifftiau

Mae 5×10^{-3}	$= 5 \times 0.001$
	$= 0.005$
ac mae 5.57×10^{-3}	$= 0.005\ 57$
Mae 5×10^3	$= 5 \times 1000$
	$= 5000$
ac mae 5.57×10^3	$= 5\ 570$

Cymorth gyda'r gyfrifiannell

Er mwyn mewnbynnu 2.5×10^6 i'ch cyfrifiannell, pwyswch: 2 . 5 EXP 6
Er mwyn mewnbynnu 2.5×10^{-6} i'ch cyfrifiannell, pwyswch: 2 . 5 EXP +/– 6
Gweler Gwirio ar gyfrifiannell.

GWIRIO AR GYFRIFIANNELL

I wirio eich bod yn mewnbynnu rhifau yn gywir i'ch cyfrifiannell, rhowch gynnig ar:

$(5 \times 10^{-6}) \times (3 \times 10^7)$.

Os yw eich ateb yn 150, rydych yn gwneud pob dim yn iawn.

4.2.2 Lluosyddion SI

Tabl 4.1 Lluosyddion SI

Lluosydd	Rhagddodiad	Symbol	Lluosydd	Rhagddodiad	Symbol
10^{-18}	ato	a	10^{3}	kilo	k
10^{-15}	ffemto	f	10^{6}	mega	M
10^{-12}	pico	p	10^{9}	giga	G
10^{-9}	nano	n	10^{12}	tera	T
10^{-6}	micro	μ	10^{15}	peta	P
10^{-3}	mili	m	10^{18}	ecsa	E
10^{-2}	centi	c	10^{21}	seta	Z

Mae'r lluosydd yn ffordd gryno o ysgrifennu $\times 10^n$. Er enghraifft, 53 μA: o'r tabl, ystyr μ yw $\times 10^{-6}$, felly mae 53 μA yn gyfwerth â 53×10^{-6} A, sydd yn 5.3×10^{-5} A yn y ffurf safonol – ond gweler Sylwch.

Sylwch

Mewnbynnwch 53 μA i'ch cyfrifiannell trwy bwyso:

5 3 EXP +/– 6

Rydych yn llai tebygol o wneud camgymeriad wrth wneud hyn nag wrth ei drawsnewid i 5.3×10^{-5} gyntaf.

Hunan-brawf 4.2

Mae gan wrthydd foltedd o 300 mV ar ei draws, ac mae'n pasio cerrynt o 50 μA. Cyfrifwch ei wrthiant.

4.2.3 Ffracsiynau, cymarebau a chanrannau

Ystyr y ffracsiwn $\frac{a}{b}$ yw a wedi'i rannu â b. Mae'r gymhareb a i b hefyd yn $\frac{a}{b}$. Os yw $a = 4$ a $b = 10$, mae'r gymhareb a i b yn $\frac{4}{10} = \frac{2}{5} = 0.4 = 40\%$. Dim ond ffyrdd gwahanol o ysgrifennu'r un peth yw'r rhain.

Gallwn fynegi ffracsiwn fel **canran** trwy ei luosi â 100; felly mae $\frac{7}{20} = \frac{7}{20} \times 100\% = 35\%$. Dylech wybod y cywerthoedd canrannol canlynol:

$\frac{1}{10} = 10\%$; $\frac{1}{20} = 20\%$ … $\frac{1}{90} = 90\%$; $1 = 100\%$; $\frac{1}{4} = 25\%$; $\frac{1}{3} = 33.3\%$; $\frac{1}{2} = 50\%$; $\frac{3}{4} = 75\%$; $2 = 200\%$; $2.5 = 250\%$ …

Sylwch

Os yw $a = 3$ a $b = 25$, mae'r gymhareb a i b yn $\frac{3}{25} = 0.12 = 12\%$.

Gellir ysgrifennu hyn fel 3:25, ond gwell fyddai osgoi hynny.

Termau a diffiniadau

Ystyr llythrennol **y cant** yw 'ym mhob 100'. Felly mae ½ yn 50 ym mhob cant, h.y. 50%.

4.2.4 Mynegi onglau mewn radianau

Yr uned SI ar gyfer ongl yw'r **radian** (gweler Termau a diffiniadau). Os yw r yn dyblu, yna bydd l hefyd yn dyblu, felly nid yw'r gymhareb $\frac{l}{r}$ yn dibynnu ar werth r.

Termau a diffiniadau

Ffig. 4.1

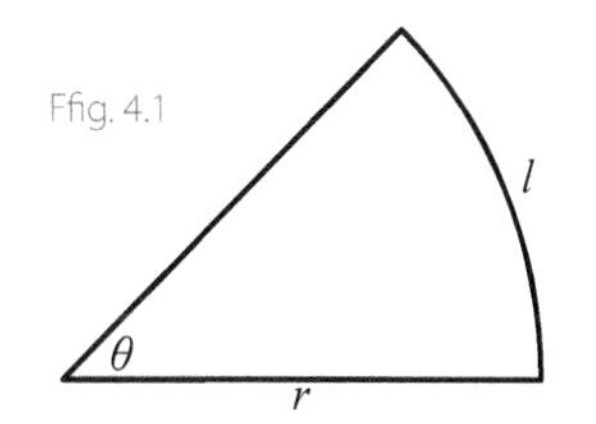

Mae θ (mewn radianau) $= \frac{l}{r}$.

I drawsnewid rhwng graddau a radianau: mae cylchedd cylch, radiws r, yn $2\pi r$.

Felly mae $360° = \frac{2\pi r}{r}$ rad $= 2\pi$ rad.

Mae Ffig. 4.2 yn egluro'r **brasamcan onglau bach**, sydd yn ddilys dim ond os caiff onglau eu mynegi mewn radianau.

Mae'r llinell goch yn arc cylch, radiws r.

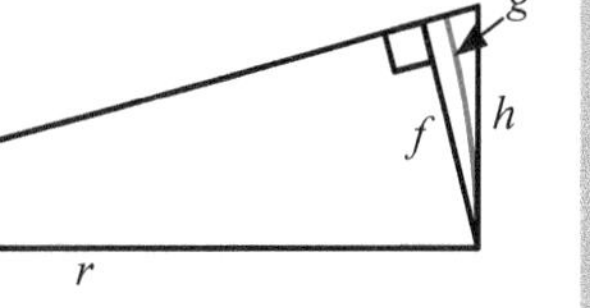

Ffig. 4.2 Onglau bach

Yn ôl y diffiniad, mae $\sin\theta = \frac{f}{r}$; mae θ (mewn rad) $= \frac{g}{r}$; mae $\tan\theta = \frac{h}{r}$

Mae'r tri hyd, f, g ac h, yn agos iawn, gydag $f < g < h$ ac, wrth i $\theta \to 0$, mae'r cymarebau $\frac{f}{g}$ ac $\frac{g}{h} \to 1$. Felly, ar gyfer onglau bach, gallwn ysgrifennu bod $\sin\theta \approx \theta \approx \tan\theta$. I sawl diben, gallwn ystyried bod onglau < 0.01 rad [~6°] yn fach.

Sylwch

Cofiwch y cywerthoedd gradd/radian canlynol:

$30° = \frac{\pi}{6}$	$135° = \frac{3}{4}\pi$
$45° = \frac{\pi}{4}$	$180° = \pi$
$60° = \frac{\pi}{3}$	$270° = \frac{3}{2}\pi$
$90° = \frac{\pi}{2}$	$360° = 2\pi$
$120° = \frac{2}{3}\pi$	$540° = 3\pi$

4.3 Algebra

4.3.1 Symbolau

(a) Llai na (<) a mwy na (>)

Ystyr $a < b$ yw 'mae a yn llai na b'; yn yr un modd, ystyr $x > y$ yw 'mae x yn fwy nag y'.

Enghreifftiau: $10 > 5$; $5 \times 10^6 < 2 \times 10^7$. Byddwch yn ofalus wrth ddefnyddio rhifau negatif, e.e. $-10 > -20$.

Gyda gofal, gallwn ddefnyddio'r rhain yn yr un ffordd â'r arwydd '=' (sy'n golygu 'yn hafal i'), e.e. os yw $p > q$ yna mae: $p + x > q + x$ ac mae $10p > 10q$ ond mae $-5p < -5q$ (!)

(b) Lawer yn llai na (<<), lawer yn fwy na (>>)

Gallwn ddefnyddio'r rhain yn yr un modd â < a >. Yn amlach na pheidio, maen nhw'n cael eu defnyddio i nodi bod yna wahaniaeth mawr mewn gwerth, heb wneud unrhyw algebra.

(c) Cyfrannedd union a gwrthdro

Mae $y \propto x$ ('mae y mewn cyfrannedd union ag x', neu 'mae y mewn cyfrannedd ag x') yn golygu bod y gymhareb $\frac{y}{x}$ yn gyson, h.y. os caiff x ei luosi ag unrhyw rif (e.e. 2, 3 neu π), caiff y ei luosi â'r un rhif.

Weithiau, pan fydd un newidyn yn dyblu, bydd y llall yn haneru. Mae lluoswm, xy, y newidynnau yn gyson. Yn yr achosion hyn, dywedwn fod y mewn cyfrannedd gwrthdro ag x, ac ysgrifennwn

$$y \propto \frac{1}{x}.$$

Yn yr un modd, gall y fod mewn cyfrannedd ag x^2 ($y \propto x^2$), neu gall y fod mewn cyfrannedd gwrthdro ag x^2 ($y \propto \frac{1}{x^2}$). Gweler y blwch am enghreifftiau.

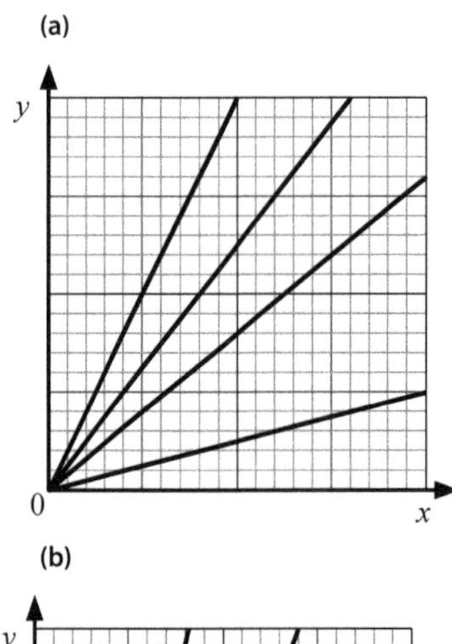

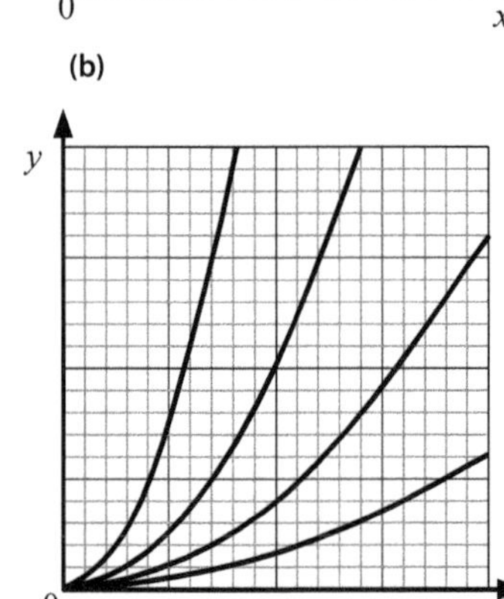

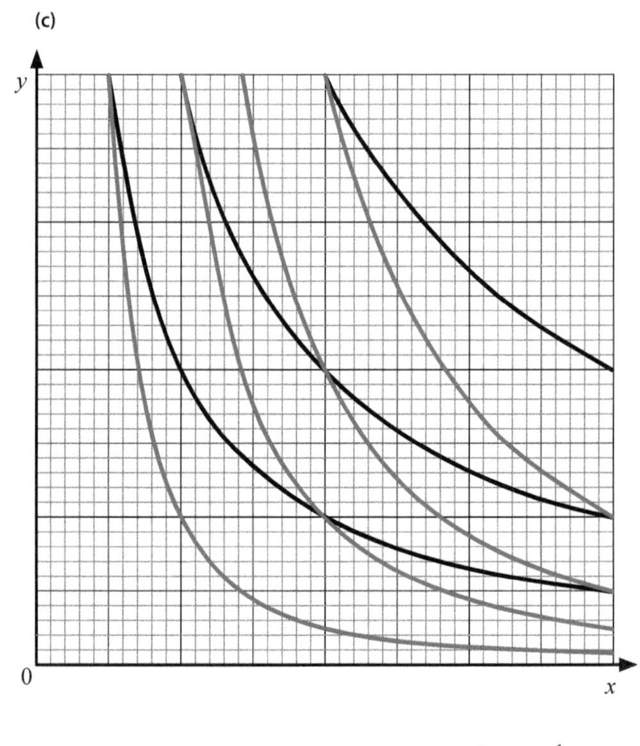

Ffig. 4.3 Graffiau cyfrannedd (a) $y \propto x$ (b) $y \propto x^2$ (c) $y \propto \frac{1}{x}$ ac $y \propto \frac{1}{x^2}$

Sylwch

Dylech wybod ystyr y symbolau canlynol, a sut i'w defnyddio

$=, <, <<, >>, >, \propto, \approx, \Delta$

Pwynt astudio

Os c yw buanedd golau mewn gwactod, v_a yw buanedd sain mewn aer, a v_c yw buanedd sain mewn carbon deuocsid, mae:

$v_a > v_c$ ac mae $c \gg v_a$

Sylwch

Os yw $y \propto x$, mae graff o y yn erbyn x yn llinell syth trwy'r tarddbwynt. Os ydym yn ailysgrifennu $y \propto x$ fel $y = kx$, yna k yw graddiant y graff.

Pwynt astudio

Gallwn hefyd ysgrifennu perthnasoedd cyfrannedd fel a ganlyn:

$y \propto x \rightarrow y = kx$

$y \propto \frac{1}{x} \rightarrow y = \frac{k}{x}$

lle mae k yn gysonyn.

Enghreifftiau o gyfrannedd

Deddf Hooke	$F \propto x$
Tonnau	$\lambda \propto \frac{1}{f}$
Egni cinetig	$E_k \propto v^2$
Disgyrchiant	$F \propto \frac{1}{r^2}$

4.3 Hunan-brawf

Nodwch y cysonyn k ym mhob un o'r enghreifftiau uchod, a rhowch ei uned.

(ch) Delta (Δ)

Ystyr Δ yw 'y newid yn/mewn', h.y. ystyr Δv yw 'y newid mewn cyflymder'. Os yw hyd, x, yn newid o $x_1 = 2.5$ cm i $x_2 = 7.6$ cm, mae:

$$\Delta x = x_2 - x_1 = 7.6 \text{ cm} - 2.5 \text{ cm} = 5.1 \text{ cm}$$

Rydym bob tro yn tynnu'r gwerth cyntaf o'r ail werth. Felly, os yw $x_2 < x_1$, yna bydd Δx yn negatif ($\Delta x < 0$).

Pwynt astudio

Caiff y grym cydeffaith cymedrig, F, ar wrthrych ei ddiffinio fel cyfradd newid momentwm, p, y gwrthrych, h.y. mae $F = \frac{\Delta p}{\Delta t}$

4.3.2 Trin hafaliadau

Er mwyn darganfod gwerth mesur, rhaid trin hafaliad i wneud y mesur yn destun, e.e. darganfyddwch a os yw $10 = 3 + 2a^2$.

Ym mhob rhan o'r driniaeth, rhaid i ni gyflawni'r un gweithrediad rhifyddol ar ddwy ochr yr hafaliad. Enghreifftiau:

- Adio neu dynnu'r un mesur
- Lluosi neu rannu â'r un mesur
- Sgwario'r ddwy ochr neu ddarganfod ail isradd y ddwy ochr.

Yn ein henghraifft ni, dylid:

- Tynnu 3 o'r ddwy ochr → $7 = 2a^2$
- Rhannu'r ddwy ochr â 2 → $3.5 = a^2$
- Darganfod ail isradd y ddwy ochr → $a = \pm\sqrt{3.5} = \pm 1.87$ (3 ff.y.)

Sylwch

Wrth ddatrys hafaliad, e.e. darganfod x o $v^2 = u^2 + 2ax$, efallai y byddai'n haws i chi roi'r rhifau yn yr hafaliad cyn trin yr hafaliad.

Hunan-brawf 4.4

Darganfyddwch x os yw $7x + 16 = 49$.

4.3.3 Enrhifo mynegiadau i ddatrys hafaliadau

Wrth enrhifo mynegiadau, er enghraifft $16 + (6 \times 5^2 - 29)^{0.5}$, gallwn grynhoi dilyniant y gweithrediadau gyda'r cofair CIRLAT – cromfachau, **indecsau**, rhannu, lluosi, adio, tynnu. Gyda'r mynegiad uchod, mae hyn yn gweithio fel a ganlyn:

- er mwyn enrhifo'r *cromfachau*, gweithiwch trwy'r dilyniant IRLAT oddi mewn iddynt: $5^2 = 25$; $6 \times 25 = 150$; $150 - 29 = 121$
- indecsau: $121^{0.5} = \sqrt{121} = 11$
- adio: $16 + 11 = 27$ (ateb)

Enghraifft arall: $\frac{3}{8} + 4.2$. Ystyr y term $\frac{3}{8}$ yw 3 wedi'i rannu ag 8, felly dechreuwch gyda'r term hwnnw: mae 3 wedi'i rannu ag 8 yn 0.375. Yna adiwch 4.2 i roi 4.575.

Termau a diffiniadau

Cofiwch mai ystyr y gair 'indecsau' yn CIRLAT yw pwerau, e.e. 2^3, $\sqrt{40} = 40^{0.5}$.

Hunan-brawf 4.5

Enrhifwch y canlynol:

(a) $8 - (3 + \sqrt{2})^2$, (b) $\frac{24}{8 + 2^2}$, (c) $\frac{1}{3} + \frac{2}{5}$

4.3.4 Hafaliadau cwadratig

Os yw mesur anhysbys, x, yn bodloni'r hafaliad, $ax^2 + bx + c = 0$, lle mae a, b ac c yn gysonion, mae'r datrysiadau yn:

$$x = \frac{-b \pm \sqrt{b^2 - 4ac}}{2a}$$

Mewn Ffiseg UG, cwestiwn sy'n gofyn i chi ddarganfod amser anhysbys o $x = ut + \frac{1}{2}at^2$ yw'r math mwyaf cyffredin o gwestiwn lle bydd angen defnyddio'r fformiwla hon. Yma, t yw'r mesur anhysbys, ac x, u a $\frac{1}{2}a$ yw'r cysonion.

Hunan-brawf 4.6

Os yw $x = 24$ m, $u = 4$ m s^{-1} ac $a = 3$ m s^{-2}.

(a) O $x = ut + \frac{1}{2}at^2$, dangoswch fod $1.5t^2 + 4t - 24 = 0$.

(b) Datryswch yr hafaliad trwy ddefnyddio'r fformiwla gwadratig.

4.4 Geometreg a thrigonometreg

4.7 Hunan-brawf

Darganfyddwch werthoedd pob un o'r onglau sydd heb eu nodi:

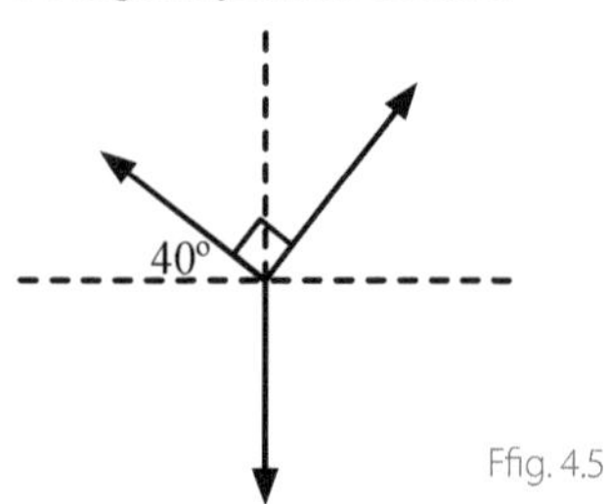

Ffig. 4.5

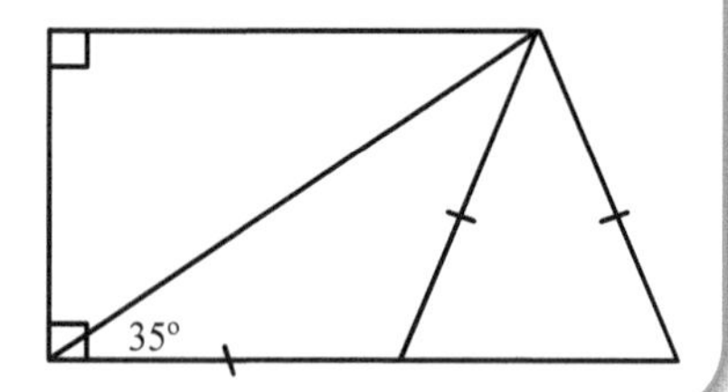

Termau a diffiniadau

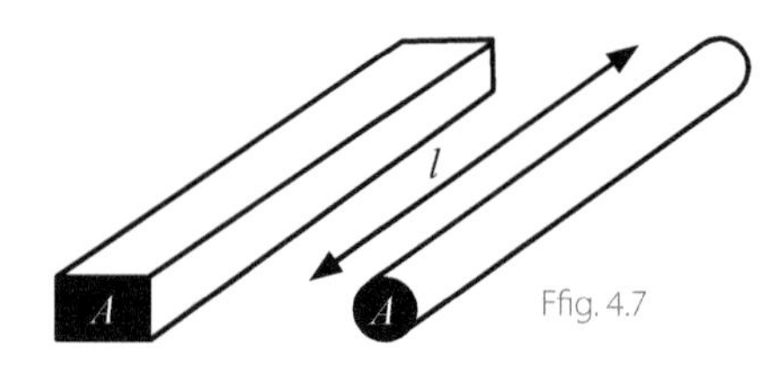

Ffig. 4.7

Yr enw ar A yw'r *arwynebedd trawstoriadol*, a.t.

Mae'r cyfaint, $V = Al$

Ar gyfer y silindr, mae $V = \pi r^2 l$

Sylwch

Trawsnewid unedau arwynebedd a chyfaint:

$1\ \text{m}^2 = (100\ \text{cm})^2 = 10^4\ \text{cm}^2$

$1\ \text{m}^2 = (1000\ \text{mm})^2 = 10^6\ \text{mm}^2$

$1\ \text{m}^3 = (100\ \text{cm})^3 = 10^6\ \text{cm}^3$

$1\ \text{m}^3 = (1000\ \text{mm})^3 = 10^9\ \text{mm}^2$

4.8 Hunan-brawf

Beth fyddai hyd gwifren, gydag arwynebedd trawstoriadol o $1\ \text{mm} \times 1\ \text{mm}$, y gallech ei ffurfio o $1\ \text{m}^3$ o fetel?

4.4.1 Onglau mewn ffigurau geometregol

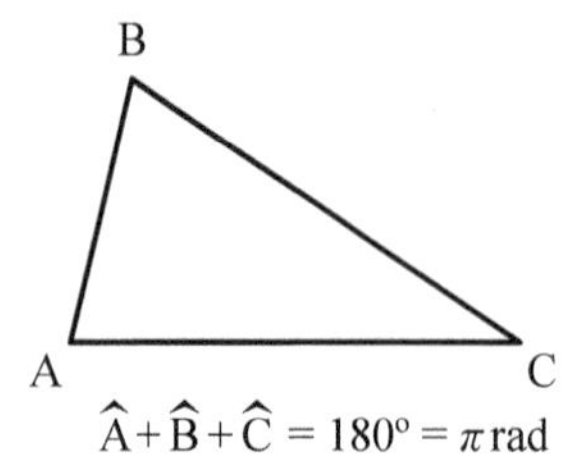

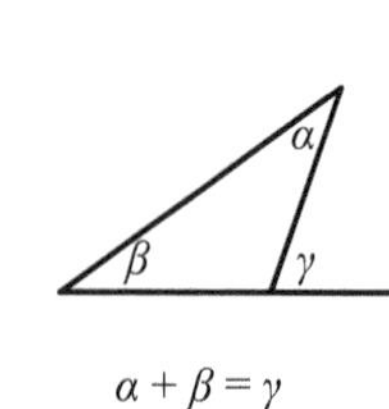

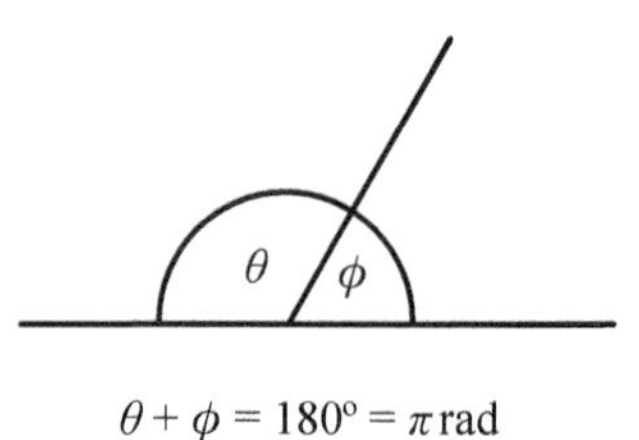

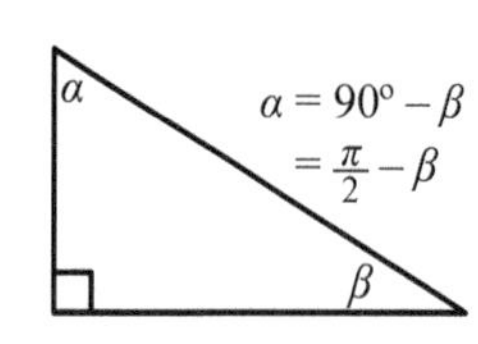

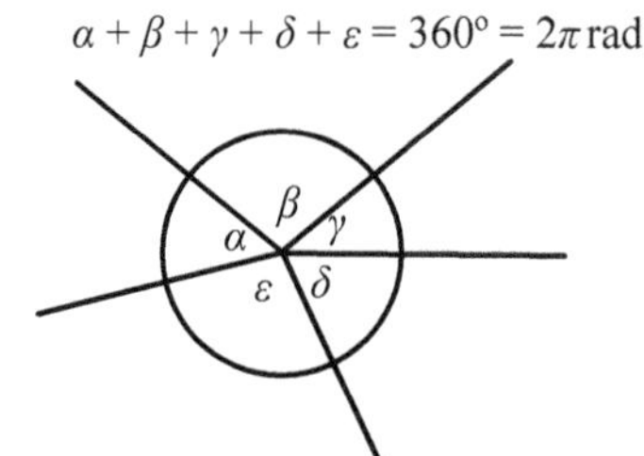

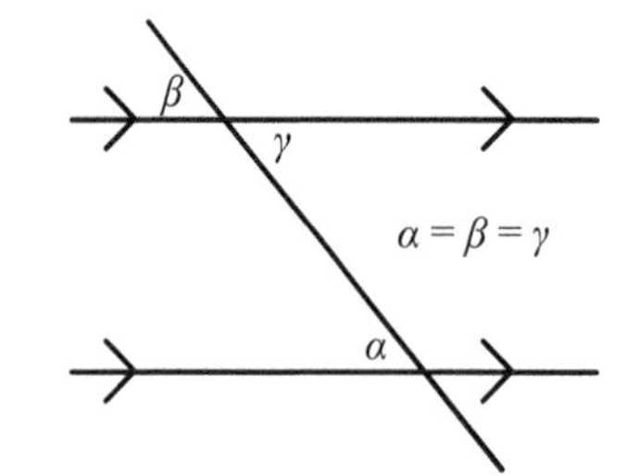

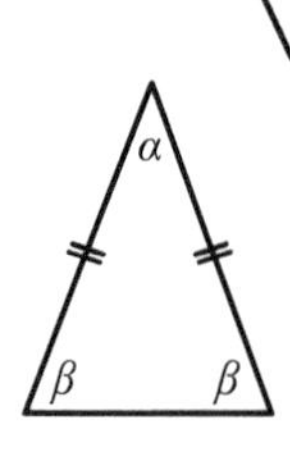

Ffig. 4.4 Onglau mewn ffigurau geometregol

4.4.2 Arwynebedd a chyfaint ffigurau geometregol

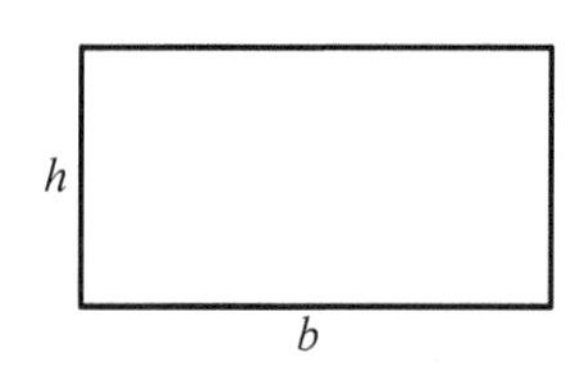

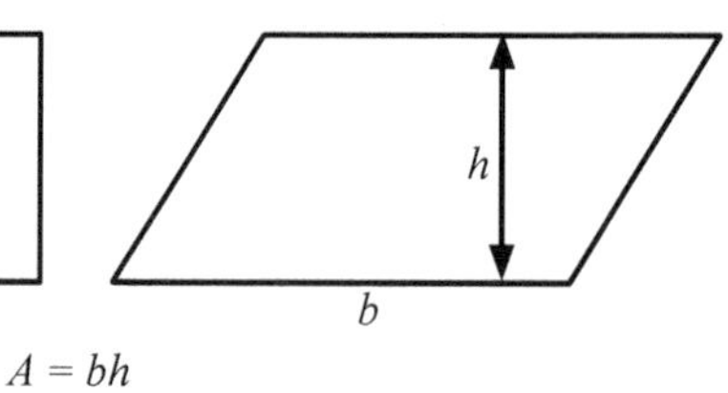

$A = bh$

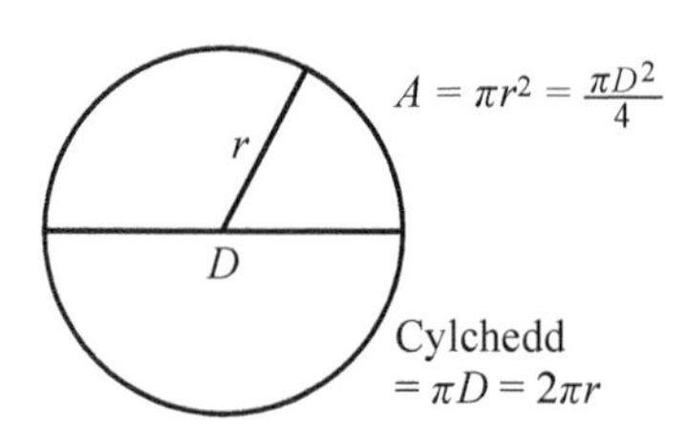

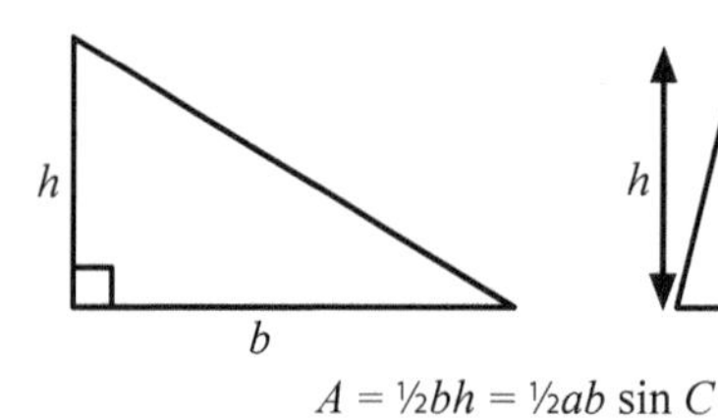

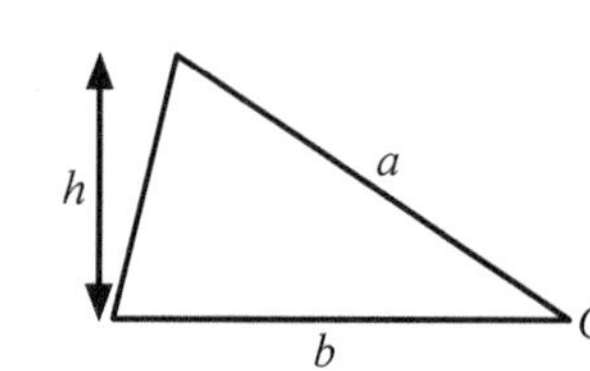

$A = \frac{1}{2}bh = \frac{1}{2}ab \sin C$

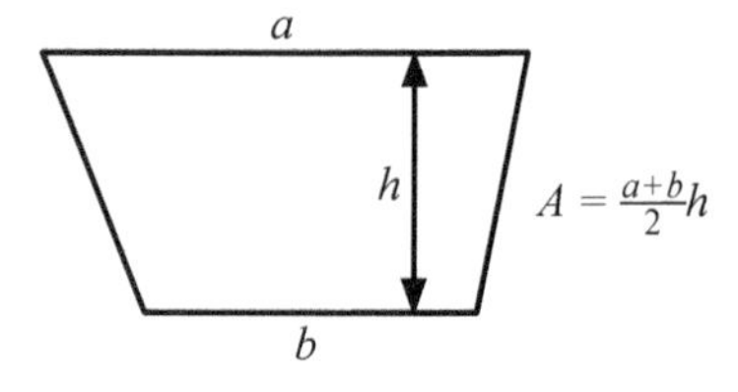

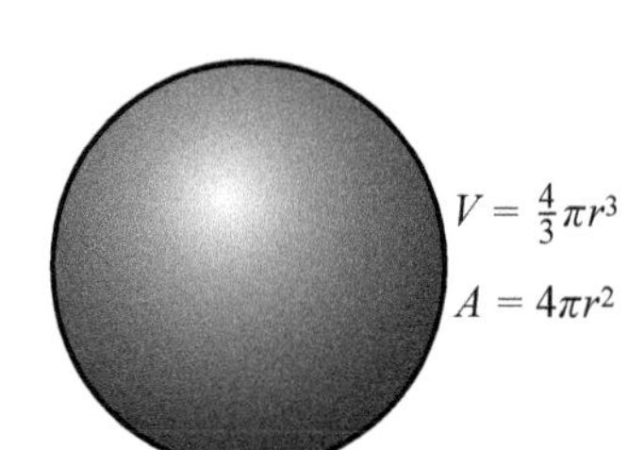

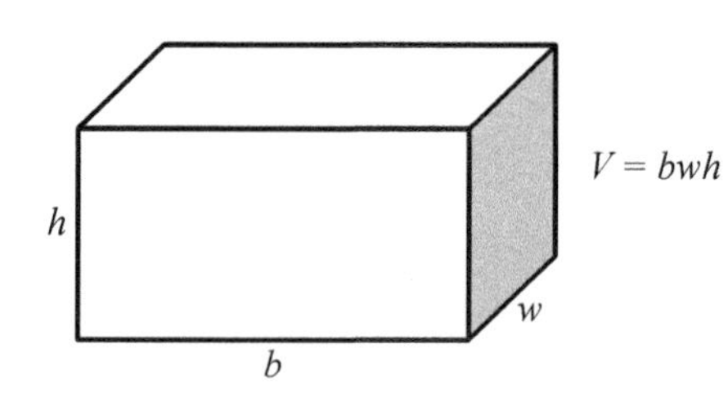

Ffig. 4.5 Arwynebedd a chyfaint

4.4.3 Trionglau ongl sgwâr

Yn Theorem Pythagoras, mae: $a^2 + b^2 = c^2$,

lle c yw ochr hir, neu hypotenws, y triongl ongl sgwâr.

e.e. os yw $a = 8$ cm a $b = 15$ cm, mae

$c = \sqrt{8^2 + 15^2} = \sqrt{64 + 225} + \sqrt{289} = 17$ cm.

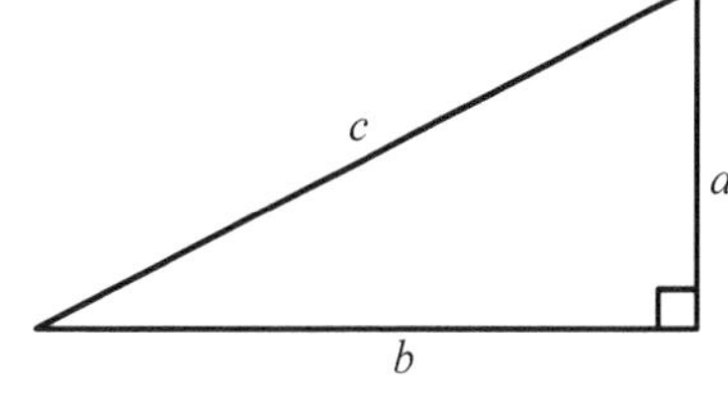

Ffig. 4.8 Theorem Pythagoras

Mae 3, 4, 5 yn *driawd Pythagoreaidd* cyfarwydd iawn. Enghreifftiau eraill yw: 5, 12, 13 a 5, 24, 25.

Ar gyfer onglau o 0 i 90° [0 i $\frac{\pi}{2}$ rad], diffinnir y cymarebau trig, sin, cosin a thangiad, fel a ganlyn:

Sin: $\sin\theta = \frac{\text{cyferbyn}}{\text{hypotenws}} = \frac{a}{c}$

Cosin: $\cos\theta = \frac{\text{agos}}{\text{hypotenws}} = \frac{b}{c}$

Tangiad: $\tan\theta = \frac{\text{cyferbyn}}{\text{agos}} = \frac{a}{b}$

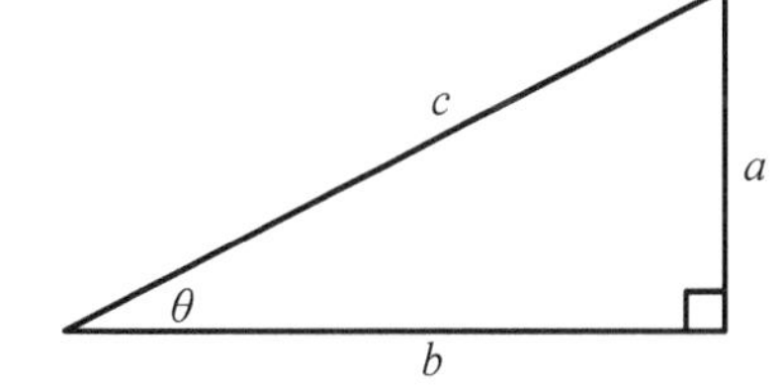

Ffig. 4.9 Cymarebau trig

Sylwch

Ceisiwch ddysgu'r gwerthoedd canlynol ar gyfer cymarebau trig:

θ /°	$\sin\theta$	$\cos\theta$	$\tan\theta$
0	0	1	0
30	0.5	$\frac{\sqrt{3}}{2}$	$\frac{1}{\sqrt{3}}$
45	$\sqrt{2}$	$\sqrt{2}$	1
60	$\frac{\sqrt{3}}{2}$	0.5	$\sqrt{3}$
90	1	0	∞

4.4.4 Cymarebau trig ar gyfer onglau y tu allan i'r amrediad 0–90°

Mae Ffig. 4.10 yn dangos y ffwythiannau sin a chosin ar gyfer onglau na ellir eu darganfod mewn triongl ongl sgwâr, h.y. > 90° ($\frac{\pi}{2}$ rad), a gwerthoedd negatif.

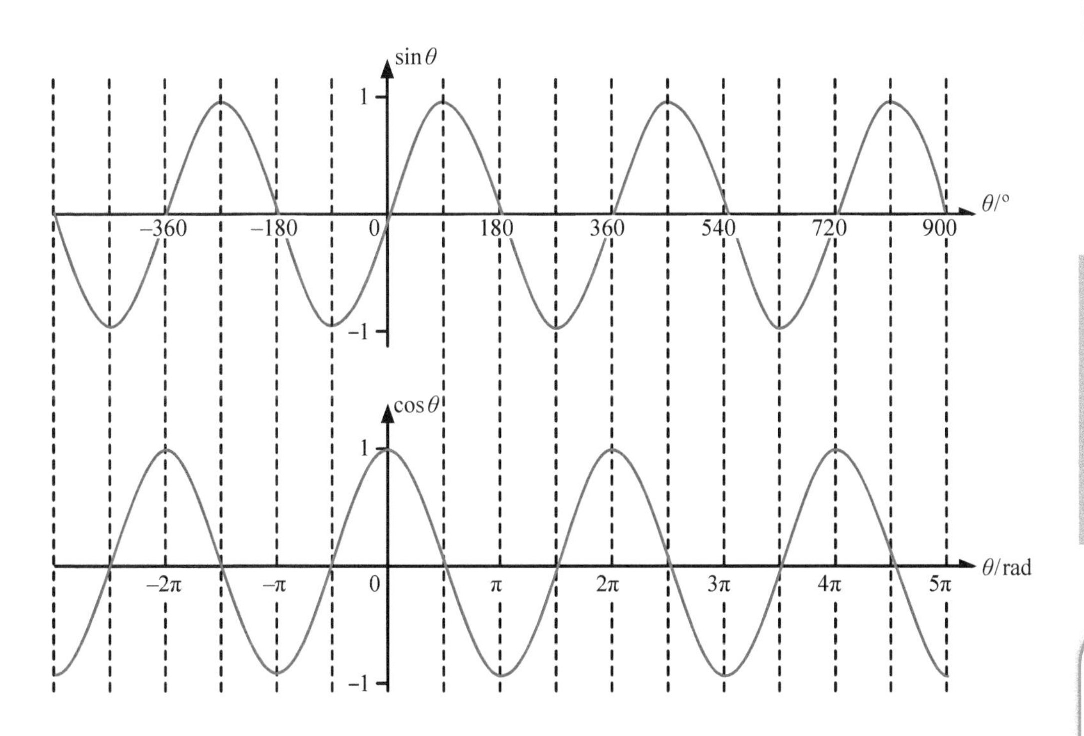

Ffig. 4.10 Graffiau sin a chosin

Pwynt astudio

Mae $\sin\theta = \frac{y}{v}$

∴ mae
$y = v\sin\theta$

Yn yr un modd, mae $x = v\cos\theta$.

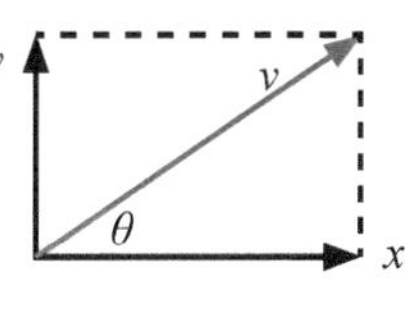

Pwynt astudio

Nodwch yr unedau gwahanol yn y graffiau $\sin\theta$ a $\cos\theta$. Nid yw hyn yn gwneud unrhyw wahaniaeth, gan fod $180° = \pi$ radian, etc. Gellid cyfnewid y labeli, neu gallai'r ddau ddefnyddio'r un uned.

Sylwch

Dysgwch y graffiau, a defnyddiwch nhw wrth i chi ddarganfod onglau pan fyddwch yn gwybod gwerthoedd $\sin\theta$ neu $\cos\theta$, e.e. os yw $\cos\theta = 0.5$, bydd y gyfrifiannell yn rhoi $\theta = 60°$. O'r graff, mae gwerthoedd eraill posibl ar gyfer θ yn cynnwys: –300°, –60°, 300°, 420°, ...

Hunan-brawf 4.9

Beth yw gwerthoedd posibl θ os yw $\sin\theta = 0.5$? Rhowch eich ateb mewn ° ac mewn rad.

4.5 Graffiau

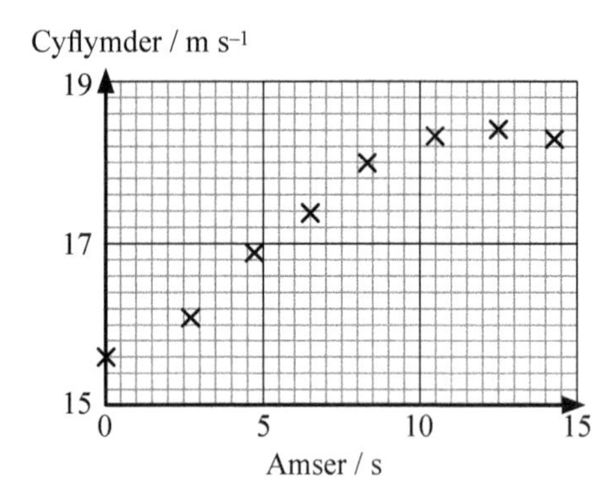

Ffig. 4.11 Arfer da mewn graffiau

4.5.1 Paratoi graffiau a phlotio pwyntiau

Mae Ffig. 4.11 yn egluro'r rheolau canlynol. Dylech eu dilyn bob tro rydych yn plotio graff.

1. Mae'r ddwy echelin wedi'u labelu'n glir â'r mesur sy'n cael ei blotio.
2. Mae'r graddfeydd yn cynyddu mewn camau cyfartal, ac nid ydynt yn cynnwys ffactorau sy'n ei gwneud hi'n anodd darllen y graddfeydd, e.e. lluosrifau 3 neu 7.
3. Mae'r graddfeydd wedi eu dewis fel mae'r pwyntiau'n llenwi o leiaf hanner y grid i'r ddau gyfeiriad.
4. Mae uned y mesurau sy'n cael eu plotio wedi'i chynnwys: y dull safonol i'w ddilyn yw <mesur>/<uned>. Os yw'r mesur yn cael ei godi i bŵer, e.e. v^2, yna dylai'r label fod yn $(v / \text{m s}^{-1})^2$.
5. Mae'r pwyntiau wedi'u plotio'n glir, gyda chanol y groes yn cynrychioli safle'r pwynt.

Er mwyn 'plotio graff' mae angen tynnu llinell addas, yn ogystal â gosod yr echelinau a'r graddfeydd a phlotio'r pwyntiau. Mae Pennod 3 yn ymwneud â thrin data arbrofol, gan gynnwys penderfynu ar y llinell fwyaf priodol i'w thynnu, e.e. llinell syth ffit orau neu gromlin ffit orau.

Pwynt astudio

Mae Ffig. 4.11 yn dangos y pwyntiau wedi'u plotio fel **×**. Gellid defnyddio **+** neu ⊙ yn lle hynny.

Gweler Pennod 3 ar gyfer plotio graffiau gyda barrau cyfeiliornad.

4.5.2 Darganfod y gyfradd newid o graff

Caiff cyfradd newid gymedrig mesur, y, mewn perthynas ag x ei diffinio gan:

$$\text{Cyfradd newid gymedrig} = \frac{\Delta y}{\Delta x}.$$

Er enghraifft, os yw egni potensial disgyrchiant gwrthrych yn cynyddu 500 J pan gaiff ei godi 20 m, mae cyfradd newid gymedrig yr egni potensial mewn perthynas ag uchder yn 25 J m^{-1}.

4.10 Hunan-brawf

Beth mae graddiannau'r graffiau canlynol yn eu cynrychioli?

(a) Cyflymder yn erbyn amser

(b) Dadleoliad yn erbyn amser

(a)

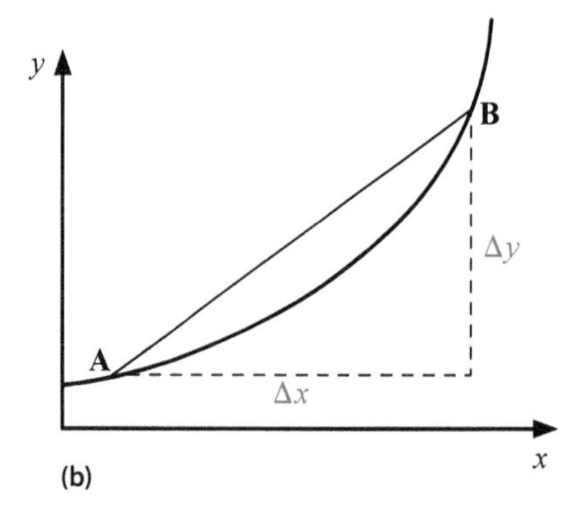

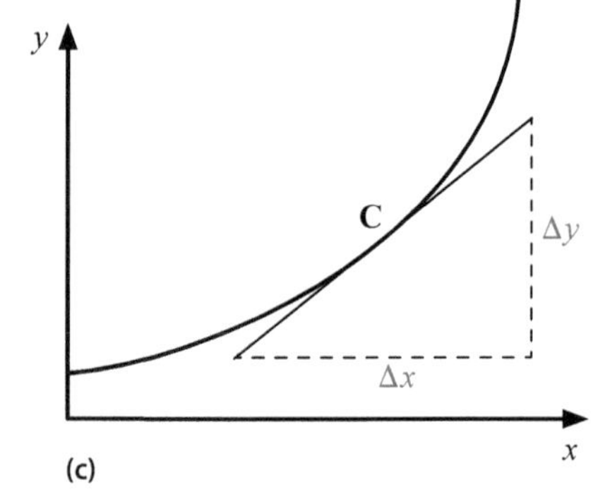

Ffig. 4.12 Cyfrifo'r gyfradd newid

Mae Ffig. 4.12 (a)–(c) yn egluro'r berthynas rhwng y gyfradd newid a'r graff. Os yw y yn amrywio mewn llinell syth gydag x, cyfradd newid y mewn perthynas ag x yw graddiant y graff.

Ar gyfer graff crwm, y gyfradd newid gymedrig rhwng **A** a **B** yw graddiant y cord sy'n cysylltu **A** a **B**. Cyfradd newid enydaidd y mewn perthynas ag x yn **C** yw graddiant y tangiad i'r graff yn **C**. Mewn egwyddor, nid oes gwahaniaeth pa mor fawr yw Δx wrth ddarganfod y goleddau, ond y mwyaf yw Δx, y mwyaf manwl gywir yw gwerth y gyfradd newid.

Termau a diffiniadau

Yn y mynegiad, 'cyfradd newid', rydym yn cymryd mai *amser* yw'r newidyn dibynnol, oni nodir yn wahanol. Felly byddai'r 'gyfradd newid cyflymder gymedrig' yn:

$\frac{\Delta v}{\Delta t}$, h.y. y cyflymiad.

4.5.3 Darganfod yr 'arwynebedd' o dan graff

Yr arwynebedd rhwng graff cyflymder–amser a'r echelin amser yw'r dadleoliad. Mae'r arwynebedd hwn yn arwyddocaol mewn nifer o graffiau (ond nid pob un). Yn yr un modd, yr arwynebedd o dan graff grym–pellter yw'r gwaith sy'n cael ei wneud, h.y. trosglwyddiad egni.

Ar gyfer graff sy'n cynnwys adrannau llinol, gellir rhannu'r arwynebedd yn drionglau a phetryalau (neu drapesiymau). Yn Ffig. 4.13, mae:

Dadleoliad $= A_1 - A_2$

$= 204 \text{ m} - 40 \text{ m}$

$= 164 \text{ m}$

$$A_1 = \frac{7+10}{2} \times 24; A_2 = \frac{1}{2} \times 5 \times 16$$

Mae sawl ffordd o amcangyfrif y gwaith sy'n cael ei wneud o'r arwynebedd o dan y gromlin grym–estyniad yn Ffig. 4.14.

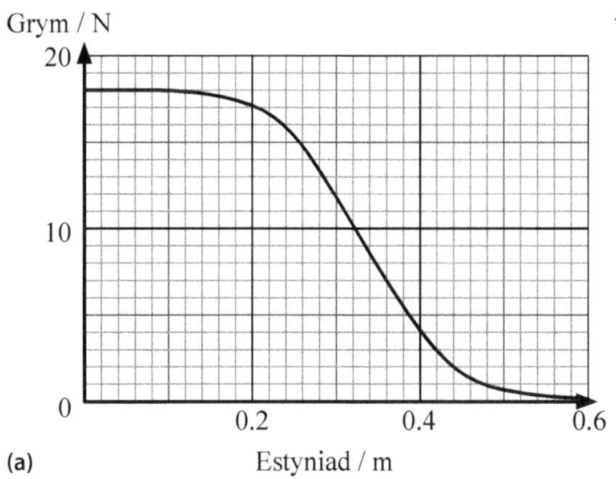

1. Cyfrif sgwariau: Mae pob sgwâr 1 cm yn $5.0 \text{ N} \times 0.1 \text{ m} = 0.5 \text{ J}$. Gan drin < ½ sgwâr yn 0 a > ½ sgwâr yn 1, mae yna 12 sgwâr o'r fath → $12 \times 0.5 = 6.0 \text{ J}$.

2. Rhannu'r graff yn drapesiymau cyfartal, fel yn Ffig. 4.14 (b), darganfod arwynebedd pob un, ac adio i ddarganfod yr arwynebedd cyfan. Er enghraifft

   $$A_3 = \frac{1}{2}(17 + 11.5) \times 0.1 = 1.425 \text{ J}$$

   Gweler Hunan-brawf 4.12.

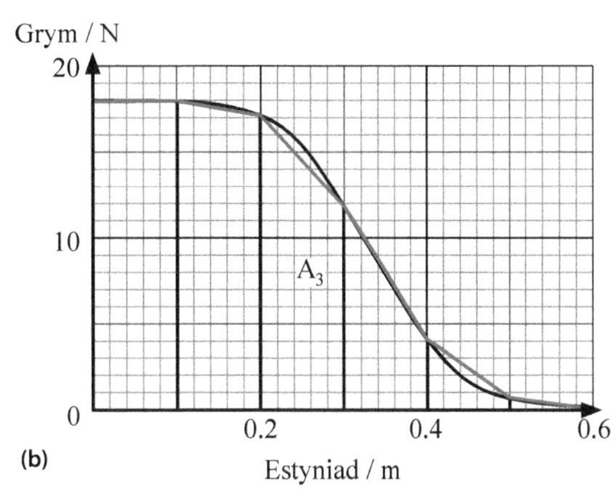

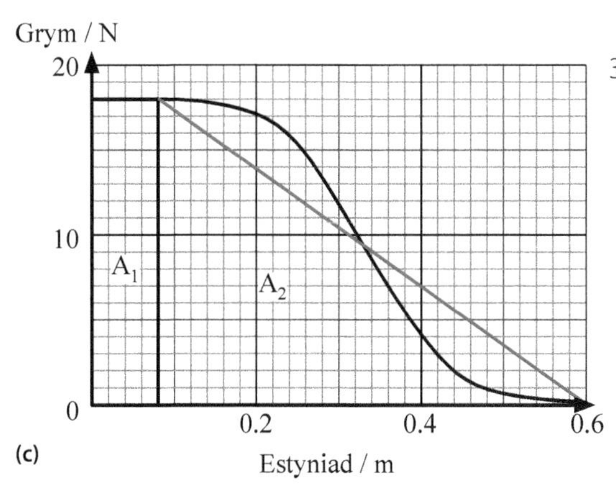

3. Tynnu llinell syth sy'n torri'r gromlin yn ddwy, fel bod yr arwynebedd uwchben y llinell a'r arwynebedd o dan y llinell yn gyfartal (i'r llygad). Yn Ffig. 4.14 (c), mae:

   $A_1 = 18 \times 0.08 = 1.44 \text{ J}$

   $A_2 = \frac{1}{2} \times 18 \times 0.52 = 4.68 \text{ J}$

   ∴ Mae'r arwynebedd $= 6.1 \text{ J}$ (2 ff.y.)

Ffig. 4.14 (a)–(c) Darganfod yr arwynebedd o dan graff crwm

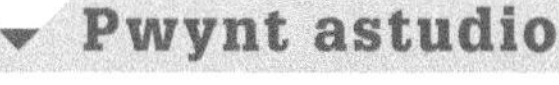

Pwynt astudio

A dweud y gwir, dylem sôn am yr 'arwynebedd' sydd rhwng y graff a'r echelin lorweddol – ac os yw'r graff o dan yr echelin, mae'r arwynebedd yn negatif.

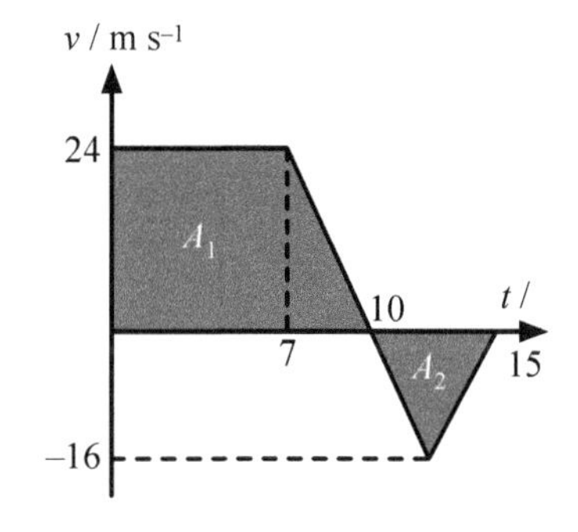

Ffig. 4.13 Graff v–t

Hunan-brawf 4.11

Pa waith rydych chi'n ei gael wrth gyfrif sgwariau 2 mm yn Ffig. 4.14 (a)? Mae pob un yn werth $1.0 \text{ N} \times 0.02 \text{ m} = 0.02 \text{ J}$

Hunan-brawf 4.12

Darganfyddwch arwynebedd pob trapesiwm yn Ffig. 4.14 (b), a dangoswch fod y gwaith sy'n cael ei wneud fwy neu lai yn 6.0 J.

Ymestyn a Herio

Os ydych wedi rhannu eich graff yn gyfres o drapesiymau, lled Δx a chyfesurynnau $y, y_0, y_1 \ldots y_n$, mae'r rheol *trapesoid* yn nodi bod yr arwynebedd, A, yn cael ei roi gan:

$\frac{1}{2}(y_1 + 2y_2 + 2y_3 + \ldots y_n)\, \Delta x$

Ailadroddwch y cyfrifiad ar gyfer yr arwynebedd, gan ddefnyddio'r fformiwla hon.

4.5.4 Graffiau llinol

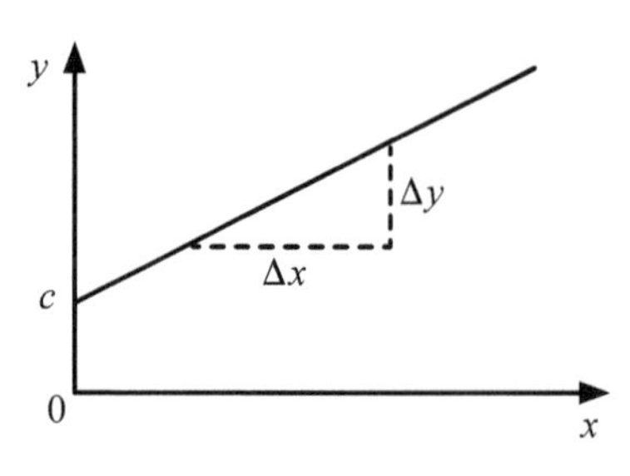

Ffig. 4.15 Graff llinol

Termau a diffiniadau

Yr enw ar werth, c, y pan fydd x yn 0, yw **rhyngdoriad** y graff ar yr echelin y.

(a) Hafaliad graff llinell syth

Mae'r graff yn Ffig. 4.15 yn cynrychioli perthynas linol, h.y. mae'n llinell syth. Mae hafaliad y graff yn:

$$y = mx + c, \text{ lle mae } m = \frac{\Delta y}{\Delta x}.$$

Os yw'r graff yn pasio trwy'r tarddbwynt, (0,0), h.y. os yw $c = 0$, daw'r hafaliad yn $y = mx$. Yn yr achos hwn, dywedwn fod y mewn cyfrannedd union ag x, $y \propto x$. Mae Adran 4.3.1 (c) yn ymdrin â hyn hefyd.

Mae'r perthnasoedd $v = u + at$ a $V = E - Ir$ yn enghreifftiau o berthnasoedd llinol.

- Mae graff o v yn erbyn t, ar gyfer cyflymiad cyson, yn llinell syth gyda graddiant o a a rhyngdoriad o u ar yr echelin v.
- Mae graff o V yn erbyn I, ar gyfer cyflenwad pŵer sydd â gwrthiant mewnol cyson, yn llinell syth gyda graddiant o $-r$ a rhyngdoriad o E ar yr echelin V.

Mae Pennod 3 yn cynnwys adran ar blotio graffiau llinell syth o ddata arbrofol, yn cynnwys achosion lle mae'r berthynas yn aflinol.

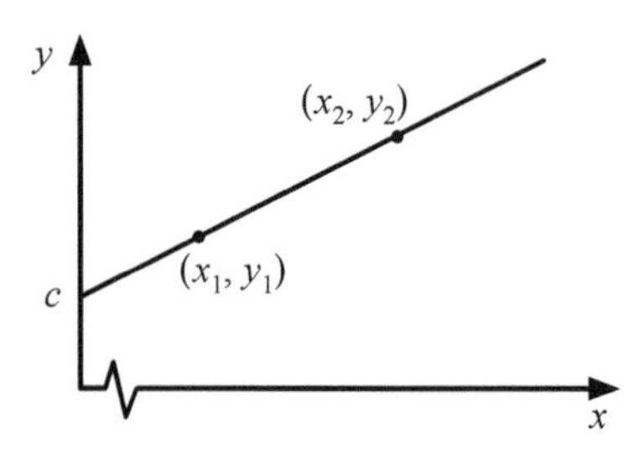

Ffig. 4.16 Graff ymhell o'r tarddbwynt

(b) Darganfod yr hafaliad o'r graff

Dull 1: Os yw'r echelin lorweddol (yr echelin x) yn dechrau ar 0, fel yn Ffig. 4.15, lluniadwch driongl mawr, fel y dangosir, mesurwch Δx a Δy, cyfrifwch m, a darllenwch c o'r rhyngdoriad ar yr echelin.

Dull 2: Os yw'r pwyntiau data ymhell o'r tarddbwynt, fel yn Ffig. 4.16 (e.e. os yw gwerthoedd x yn yr amrediad 120–150), yna:

1. Dewiswch ddau bwynt ar y graff sydd ymhell oddi wrth ei gilydd, (x_1, y_1) ac (x_2, y_2).
2. Cyfrifwch y graddiant o $m = \frac{y_2 - y_1}{x_2 - x_1}$.
3. Yr hafaliad yw: $y - y_1 = m(x - x_1)$.

Mewnbynnwch y gwerthoedd ac ad-drefnwch ar y ffurf $y = mx + c$.

Dull 3: Fel dull 2, ond ar ôl dewis y pwyntiau, ysgrifennwch yr hafaliad fel isod:

$$\frac{y - y_1}{x - x_1} = \frac{y_2 - y_1}{x_2 - x_1}.$$

Mewnbynnwch y gwerthoedd, ac ad-drefnwch i'r ffurf $y = mx + c$.

4.13 Hunan-brawf

Os yw $v = 55$ m s^{-1} ar $t = 25$ s, ac yn 34 m s^{-1} ar 27.3 s, darganfyddwch y berthynas rhwng v a t ar y ffurf $v = u + at$. Nodwch werthoedd u ac a.

Atebion i'r hunan-brofion

Uned 1

Adran 1.1

1.1.1 1. $8a$

2. $18a^2$

3. $2\frac{a}{b}$

4. $36a^2$

1.1.2 $V = lbh \quad \therefore [V] = [l][b][h] \quad = \text{m m m} = \text{m}^3$

1.1.3 Pa s = N m^{-2} s = kg m s^{-2} m^{-1} s = kg m^{-1} s^{-1} QED

1.1.4 $[x]$ = m; $[ut]$ = m s^{-1} s = m; $[\frac{1}{2}at^2]$ = m s^{-2}. s^2 = m.
∴ Mae gan y ddau derm ar yr ochr dde yr un unedau, felly gallwn eu hadio; ac mae gan yr ochr chwith yr un unedau.
∴ Mae'r hafaliad yn homogenaidd.

1.1.5 5 N ar tan^{-1} 0.75 = 36.9° i'r grym 4 N

1.1.6 $F_{fertigol}$ = 75 N; $F_{llorweddol}$ = 130 N

1.1.7 $B \sin \theta$

1.1.8 Màs = 7.9 g cm^{-3} × (10 cm × 5 cm × 4 cm) = 1580 g

1.1.9 (Berfa): pwysau = MC; codi = MG

(Sbaner): Grym = MG; ffrithiant ar y nyten = MC

1.1.10 Pwysau cyfan = (2 + 3 + 5.5 + 10) kg × 9.8 N kg^{-1} = 201 N

∴ Ar gyfer ecwilibriwm, grym i fyny gan y colyn ar y planc ~200 N

1.1.11 $6 \times 60 = 3 \times 90 + 1 \times 50 + 2(100 - d)$; ∴ $360 = 520 - 2d$;
∴ $2d = 160$; ∴ $d = 80$ cm

1.1.12 **A**: $40F = 3 \times 10 + 1 \times 50 + 2d$; ∴ $20F = 40 + d$ [1]

B: $60F = 3 \times 90 + 1 \times 50 + 2(100 - d)$; ∴ $30F = 260 - d$ [2]

Yna, e.e., datrys [1] a [2] ar gyfer F trwy adio i ddileu $d \rightarrow 50F = 300$, etc.

1.1.13 Ar gyfer pob dull: F = 11.7 N ar 31.0° i'r fertigol i lawr

1.1.14 F = 50.3 N ar ongl o 9.6° i'r llorwedd

Adran 1.2

1.2.1 10.8 m s^{-1}

1.2.2 0–3 s; 6–8 s (cyflymder 0); 9.6–12 s

1.2.3 0–3 s cyflymder cyson ymlaen; 3–6 s arafu; 6–8 s disymud; 8–9.6 s cyflymu am yn ôl; 9.6–12 s cyflymder cyson am yn ôl

1.2.4 3.2 m s^{-1}

1.2.5 29.8 km s^{-1} ar ongl 270°

1.2.6 (a) 29.8 km s^{-1} ar ongl 270°

(b) 19.0 km s^{-1} ar ongl 90°

(c) 26.9 km s^{-1} ar ongl 225°

1.2.7 (a) 29.9 km s^{-1} ar ongl 330°

(b) 29.8 km s^{-1} ar ongl 30°

1.2.8 20–30 s (BC): cyflymiad unffurf o 10 i 20 m s^{-1}

30–54 s (CD): cyflymiad unffurf o 20 m s^{-1}

54–68 s (DE): arafiad unffurf i ddisymudedd o 20 m s^{-1}

1.2.9 0.4 m s^{-2}

1.2.10 Arwynebedd 0–20s (trapesiwm) = ½(15 + 20) × 10 = 175 m, etc.

1.2.11 72 m s^{-1} ar ongl o 56.3° i'r llorwedd

1.2.12 (a) $10^2 = 26^2 - 2 \times 1.2x$; ∴ $2.4x = 576$; ∴ $x = 240$ m, etc.

(b) $10 = 26 - 1.2t$; ∴ $1.2t = 16$; ∴ $t = 13.3$ m s^{-1}

(c) $240 = 26t - 0.6t^2$; ∴ $0.6t^2 - 26t + 240 = 0$;

$\therefore t = \frac{26 \pm \sqrt{676 - 576}}{1.2}$ = 13.3 s neu 30.0 s

1.2.13 63.4 m s^{-1}

1.2.14 (ail ran) Oherwydd bod y cyflymiad yn wahanol (ac nid yn gyson) yn y cam wedi'i bweru.

1.2.15 (a) 26.0 m s^{-1}; 15 m s^{-1}

(b) 26.0 m s^{-1}; –34.1 m s^{-1}

(c) 42.9 m s^{-1} ar ongl o 52.7° islaw'r llorwedd

(ch) Llorweddol: 130 m; fertigol –47.6 m (h.y. 47.6 m islaw'r pwynt cychwyn)

1.2.16 t = 2.89 s. $v_{fertigol}$ = –8.3 m s^{-1} → v = 35.6 m s^{-1} ar ongl o 13.5° islaw'r llorwedd

1.2.17 (a) t ~ 0.32 s

(b) 6% (mae'r ansicrwydd yn yr uchder yn ddibwys)

Adran 1.3

1.3.1 (a) 20 000 kg m s^{-1} (neu 20 kN s)

(b) 1.8 × 10^{29} N s

1.3.2 p_1 = 0.15 × 6 = 0.9 kg cm s^{-1}

p_2 = 0.45 × 2 = 0.9 kg cm s^{-1} = p_1

1.3.3 (a) EC$_1$ = 2.7 × 10^{-4} J;
EC$_2$ = 0.5 × 0.3 × 0.032 = 1.35 × 10 ^{4} J
∴ Collir 50% o'r EC

(b) Collir 67% o'r EC

1.3.4 $1000 \times (-6) + 4000 \times 2 = 5000\,v$;
∴ $5000v = 2000$; ∴ $v = 0.8$ m s^{-1}

1.3.5 EC$_1$ fel yn 1.3.3;
EC$_2$ = 0.5 × 0.15 × (–0.02)^2 + 0.5 × 0.3 × 0.04^2 = 2.7 × 10^{-4} J

1.3.6 $[F] = \frac{[\Delta p]}{[\Delta t]}$; ∴ $\text{N} = \frac{[p]}{s}$; ∴ $[p]$ = N s QED

1.3.7 (a) 1.4 kN

(b) ~0.82 kN

(c) ~4 kN

1.3.8 Grym = 200 N (o bosibl, prin)

1.3.9 Gallwch ddangos bod EC fesul eiliad = $\frac{1}{2}\frac{\rho V^3}{A^2}$ [fel yn achos tyrbin gwynt] → ΔEC = 3 kW

1.3.10 (a) F ar y tywod i'r dde gan fod Δp i'r dde

(b) F ar y cludfelt i'r chwith oherwydd N3

1.3.11 $[c_d] = \frac{[F_d]}{[\rho][v^2][A]} = \frac{\text{kg m s}^{-2}}{\text{kg m}^{-3}\text{ m}^2\text{ s}^{-2}\text{ m}^2} = \frac{\text{kg m s}^{-2}}{\text{kg m s}^{-2}}$,

h.y. dim unedau

1.3.12 1. Grym cyffwrdd y morlew ar y bêl

2. Grym disgyrchiant y morlew ar y Ddaear

3. Grym cyffwrdd asgell ôl y morlew ar y ddaear

4. Grym cyffwrdd asgell flaen y morlew ar y ddaear

5. Grym ffrithiant asgell ôl y morlew ar y ddaear

6. Grym ffrithiant asgell flaen y morlew ar y ddaear

1.3.13

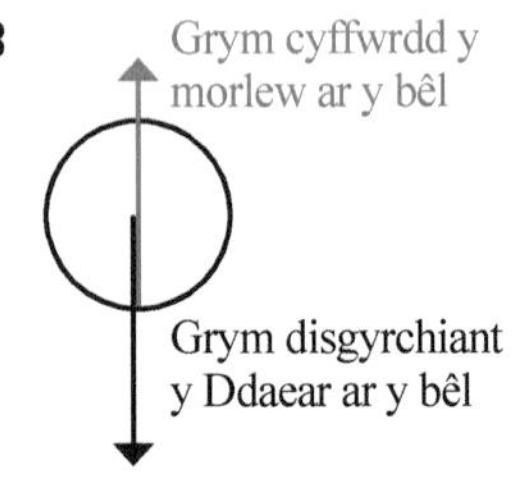

1.3.14 1.0(4) m s^{-2}

1.3.15 72.0 kg [706 N]; 0

1.3.16 Rhwng B ac C, mae'r llusgiad yn cynyddu wrth i ddwysedd yr aer gynyddu.

1.3.17 Gan gymryd bod y plymiwr awyr â'i goesau a'i freichiau ar led, a gan amcangyfrif bod A = 1 m^2;
m = 90 kg; → v_{terfynol} ~ 40 m s^{-1}

Adran 1.4

1.4.1 I gychwyn, egni dirgrynol hap y moleciwlau yn y rhaff a'r winsh.

1.4.2 614 J

1.4.3 $a = \frac{F}{m} = \frac{1200}{800} = 1.5$ m s^{-2} ∴ $\sqrt{15^2 + 2 \times 1.5 \times 250} = 31.2$ m s^{-1}

1.4.4 1 kW awr = 3.6 MJ

1.4.5 450 kJ / 0.125 kW awr

1.4.6 3.96 × 10^{19} J [= 39.6 EJ]

1.4.7 (a) uned y term 0.3 = $\frac{[F_d]}{[\rho]\,[v^2]} = \frac{\text{kg m s}^{-2}}{\text{kg m}^{-3}\text{ m}^2\text{ s}^{-2}}$ = m^2. QED

(b) 6.1 kW

Adran 1.5

1.5.1 23.5 N m^{-1}

1.5.2 200 μm

1.5.3 0.1 J

1.5.4 $\frac{1}{2}\sigma\varepsilon = \frac{1}{2}\sigma\frac{\sigma}{E} = \frac{1}{2}\frac{\sigma^2}{E}$; $\frac{1}{2}\sigma\varepsilon = \frac{1}{2}\varepsilon E\varepsilon = \frac{1}{2}\varepsilon^2 E$ QED

1.5.5

1.5.6 Mae'r trwch yn haneru

1.5.7 $\varepsilon_{\text{rwber}}$ ~ 10 000 × ε_{dur}

Adran 1.6

1.6.1 (a) 970 nm

(b) IR

(c) P = 16 × 1.7 ~ 27 kW; λ_{mwyaf} = ½ × 970 ~ 500 nm

1.6.2 (a) ~8 mW m^{-2}

(b) 80 μW m^{-2}

(c) 8 nW m^{-2}

1.6.3 $L_B = 4L_A$

1.6.4 $L = I \times 4\pi d^2 = 42.8 \times 10^{-9} \times 4 \times \pi \times (9.5 \times 10^{16})^2 = 4.9 \times 10^{27}$ W

1.6.5 (a) 7.5 × 10^{20} m

(b) ~ 80 000 blwyddyn golau

1.6.6 690 000 km

1.6.7 Diamedr = 9.34 × 10^{-3} × 150 × 10^6 km ~ 1.4 miliwn km

1.6.8 T = 3700 K; r ~ 6.0 miliwn km

1.6.9 C – Hα, F – Hβ; D – NaI; c, E – FeI; K, H – CaII; b – MgI

1.6.10 λ_{mwyaf} = 1.1 mm. ∴ $T = \frac{W}{\lambda_{\text{mwyaf}}} = \frac{2.898 \times 10^{-3}}{1.06 \times 10^{-3}}$ ~ 2.7 K

Adran 1.7

1.7.1 m_p ~ 0.94 GeV/c^2

1.7.2 f = 1.47 × 10^{20} Hz; 2.04 pm; p = 3.3 × 10^{-22} N s

1.7.3 $^{12}_{6}$C : 50%; $^{56}_{26}$Fe : 54%; $^{197}_{79}$Au : 60% niwtronau

1.7.4 Dadfeiliad niwtronau:
gormodedd egni = 939.6 – (938.3 + 0.5) = 0.8 MeV

Dadfeiliad protonau: $m_p < m_n + m_e$ (+ m_ν) ∴ Dim digon o egni

1.7.5 ochr chwith: L_e = 0; ochr dde: L_e = 0 + 1 + (–1) = 0.
∴ L_e wedi'i gadw

1.7.6 $\mu^+ \rightarrow e^+ + \bar{\nu}_\mu + \nu_e$:

Ochr chwith: L_μ = –1. Ochr dde: L_μ = 0 + (–1) + 0 = –1.
∴ L_μ wedi'i gadw

Ochr chwith: L_e = 0; Ochr dde: L_e = (–1) + 0 + 1 = 0.
∴ L_e wedi'i gadw

1.7.7 (a) Rhyngweithiad gwan; niwtrino'n gysylltiedig, sy'n cael ei effeithio gan y rhyngweithiad gwan yn unig

(b) Cadwraeth gwefr (+e ar y ddwy ochr), rhif lepton [miwon] (0 ar y ddwy ochr), rhif cwarc (0 ar y ddwy ochr, ond nodwch newid ym mlas y cwarc, sy'n gyson â rhyngweithiad gwan)

Uned 2

Adran 2.1

2.1.1 6.25×10^{18}

2.1.2 Caiff 2×10^{10} electron eu trosglwyddo i'r rhoden bolythen.

2.1.3 Mae 45 A awr yn mynegi'r wefr = 162 kC

2.1.4 Mae v mewn cyfrannedd gwrthdro ag A, ac felly â'r diamedr^2. Felly mae 4× cyflymder drifft = 0.48 mm s^{-1}.

Adran 2.2

2.2.1 30 MV

2.2.2 (a) 720 mW (0.72 W)

(b) 216 C

(c) 1.3 kJ

2.2.3 $t = \frac{VQ}{P}$

2.2.4 (a) 2 Ω

(b) 11 Ω

2.2.5 5 A

2.2.6 2%

2.2.7 0.0063 Ω; 0 Ω

2.2.8 (a) Gwrthiant gweithio ~ $14 \times R_0$.

(b) Tymheredd gweithio ~ 3200 K

2.2.9 Graddiant = 8.29 Ω m^{-1}; diamedr = 0.28 mm.

Adran 2.3

2.3.1 (a) 36.5 Ω

(b) (i) 0.65 W

(ii) 2.47 W. Gwastraffir y rhan fwyaf o'r pŵer yn y gwrthydd.

2.3.2 8.3 Ω

2.3.3 4 Ω, 8 Ω, 18 Ω, 36 Ω

2.3.4 $x = 0.5$ A, $y = 0.4$ A

2.3.5 1%

2.3.6 Tua 30°C

2.3.7 Y mwyaf llachar yw'r golau, yr isaf yw'r foltedd allbwn.

2.3.8 (a) 0.27 A

(b) 0.41 W cyfanswm) [0.37 W wedi'i allforio]

2.3.9 Hafaliadau, gan ddefnyddio $I = \frac{E}{R+r}$: $0.88 = \frac{E}{1.25+r}$ a $0.28 = \frac{E}{5.0+r} \rightarrow E = 1.54$ V; $r = 0.50$ Ω

2.3.10 (Wedi eu cysylltu'n gywir) $I = 1.75$ A, $V = 3.49$ V; (cell o chwith)
$I = 0.58$ A, $V = 1.16$ V

2.3.11

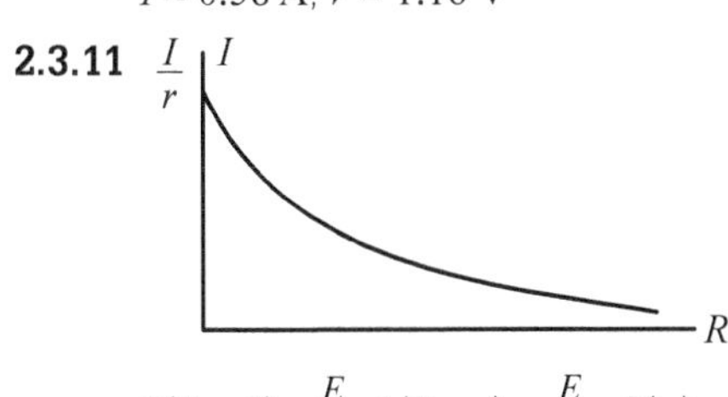

$I(R=0) = \frac{E}{r}$; $I(R=r) = \frac{E}{2r}$; $I(\infty) = 0$

2.3.12 (a) $V = 5.92$ V, $r = 123$ Ω

(b) 0.018 A, 3.67 V

2.3.13 $E = \frac{1}{\text{graddiant}}$; $r = \frac{\text{rhyngdoriad}}{\text{graddiant}}$

2.3.14 $E = \frac{1}{\text{rhyngdoriad}}$; $r = \frac{\text{graddiant}}{\text{rhyngdoriad}}$

Adran 2.4

2.4.1 (Enghreifftiau) Pelydriad o'r Haul; trydan

2.4.2 $n = 0.5$

2.4.3 ρ yw'r dwysedd; yr uned yw kg m^{-3}

2.4.4 (a) 0.156 s

(b) 1.6 Hz

2.4.5 Mae'r echelin lorweddol yn cynrychioli amser, felly ni all y cyfwng brig-i-frig fod yn hyd. Dylai fod wedi dweud bod hyn yn cynrychioli'r cyfnod.

Yr osgled yw'r dadleoliad mwyaf, felly mae 'osgled mwyaf' yn ymadrodd segur. Dylai fod wedi dweud mai A oedd yr osgled.

2.4.6 0.6 m

2.4.7 $\lambda/4$ ~ 8 cm, felly mae hyn yn bosibl.

Adran 2.5

2.5.1 Tua 25° ar y naill ochr a'r llall

2.5.2 Mae gan yr amleddau isel donfeddi hir sy'n gwasgaru tipyn o ganlyniad i ddiffreithiant trwy'r ffenestr agored. Nid yw'r amleddau uwch, sy'n bwysig ar gyfer dealltwriaeth, yn diffreithio i'r un graddau. Gan gymryd bod $f > 3$ kHz (ar gyfer cytseiniaid), mae hyn yn rhoi $\lambda < 0.1$ m. Mae drysau a bylchau ffenestri ~1 m, felly mae gwasgariad diffreithiant yn fach.

2.5.3 Mae'r llinyn yn dal i feddu ar egni cinetig – yn union i'r chwith o'r llinell ganol, mae'r llinyn yn symud i fyny; yn union i'r dde, mae'n symud i lawr.

2.5.4 Nid ydynt yn effeithio ar ei gilydd.

2.5.5 $\lambda = 3.7$ mm
$S_1R = 31$mm; $S_2R = 34.5$mm; $S_2R - S_1R = 3.5$mm
∴ cytuno

2.5.6 $S_1U - S_2U = 2\lambda$; $S_1V - S_2V = 2.5\lambda$

2.5.7 Gwahaniaeth llwybr = 120 sin 30° = 60 m = 2.5λ. ∴ ymyriant distrywiol.

2.5.8 Mae arddwysedd y paladrau sydd wedi'u diffreithio o'r holltau yn lleihau gyda'r ongl o'r canol.

2.5.9 Gwahaniad eddïau = 1.36 mm; $\lambda = 680$ nm.

2.5.10 470 nm

2.5.11 Lled yr hollt

2.5.12

2.5.13

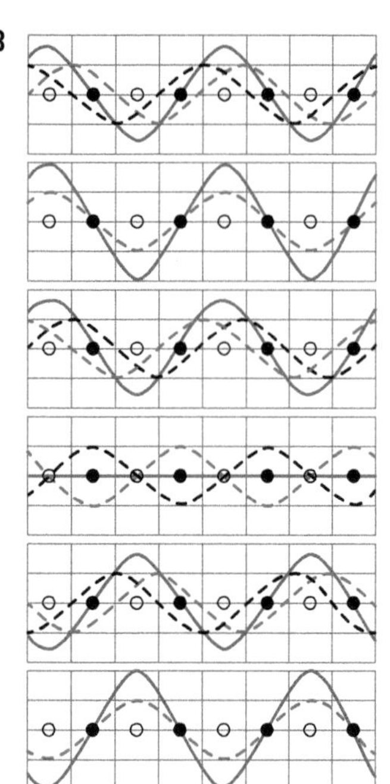

Nod ●
Antinod ○

2.5.14 2il harmonig

3ydd harmonig

$f_n = nf_1$.

2.5.15 (a) f_1 = 170 Hz; f_2 = 510 Hz

(b) Ar gyfer pibell â'i phen ynghau:
f_1 = 340 Hz ac f_2 = 680 Hz

2.5.16 (a) ansicrwydd canrannol ~ 9%

(b) ansicrwydd absoliwt ~±50 nm

2.5.17 $d = 5\ \mu\text{m}$

2.5.18 (a) $d = 2.76\ \mu\text{m}$

(b) cysonyn y gratin = $3.63 \times 10^5\ \text{m}^{-1} = 3630\ \text{cm}^{-1}$.

Adran 2.6

2.6.1 (a) dwfn = 2.5 cm, bas = 1.5 cm

(b) 23°

2.6.2 (a) $2.26 \times 10^8\ \text{m s}^{-1}$

(b) $1.24 \times 10^8\ \text{m s}^{-1}$

2.6.3 29.6°

2.6.4 (a) Mae'r pelydryn yn dod allan ar ongl o 39°; pelydryn adlewyrchol gwan ar ongl o 25°

(b) Pelydryn plyg gwannach ar ongl o 59°, pelydryn adlewyrchol cryfach ar ongl o 35°

(c) Adlewyrchiad mewnol cyflawn – pelydryn adlewyrchol cryf ar ongl o 45°

2.6.5 47.2°

2.6.6 $\sin c = \frac{1.52}{1.62}$. $\therefore c = \sin^{-1}\frac{1.52}{1.62} = 69.8°$

2.6.7 0.03 s, gan dybio bod gan y gwydr indecs plygiant o 1.5.

2.6.8 $\sin\theta = 0.0099998$; $\tan\theta = 0.0100003$

$$\therefore \frac{\tan\theta - \sin\theta}{\tan\theta} \approx \frac{5 \times 10^{-7}}{0.01} = 5 \times 10^{-5} = 0.005\%$$

2.6.9 Ansicrwydd yn $n = \pm 0.03$

Adran 2.7

2.7.1 $E_{\text{k mwyaf}} = 9.6 \times 10^{-20}\ \text{J} = 0.6\ \text{eV}$

2.7.2 Mae gan bob ffoton yr un egni (ar gyfer amledd penodol). Bydd newid yr arddwysedd yn effeithio ar nifer yr electronau sy'n cael eu hallyrru yn unig, ac nid ar eu hegni, oherwydd caiff electron ei allyrru gan un ffoton yn unig.

2.7.3 (a) $5.2\ \text{eV} = 8.4 \times 10^{-19}\ \text{J}$

(b) dim electronau yn cael eu hallyrru

(c) yr un peth ag (a).

2.7.4 (a) 1.5×10^{45} ffoton s^{-1} (b) $5.3 \times 10^{21}\ \text{m}^{-2}$

2.7.5 Os yw $f = 1 \times 10^{12}$ Hz, mae $\lambda = 3 \times 10^{-4}\ \text{m} = 0.3\ \text{mm}$. Felly mae gan belydriad THz donfedd sy'n llai nag 1 mm.

2.7.6 2.18 aJ

2.7.7 $E = 13.6\left(\frac{1}{2^2} - \frac{1}{6^2}\right) = 3.02\ \text{eV} = 4.84 \times 10^{-19}\ \text{J}$

$$\therefore \lambda = \frac{hc}{E} = \frac{6.630^{-34} \times 3.0 \times 10^8}{4.84 \times 10^{-19}}\ \text{m} = 411\ \text{nm}.$$

Yn Ffig. 1.6.12, mae λ = 410 nm ar gyfer Hδ

2.7.8 2×10^{-13}, 2×10^{-15}, 2×10^{-18}, 4×10^{-19}, 2×10^{-20}, 2×10^{-23}, 2×10^{-27}

2.7.9 590 nm

2.7.10 410 fm

2.7.11 1.3×10^{-27} N s.

2.7.12 (a) Mae momentwm y ffotonau trawol mewn $\Delta t = \frac{IA\Delta t}{c}$

Mae momentwm y ffotonau adlewyrchol mewn $\Delta t = -\frac{IA\Delta t}{c}$

∴ Mae newid momentwm y ffotonau trawol mewn $\Delta t = -2\frac{IA\Delta t}{c}$

∴ Mae'r grym a roddir ar y plân gan y ffotonau $= \frac{\Delta p}{\Delta t} = 2\frac{IA}{c}$ trwy N2 ac N3

∴ Mae'r gwasgedd a roddir ar y plân gan y ffotonau $= 2\frac{I}{c}$

(b) gwasgedd = $\frac{I}{c}$!

Adran 2.8

2.8.1 (a) 2.5 eV (0.4 aJ)

(b) 0.7 eV (0.11 aJ)

(c) 1.8 eV (0.29 aJ)

2.8.2 Bydd y pwmpio yn cynhyrchu poblogaeth yn y cyflwr P. Bydd unrhyw electronau sy'n disgyn i U yn disgyn ymhellach i G mewn amser byr iawn, felly bydd yna wrthdroad poblogaeth rhwng P ac U, sy'n caniatáu i allyriad ysgogol gynhyrchu mwyhad.

2.8.3 0.72 (= 72%)

2.8.4 Ar gyfer laser sy'n gweithredu gyda phaladr cyson, rhaid i'r gyfradd cynhyrchu ffotonau fod yn hafal i'r gyfradd colli ffotonau. Felly rhaid i ffoton deithio ~280 hyd y cyfrwng cyn ysgogi allyriad. Yn yr achos hwn, mae hyn yn 140 m.

2.8.5 (a) Egni ffoton = 1.3 eV. Foltedd pwmpio ~ 1.3 V

(b) 8.6×10^{16} ffoton s^{-1}.

2.8.6 8.59×10^{-19} J (5.37 eV)

Atebion i'r ymarferion

Uned 1

Ymarfer 1.1

1. (a) $[G] = [F][d^2][M_1M_2]^{-1} = \text{N m}^2\ \text{kg}^{-2}$

(b) $\text{N} = \text{kg m s}^{-2}$. $\therefore$ $[G] = \text{kg m s}^{-2}\ \text{m}^2\ \text{kg}^{-2} = \text{kg}^{-1}\ \text{m}^3\ \text{s}^{-2}$

2. (a) $\text{V} = \text{kg m}^2\ \text{s}^{-3}\ \text{A}^{-1}$

(b) Defnyddio $R = \frac{V}{I}$. $\therefore$ $\Omega = \text{V A}^{-1} = \text{kg m}^2\ \text{s}^{-3}\ \text{A}^{-2}$

3. 34 kg

4. 2.2×10^{11} m [Gallai fod yn 2.20×10^{11} m pe bai'r ffigur gwreiddiol i 3 ff.y.]

5. Cylchedd y Ddaear ~ 40 000 km → 85 000 kg

6. Gan gymryd y dde fel y positif: $v_{1\text{llorweddol}} = 30 \cos 30° = 26.0\ \text{m s}^{-1}$; $v_{2\text{llorweddol}} = 20 \cos 120° = -10.0\ \text{m s}^{-1}$

Gan gymryd i fyny fel y positif: $v_{1\text{fertigol}} = 30 \sin 30° = 15.0\ \text{m s}^{-1}$; $v_{2\text{fertigol}} = 20 \cos 30° = 17.3\ \text{m s}^{-1}$

7. (a) $(v_1 + v_2)_{\text{llorweddol}} = 26.0 + (-10.0) = 16.0\ \text{m s}^{-1}$.

$(v_1 + v_2)_{\text{fertigol}} = 15.0 + 17.3 = 32.3\ \text{m s}^{-1}$

→ $v_1 + v_2 = 36.0\ \text{m s}^{-1}$ ar ongl o 63.6° i'r llorwedd

(b) $(v_2 - v_1)_{\text{llorweddol}} = -10.0 - 26.0 = -36.0\ \text{m s}^{-1}$.

$(v_2 - v_1)_{\text{fertigol}} = 17.3 - 15.0 = 2.3\ \text{m s}^{-1}$

→ $v_2 - v_1 = 36.0\ \text{m s}^{-1}$ ar ongl o 3.7° i'r llorwedd chwith

[176.3° i'r llorwedd de]

8.

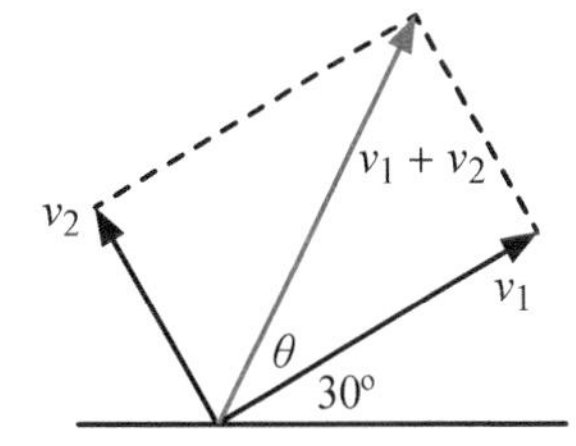

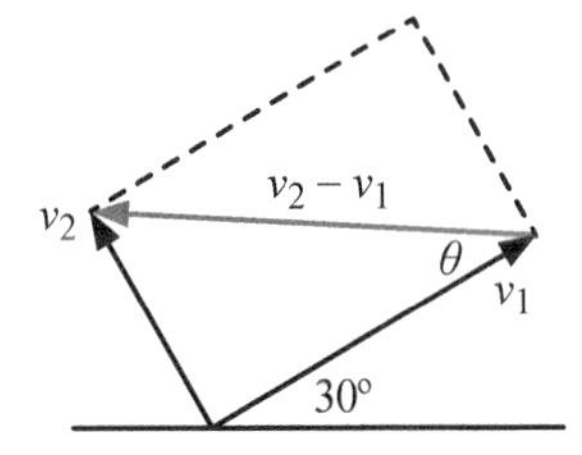

Mae meintiau $v_1 + v_2$ a $v_2 - v_1$ ill dau yn $\sqrt{30^2 + 20^2} = 36.0\ \text{m s}^{-1}$.

$\theta = \tan^{-1} \frac{20}{30} = 33.7°$ → yr un cyfeiriadau ag yn C7 (gyda gwall talgrynnu yn C7).

9. $3.75\ \text{g cm}^{-3}$ / $3750\ \text{kg m}^{-3}$

10. (a) 100 g

(b) 2.9 N [gan gymryd bod g yn $9.81\ \text{m s}^{-1}$]

Ymarfer 1.2

1. (a) $5.0\ \text{m s}^{-1}$

(b) $4.4\ \text{m s}^{-1}$

(c) $4.7\ \text{m s}^{-1}$ [$\neq 0.5\ (5.0 + 4.4)$]

(ch) $0.53\ \text{m s}^{-1}$ i lawr

(d) $18.9\ \text{m s}^{-1}$ i fyny

2. Gan ddefnyddio $x = ut + \frac{1}{2}at^2$, $5 = 0 + \frac{1}{2}a \times 1^2$ $\therefore$ $a = 10\ \text{m s}^{-2}$

3. Buanedd mwyaf = $45\ \text{m s}^{-1}$.
Pellter a deithiwyd yn y 90 s = 22.5 × 90 = 2025 m

Amser ar y buanedd mwyaf = 100 s;
Amser i arafu = 1800 / 22.5 = 80 s

$\therefore$ Cyfanswm y pellter = 2025 + 4500 + 1800 m = 8325 m;
cyfanswm yr amser = 90 + 100 + 80 = 270 s

$\therefore$ Cyflymder cymedrig = 8325 m / 270 s = $30.8\ \text{m s}^{-1}$

4. $\Delta v = 20\sqrt{2}\ \text{m s}^{-1}$ DDdn. $\therefore$ $\langle a \rangle = 4\sqrt{2} = 5.7\ \text{m s}^{-2}$ DDdn [i.e. G135°]

5. (a) $1.0\ \text{m s}^{-2}$

(b) 250 m

(c) [O raddiant y tangiad] $-0.60\ \text{m s}^{-2}$

(ch) Pellter amcangyfrifol = 355 m. $\langle v \rangle = 8.9\ \text{m s}^{-1}$

6. (a) 123 m,

(b) $49.1\ \text{m s}^{-1}$,

(c) $57.5\ \text{m s}^{-1}$ ar ongl o 59° i'r llorwedd

7. Amser amcangyfrifol = 0.25 s. Buanedd fertigol ar 0.25 s = $2.5\ \text{m s}^{-1}$. $\therefore$ Buanedd llorweddol = $2.5\ \text{m s}^{-1}$.
$\therefore$ pellter rhwng llinellau fertigol 0.10 m

8. (a) 31.9 m

(b) 2.54 s

(c) $43.3\ \text{m s}^{-1}$ yn llorweddol

(ch) 220 m

9. Amser = 40 s; pellter = 1200 m

10. h yn erbyn t^2 : mae gan y llinell syth ffit orau raddiant o 4.25 (m s^{-2}) a rhyngdoriad o −0.045 (m) → $g = 8.5\ \text{m s}^{-2}$

$\sqrt{h}$ yn erbyn t : mae gan y llinell syth ffit orau raddiant o 2.21 ($\text{m}^{0.5}\ \text{s}^{-1}$) a rhyngdoriad o −0.086 ($\text{m}^{0.5}$) → $g = 9.77\ \text{m s}^{-2}$ a Δt ~ 0.04 s

Ymarfer 1.3

1. (a) $800\ \text{kg m s}^{-1}$ (N s) i'r dde

(b) 200 N s i'r dde

(c) 580 N s ar G31°Dn

2. 7750 J

3. Gadewch i m fod yn fàs 'teithiwr'. Momentwm cychwynnol $= 2m \times 6 = 12m$; momentwm terfynol $= 3m \times 4 = 12m$.
Momentwm cychwynnol a therfynol yn hafal, $\therefore$ fel y rhagwelwyd

4. 33%

5. (a) 28 kN s

(b) $11.2\ \text{m s}^{-1}$ (i gyfeiriad y car cyntaf), gan dybio nad oes grym cydeffaith llorweddol allanol yn gweithredu

6. 5.0 m s^{-1}

7. (a) 2.8×10^5 m s^{-1}

(b) 3.4×10^{-13} J [~2.1 MeV]

8. A 17 m s^{-1}; B 18 m s^{-1} y naill a'r llall i'r cyfeiriad croes i'w cyfeiriadau gwreiddiol

9. Newid momentwm y bêl-droed = [(− 25) − 30] × 0.45 = 24.75 N s. ∴ Mae'r grym cymedrig a roddir gan y wal ar y bêl yn $\frac{-24.75}{0.04}$ = − 620 N [2.ff.y.] yn ôl N2, h.y. − 620 N i gyfeiriad gwreiddiol y bêl ∴ Yn ôl N3, mae'r grym cymedrig a roddir gan y bêl ar y wal = − (−620 N) = 620 N i gyfeiriad gwreiddiol y bêl

10. (a) $a_{mwyaf} = 11.0$ m s^{-2}; $a_{lleiaf} = 4.5$ m s^{-2},

(b) 8.4 m s^{-2} ar ongl o 22.6° i'r grym 12 N.

11. (a) 0.392 N

(b) (i) $0.392 - T = 0.040a$; (ii) $T = 0.200a$

(c) 1.63 m s^{-2}

12. (a) 4.9×10^4 m s^{-2}

(b) Gan dybio bod $\langle F_{cyd} \rangle = ½F_{mwyaf}$ → 186 m s^{-1} [F_{cyd} cyson → 260 m s^{-1}]

13. (a) Heb wrthiant aer (b) Gyda gwrthiant aer

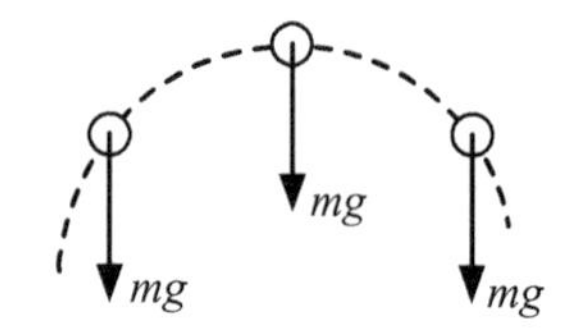

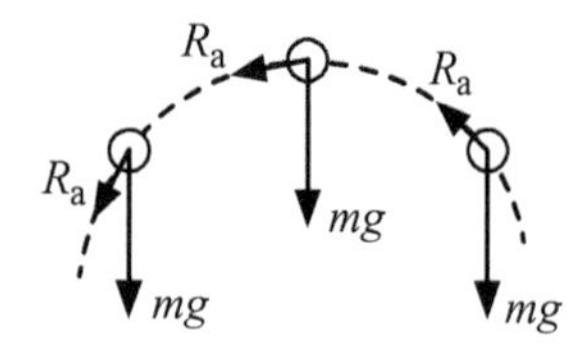

14. (a) Mae graff o x/t yn erbyn t yn llinell syth, ∴ cyflymiad cyson

(b) Graddiant = 14.2 (cm s^{-2}) ∴ cyflymiad = 28.4 cm s^{-2}

(c) 0.17 kg.

15. Graddiant = 14.2 ± 1.6 (cm s^{-2}) ∴ cyflymiad = 28 ± 3 cm s^{-2} (h.y. 11%). ∴ $\Delta M = \pm 0.02$ kg.

Ymarfer 1.4

1. (a) 540 kJ

(b) 5.0 kJ

2. (a) 500 kJ

(b) 5.0 kN

3. (a) 16.7 kJ

(b) 19.8 m s^{-1}

(c) 62 N

4. (a) 0.5 J

(b) 16 m s^{-1} gan dybio bod yr holl EP yn trosglwyddo i EC yn y sffêr

5. (a) 1.62 m s^{-1}

(b) 42.9° gan dybio na chollir unrhyw egni, h.y. yr un uchder ag yn wreiddiol (0.134 m)

6. 1.69 m

Rhoddir y cyflymder llorweddol ar ôl rholio i lawr uchder h_1 gan $½mv^2 = 0.714mgh_1$, h.y. $v = \sqrt{1.428gh_1}$

Rhoddir yr amser i ddisgyn gris, uchder h_2 gan $t = \sqrt{\frac{2h_2}{g}}$,

∴ Pellter llorweddol = $vt = \sqrt{1.428gh_1} \times \sqrt{\frac{2h_2}{g}} = \sqrt{2.856h_1h_2}$, sydd yn annibynnol ar g

7. (a) 84.9 m s^{-1}

(b) Uchder = 92 m, cyrhaeddiad = 640 m

Ymarfer 1.5

1. (a) 24.5 N m^{-1}

(b) 0.078 J

(c) 0.157 J

2. Estyniad = 16.0 cm

(a) 12.25 N m^{-1}

(b) 0.157 J

(c) 0.304 J

3. (a) 0.885 m s^{-1}

(b) 16.0 cm

(c) 9.81 m s^{-1}

4. (a) ben wrth ben, $k = 12$ N m^{-1}. Cyfanswm yr estyniad yn ddwbl ar gyfer unrhyw lwyth penodol

(b) ochr yn ochr, $k = 48$ N m^{-1}. Cyfanswm y llwyth yn ddwbl ar gyfer unrhyw estyniad penodol

5. $F_{mwyaf} = 650$ N, $\Delta l = 0.14$ mm

6. (a) 24.5 N

(b) 156 GPa

7. Mae'r tabl canlynol yn rhoi masau, m, y llwythau y mae eu hangen i roi allwyriadau, x, penodol, gan dybio bod y wifren yn ufuddhau i ddeddf Hooke.

x/cm	1.0	1.5	0.2	2.5	3.0	4.0	4.5	5.0
m/g	12	42	100	195	337	799	1140	1560

Cwestiwn atodol: trwy blotio graff addas, dangoswch fod $m \propto x^3$.

Mae'r allwyriad ar gyfer $\varepsilon = 1.0 \times 10^{-3}$ yn 4.47 cm, sy'n cael ei gynhyrchu gan lwyth o 1120 g.

8. (a) 58 900 N

(b) 295 kJ

(c) 7.4 m

(ch) 540 m

9. Bydd unrhyw grafiad ar yr arwyneb yn cau, ac ni fydd dan dyniant tan i'r gwydr gael ei estyn, fel bod y cywasgiad yn yr haen arwynebol yn cael ei oresgyn.

10. $T_A = T_B$; $\Delta l_B = 2\Delta l_A$; $\sigma_B = \sigma_A$; $\varepsilon_B = 2\varepsilon_A$; $\text{Egni}_B = 2 \times \text{Egni}_A$.

11. $\frac{2}{3}E$

12. $\frac{T_2}{T_1} = \frac{\sigma_2}{\sigma_1} = \frac{E_2}{E_1}$; $\Delta l_1 = \Delta l_2$; ac $\varepsilon_1 = \varepsilon_2$;

Egni yn 1 = 2 × Egni yn 2.

13. $E_{eff} = \frac{E_1 + E_2}{2}$

Ymarfer 1.6

1. (a) 1.2×10^{25} W

   (b) 120 nm

2. $A_\odot \sim 10^4 A_*$, $T_\odot \sim \frac{1}{4} T_*$,

   $\therefore L_\odot \sim \frac{10^4}{4^4} L_* = \frac{10^4}{256} L_* \sim 40 L_*$; $\lambda_\odot = 4\lambda$

3. Gan ddefnyddio deddf Wien, $\lambda_{mwyaf} \sim$ (a) 0.3 mm
   (b) 3 μm
   (c) 30 nm
   (ch) 300 pm

   Mae hyn yn awgrymu (a) microdon
   (b) isgoch (pell)
   (c) uwchfioled
   (ch) pelydr X

4. Mae angen lleihau'r echelin arddwysedd ~100 (~3^4) gwaith, ac mae angen ehangu'r echelin tonfedd ~3 gwaith.

5. $L_{cawr\ coch} = 10^6 \times L_{corrach\ coch}$. ∴ Ar yr un pellter, mae'r cawr coch yn ymddangos $10^6 \times$ mor llachar. I leihau disgleirdeb y cawr coch 10^4 gwaith (er mwyn iddo ymddangos ddim ond $10^2 \times$ mor llachar), mae angen ei symud $10^2 \times$ y pellter. Felly, mae'r cawr coch 100 gwaith yn bellach i ffwrdd na'r corrach coch.

6. Mae'r hydrogen y tu allan i sêr wedi ei ddefnyddio bron yn gyfan gwbl (neu wedi ei chwythu i ffwrdd gan wasgedd pelydriad).

   Daw allyriad 21 cm o atomau hydrogen niwtral yn unig.

7. Caiff golau gweladwy, tonfedd 0.4–0.7 μm, ei wasgaru'n gryf gan lwch rhyngserol. Mae gan belydriad isgoch, yn enwedig isgoch pell, donfedd hirach na maint y gronynnau llwch, felly ni chaiff ei wasgaru ganddynt, a gall dreiddio'n well i'r cymylau o lwch lle mae'r sêr yn cael eu ffurfio.

8. $\lambda_{mwyaf} \sim 10$ μm, felly mae arsylwadau yn yr isgoch pell yn dangos allyriad cryfach os oes disg o'r fath yn amgylchynu'r seren, na hebddi.

9. Mae'r pelydriad cyflawn o'r sêr yn cynnwys ffotonau sydd â'r egni cywir i godi egni electronau yn yr atomau hydrogen i'r cyflwr cynhyrfol cyntaf a'r ail. Mae'r atomau cynhyrfol hyn yn disgyn i gyflyrau egni is, ac yn allyrru'r tonfeddi nodweddiadol wrth wneud hynny.

10. Mae'r man poeth yn allyrru pelydrau X sydd â thonfedd o tua 300 pm (gweler C3). Gan hynny, gwelir pelydrau X mewn hyrddiau unwaith ym mhob cylchdro (h.y. ~ unwaith yr eiliad). Os yw'r arsylwr yn union ym mhlân y ddisg croniant, efallai na fydd yn gweld hyn, o ganlyniad i amsugniad yn y ddisg.

Ymarfer 1.7

1. (a) $E_p = E_e = 500$ eV; $E_\alpha = 1000$ eV [1 keV]

   (b) $E_p = E_e = 8 \times 10^{-17}$ J; $E_\alpha = 1.6 \times 10^{-16}$ J

2. (a) 1.674×10^{-27} kg

   (b) 940.6 MeV/c^2

3. (a) Niwtrino electron ν_e. Rhaid ei fod yn niwtral (cadwraeth gwefr) ac $L_e = 1$.

   (b) Dadfeiliad gwan oherwydd bod niwtrino yn gysylltiedig (nid yw rhyngweithiadau cryf nac e-m yn effeithio ar niwtrinoeon).

   (c) Byddai cadwraeth màs/egni yn cael ei dorri – $m_n > m_p$.

4. $\Delta^0 \rightarrow p + \pi^-$ / udd → uud + $\bar{u}$d

   $\Delta^+ \rightarrow n + \pi^+$ / uud → udd + u$\bar{d}$

   $\Delta^{++} \rightarrow p + \pi^+$ / uuu → uud + u$\bar{d}$

   Amser dadfeilio byr iawn; blas y cwarc wedi'i gadw.

5. (a) Mae'r amser dadfeilio hir, a'r newid ym mlas y cwarc, yn dangos rhyngweithiad gwan.

   (b) $\Lambda^0 \rightarrow p + \pi^-$ / uds → uud + $\bar{u}$d neu
   $\Lambda^0 \rightarrow n + \pi^0$ / uds → udd + u$\bar{u}$ (neu d$\bar{d}$)

   (c) Rhaid mai'r ail sy'n wir oherwydd ni all π^- ddadfeilio yn ddau ffoton (cadwraeth gwefr).

6. (a) Caiff y niwtron yn Cl–37 ei newid yn broton. Nifer y protonau yn cynyddu 1; nifer y niwtronau yn gostwng 1.

   (b) $n + \nu_e \rightarrow p + e^-$ / udd + ν_e → uud + e^-

   (c) Rhyngweithiad gwan ∴ annhebygol o ddigwydd.

7. [Cwestiwn fymryn yn annheg!] Mae'r adweithiau $n + \nu_\mu \rightarrow p + \mu^-$ ac $n + \nu_\tau \rightarrow p + \tau^-$ ill dau yn bosibl, ar yr amod bod gan y niwtrinoeon ddigon o egni. Mae'r gronynnau μ^- a τ^- lawer yn drymach na'r electronau: nid oes gan niwtrinoeon o'r Haul ddigon o egni i greu'r gronynnau hyn.

8. (a) Rhaid bod X yn feson oherwydd ni all y rhif cwarc cyfan newid. Mae'n dechrau yn sero [1 + (–1)] felly rhaid bod gan y cynnyrch 0. Mae gan y π^+ rif cwarc o sero, felly rhaid bod gan X hefyd 0. Gan hynny, mae'n cynnwys pâr cwarc–gwrthgwarc, h.y. mae'n feson. Trwy gadwraeth gwefr, rhaid ei fod yn π^0.

   (b) Dyma'r dadfeiliad: $\bar{u}$s → u$\bar{d}$ + u$\bar{u}$ (neu d$\bar{d}$)

Uned 2

Ymarfer 2.1

1. $+1.47 \times 10^{-17}$ C [14.7 aC]

2. 3.93×10^5 C

3. 100 pA

4. (a) 110 C
   (b) 100 mA awr = 360 C, felly mae'r label yn gamarweiniol

5. (a) 1.3 mA
   (b) ~2.0 mA [o'r graddiant yn $t = 0$]

6. t (20 – 10 mC) = 8.3 s; t (27 – 13.5 mC) = 8.5 s;
   t (12 – 6 mC) = 8.0 s. ∴ Pob un yn agos iawn i amserau hafal.
   t (24 – 6 mC) = 19.0 – 3.0 = 16.0. ∴ ½ oes = 8.0 s.

7. (a) Cyfaint ïonig = 1.047×10^{-30} m^3

   $\therefore N \sim \frac{3}{1.047 \times 10^{-30}} = 2.9 \times 10^{30}$ m^{-3}

   (b) 2.7×10^{-5} m s^{-1}

8. 0.1 m s^{-1}

9. (a) $I_{\text{mwyaf}} = 7.0\text{ A} \rightarrow v_{\text{mwyaf}} = 0.66\text{ mm s}^{-1}$

∴ Graff fel y dangosir

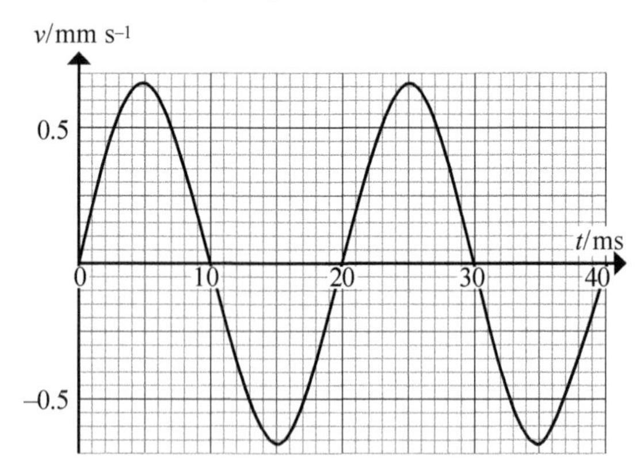

(b) ~80 sgwâr o dan ½ cylchred

Mae pob sgwâr $= 1 \times 10^{-3}\text{ s} \times 0.05\text{ mm s}^{-1}$

$= 5 \times 10^{-5}\text{ mm}$

∴ Pellter y drifft ~ 0.004 mm. (4 μm)

Sylw: Mae'r electronau i gyd yn teithio tipyn ymhellach na hyn trwy eu mudiant thermol hap eu hunain. Mae maint y pellter hwn yn pwysleisio'r pwynt bod yr electronau mewn gwifrau i gyd yn teithio mewn cytgord.

Ymarfer 2.2

1. (a) 10.9 A

(b) 21 Ω

2. (a) 2.7 kW yn y DU

(b) 2.3 kW yn yr Almaen. Bydd y tegell yn cymryd ~ 20% yn hirach i ferwi yn yr Almaen.

3. Bwlb 60 W, cerrynt $= \frac{P}{V} = \frac{60}{240} = 0.25\text{ A}$. ∴ Mae'r ddau fwlb yn cymryd 0.25 A, felly dylent weithio'n iawn mewn cyfres.

Rhybudd: Peidiwch â rhoi cynnig ar hyn gartref! Os cysylltir y ddau fwlb hyn mewn cyfres â chyflenwad 240 V, a'r cerrynt yn cael ei droi ymlaen yn ddisymwth, bydd bwlb y dortsh yn ffrwydro. Mae hyn yn digwydd oherwydd bod gwrthiant y bylbiau dipyn yn llai ar dymheredd ystafell nag ydyw ar y tymheredd gweithredu, felly mae'r cerrynt cychwynnol dipyn yn uwch. Mae bwlb y prif gyflenwad wedi'i gynllunio i ganiatáu ar gyfer hyn.

4. (a) 0.8 W

(b) 1 keV (= 1.6×10^{-16} J)

(c) $1.9 \times 10^{7}\text{ m s}^{-1}$

(ch) 0.76 mA [= 95% o 0.8 mA]

5. (a) 1.71×10^{-23} N s

(b) Mae'r electronau yn taro yn erbyn yr anod, gan basio eu hegni cinetig ymlaen, a chodi ei dymheredd. Mae'r pŵer a gyflenwir yn 95% o 0.8 W = 0.76 W,

(c) Mae newid momentwm y ffotonau fesul eiliad yn $1.71 \times 10^{-23} \times 95\% \times 5 \times 10^{15}$ N = 81 nN.
Trwy N2, dyma'r grym y mae'r anod yn ei roi ar yr electronau. Felly, trwy N3, mae'r electronau'n rhoi grym dirgroes o 81 nN ar yr anod.

6. $1.4 \times 10^{6}\text{ m s}^{-1}$

7. (a) $P_E = \frac{P_N}{1 - v^2}$, lle v yw ffracsiwn buanedd golau.

∴ Gan ad-drefnu: Os yw $v = 1 - \frac{P_N^2}{P_E^2}$ pan mae $v < 0.14$

yna mae $1 - \frac{P_N^2}{P_E^2} < 0.0196$, ∴ $\frac{P_N^2}{P_E^2} > 0.9804$,

∴ $\frac{P_N}{P_E} > 0.99$ QED.

(b) (i) ~5 kV (ii) ~9 MV

8. (a) Gweler y graff. D.S. Yn ddelfrydol, dylid ei blotio ar grid 10 × 10.

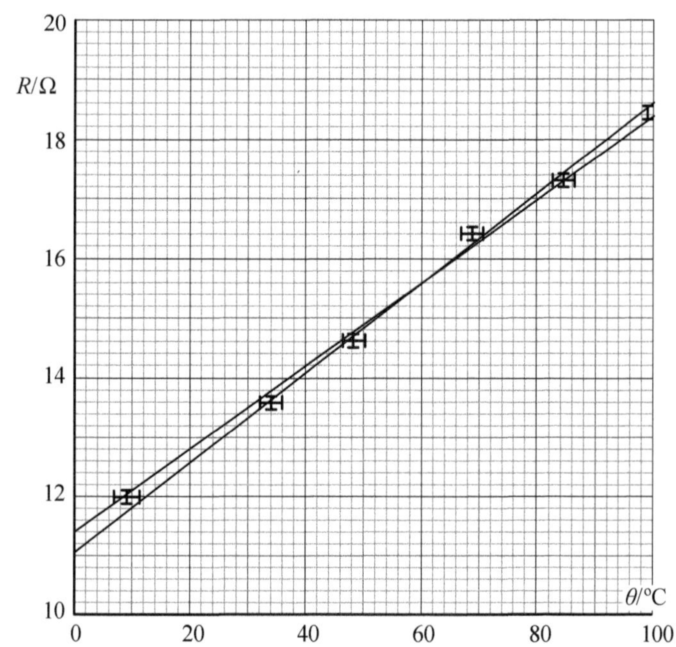

(b) $R_{0\text{ mwyaf}} = 11.40$ [Ω]

$R_{0\text{ lleiaf}} = 11.05$ [Ω]

∴ $R_0 = 11.23 \pm 0.15$ Ω

$m_{\text{mwyaf}} = \frac{18.60 - 11.05}{100} = 0.0755$

$m_{\text{lleiaf}} = \frac{18.38 - 11.40}{100} = 0.0698$

∴ $m = 0.073 \pm 0.003$ [Ω K^{-1}]

(c) (i) Uned: °C^{-1} neu K^{-1}

(ii) $\alpha = \frac{m}{R_0} = \frac{0.073 \pm 0.003}{11.23 \pm 0.16}$

$= (6.5 \pm 0.4) \times 10^{-3}\text{ K}^{-1}$

Mae hyn yn gyson â haearn.

(ch) Pe bai'r graff yn aros yn llinol ar dymereddau isel, byddai'r gwrthiant yn dod yn sero ar −154°C.

Gan hynny, ni all y graff fod yn llinol.

9. (a) Ar folteddau isel, bydd y pŵer yn isel iawn ac, felly, bydd y tymheredd fwy neu lai yn gyson. Fel hyn, mae'n ufuddhau i ddeddf Ohm. Ar folteddau uwch, bydd y tymheredd yn codi, gan gynyddu'r gwrthiant, felly nid yw'n ufuddhau i ddeddf Ohm. Disgwylir i'r tymheredd gweithredu fod ~ 2000 K neu'n uwch (i roi allyriad gwynnaidd).

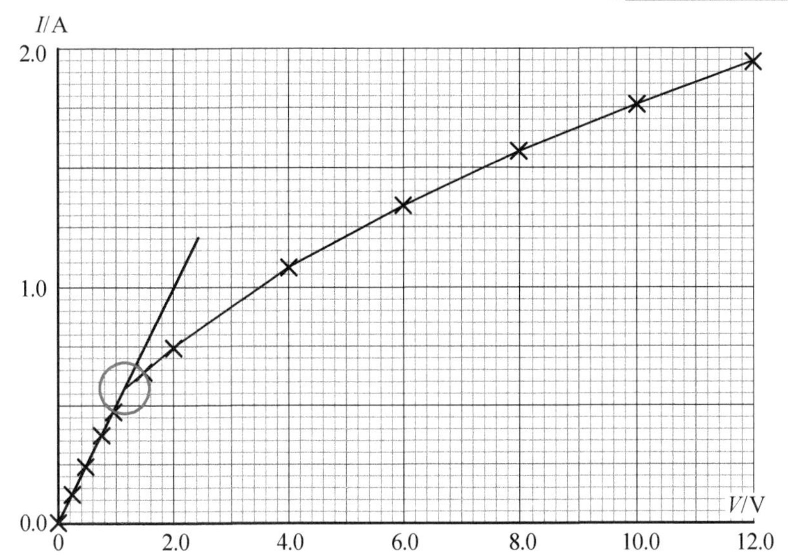

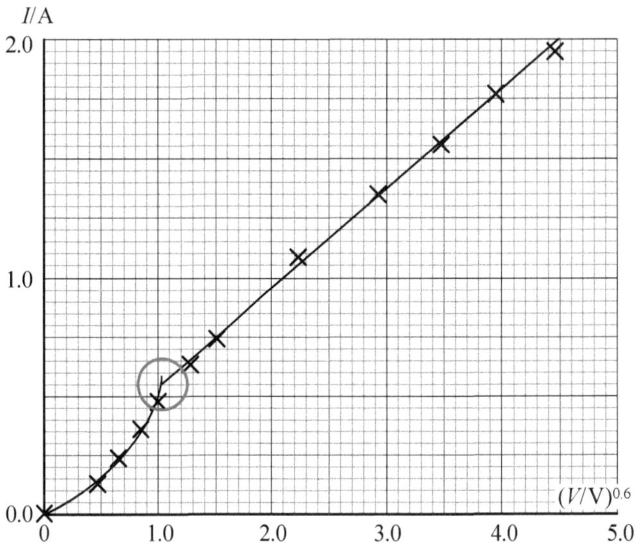

(b) Dim ond yn yr amrediad foltedd isel y mae angen gwrthydd newidiol mewn cyfres. Islaw 2 V, caiff y gwrthydd ei addasu: mae cynyddu ei wrthiant yn gostwng y cerrynt yn y gylched, ac felly hefyd y gp ar draws y bwlb, gan ganiatáu i'r myfyrwyr gael parau o werthoedd i V ac I ar gyfer $V < 2$ V.

(c) O'r graff o I yn erbyn V (uchod), mae'r ymddygiad yn newid ar ~ 1.2 V.

(ch) $R = \dfrac{2.0\text{ V}}{0.99\text{ A}} = 2.0\ \Omega$ ar dymereddau isel

$R = \dfrac{12.0\text{ V}}{1.95\text{ A}} = 6.2\ \Omega$ ar y foltedd gweithredu.

(d) Mae'r foltedd trosiannol ~ 1.03 V. Uwchlaw hyn mae'r graff (de, uchod) bron yn llinell syth, ond mae'n crymu i lawr ychydig. Awgryma hyn fod gwerth n ychydig yn llai na 0.6.

(dd) Tabl o werthoedd ln ar gyfer I a V.

ln (V/V)	ln (I/A)
–1.38	–2.14
–0.69	–1.45
–0.28	–1.04
0.00	–0.76
0.41	–0.45
0.69	–0.30
1.38	0.08
1.79	0.29
2.08	0.45
2.30	0.57
2.48	0.69

Gan ddefnyddio'r triongl toredig:

graddiant $= n = \dfrac{1.34}{2.5} = 0.54$ (2 ff.y.)

$\therefore \ln I = \ln k + n \ln V$

$\therefore \ln k =$ rhyngdoriad $\ln I = -0.66$

$\therefore k = 0.52$, h.y. $(I/\text{A}) = 0.52\ (V/\text{V})^{0.54}$

Croesbwynt pan mae $\ln V = 0.16$

$\therefore V = 1.17$ V (1.2 V i 2 ff.y.)

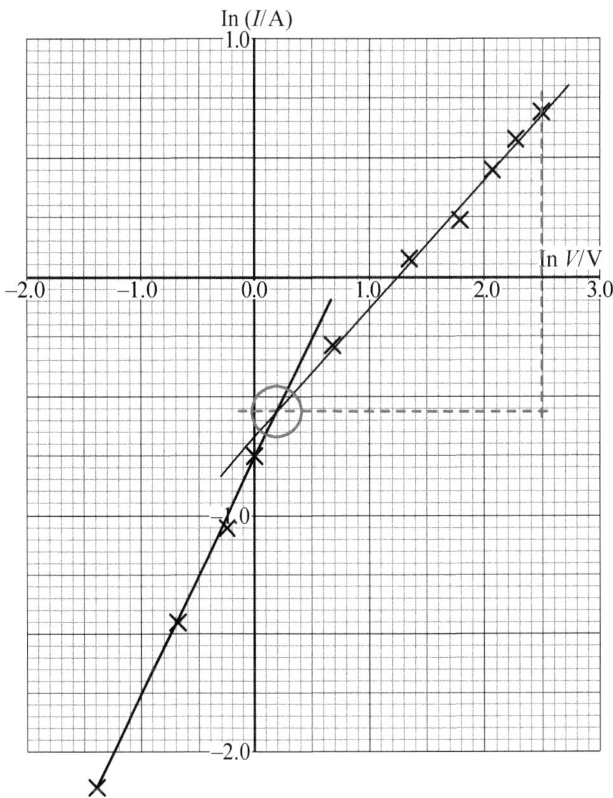

Ymarfer 2.3

1. (a) $I_{10} = I$; $I_{60} = \tfrac{1}{3}I$, $I_{30} = \tfrac{2}{3}I$

(b) $\dfrac{V_{60}}{V_{10}} = 2$

(c) $\dfrac{P_{10}}{P_{30}} = 0.75$

(ch) (i) 4.5 V, (ii) 0.675 W

2. 160 Ω

3. 10.7 m

4. (a) $8L$
(b) $8L$
(c) $4L$

5. (a) 8 V
(b) 6 V
(c) 7 V

6.

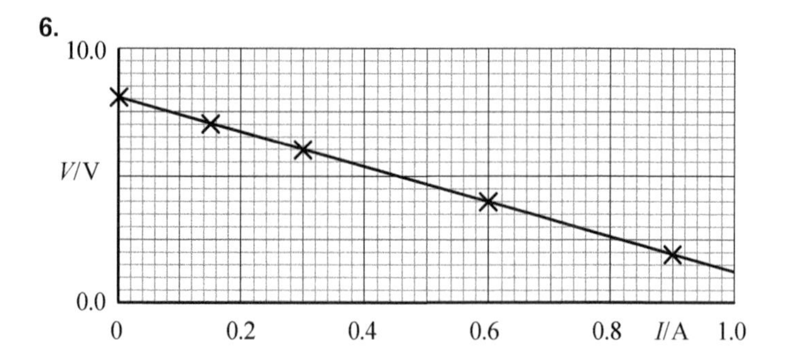

7. gp ar draws $R_1 = IR_1$;
gp ar draws $R_2 = (I - I_{allan})R_2$

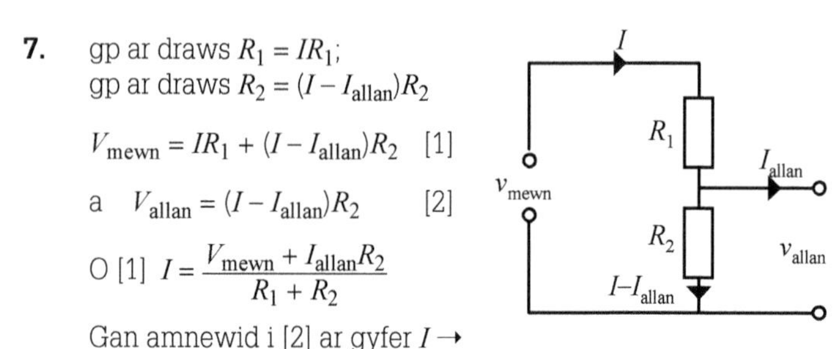

$V_{mewn} = IR_1 + (I - I_{allan})R_2$ [1]

a $V_{allan} = (I - I_{allan})R_2$ [2]

O [1] $I = \frac{V_{mewn} + I_{allan}R_2}{R_1 + R_2}$

Gan amnewid i [2] ar gyfer $I \rightarrow$

$V_{allan} = \left(\frac{V_{mewn} + I_{allan}R_2}{R_1 + R_2} - I_{allan}\right)R_2.$

sy'n ad-drefnu i $V_{allan} = \frac{V_{mewn}R_2}{R_1 + R_2} + I_{allan}\frac{R_1R_2}{R_1 + R_2}.$

$\therefore$ Trwy gymharu â $V = E - Ir$:

Mae'r g.e.m. cywerth $= \frac{V_{mewn}R_2}{R_1 + R_2}$ ac mae'r gwrthiant mewnol cywerth $= \frac{R_1R_2}{R_1 + R_2}$.

8. (a) 150 Ω

(b) LED coch: 150 Ω, 180 Ω;
LED melyn: 120 Ω, 150 Ω, 180 Ω;

LED gwyrdd: 100 Ω, 120 Ω, 150 Ω;
LED glas: 100 Ω, 120 Ω.

9. Graddiant = 6.50 ± 0.03 Ω m^{-1}

Rhyngdoriad = 0.02 ± 0.01 Ω

a.t. = (7.77 ± 2%) × 10^{-8} m^2

$\rho = \frac{AR}{l} = A \times$ graddiant

$\therefore \rho = (5.05 \pm 0.05) \times 10^{-7}$ Ω m

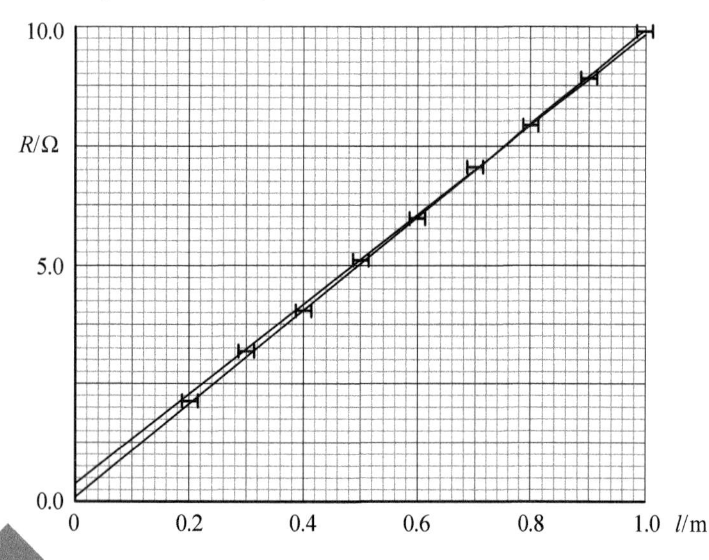

10. (a) 100 Ω, (b) 44 Ω

11. (a) 6.5 V, (b) 96.0 mA

12. Dull 1 (gan ddilyn yr awgrym, a defnyddio'r graff coch ychwanegol): chwiliwch am y gp, V, y mae'r ceryntau yn adio i 80 mA ar ei gyfer. Ar 3.0 V, mae $I_R = 30.0$ mA ac $I_B \sim 51$ mA (ychydig yn fwy, mewn gwirionedd) felly mae'r foltedd y mae ei angen ychydig yn llai na 3.0 V (2.90 V?)

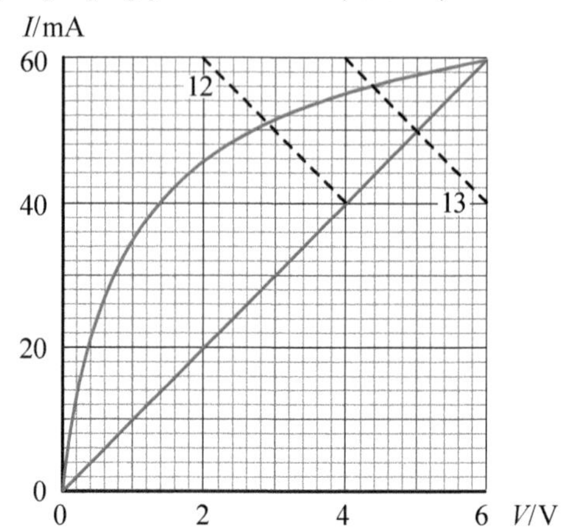

13. Dull 1 (fel yn C12): chwiliwch am y cerrynt, I, y mae'r gp yn adio i 10 V ar ei gyfer. Ar $I = 56$ mA, mae $V_R = 5.6$ V a $V_B = 4.4$ V, felly dyma'r cerrynt sy'n ofynnol.

Dyma ddull mwy manwl gywir ar gyfer cwestiynau 12 a 13:

12. Os yw'r cerrynt trwy'r bwlb yn I_B, mae'r cerrynt trwy'r gwrthydd yn $0.08 - I_B$, felly rhoddir y gp, V_R, ar draws y gwrthydd gan $V_R = 8 - 100I_B$. Ar gyfer I_B mewn mA, mae hyn yn rhoi $I_B = 80 - 10V_R$. Dyma hafaliad y llinell doredig sydd wedi'i labelu yn 12. Mae'r ateb sy'n ofynnol ar y pwynt lle mae'r llinell hon yn croesi nodwedd y bwlb, h.y. 2.90 V, $I_B = 51.0$ mA, $\therefore I_R = 29.0$ mA.

13. Os yw'r gp ar draws y bwlb yn V_B, mae'r gp ar draws y gwrthydd yn $10 - V_B$. Felly mae'r cerrynt yn y bwlb yn $\frac{10 - V_B}{100}$. Felly rhoddir I, mewn mA, gan $I = 100 - V_B$. Dyma hafaliad y llinell doredig sydd wedi'i labelu yn 13. Mae'r ateb ar y pwynt lle mae'r llinell hon yn croesi nodwedd y bwlb, h.y. $I = 56.0$ mA, $V_B = 4.40$ V $\therefore V_R = 5.60$ V

14. Yr isaf yw'r gwrthiant allanol, yr isaf yw'r gp ar draws y terfynellau. Dyma ddwy ffordd o ddefnyddio'r data:

(a) Plotio graff o V yn erbyn I, gan ddefnyddio'r berthynas $V = E - Ir$;

(b) Plotio graff o $\frac{1}{V}$ yn erbyn $\frac{1}{R}$, gan ddefnyddio'r berthynas $\frac{1}{V} = \frac{1}{E} + \frac{r}{E}\frac{1}{R}$.

Tybiwch fod yr ansicrwydd yn V yn ddibwys. Mae'r ansicrwydd canrannol yng ngwerthoedd y gwrthiant yn 2%, felly dyna hefyd yw'r ansicrwydd canrannol yn I ac $\frac{1}{R}$.

Mae'r tabl yn rhoi'r data angenrheidiol i lunio'r ddau graff. Atgynhyrchir y graff o V yn erbyn I ar ben y dudalen nesaf.

R/Ω	3.33	5.00	6.67	10.0	15.0	20.0	3.00
$1/(R/\Omega)$	0.300	0.200	0.150	0.100	0.067	0.050	0.033
$\Delta(1/R)$	0.066	0.004	0.003	0.002	0.001	0.001	0.001
V/V	6.07	6.88	7.36	7.92	8.34	8.58	8.82
$1/(V/V)$	0.165	0.145	0.139	0.126	0.120	0.117	0.113
I/A	1.82	1.38	1.10	0.792	0.556	0.429	0.294
$\Delta I/A$	0.04	0.03	0.02	0.016	0.011	0.009	0.006

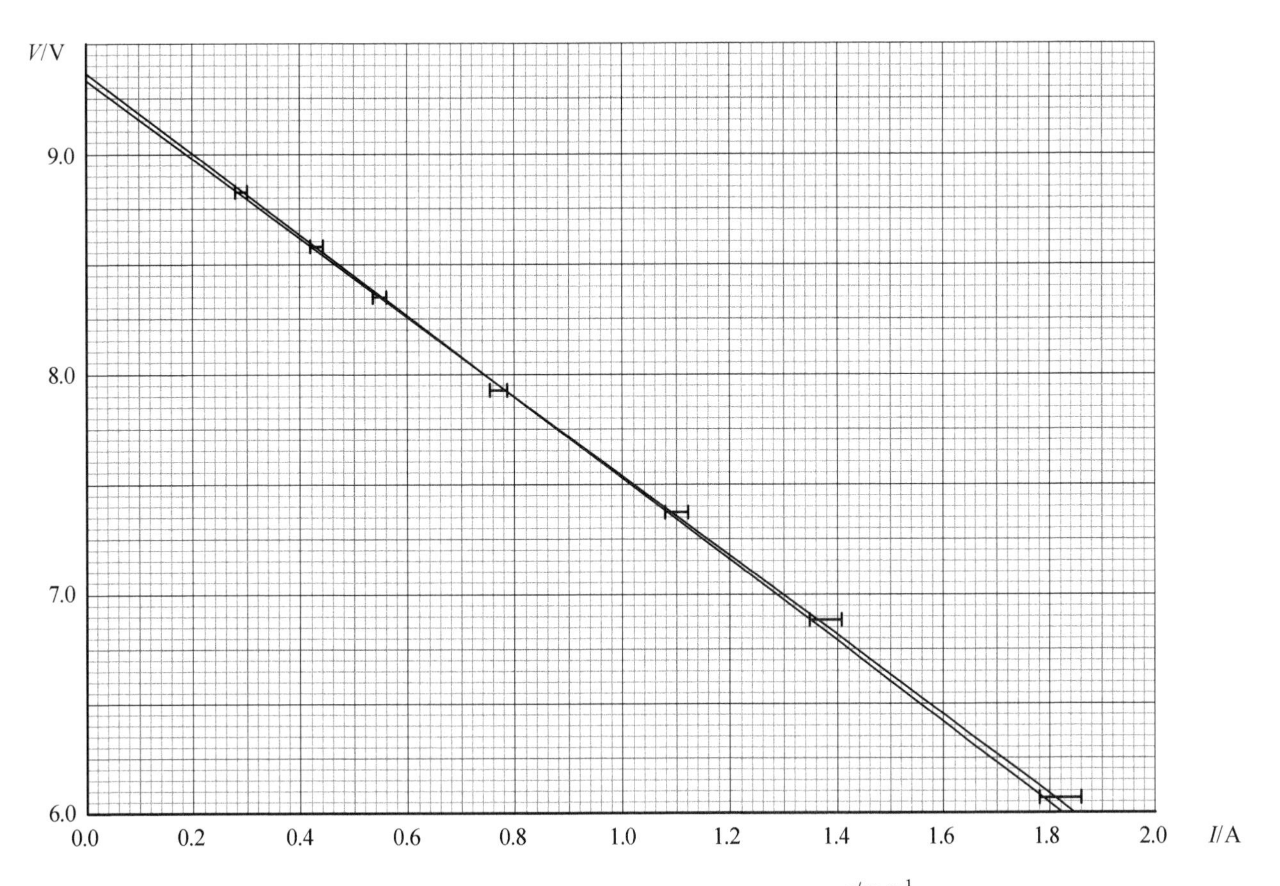

Ymarfer 2.4

1. (a) tonfedd = 0.400 m; osgled = 6.00 mm

(b) Mae'r pellter a deithiwyd yn anhysbys; gallai fod yn 0.08 m, 0.48 m, etc.

(c) 320 m s^{-1}.

(ch) f = 800 Hz; T = 1.25 ms

2. (a) (i) 0.100 m, 0.300 m, 0.500 m, 0.700 m;
(ii) 0.200 m, 0.600 m;
(iii) 0.000 m, 0.400 m, 0.800 m.

(b) Buanedd fertigol = graddiant × buanedd llorweddol ~ 25 – 30 m s^{-1}
(graddiant mwyaf lle mae'r graffiau'n croesi'r echelin).

3. (i) 0.55 m, 0.95 m, 1.35 m, 1.75 m
(ii) 0.35 m, 0.75 m, 1.15 m, 1.55 m

4. (a) λ = 1.00 cm, (b) 500 Hz, (c) 0.002 s

(ch) Ar y diagram mwy: gwahaniad cymedrig y planau = 0.88 cm. Allwyriad mwyaf o'r gwahaniad cymedrig = 0.31 mm. Mae hyn yn cynrychioli 0.029 cm ar y diagram maint cywir.

5. (a) O'r wybodaeth, mae f = 2.5 Hz a T = 0.4 s.

(b) Graddiant = $\frac{0.20 \text{ m}}{0.64 \text{ m}}$.

$\therefore v_{mwyaf} = \frac{0.20}{0.64} \times 5.0 = 1.56 \text{ m s}^{-1}$

Ar gyfer ymgeiswyr Safon Uwch sydd wedi astudio mudiant harmonig syml: rhoddir hafaliad mudiant pwynt yn y don gan $x = A \sin(2\pi ft + \varepsilon)$. Rhoddir y cyflymder gan $v = 2\pi fA \cos(2\pi ft - \varepsilon)$, felly mae $v_{mwyaf} = 2\pi fA = 1.57$ m s^{-1}, sydd yn cytuno'n dda â'r dull graffigol.

(c)

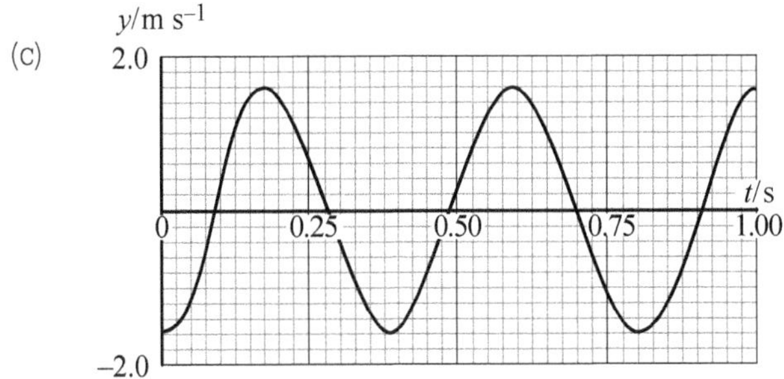

6.

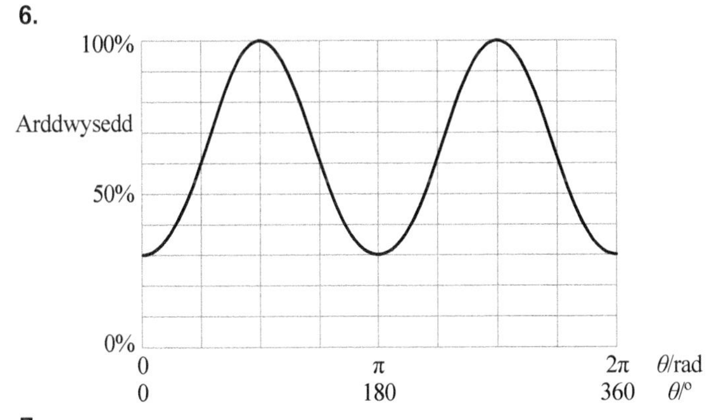

7.

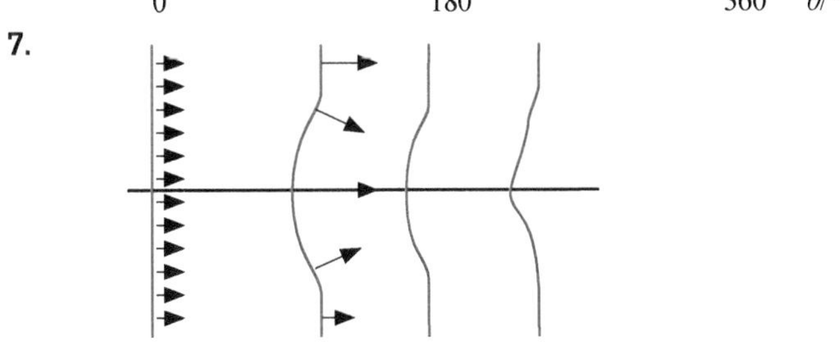

8. A = 10 cm; $\omega = 1000\pi = 3140$ (rad) s^{-1}; $\phi = \pm\pi$.

Ymarfer 2.5

1. (a) Diffreithiant

   (b) Mae'r pwynt yn O yn derbyn tonnau sydd wedi'u diffreithio o'r ddwy hollt. Mae'r tonnau yn adio trwy arosodiad. Mae'r tonnau yn gydwedd oherwydd bod hyd y llwybrau o'r ddwy hollt yn hafal. Oherwydd hyn, mae'r tonnau yn ymyrryd yn adeiladol, h.y. mae'r osgled cyfun ddwywaith yr osgled yn rhan (a) – felly mae'r arddwysedd 4 × yr arddwysedd yn rhan (a).

   (c) Wrth i'r chwiliedydd symud tuag at P, mae'r chwiliedydd yn para i dderbyn tonnau o'r ddwy hollt, ond mae'r tonnau o'r holltau yn fwyfwy anghydwedd oherwydd bod y llwybr o'r hollt isaf yn hirach nag ydyw o'r hollt uchaf. Pan mae'r gwahaniaeth llwybr hwn yn $\lambda/2$, mae'r tonnau yn union anghydwedd, ac felly maen nhw'n canslo ei gilydd (bron). Mae mudiant pellach i'r un cyfeiriad yn golygu bod y tonnau yn agosáu at wahaniaeth llwybr o λ, ac ar y pwynt hwnnw maen nhw'n atgyfnerthu ei gilydd yn llawn unwaith eto. Rydym yn galw'r effaith hon yn ymyriant.

   (ch) Fformiwla Young, $\lambda = 2.94$ cm; Pythagoras $\lambda = 2.76$ cm. Mae fformiwla Young, sydd wedi'i deillio ar gyfer $d \gg D$, yn rhoi ateb sydd yn eithaf cywir, hyd yn oed pan mae $d = 8$ cm a $D = 50$ cm.

2. Mae'r onglau ar gyfer y tonfeddi hysbys yn gyson â gwahaniad holltau o 2.02×10^{-6} m ar y gratin. Gan ddefnyddio'r gwerth hwn, mae'r donfedd ar gyfer y llinell ddirgel yn 546 nm, mewn cytundeb da.

3. (a), (b) Mae'r patrwm diffreithiant ar gyfer y golau â'r donfedd fyrrach yn fwy cywasgedig. Mae maint y patrwm mewn cyfrannedd â'r donfedd. Nid yw'r raddfa arddwysedd ar gyfer y patrwm 450 nm yr un peth â'r raddfa ar gyfer y patrwm 650 nm.

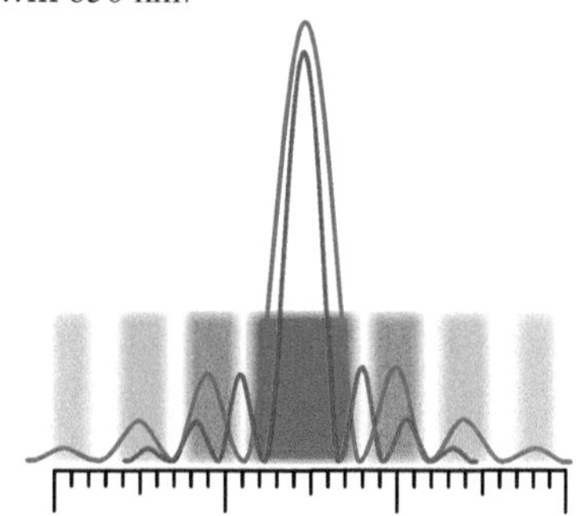

   (c) Lled yr hollt ~ 0.33 mm.

4. $\frac{\lambda}{4} = 188 \pm 3$ mm (ansicrwydd 1.4%)

   $\therefore v = 331 \pm 5 \text{ m s}^{-1}$

5. Yr hafaliadau yw: $188 \pm 3 = \frac{\lambda}{4} - \varepsilon$ a $576 \pm 3 = \frac{3\lambda}{4} - \varepsilon$

   Gan dynnu, ac yna luosi â 2 → $\lambda = 776 \pm 12$ mm = 0.776 ± 0.012 m. Mae hyn yn rhoi $v = 341 \pm 5 \text{ m s}^{-1}$

   Ac mae $\varepsilon = 8 \pm 6$ mm!

6. $v = \sqrt{\frac{T}{\mu}}$, gyda $T = mg$ a $\mu = \frac{M}{l}$, felly mae $v = \sqrt{\frac{mgl}{M}}$.

   Ar gyfer y dirgryniad sylfaenol, mae gan y don sefydlog

   $l = \frac{\lambda}{2}$, $\therefore \lambda = 2l$.

   $\therefore f = \frac{v}{\lambda} = \frac{1}{2}\sqrt{\frac{mg}{Ml}}$

7. (a) Mae'r gwahaniad holltau, $x = 0.64$ mm.

   (b) ~ 10 eddi. Mae'r patrwm ymyriant i'w weld yn bennaf yn uchafswm canol y diffreithiant. Mae 10 × 2 mm yn rhoi 2 cm.

   (c) (i) Byddai'r uchafswm canol ~ 1.6 cm o led, a byddai'n cynnwys 10 eddi, 1.6 mm ar wahân. Mae gwasgariad y patrymau diffreithiant ac ymyriant, fel ei gilydd, mewn cyfrannedd â'r donfedd.

   (ii) Ni welir patrwm ymyriant, ond mae'r patrymau diffreithiant yn gorgyffwrdd i roi cyfuniad o goch a gwyrdd (sy'n ymddangos yn felyn) yn y canol, gan newid i goch ar yr ymylon lle mae eddi canol y patrwm diffreithiant gwyrdd yn gorffen.

   (iii) Nid effeithir ar y patrwm ymyriant, ond mae'n hanner yr arddwysedd oherwydd bod y golau, sydd wedi'i bolareiddio ar ongl sgwâr, yn cael ei amsugno.

   (iv) Ni welir patrwm ymyriant. Ni all dau baladr o olau ar ongl sgwâr arosod i roi cydeffaith o sero. [D.S. Mae'n addysgiadol ymchwilio i eglurhad ffotonau ar gyfer yr effaith hon.]

Ymarfer 2.6

1. (a) $f = 0.6$ Hz

   (b) $v = 3 \text{ m s}^{-1}$; $\lambda = 5$ m

   (c) 22.5° i'r normal

   (ch) 11.0° i'r normal

2. Mae'r pelydryn yn dod allan o ganol yr wyneb gyferbyn (4.02 cm o'r top), ar ongl 45° islaw'r normal.

3. Mae'r onglau trawiad ar y ffiniau llorweddol, yn ôl eu trefn, yn: 54.7°, 61.0°, 70.4°. Mae AMC yn digwydd ar y ffin rhwng yr haenau 1.30 ac 1.20, gydag ongl drawiad o 70.4°.

4. Indecs plygiant $= \frac{\text{gwir ddyfnder}}{\text{dyfnder ymddangosol}}$

   $= \frac{(15.54 \pm 0.01) - (12.52 \pm 0.01)}{(15.54 \pm 0.01) - (13.64 \pm 0.01)} = 1.59 \pm 0.03$

5. Gan ei fod yn dibynnu ar fanwl gywirdeb ffocysu, sydd yn fater o farn.

6. (Gweler y graff ar y dudalen nesaf.) Gyda'r llinellau mwyaf/lleiaf hyn, mae

   $m_{\text{mwyaf}} = 1.586$

   $m_{\text{lleiaf}} = 1.435$

   $\therefore n = 1.51 \pm 0.08$

7. (a) $\lambda_r = 464$ nm

   $\lambda_v = 261$ nm

   (b) ongl rhwng y pelydrau coch a fioled = 1.6°

8. (a) $c = 73.1°$

   (b) 2.4 ns

   (c) Gallai didau sy'n llai na ~3 ns ar wahân ddechrau gorgyffwrdd. ∴ Mae'r gyfradd ddidol ddiogel fwyaf ~ 10^8 did s^{-1} (0.1 Gbps)

Ymarfer 2.7

1. $1.0 \times 10^{17} \text{ s}^{-1}$

2. 21 000

3. (a) 1.5 eV

   (b) 1.0 eV

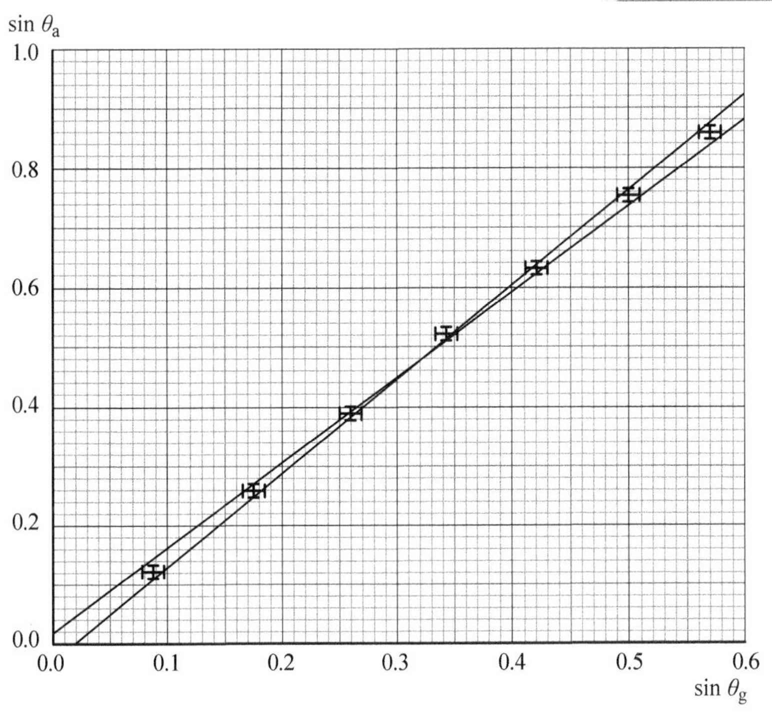

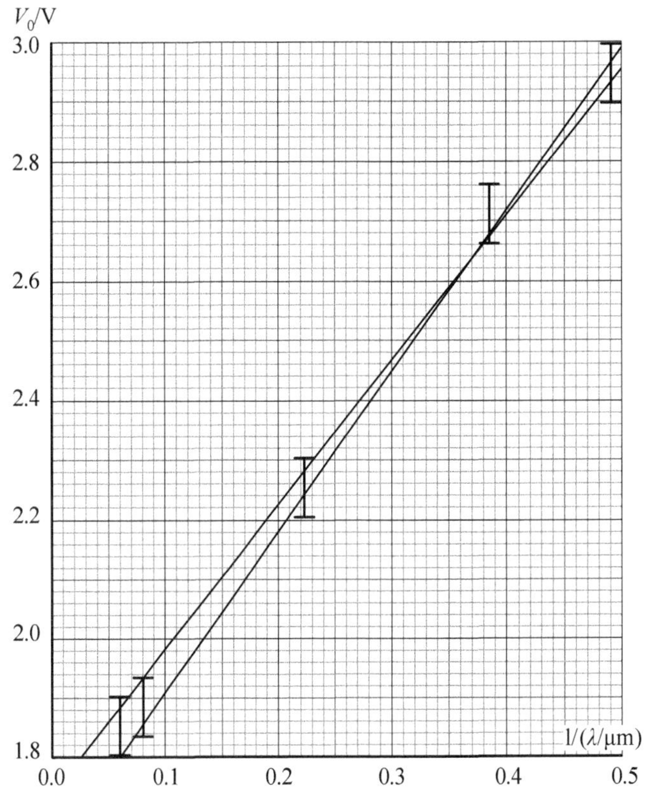

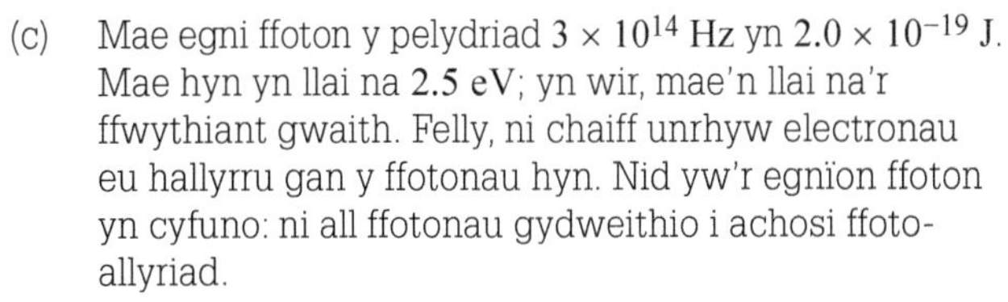

(c) Mae egni ffoton y pelydriad 3×10^{14} Hz yn 2.0×10^{-19} J. Mae hyn yn llai na 2.5 eV; yn wir, mae'n llai na'r ffwythiant gwaith. Felly, ni chaiff unrhyw electronau eu hallyrru gan y ffotonau hyn. Nid yw'r egnïon ffoton yn cyfuno: ni all ffotonau gydweithio i achosi ffoto-allyriad.

(ch) 1.0 V. Byddai'r electronau yn colli 1.0 eV gyda'r gp hwn.

4. Gan dybio amrediad tonfedd o 400 nm – 700 nm: 2.8×10^{-19} J (1.8 eV) – 5.0×10^{-19} J (3.1 eV).

5. Mae'r ffotonau gweladwy (hyd at 3.1 eV) yn ddigon egnïol i ddyrchafu'r electronau 1s2s i'r lefelau egni 1s2p, 1s3s ac 1s4s, ond nid i'r lefel 1s5s. Wrth ddisgyn i lawr y lefelau egni, dim ond y trosiad 1s4s → 1s2s sydd yn yr amrediad 1.8 eV – 3.1 eV, ac sy'n achosi ffoton gweladwy (2.1 eV, 590 nm). Os caiff rhai electronau eu dyrchafu i'r lefel 1s5s, naill ai trwy amsugniad dilynol neu gan ffotonau uwchfioled, yna mae ffotonau gweladwy ag egni o 2.6 eV (480 nm), o'r trosiad 1s5s → 1s3s, yn bosibl.

6. (a) Mae'r electronau yn ymddwyn fel tonnau. Caiff y tonnau hyn eu diffreithio gan y bylchau yn y planau, ac mae'r tonnau sydd wedi'u diffreithio yn ymyrryd.

(b) 5.5×10^{-11} m.

(c) Trefn un: 9.4°, 0.165 rad; 5.0 cm o'r canolbwynt
Trefn dau: 19.2°, 0.334 rad 10.4 cm o'r canolbwynt

7. $\lambda = \frac{h}{p} = \sqrt{\frac{h}{2mE_k}}$. Mae gwerthoedd E_k yr un peth:

$\therefore \frac{\lambda_e}{\lambda_p} = \sqrt{\frac{m_p}{m_e}} = 42.8$

8. 3.3 m s^{-1}.

9. 4.8×10^5 m^2. [= arwynebedd sgwâr ag ochrau ~700 m]

10. graddiant = $(1.29 \pm 0.07) \times 10^{-6}$ V m
→ $h = (6.9 \pm 0.4) \times 10^{-34}$ J s.

Ymarfer 2.8

1. (a) Mewn gwrthdrawiad anelastig, mae egni cinetig yn cael ei golli.

(b) Mae cyflwr metasefydlog yn gyflwr sydd yn para am gyfnod cymharol hir, cyn dadfeilio i gyflwr egni is.

2. (a)

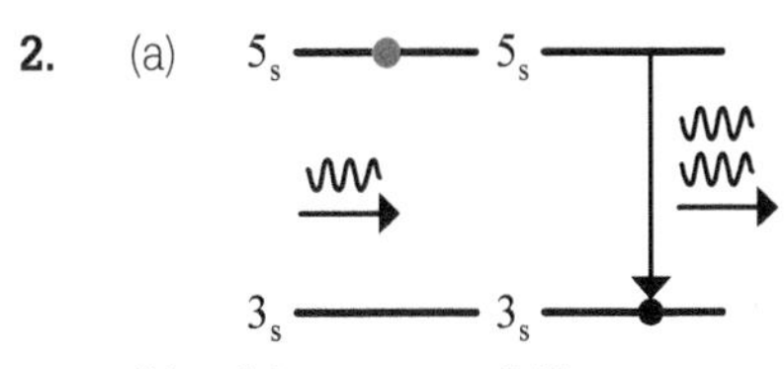

(b) Mae gan yr ail ffoton yr un amledd a'r un polareiddiad â'r cyntaf, ac mae'n gydwedd ag ef.

3. Mae angen i'r cyflwr 3p fod yn fwy byrhoedlog na'r 5s gan fod angen iddo wagio'n gyflym, fel bod ei boblogaeth bob amser yn is na phoblogaeth y 5s.

4. 633nm: 5s → 3p; 1.15 μm: 4s → 3p; 3.39 μm: 5s → 4p (tonfedd fyrrach = gwahaniaeth egni mwy)

5. 633 nm: gweladwy (coch); 1.15 μm a 3.39 μm: isgoch

6. 4p = 20.28 eV
4s = 19.85 eV
3p = 18.77 eV
3s = 16.70 eV

7. 350 nm, uwchfioled agos

8. Mae atom heliwm yn y cyflwr cynhyrfol yn taro yn erbyn atom neon yn y cyflwr isaf. Mae'r electron cynhyrfol yn yr atom heliwm yn trosglwyddo egni i'r electron cyflwr isaf yn y neon, gan ei ddyrchafu i'r cyflwr 5s.

9. (a) 33 V
(b) 33 eV
(c) (gweler y braslun)
(ch) 20.65 V

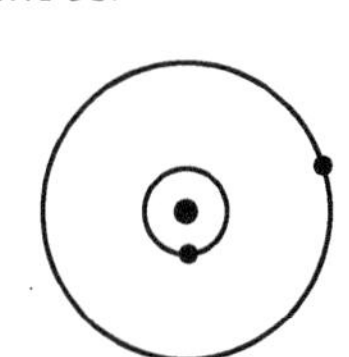

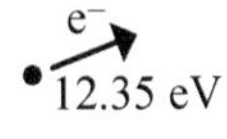

10. 58 (ar y mwyaf)

Atebion i'r cwestiynau arholiad enghreifftiol

Uned 1

1. (a) (i) Buanedd cymedrig = $\frac{\text{[Cyfanswm] y pellter a deithiwyd}}{\text{amser [a gymerwyd]}}$

(ii) Amser a gymerwyd ar gyfer y 6 km cyntaf =

$\frac{6 \text{ km}}{90 \text{ km/awr}} = 0.0667$ awr

Cyfanswm yr amser byrraf ar gyfer 10 km =

$\frac{10 \text{ km}}{80 \text{ km/awr}} = 0.125$ awr

∴ Amser byrraf ar gyfer y 4 km olaf = $0.125 - 0.0667 = 0.0583$ awr

∴ Buanedd mwyaf ar gyfer y 4 km olaf =

$\frac{4 \text{ km}}{0.0583 \text{ awr}} = 68.6$ km / awr.

(b) (i) Mae'r grym cydeffaith yn lleihau yn gyson o'i werth mwyaf cychwynnol, gan gyrraedd sero ar ~ 7.0 s. Ar ôl yr amser hwn, mae'r grym cydeffaith yn sero.

(ii)

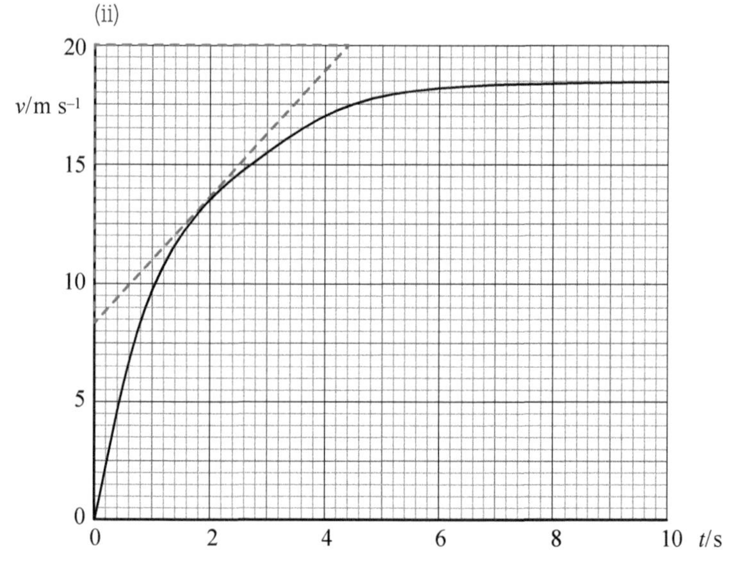

Cyflymiad ar 2.0 s = graddiant y tangiad ar 2.0 s

$= \frac{11.6 \text{ m s}^{-1}}{4.40 \text{ s}} = 2.63 \text{ m s}^{-2}$.

∴ Grym cydeffaith, $F = ma = 350 \times 2.63 = 921$ N

(c) (i) Pŵer = gwaith sy'n cael ei wneud fesul uned amser

$= \frac{\text{gwaith sy'n cael ei wneud}}{\text{amser a gymerwyd}} =$

(Grym × pellter) fesul uned amser

= Grym × pellter a symudir fesul uned amser (ar gyfer grym a mudiant i'r un cyfeiriad)

$= Fv$

(ii) $2450 \text{ W} = F \times 18.5 \text{ m s}^{-1}$

$\therefore F_{cyd} = \frac{2450}{18.5} = 132$ N

(iii) Cyflymder ar 2.0 s. Gan dybio bod $F_{cyd} \propto v$,

$F_{cyd}(2.0 \text{ s}) = \frac{13.5}{18.5} \times 132 = 96$ N

∴ Grym gyrru ar 2.0 s = 921 + 96 N = 1017 N

∴ Pŵer allbwn = 1017 × 13.5 W = 13.7 kW

(ch) Gwaith sy'n cael ei wneud gan y grym brecio = gostyngiad yn yr egni cinetig

$\therefore F \times 25 = \frac{1}{2} \times 350 \times 18.5^2 = 59\,900$ J

∴ Grym = 2400 N.

2. (a) diriant tynnol, $\sigma = \frac{\text{llwyth tynnol}}{\text{arwynebedd trawstoriadol}} = \frac{mg}{\frac{1}{4}\pi d^2} = \frac{4mg}{\pi d^2}$

straen tynnol, $\varepsilon = \frac{\text{cynnydd yn yr hyd}}{\text{hyd gwreiddiol}} = \frac{\Delta l}{l_0}$

modwlws Young, $E = \frac{\sigma}{\varepsilon}$

$\therefore E = \frac{4mg}{\pi d^2} \times \frac{l_0}{\Delta l} = \frac{4mgl_0}{\pi d^2 \Delta l}$

∴ (trwy ad-drefnu) $\Delta l = \frac{4l_0 mg}{\pi d^2 E}$ QED

(b) (i)

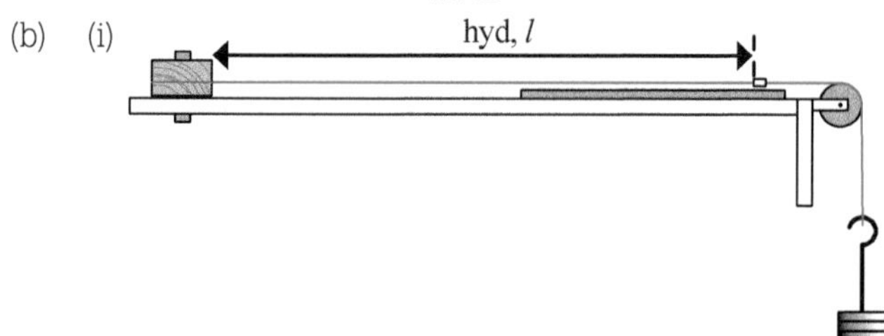

(ii) $mg = A\sigma$, $\therefore m = \frac{\pi \times (0.3 \times 10^{-2})^2 \times 250 \times 10^6}{4 \times 9.81} = 1.8$ kg

(iii) Ar gyfer gwifren o'r hyd hwn, gan ddefnyddio σ = 250 MPa ac E = 200 GPa:

$\varepsilon = \frac{\sigma}{\varepsilon}$, ∴ yr estyniad mwyaf, $\Delta l_{mwyaf} = \frac{l_0 \sigma}{E} = \frac{4.0 \times 250 \times 10^6}{200 \times 10^9} = 0.005 \text{ m} = 5 \text{ mm}$

Os darllenir y raddfa mm â'r llygad noeth, mae'r ansicrwydd gorau yn ± 0.5 mm, sy'n rhoi ansicrwydd canrannol o 10%.

Os mesurir y diamedr â micromedr digidol, mae'r ansicrwydd yn ± 0.01 mm, sy'n rhoi ansicrwydd canrannol o 3%. Caiff hwn ei sgwario yn y cyfrifiad.

Gan hynny, mae'r ansicrwydd canrannol lleiaf yng ngwerth E ~16%, sydd yn eithaf gwael. Os mesurir Δl â microsgop teithiol i ± 0.01 mm, gallai cyfanswm yr ansicrwydd canrannol fod mor isel ag 8%.

(iv) I. Mae'r estyniad Δl mewn cyfrannedd ag l_0, felly bydd yr ansicrwydd canrannol yn Δl yn is.

II. Mae'r estyniad mewn cyfrannedd gwrthdro ag arwynebedd trawstoriadol, A, y wifren. Fodd bynnag, mae'r llwyth mwyaf hefyd mewn cyfrannedd gwrthdro ag A, felly mae'r effeithiau hyn yn canslo'i gilydd, ac nid yw lleihau diamedr y wifren yn cael unrhyw effaith ar yr ansicrwydd yng ngwerth E. Os ystyriwn yr ansicrwydd yng ngwerth A ei hun, y lleiaf yw'r diamedr, y mwyaf yw'r ansicrwydd canrannol yn d ac felly yn A [$p_A = 2p_d$]. Bydd hyn yn cynyddu'r ansicrwydd yn E.

(c) $p_d = \frac{0.005}{0.272} = 0.018$; $p_l = \frac{2}{1535} = 0.001$ (sy'n ddibwys)

$p_{graddiant} = \frac{0.06}{1.27} = 0.047$

$E = \frac{4l_0 g}{\pi d^2} \times \frac{1}{\text{graddiant}} =$

$\frac{4 \times 1.535 \times 9.81}{\pi \times (0.272 \times 10^{-3})^2} \times \frac{1}{1.27 \times 10^{-3}}$

$= 2.04 \times 1011$ Pa

$p_E = 2 \times 0.018 + 0.001 + 0.047 = 0.084$,

$\therefore \Delta E = \pm 0.084 \times 204 \text{ GPa} = \pm 17 \text{ GPa}$

$\therefore$ Mae modwlws Young, $E = 200 \pm 20$ GPa [gellid ei fynegi hefyd fel 204 ± 17 GPa]

3. (a) (i) $\lambda_{mwyaf} = 420$ nm o'r graff.

$\therefore$ Gan ddefnyddio deddf Wien:

$T = \frac{2.898 \times 10^{-3} \text{ m K}}{420 \text{ nm}} = 6900 \text{ K} \sim 7000 \text{ K}$

(ii) $T = \frac{2.898 \times 10^{-3} \text{ m K}}{530 \text{ nm}} = 5470$ K

(iii) Yn yr amrediad gweladwy [~400 – 700 nm] mae'r arddwysedd sbectrol fwy neu lai yn gyson ar y tymheredd is, gan achosi i δ Cep ymddangos yn wyn. Ar y tymheredd uwch, mae'r graff arddwysedd yn gwyro tuag at y pen tonfedd isel, gan roi gwawr las iddi.

(b) Arwynebedd arwyneb, $A = 4\pi r^2 = \pi d^2$.

O ddeddf Stefan, mae: $L = \pi d^2 \sigma T^4$

$\therefore d = \frac{1}{T^2}\sqrt{\frac{L}{\pi\sigma}} = \frac{1}{6900^2}\sqrt{\frac{1.46 \times 10^{30}}{5.67 \times 10^{-8}\pi}}$

$= 6.0 \times 10^{10}$ m [60 miliwn km]

(c)

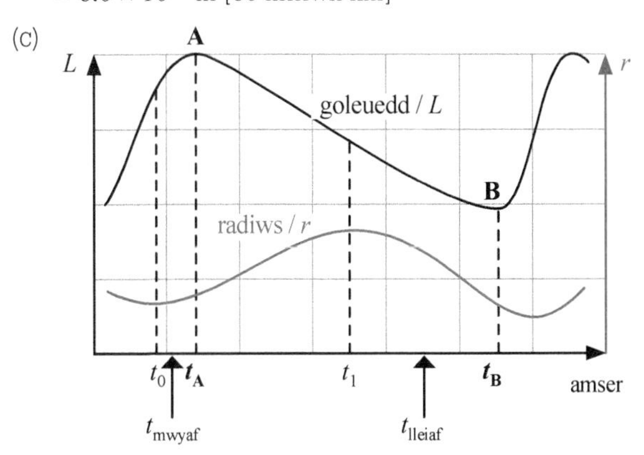

(i) O gwmpas t_0, mae'r radiws fwy neu lai yn gyson (dyma isafbwynt y gromlin radiws), ac mae'r goleuedd yn cynyddu. Mae hyn yn awgrymu bod y tymheredd yn codi.

O gwmpas t_1, mae'r radiws unwaith eto fwy neu lai yn gyson, ond mae'r goleuedd yn gostwng, gan awgrymu bod y tymheredd yn disgyn.

(ii) Ar bwynt **A** ar y graff goleuedd, h.y. ar amser t_A, mae'r goleuedd fwy neu lai yn gyson, ond mae'r radiws yn cynyddu, gan awgrymu bod y tymheredd yn disgyn. Felly rhaid bod y tymheredd uchaf yn digwydd rhwng t_o a t_A. Ar bwynt **B** ar y graff goleuedd, h.y. amser t_B, mae'r goleuedd unwaith eto fwy neu lai yn gyson, ond mae'r radiws yn lleihau, gan awgrymu bod y tymheredd yn codi. Felly rhaid bod t_{lleiaf} yn digwydd rhwng t_1 a t_B.

4. (a) Mae'r electron a'r niwtrino electron yn ronynnau sylfaenol – leptonau.

Mae'r proton a'r meson π^- yn hadronau: maen nhw'n cynnwys cwarciau. Cyfansoddiad y proton yw uud (dau gwarc i fyny ac un cwarc i lawr); mae'r meson π^- yn cynnwys $\bar{u}$d (gwrthgwarc i fyny a chwarc i lawr).

(b) (i) Un yn unig o'r protonau yn y niwclews $^7_4$Be sy'n gysylltiedig. Caiff un o'i gwarciau i fyny ei newid yn gwarc i lawr, gan drawsnewid y proton yn niwtron.

gan hynny: $u + e^- \rightarrow d + \nu_e$

Neu, gan gynnwys y cwarciau eraill:
$uud + e^- \rightarrow udd + \nu_e$

(ii) Mae'r rhyngweithiad gwan yn gysylltiedig:

1: Mae yna newid ym mlas y cwarc (u i d).

2: Mae yna niwtrino yn gysylltiedig, a'r grym gwan yn unig y mae niwtrino yn ei deimlo.

(iii) Enghraifft o gadwraeth gwefr. Gan gymryd y ffurf $u + e^- \rightarrow d + \nu_e$ o'r adwaith, mae cyfanswm y wefr ar y chwith yn ⅔e + (–e) = –⅓e; ar y dde, mae cyfanswm y wefr yn –⅓e + 0 = –⅓e.

Cadwraeth rhif cwarc: un cwarc ar bob ochr [neu dri os ystyrir ffurf ganlynol yr hafaliad: $uud + e^- \rightarrow udd + \nu_e$]. Ar y llaw arall, caiff y rhif baryon ei gadw: un baryon ar bob ochr i'r hafaliad.

(c) Mae'r màs a enillir yn yr hafaliad yn:
36.966 77 u – 36.965 90 u = 0.00087 u

Gan drawsnewid i unedau SI, mae

$\Delta m = 0.00087 \times 1.67 \times 10^{-27}$ kg
$= 1.45 \times 10^{-30}$ kg

Mae'r egni y mae ei angen i greu'r Δm hwn yn
$1.45 \times 10^{30} \times (3.00 \times 10^8)^2 = 1.31 \times 10^{-13}$ J

Felly nid yw'n bosibl canfod y niwtrinoeon yn rhan (b) trwy'r dull hwn.

5. (a) Ar gyfer cyflymder cychwynnol (u), daw'r hafaliadau yn:

$v = at$ [1]

ac $x = \frac{v}{2}t$ [2]

Gan amnewid ar gyfer v o [1] yn [2] $\rightarrow x = \frac{at}{2}t$,
$\therefore x = ½at^2$ QED

O [1] $t = \frac{v}{a}$. Gan amnewid i [2] ar gyfer $t \rightarrow x = \frac{v}{2}\frac{v}{a} = \frac{v^2}{2a}$

Gan ad-drefnu, $a \rightarrow 2ax = v^2$, h.y. $v^2 = 2ax$ QED

(b)

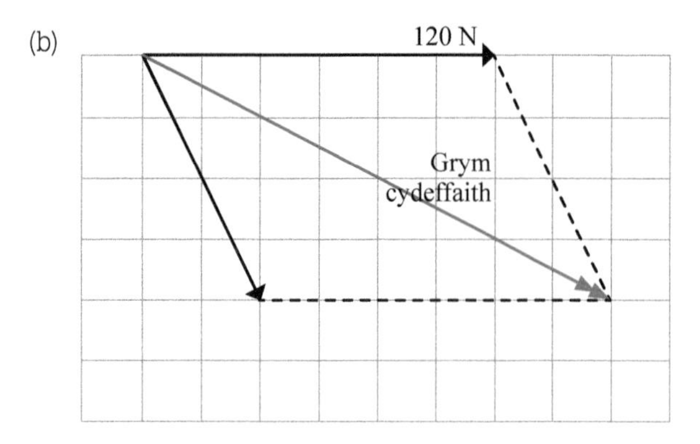

(i) Y raddfa yw 1 cm = 20 N

Mae'r grym cydeffaith yn 179 N [180 N] ar ongl o 26.6° [27°] i'r grym 120 N.

(ii) Mesurau fector.

(c) Rhoddir cydran fertigol y cyflymder wrth i'r garreg daro'r ddaear gan

$v_{\text{fertigol}} = \sqrt{2gh} = \sqrt{2 \times 9.81 \times 40} = 28.0\ \text{m s}^{-1}$.

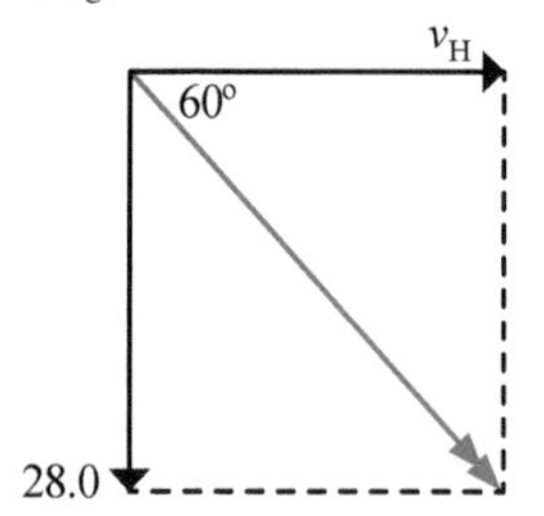

Rhoddir cyflymder llorweddol y tafliad, $v_{\text{llorweddol}}$ gan:

$\tan 60° = \dfrac{28.0}{v_{\text{llorweddol}}}$

$\therefore v_{\text{llorweddol}} = \dfrac{28.0}{\tan 60°} = 16.2\ \text{m s}^{-1}$

Uned 2

1. (a) Mae metelau'n dargludo trydan oherwydd bod ganddynt electronau rhydd [sydd hefyd yn cael eu galw yn electronau dargludo neu electronau dadleoledig] sy'n rhydd i symud trwy'r ddellten o ïonau metel positif. Mae gan y metelau wrthiant oherwydd bod yr electronau dargludo yn rhyngweithio ag ïonau'r ddellten, gan daro yn eu herbyn a throsglwyddo egni. Yr uchaf yw'r tymheredd, y cryfaf yw dirgryniadau ïonau'r ddellten, a chryfaf yw'r rhyngweithiad rhwng yr electronau dargludo a'r ïonau. Os caiff gp ei roi, bydd cryfder cynyddol y rhyngweithiad yn lleihau cyflymder drifft yr electronau, gan ostwng y cerrynt ac felly gynyddu'r gwrthiant.

(b) (i) Mae'r thermomedr yn y dŵr, sy'n annhebygol o fod ar yr un tymheredd yn union â'r coil copr. Wrth i'r dŵr gael ei wresogi, mae tymheredd y coil yn debygol o fod yn is na thymheredd y dŵr; mae'r gwrthwyneb yn wir wrth iddo oeri. Felly mae cymryd cymedr y gwrthiant wrth wresogi ac wrth oeri yn debygol o roi gwerth sy'n adlewyrchu'n fwy cywir y gwir wrthiant ar y tymheredd hwnnw.

(ii) Byddai rhoi'r thermomedr yn y tiwb profi, wrth ymyl y coil, yn helpu, oherwydd dylai'r darlleniad ar y thermomedr adlewyrchu tymheredd y coil yn gywir.

(iii) Gweler y graff wedi'i labelu.

(iv) Mae'n bosibl tynnu llinellau syth trwy bob un o'r barrau cyfeiliornad, felly mae'r data yn gyson â pherthynas linol rhwng R a θ, a gellir ei mynegi ar y ffurf: $R = R_0(1 + \alpha\theta)$

O'r graff: amrediad: $R(0°) = 2.35\ \Omega - 2.44\ \Omega$

ac amrediad $R(100°) = 3.31\ \Omega - 3.38\ \Omega$

$\therefore R_0 = \dfrac{2.44 + 2.35}{2} \pm \dfrac{2.44 - 2.35}{2} = 2.40 \pm 0.05\ \Omega$

graddiant mwyaf $= \dfrac{3.38 - 2.35}{100} = 0.0103\ \Omega\ \text{K}^{-1}$

a graddiant lleiaf $= \dfrac{3.31 - 2.44}{100} = 0.0087\ \Omega\ \text{K}^{-1}$

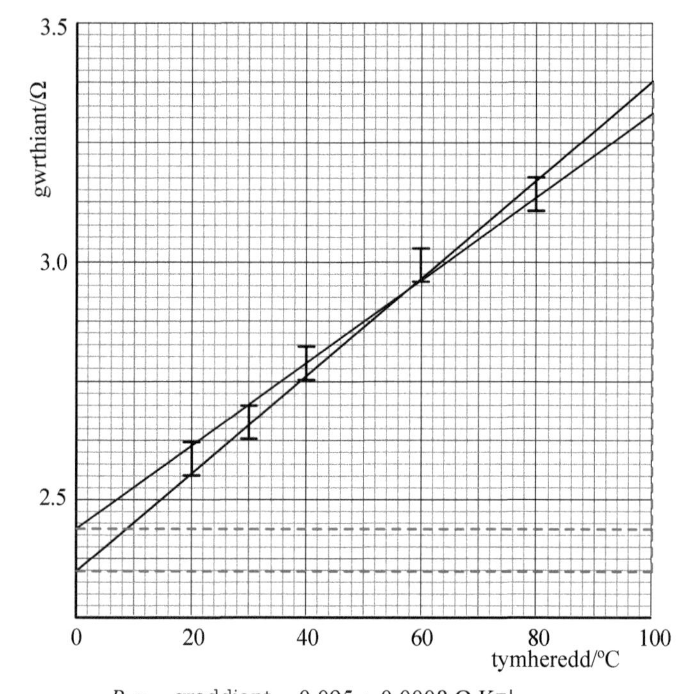

$R_0\alpha$ = graddiant $= 0.095 \pm 0.0008\ \Omega\ \text{K}^{-1}$

$\therefore \alpha = \dfrac{0.095}{2.40} = 3.96 \times 10^{-3}\ \text{K}^{-1}$

$p_{R0} = \dfrac{0.05}{2.40} = 0.021$; $p_{\text{graddiant}} = \dfrac{0.0008}{0.0095} = 0.084$

$\therefore p_\alpha = 0.021 + 0.084 = 0.105$

Ansicrwydd absoliwt yn $\alpha = 0.105 \times 3.96 \times 10^{-3} = 0.4 \times 10^{-3}\ \text{K}^{-1}$ (i 1 ff.y.)

$\alpha = (4.0 \pm 0.4 \times 10^{-3})\ \text{K}^{-1}$

(c) (i) Mae'r gwrthiant mewn defnyddiau o'r fath yn gostwng gyda'r tymheredd. Wrth i'r tymheredd ddisgyn islaw'r tymheredd trosiannol uwchddargludol (T0), mae pob gwrthiant trydanol yn diflannu, fel y dangosir yn y graff.

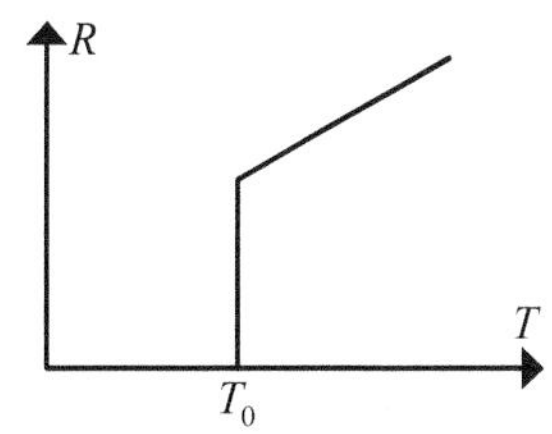

(ii) Y defnydd mwyaf cyffredin ar gyfer uwchddargludyddion yw yng nghoiliau electromagnetau, mewn peiriannau MRI neu mewn cyflymyddion gronynnau, er enghraifft yr LHC yn CERN.

Mantais defnyddio uwchddargludyddion yw bod ceryntau mawr yn bosibl heb golli unrhyw egni, o ganlyniad i wresogi ohmig yn y coiliau. Yn ogystal â'r costau egni, byddai angen adnoddau ychwanegol i gael gwared â'r gwres sy'n cael ei gynhyrchu.

2. (a) Mae egwyddor arosodiad yn datgan, pa bryd bynnag y mae dwy don yn cyrraedd (neu'n pasio trwy) bwynt, fod cyfanswm y dadleoliad a gynhyrchir gan y tonnau yn hafal i swm fector y dadleoliadau a gynhyrchir gan y tonnau unigol.

(b) (i) Mae'r gwahaniad eddïau, $\Delta y = \frac{16.0 \text{ mm}}{8}$.

$$\lambda = \frac{a\Delta y}{D} \therefore a = \frac{\lambda D}{\Delta y} = \frac{650 \times 10^{-9} \times 2.00}{2.0 \times 10^{-3}}$$

$$= 0.00065 \text{ m} = 0.65 \text{ mm}$$

(ii) Er mwyn gweld y patrwm, rhaid i'r paladrau golau o'r ddwy hollt orgyffwrdd, fel bod y golau sy'n cyrraedd y sgrin yn dod o'r ddwy hollt. Rhaid i'r holltau fod yn gul fel bod diffreithiant sylweddol yn digwydd wrth yr holltau. Os yw'r holltau'n agos at ei gilydd a'r sgrin yn bell i ffwrdd, mae'r ddau baladr sydd wedi'u diffreithio yn gorgyffwrdd, gan ganiatáu ymyriant rhwng y paladrau.

Mae angen i'r gwahaniaeth llwybr rhwng y golau o'r ddwy hollt a phwynt ar y sgrin fod yn nifer bach o donfeddi golau yn unig – a rhaid i'r gwahaniaeth llwybr hwn newid un donfedd gyfan (~650 nm) os yw'r pwynt ar y sgrin yn newid ~1 mm. Nid yw hyn yn bosibl oni bai bod y pellter o'r holltau i'r sgrin yn fawr.

(iii) Mae'r ongl y mae'r golau'n diffreithio trwyddi wrth yr holltau mewn cyfrannedd â'r donfedd, felly byddai lled rhan ganol y paladr sydd wedi'i ddiffreithio yn llai. Mae'r gwahaniad rhwng yr eddïau hefyd mewn cyfrannedd â'r donfedd, felly byddai'r un nifer o eddïau yn weladwy yn y patrwm culach hwn: byddai'r 9 eddi yn llenwi ~ 12 mm yn hytrach nag 16 mm.

(c) (i) Tonfedd mewn mica $= \frac{650}{1.5} = 430$ nm.

Trwch y mica $= \frac{0.1 \text{ mm}}{430 \text{ nm}} \sim 230$ tonfedd.

(ii) Mae canlyniadau arosodiad tonnau o'r ddwy hollt ar bwynt yn dibynnu ar eu gwedd wrth iddynt gyrraedd y pwynt hwnnw. Mae'r tonnau sy'n pasio trwy'r mica wedi pasio trwy fwy o donfeddi (~230) na'r rhai sy'n pasio trwy aer (~150). Oherwydd hyn, caiff y patrwm ei symud ~80 eddi. Mae'n annhebygol y bydd y gwahaniaeth hwn yn nifer cyfan o eddïau, felly gwelir bod y patrwm yn symud.

3. (a) (i)

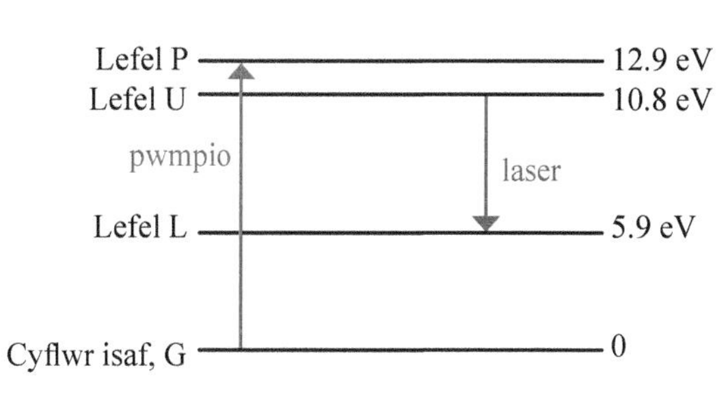

(ii) Mae'r egni ffoton yn 12.9 eV. I achosi'r trosiad i fyny, rhaid i'r egni ffoton gyfateb yn union i'r gwahaniaeth rhwng egnïon y ddwy lefel. Mae hyn yn 12.9 eV.

(iii) Egni ffoton laser $= 10.8 - 5.9 \text{ eV} = 4.9 \text{ eV}$
$= 7.84 \times 10^{-19}$ J.

$$\therefore \lambda = \frac{hc}{E} = \frac{6.63 \times 10^{-34} \times 3.00 \times 10^{8}}{7.84 \times 10^{-19}} = 253 \text{ nm}.$$

(iv) Pan gaiff electronau eu pwmpio i lefel P, maen nhw'n disgyn yn gyflym i lefel U, lle maen nhw'n aros am gyfnod hir. Bydd unrhyw rai sy'n disgyn i lefel L yn ddigymell yn gadael y lefel hon yn fuan. Oherwydd hyn, mae poblogaeth lefel U, a achosir gan y pwmpio, yn uwch na lefel L, h.y. mae yna wrthdroad poblogaeth yn bodoli.

Pan fydd y gwrthdroad poblogaeth wedi'i sefydlu, bydd ffoton 4.9 eV, e.e. o allyriad digymell rhwng U ac L, sy'n taro atom yn lefel U, yn achosi i'r atom ddisgyn i lefel L, trwy allyriad ysgogol (gweler y diagram).

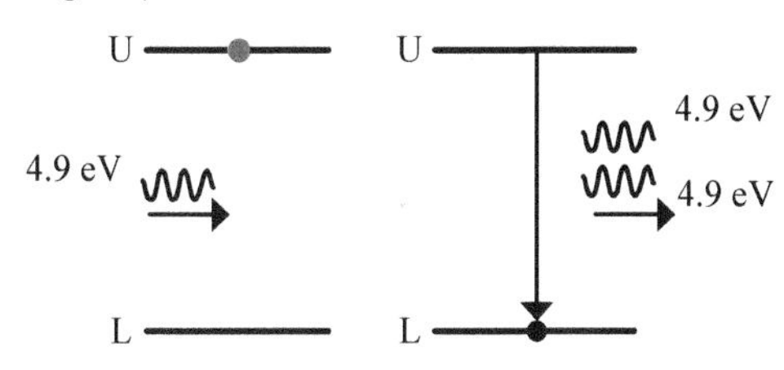

Mae'r broses hon yn arwain at ddau ffoton, lle gynt roedd un, h.y. mae mwyhad wedi digwydd.

(b) (i) Pwysau'r sfferau

$= \frac{4}{3}\pi r^2 \rho g$

$= \frac{4}{3}\pi\,(0.05 \times 10^{-3})^3 \times 1.5 \times 10^3 \times 9.81$

$= 7.70 \times 10^{-9}$ N

Mae momentwm ffoton $= \frac{h}{\lambda} = \frac{hf}{c} = \frac{E}{c}$, lle E yw'r egni ffoton.

$\therefore$ Newid momentwm fesul ffoton wrth iddo wrthdaro $= -2\frac{E}{c}$

Os yw arddwysedd y paladr $= I$, yna mae nifer y gwrthdrawiadau yr eiliad ar ddisg sydd ag arwynebedd A yn $\frac{IA}{E}$.

$\therefore$ Newid momentwm y ffotonau fesul eiliad $= -2\frac{IA}{c}$

h.y. yn ôl N2 ac N3, mae'r grym a roddir ar y ddisg

$= 2\dfrac{IA}{c}$

$\therefore 2\dfrac{I \times \pi\,(0.05 \times 10^{-3})^2}{3.00 \times 10^8} = 7.70 \times 10^{-9}$

$\therefore I = 1.5 \times 10^8$ W m^{-2}.

(ii) Arddwysedd golau haul ar arwyneb yr Haul = $\sigma T^4 = 5.67 \times 10^{-8} \times 6000^4 = 0.73 \times 10^8$ W m^{-2}

h.y. rhaid i arddwysedd y laser fod ddwywaith arddwysedd golau'r haul ar arwyneb yr Haul.

(iii) Bydd hyd yn oed amsugniad canrannol bach o'r ffotonau laser yn achosi gwresogi anferthol yn y sfferau, gan achosi iddynt anweddu.

4. (a) (i) Y gwahaniaeth potensial, V, rhwng dau bwynt yw'r trosglwyddiad egni fesul uned gwefr pan gaiff gwefr ei symud rhwng y ddau bwynt.

(ii) $I = \dfrac{Q}{\Delta t} = \dfrac{1.2 \times 10^{-6}}{0.8 \times 10^{-3}} = 0.0015$ A (1.5 mA).

(iii) gp cymedrig = ½ × 120 kV = 60 kV

∴ Trosglwyddiad egni = 60 kV × 1.2 μC
= 72 mJ (0.072 J)

(b) (i) Mae'r gp ar draws y gwrthydd 10 Ω = 0.3 × 10 = 3.0 V.

∴ Mae'r gp ar draws y gwrthydd 15 Ω = 3.0 V

∴ Mae'r cerrynt yn y gwrthydd 15 Ω = $\dfrac{3.0}{15}$ = 0.20 A

∴ Mae'r cerrynt yn y gwrthydd 12 Ω
= 0.30 + 0.20 = 0.50 A

∴ Mae'r gp ar draws y gwrthydd 12 Ω
= 0.50 × 12 = 6.0 V

∴ Mae'r gp ar draws y batri = gp ar draws y gwrthydd 12 Ω + gp ar draws y gwrthydd 10 Ω
= 6.0 + 3.0 = 9.0 V.

Nodyn:
Mae yna ffyrdd eraill o fynd i'r afael â hyn, e.e.
- mae'r gp ar draws y gwrthydd 15 Ω = 3.0 V (fel ar y chwith)
- mae gwrthiant effeithiol y cyfuniad 10 Ω / 15 Ω = 6 Ω
- trwy gymarebau, mae'r gp ar draws y gwrthydd 12 Ω = 2 × 3.0 = 6.0 V, etc.

(ii) Bob eiliad, mae'r egni a drosglwyddir i'r gylched allanol = IV = 0.5 A × 9.0 V = 4.5 W.

Caiff ⅔ o hwn ei drosglwyddo yn y gwrthydd 12 Ω, h.y. 3.0 W. O'r 1.5 W sy'n weddill, caiff 2/5 ei drosglwyddo yn y gwrthydd 15 Ω (0.6 W), a'r gweddill (0.9 W) yn y gwrthydd 10 Ω. Caiff y pŵer hwn ei drosglwyddo ar ffurf gwres i'r amgylchedd.

Mae'r egni a drosglwyddir yn y gwrthiant mewnol fesul eiliad = $I^2r = 0.5^2 \times 2 = 0.5$ W.

Mae'r egni a drosglwyddir o egni cemegol yn y batri fesul eiliad yn 4.5 W + 0.5 W = 5.0 W

(iii) Mae cyfanswm y gwrthiant yn y gylched yn cynyddu oherwydd bod llwybr ychwanegol yn cael ei dynnu oddi yno, felly mae cyfanswm y cerrynt yn y gylched yn gostwng. Mae'r gp ar draws y gell yn cynyddu o ganlyniad i $V = E - Ir$, ac mae'r gp ar draws y gwrthydd 12 Ω hefyd yn gostwng oherwydd bod y cerrynt yn llai. Mae'r gp ar draws y gwrthydd 10 Ω yn cynyddu oherwydd bod y gp ar draws terfynellau'r batri yn cynyddu, ac mae'r gp ar draws y gwrthydd 12 Ω yn disgyn.

Map o'r fanyleb

Llyfr			Manyleb	
Tudalen	Adran	Teitl yr adran		
10	1.1.1	Mesurau ac unedau	1.1	a b
12	1.1.2	Gwirio hafaliadau am homogenedd	1.1	c
12	1.1.3	Mesurau sgalar a fector	1.1	ch d
15	1.1.4	Gweithio gyda fectorau	1.1	dd
16	1.1.5	Dwysedd	1.1	e
17	1.1.6	Momentau grymoedd	1.1	f ff g
20	1.1.7	Amodau ar gyfer ecwilibriwm	1.1	ng
24	1.2.1	Buanedd a chyflymder	1.2	a b
26	1.2.2	Cyflymiad	1.2	a b c
28	1.2.3	Hafaliadau cyflymiad unffurf	1.2	ch d
31	1.2.4	Taflegrau	1.2	d dd e
36	1.3	Dynameg	1.3	a
36	1.3.1	Momentwm	1.3	ch d
38	1.3.2	Gwrthdrawiadau elastig ac anelastig	1.3	dd
39	1.3.3	Grym a momentwm	1.3	d
40	1.3.4	Momentwm a thrydedd ddeddf mudiant Newton	1.3	a
42	1.3.5	Grymoedd rhwng defnyddiau sy'n cyffwrdd	1.3 1.4	b dd
43	1.3.6	Diagramau cyrff rhydd	1.3	b
43	1.3.7	Grym a chyflymiad	1.3	c
44	1.3.8	Grym disgyrchiant	1.2	d
50	1.4.1	Gwaith ac egni	1.4	a
51	1.4.2	Cyfeiriadau'r grym a'r dadleoliad	1.4	b
52	1.4.3	Cadwraeth egni: egni cinetig ac egni potensial	1.4	c ch
55	1.4.4	Egni a phŵer	1.4	d
56	1.4.5	Grymoedd afradlon ac egni	1.4	dd e
58	1.5.1	Deddf Hooke	1.5	a
59	1.5.2	Diriant, straen a modwlws Young	1.5	b
60	1.5.3	Gwaith anffurfiad ac egni straen	1.5	c e
61	1.5.4	Diriant a straen mewn metelau hydwyth	1.5	ch d
63	1.5.5	Diriant a straen mewn defnyddiau brau	1.5	ch dd
65	1.5.6	Polymerau	1.5	ch e
70	1.6	Defnyddio pelydriad i ymchwilio i sêr	1.6	a
71	1.6.1	Pelydriad cyflawn	1.6	a b c ch
73	1.6.2	Goleuedd, arddwysedd a phellter	1.6	ch
74	1.6.3	Pelydriad cyflawn a sêr	1.6	b
75	1.6.4	Sbectra llinell: llinellau Fraunhofer	1.6	a
77	1.6.5	Radioseryddiaeth	1.6	d
78	1.6.6	Seryddiaeth amldonfedd	1.6	d
80	1.7.1	Y model safonol – tair cenhedlaeth o leptonau a chwarciau	1.7	a
80	1.7.2	Unedau màs ac egni	1.1 1.2	b b
81	1.7.3	Gwrthronynnau	1.7	b c
82	1.7.4	Y dystiolaeth dros niwtrinoeon	1.7	a f ff
82	1.7.5	Adeiladu gronynnau trwm	1.7	ch d dd

Map o'r fanyleb (parhad)

Llyfr			Manyleb	
Tudalen	Adran	Teitl yr adran		
83	1.7.6	Rhyngweithiadau (grymoedd) rhwng gronynnau	1.7	e
84	1.7.7	Deddfau cadwraeth mewn ffiseg ronynnol	1.7	f ff
94	2.1.1	Gwefr drydanol	2.1	a
95	2.1.2	Cerrynt trydanol	2.1	b c ch d
96	2.1.3	Sut mae cerrynt yn dibynnu ar gyflymder drifft electronau rhydd mewn metel	2.1	dd e
100	2.2.1	Gwahaniaeth potensial	2.2	a b
101	2.2.2	Pŵer trydanol	2.2	dd e
101	2.2.3	Graffiau *I* yn erbyn *V* (*I*–*V*) ar gyfer dargludyddion	2.2	c
102	2.2.4	Gwrthiant	2.2	c ch d dd
104	2.2.5	Gwrthedd	2.2	f
105	2.2.6	Sut mae gwrthiant metel yn dibynnu ar y tymheredd	2.2	e ff
106	2.2.7	Uwchddargludedd	2.2	ng h i j
112	2.3.1	Ceryntau a gp mewn cylchedau cyfres a pharalel	2.3	a b c
114	2.3.2	Fformiwlâu ar gyfer gwrthiannau mewn cyfres ac mewn paralel	2.3	ch
115	2.3.3	Y rhannwr potensial	2.3	d
118	2.3.4	Cyflenwadau pŵer	2.3	dd e f ff
124	2.4.1	Sut mae tonnau'n lledaenu	2.4	a
124	2.4.2	Tonnau ardraws	2.4	b c
125	2.4.3	Tonnau arhydol	2.4	b
126	2.4.4	Tonnau o ffynonellau sy'n osgiliadu	2.4	d dd

Llyfr			Manyleb	
Tudalen	Adran	Teitl yr adran		
126	2.4.5	Ciplun o don	2.4	ch d dd
127	2.4.6	Buanedd ton	2.4	e
127	2.4.7	Diagramau blaendonnau	2.4	f
130	2.5.1	Diffreithiant	2.5	a b c
130	2.5.2	Ymyriant	2.5	ch dd e i
133	2.5.3	Arbrawf eddïau Young	2.5	d f ng h
134	2.5.4	Mesur tonfeddi yn fanwl gywir	2.5	ff g
135	2.5.5	Gwneud synnwyr o ddiffreithiant	2.5	b c
136	2.5.6	Tonnau unfan	2.5	j l
144	2.6.1	Plygiant a phriodweddau tonnau	2.6	a b
145	2.6.2	Indecs plygiant	2.6	a c
146	2.6.3	Adlewyrchiad	2.6	ch d
148	2.6.4	Ffibrau optegol	2.6	dd e f
154	2.7.1	Yr effaith ffotodrydanol	2.7	a b c ch d
157	2.7.2	Y sbectrwm electromagnetig	2.7	dd e
157	2.7.3	Sbectra atomig	2.7	f ff g ng
160	2.7.4	Deuoliaeth ton-gronyn	2.7	h i j
166	2.8.1	Allyriad ysgogol	2.8	a b
167	2.8.2	Cyflawni gwrthdroad poblogaeth	2.8	b c ch d
168	2.8.3	Adeiledd laser	2.8	dd
169	2.8.4	Laserau deuod lled-ddargludydd	2.8	e
170	2.8.5	Nifyliwm a *mysterium*	2.8	dim

Mynegai

R

RH

S

T

TH

U

Y